TUIN VAN HERINNERINGEN

Helene Wiggin

Tuin van herinneringen

 DE KERN

Oorspronkelijke titel: *In the Heart of the Garden*
Oorspronkelijke uitgever: Hodder and Stoughton, a division of Hodder Headline PLC
Copyright © 1998 by Helene Wiggin
Copyright © 2003 voor deze uitgave:
Uitgeverij De Kern, De Fontein bv, Postbus 1, 3740 AA Baarn
Vertaling: Annet Mons
Omslagontwerp: Andrea Scharroo, Amsterdam
Omslagillustratie: Mary Bradish Titcomo, Fotostock bv
Zetwerk: v3-Services, Baarn
ISBN 90 325 0848 2
NUR 302/342

Voor David en voor dat hoekje van de wereld dat, boven alles, een glimlach voor ons inhoudt.

Dankwoord

Hartelijk dank, al mijn tuinvrienden, voor jullie enthousiasme en hulp bij het geven van informatie over de geschiedenis van planten en het tuinieren, met name June Parrington en Menna en Alan Picton, die me hielpen de Fridwell-bron te vinden.

Ik ben ook veel dank verschuldigd aan Marcus Lloyd Parker van het Hawk Experience Falconry Centrum voor de demonstraties in de kunst van de valkenjacht; Lichfield Archive Office; dr. Frederick Stitt van Little Heywood, Staffordshire, voor informatie over de middeleeuwse priorij in Farewell, Staffordshire; *Loyal and Ancient City*, het uitstekende boek van Howard Clayton, voor specifieke informatie over de Burgeroorlog in de Midlands; de Hongaarse club in Rochdale voor een hartelijk welkom, in het bijzonder Kati Agocton, Erzi Landthaller, en Jancsi Marok, die vertelden over hun vlucht uit Hongarije in 1956.

Maar bovenal wil ik mijn man David bedanken, die tijdens onze tuintochten altijd in staat was een goede kroeg op te sporen!

De citaten over planten zijn afkomstig uit de Wordsworth Reference-editie van *Culpeper's Complete Herbal*. Ik wil de National Trust graag bedanken voor de toestemming een citaat te gebruiken uit het gedicht 'The Glory of the Garden' van Rudyard Kipling, en Barbara Rigby voor haar mooie illustraties.

Mijn verhaal en de personen erin zijn fictief. De locatie bestaat echt. Het huis staat er, de kerk floreert er, de beek stroomt er, maar de tuin groeit helaas alleen in mijn hart!

Helene Wiggin

'Deze gezegende plek, deze aarde, dit rijk, dit Engeland.'

Richard II, WILLIAM SHAKESPEARE

A.D. 912

BAGSHOTTS

Bagwulf & Fritha   Beorn & Lull

Wulf & Godgifu   **A.D. 1120**   Hilde

Bagnold (Baggi) & Eldwyth

Aella *huwt* Matthais   Edric Miller *huwt* Alice

Hilde   Thomas   veel nakomelingen

A.D. 1349

Will & Annie Bagshott   Simeon & Kit Miller

Agnes   Margery   (Manke) Mary Barnsley
        huwt
        Hamon de bakker **A.D. 1565**

Reuben Bagshott

Ned (Baggy) & Meg Bagshott

Eddy huwt Mary   Jeremiah (Jem)   Jo & Leah Barnsley

A.D. 1646

Kapitein Micah   Martha Barnsley

Penitence

A.D. 1770

Charles Thomas *huwt* Kitty Bagshott

Dominee Benjamin Thomas *huwt* Mary

A.D. 1918

Enoch & Annie Bailey

Jim Bagshott *huwt* Rose Bailey

Nathaniel   Iris Rose

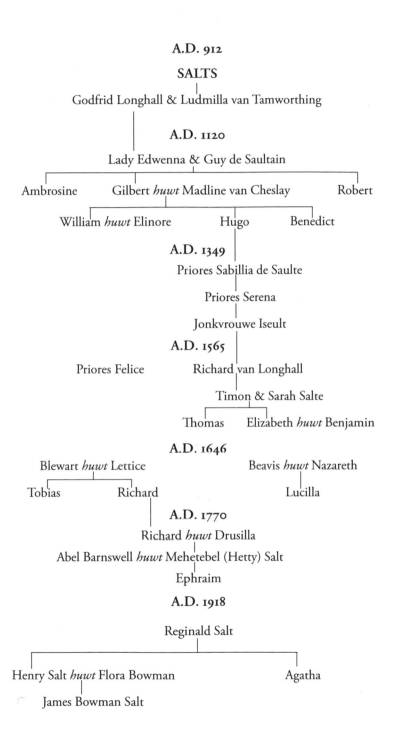

A.D. 912

SALTS

Godfrid Longhall & Ludmilla van Tamworthing

A.D. 1120

Lady Edwenna & Guy de Saultain

Ambrosine   Gilbert *huwt* Madline van Cheslay   Robert

William *huwt* Elinore   Hugo   Benedict

A.D. 1349

Priores Sabillia de Saulte

Priores Serena

Jonkvrouwe Iseult

A.D. 1565

Priores Felice   Richard van Longhall

Timon & Sarah Salte

Thomas   Elizabeth *huwt* Benjamin

A.D. 1646

Blewart *huwt* Lettice   Beavis *huwt* Nazareth

Tobias   Richard   Lucilla

A.D. 1770

Richard *huwt* Drusilla

Abel Barnswell *huwt* Mehetebel (Hetty) Salt

Ephraim

A.D. 1918

Reginald Salt

Henry Salt *huwt* Flora Bowman   Agatha

James Bowman Salt

Proloog

TE KOOP.

Het bord is boven het tuinhek gezet. Het is gebeurd. Juffrouw Iris Bagshott zucht diep om haar besluit te bezegelen, en ze ademt gulzig de groene stilte in. Het is een Samuel Palmer-avond, bronsachtig gekleurd en langs de randen met goud geëmailleerd, een van de vele in deze zomer die als een lied van Vaughan Williams is, hardnekkig, harmonisch, gedenkwaardig. Waarom voelt ze zich zo gespannen, terwijl de vleermuizen in de schaduwen duiken en de bijen zoemen en de avondlucht naar violier en kamperfoelie geurt? Tijd om de ronde te doen. Dat zal haar bange voorgevoelens misschien verdrijven. Tijd om late inspectie van borders met zonneschijn en schaduwhoekjes te verrichten, haar zaailingen water te geven, de hond zijn poten te laten strekken in de velden erachter nu de schapen uit het weiland zijn gehaald...

Kalm aan, Iris, volg de gouden regel, kalmpjes aan, anders mis je iets. Het is tegenwoordig toch niet zó moeilijk om met een slakkengangetje te schuifelen.

Dat bord boven het hek zal die verwenste aannemer wel plezier doen. Nu kan hij me een royaal bod doen en ophouden met me lastig te vallen om te verkopen en te saneren... wat is dat voor een woord? Als Arthur Devey net zo is als zijn vader, zal hij dat ook niet kunnen spellen! En dan zo'n nieuwe bungalow van hem kopen, zeker! Hij begint steeds maar weer over de waarde van een kersenboomgaard waar een bouwvergunning voor is afgegeven, de bonus van zo'n oude schuur die kan worden verbouwd, de afmetingen van mijn cottage voor slechts één oude dame en haar hond. Nou, laten we maar eens zien of zijn geld net zo goed is als zijn praatjes. Hoe haalt hij het in zijn hoofd dat ik op mijn vijfentachtigste niet weet dat de trap steiler en smaller wordt, en dat een tuin van bijna één hectare een beetje te veel is voor reumatische knieën? Moet je nagaan... ik weet nog hoe ik zijn vader met een pantoffel voor zijn achterste heb gegeven toen hij als nog maar een klein ventje bij mij in de klas zat. De Deveys zijn nieuwkomers in Fridwell, terwijl de Bagshotts hier even diep in de grond zijn geworteld als de eiken in het bos. Ze zeggen dat wij hier al sinds Willem de Veroveraar hebben gewoond.

Juffrouw Bagshott brengt de gladde rand van haar porseleinen mok naar haar lippen en neemt een slokje, terwijl ze vanaf het bankje naast de keukendeur haar koninkrijk overziet. De rondwandeling begint altijd aan de huiselijke kant van de tuin, waar de zalmroze roos Albertine tegen de warme muur klimt en de zware eiken deur uitkijkt over het oudste deel van haar moestuin, waar geen vierkante centimeter grond onbedekt is gebleven. Niets lijkt haar op dat moment eenvoudiger of mooier dan een welvoorziene moestuin waar zelfs tussen de stenen van het pad zaailingen, citroentijm en fluwelig mos opkomen.

In de rijen groene sla, spinazie, snijbiet, kool en het groen van worteltjes, rukken muur, distel en kweekgras op, als brutale indringers, maar in zulke goed bemeste rode grond wil alles groeien. Wat een wirwar van groenten staat er in die bedden gepropt, met langs de randen bosaardbeitjes, die in het maanlicht fonkelen als de robijnen van een sultan, vermengd met bronskleurig salieblad, lobelia en alle verdwaalde kruiden die een plekje wisten te vinden. Zilvergroene bladeren, met blauwe en roze bloemen, die allemaal over het pad groeien, vóór haar geliefde pioenrozen waarvan de bloemen omlaagbuigen als ballerina's die in roze tutu's een revérence maken.

Pioenrozen horen eigenlijk niet in een moestuin, maar ik vind het leuk als planten hun eigen plek in de zon vinden. De lathyrus danst omhoog langs de rieten wigwams, naast een boog met vuurrode bloemen van de stokbonen. Ze verlenen hoogte aan een perk en maken dit interessanter.

Haar ogen glijden voorbij de scheidingsmuur waar de rabarber in het zaad is geschoten en spiralen van gouden bloemhoofdjes de schaduw doen oplichten. Waarom zouden wat schermbloemigen hun pluizige hoofd niet in de lucht mogen steken om de zweefvliegen te voeden? De borders zien er dan minder streng uit, en het leidt het oog wanneer je over de muur naar de Chase wilt kijken. Hier slapen de grote eikenbomen in de schemering op de heuvelrug, stille getuigen van eeuwen geleden, die in silhouet afsteken tegen een goudsbloemkleurige lucht.

Niets kan je zo'n nietig gevoel geven als bomen die uiteindelijk iedere generatie overleven, en juffrouw Bagshott vraagt zich af of het waar is dat haar voorouders werkelijk net zo ver teruggaan als het bos zelf? Wie heeft dit land ontgonnen en heeft deze gezegende plek gekozen om te eten te kunnen hebben?

Dan hoort ze het zachte geklater van water over stenen. Het beekje, dat zich over haar grondgebied slingert, maakt zozeer deel uit van haar tuin dat ze er zelden aan denkt. Maar nu, in de stilte van de avond, te midden van het parfum van pasgemaaid gras op haar composthoop, glimlacht juffrouw Bagshott. Het menselijk ras dwaalt nooit ver van de bron en de schenker van het leven, en de Fridwellbron moet naar iemand zijn vernoemd. Maar naar wie en waarom?

.

DEEL EEN

De open plek bij Fritha's Bron

AD 912

'Alle dingen gaan voorbij, dus dit misschien ook wel.'
De klaagzang van Deor, in *The Exeter Book*

'DE PIOENROOS

*De wortels schijnen waardevoller te zijn dan het zaad; de wortel is
ook effectief voor vrouwen die na een geboorte niet voldoende zijn
gezuiverd, en die problemen hebben als moeder; waarvoor het zwarte
zaad, tot poeder gemalen, eveneens... beschikbaar is.'*

Het woud in

De buizerd cirkelde en zweefde hoog boven het woud, patrouilleerde boven de boomtoppen, stak donker klapwiekend af tegen de lavendelkleurige lucht van het late voorjaar. De vogels verstopten zich voor de nacht onder de takken, behoedzaam en stil, tot het gevaar voorbij was. De wolven zaten, als grijze schaduwen, ineengedoken in de beschutting van het struikgewas terwijl ze naar de lammeren keken die op een terrasvormige open plek graasden.

De vogel kreeg gezelschap van zijn wijfje. Samen doken ze omlaag in het dal van de zilveren rivier die kronkelde als een slang, glinsterend in het maanlicht; omlaag naar de donkere open plekken op de grond, en naar de rook van de mens, die vanuit de gaten in de strodaken omhoog-dreef om hen te begroeten.

De zon ging onder boven de dichte wouden van het westen, met roze en oranje stralen die een periode van mooi weer beloofden. Naar het oosten lagen de grijze moerassen van de open plek van de domkerk; nog meer hellend land dat was gevallen voor de vijand van het bos: de ploeg. Verder weg stond de aarden wal van Tamworthig, met open land dat niet langer het domein van wolf of adelaar was. De buizerds zoefden terug naar hun slaapplaats in de eiken.

Onder de grond schoven en groeven de mollen zich naar de oppervlakte, drongen door de bladeren van de varens heen. De wormen kronkelden en deden zich te goed aan de verrotte herfstbladeren. Ze konden het gedaver van zware ossenhoeven en het geratel van wagenwielen horen. Er waren mensen op weg.

De schepselen van de schemering snelden het struikgewas van hazelaars in, maar de kleine bron gutste en borrelde nog steeds uit de diepe rots, danste over de roze keien, sneed een pad door het struikgewas, naar de beek en de rivier erachter. Het Woud van Canok was vol leven, waakzaam, afwachtend, terwijl de mensheid, vermoeid van de tocht, over het vage pad sjokte. Ten slotte kwam de armzalige stoet van overdekte wagens tot stilstand alvorens de beek over te steken.

'Blijf hier staan! Ik verzet vanavond geen voet meer. Zo is het genoeg, Baggi. Er moet verderop een bron zijn – we kunnen hier rusten, de dieren te eten geven. M'n achterste zit aan de planken gespijkerd.'

Fritha sprong van de wagen en strekte haar stijve ledematen, schudde haar donkere vlechten en de rok van haar tuniek uit en ze zwaaide naar de andere wagen. Er hing een geur van wilde hyacinten in de avondlucht. Ze waren aan de rand van een woud en ergens dichtbij moest een bron water geven aan dit beekje. Het zou een ideale plek zijn om hun vermoeide botten te laten rusten.

Twee dagen lang hadden de vermoeide reizigers voortgezwoegd in zware regens, waarbij ze door de modder waren geploegd met rusteloze dieren die aan de wagen waren vastgebonden en zich met tegenzin voortsleepten. De regen had op hun overdekte wagen gekletterd, alles was doorweekt, zelfs de planken waarop ze zaten. De kinderen waren drijfnat, hongerig en uitgeput.

Ze tilde haar zoon, een vlasharig hummeltje van twee zomers, van de achterkant van de wagen en schudde hem wakker, maar hij bleef slap, als een mantel, over haar schouder liggen. Zijn zusje lag te slapen, opgerold tegen de hond, en ze jammerde toen ze ruw werd gewekt.

'Zijn we er?' geeuwde ze, en ze staarde omhoog naar het net van zwarte takken boven haar hoofd.

'We stoppen alleen maar, Wyn. Het is bijna donker, tijd om te eten,' zei Fritha sussend, in de hoop het kind te paaien.

'Mogen Ranulf en ik eten gaan zoeken?' Wyn danste op en neer, zodat haar zwarte vlechten in het rond zwierden. Als ze eenmaal wakker was, wilde ze meteen spelen, hollen en rennen, en iedereen voor de voeten lopen. Haar vader Baggi schreeuwde van de andere kant van de wagen.

'Ga in de struiken plassen, maar blijf dichtbij, hoor je me? Er zitten misschien beren, wilde zwijnen of wolven in de struiken. We kennen dit pad niet, en ieder lawaai van ons kan ze opjagen. Mam zal een vuur maken om de soepketel aan de kook te brengen, zodat jullie wat warms in je buik krijgen.'

Hij draaide zich om en maakte de geiten en de andere beesten los om ze zo goed mogelijk te laten grazen. Hij bracht de dieren naar de bredere strook gras langs de beek en wachtte tot zijn jongere broer in de wagen erachter zijn dikke vrouw omlaag had getild van de plek achterin, waar ze de hele middag lui was blijven liggen. Dat was er eentje die je goed in de gaten moest houden... Heel anders dan zijn eigen vrouw, die nu al aan het werk was.

Fritha pakte de houten emmer om water te halen. Het was nog licht genoeg om de bron op te sporen, die niet ver weg kon zijn omdat het beekje nog maar een armzalig stroompje was. Ze liep langs de oever waar sleutelbloemen en paarse viooltjes, muur en waterkers stonden. Van onder de hogere bomen verderop dreef de knoflookachtige geur van daslook naar haar toe. Het was een prachtige omgeving voor een slaapplaats, met veel varens om een stevig matras mee te vullen. Weldra kwam ze bij een overgroeide oever waar water uit het gesteente borrelde. Dit was een heilige bron, daar was ze van overtuigd, en Fritha hurkte neer om haar emmer te vullen met water, terwijl ze er eerst met haar hand wat uitschepte om ervan te drinken. Het was zacht en fris op haar uitgedroogde tong. Boven haar hoofd maakten de vogels hun avondgeluiden, met veel gepiep en gekwetter, zonder zich iets van haar aanwezigheid aan te trekken. Ze ging zitten om even van een moment stilte te genieten.

Wat waren ze toch een stelletje onbesuisde idioten om zomaar een nieuw leven te willen zoeken, vol van hoop! Beorns vrouw, Lull, zag er uitgeput uit; de bevalling zou niet lang meer op zich laten wachten en om dan drie weken over ruwe paden en verlaten weggetjes met stenen te trekken... Ze ratelden en hobbelden, bleven steken in geulen en moerassige pollen gras, ze duwden en trokken en worstelden verder om een betere plek te vinden, met lichtere grond, op een hoger terrein. Een zware reis voor gezinnen met kleine kinderen.

Baggi beloofde dat hij het zou weten wanneer ze de juiste plaats vonden om zich te vestigen, maar Fritha was doodop. Het enige dat ik wil is een bed van varens tussen de struiken, wat bomen voor beschutting, en een vuur om de wilde beesten ervan te weerhouden ons vee aan te vallen. Deze plek is goed genoeg, dacht ze.

Het was fijn om in een diep woud te zijn, ver weg van de open steenweg van de oude volken, waar geesten optrokken met het bloed van hun voorouders aan het zwaard. Ze hadden bij hun grote zoektocht de oude oost-westweg als gids in het zicht gehouden naar nieuw land om te ontginnen, een beter bestaan voor hun kinderen, ver weg van alle problemen, weg van oorlogszuchtige leenmannen en de Noormannen: woeste krijgers die je levend vilden en die de vrouwen meevoerden om hun lusten te bevredigen. Nu trokken ze in noordelijke richting weg van de oude steenweg, door een dicht woud met slechts de sporen van dieren en marskramers om te volgen, terwijl ze hoger stegen, naar heuvelkammen met een beter zicht.

Met de emmer in de ene hand en een bundeltje aanmaaktakjes in de andere riep ze op de terugweg vanaf de bron naar haar kinderen dat die meer takken moesten verzamelen voor het vuur. Fritha maakte een cirkel van stenen voor het vuur en sloeg met de vuurstenen boven het aanmaakhout om water in de pot aan de kook te brengen voor de wortels. De kinderen plukten ook waterkers uit de beek en alle jonge scheuten die ze voor de pot konden vinden. Wynfrith was een heel behulpzaam meisje, maar ze was ongehoorzaam en koppig als de maan aan de andere kant stond.

Er zat nog steeds haver in de leren zak en wat van haar gedroogde kruiden om de soep op smaak te brengen. De kippen in hun houten kooi hadden in geen dagen een ei gelegd, en ze aten nu hun laatste voer op. Ze wenste dat ze die beesten de nek om kon draaien! Het was weken geleden dat ze voor het laatst vlees hadden geproefd. Als de kippen werden losgelaten zouden ze in het struikgewas verdwijnen als feestmaal voor een vos.

Lull zat met een holle rug over haar buik te wrijven, ze zag er terneergeslagen uit. Fritha voelde even een vlaag van ergernis om haar luiheid. Beornwulf was al bezig een afdak voor haar te maken, om onder te rusten. Als ze maar niet zulke gezwollen benen en enkels had gehad. Het was geen goed teken.

'We zullen gauw moeten stoppen, Baggi, anders krijgt Lull het kind nog in de wagen,' fluisterde Fritha tegen haar man. Hij was altijd de meest opgewekte van de twee broers, altijd fris en gezond, vol plannen en dromen. Het was zijn idee geweest om beter land te gaan zoeken voor de twee gezinnen. Baggi was altijd degene die luisterde naar de verhalen van de marskramers, dat er overvloed heerste in het noordelijk koninkrijk Mercia, waar het land niet door leenmannen was ontgonnen en waar de heilige mannen in kluizenaarscellen diep in de bossen woonden.

Baggi en Beorn waren vrije burgers. Hoe arm ze ook waren, ze hadden nog steeds het recht ontslag te nemen uit de dienst van hun leenheer, en een ander onderkomen te zoeken. Beorn trok ook graag weg, maar Lull niet. Baggi, de oudste broer, was een rusteloos iemand die steeds verder wilde, maar zelfs hij begreep dat het tijd was om even stil te houden en Lulls bevalling af te wachten. Ze moesten zich vestigen, een stuk land ontginnen en voor het eind van de zomer inzaaien als ze niet van honger wilden omkomen of door de winterse duisternis wilden worden verzwolgen.

De houten wagens waren overdekt met modder, de wielen waren versplinterd en moesten nodig worden hersteld. Baggi kon niet nog eens het
risico lopen dat er een vracht omlaagkwam. Ze waren versleten, volgeladen met gereedschap, en de kostbare ploeg nam het grootste deel van Beorns wagen in beslag. Baggi had alles meegenomen wat ze konden ruilen,
kopen of maken, voor het bestaan dat voor hen lag. Tegen de zijkanten
waren droge eiken bladen met leren banden bevestigd, voor het bouwen
van de hut.

Er werd niets achtergelaten, behalve de tranen van de ouderen, die te
bang waren om de reis te maken. Hun geliefde stemmen klonken nog na
in Fritha's oren, de laatste aanraking van haar familie en alle het-ga-jullie-goed zat nog in haar borst besloten. Het zou de laatste keer zijn dat
ze hen allen zou zien, het was net zo'n plechtig afscheid als aan het graf.
Haar hart bevatte honderden angsten en zorgen.

Zouden de voorraden voldoende zijn? Er was tarwemeel, havermeel,
harde kaas, er waren honingraten en gedroogde appelringen, er zat mede
in de fles, zaaigoed in de droogste tas, te midden van de huiden en kostbare wortels en stekken die in vochtig stro waren gewikkeld, een emmer
zaailingen van gerst voor het bierbrouwen, een geschenk van zout voor
het inmaken – alles wat mensen die hun het beste wensten hadden kunnen missen. Fritha betastte de amulet van haar grootmoeder, die om haar
hals hing – een ketting van kralen die waren gesneden uit de wortel van
de bloem van de pioen; haar vertrouwde bezwering tegen kwaad en toverkunst, ziekte en boze geesten. Voor alle zekerheid had ze een snoer van pioenzaden aan haar eigen voorraad heilige kruiden veilig in een leren zakje tegen de gordel om haar middel gebonden. Ze nam geen enkel risico.

Soms, als ze naast Baggi lag, kreeg ze angstige voorgevoelens. Alsof
ze door hun vertrek uit de nederzetting boze geesten zouden aantrekken
die hen in de schaduwen zouden volgen, hen op een dwaalspoor zouden brengen met obstakels en nevels, hen in moerassen zouden lokken
om hen te verslinden en de duisternis in te zuigen. Misschien moest ze
zo'n houten kruis maken en dit om haar nek hangen, zoals zovelen voor
bescherming deden, en de Hoge God van de hemel aanroepen, zoals de
priesters en de kluizenaars zeiden, misschien zou dat helpen.

Ze waren in het christelijke geloof gedoopt, maar Fritha hechtte meer
aan de oude gewoonten, de runen, de betoveringen en bezweringen die
ze bij haar eigen moeder uit het hoofd had geleerd. De oude goden hadden meer begrip voor vrouwen, want Erce was de Moeder van de aarde

en van de groeiende dingen. Fritha had altijd de negen heilige kruiden bij zich: tijm en venkel, vol kracht; kamille tegen huidkwalen; weegbree, de moeder van de kruiden; zuring tegen pijn en vergif; munt, salie, alsem en de gezegende wijnruit.

Ze roerde dromerig in de pot, terwijl ze zich afvroeg, toen ze naar de anderen keek die druk bezig waren, of zij ook angstige voorgevoelens hadden over alleen op pad gaan, zonder gezelschap om een sterkere groep reizigers te vormen. Ze zouden een gemakkelijke prooi zijn voor bandieten en plunderende Noormannen uit het noorden.

Arme Lull, nauwelijks meer dan een kindbruid, nu zo opgezwollen en bang. Fritha kon echt niet vertellen hoe een bevalling zou verlopen. Die van haar waren heel verschillend geweest. Ze was blij dat ze genoeg pioenzaad had om een drankje te maken voor de weeën. Lull was een vreemd, zwijgzaam meisje, soms vriendelijk en hulpvaardig, en dan weer in een vreemde bui, heel afwezig en vergeetachtig.

Beorn peinsde er niet over zijn broer alleen te laten reizen, en hij dwong zijn vrouw hun hut te verlaten. Het was misschien beter geweest als het meisje was gebleven. Ze hield hen op met haar zwakheid. De kleine Wynfrith van vijf gaf haar moeder meer hulp dan dit dromerige meisje. Wyn zou voor de baby moeten zorgen, zodat de jonge moeder kon spinnen en stof kon weven van de plukken vacht die ze onderweg uit de hagen verzamelden. In de zak zat meekrap, wede en een voorraad uienschillen om het wollen garen te verven, een werk dat Fritha het leukste vond van alles. Ze was dol op het mengen van de kleuren. Maar het zou nog weken duren voor ze zich zover hadden gevestigd dat ze zelfs maar aan leuke dingen konden denken. Er was nog vreselijk veel te doen, als ze ooit genoeg te eten wilden hebben. In de avondschemering leek alles heel grauw, armoedig en treurig.

Toen het bijna pikdonker was, en in de toppen van de bomen de nachtroepen van de vogels weerklonken, gingen ze rond de cirkel van vuurstenen zitten om op adem te komen en gretig hun avondeten naar binnen te werken. De maan stond helder en hoog aan de hemel; de bron borrelde rustgevend.

De avond was stil en zacht en Ranwulf viel tijdens het eten in slaap. Baggi legde hem op de mat van varens en dekte hem toe met een dik overkleed. Weldra lag Wyn ook te slapen, en Lull schoof met Beorn wat dichter naar hun eigen wagen toe. Baggi stookte bedachtzaam de rest van het vuur op.

'Het vraagt wel veel van je, al dit reizen. Ik hoef vanavond echt niet in slaap te worden gewiegd. Morgen hebben we een goede start. We vertrekken vroeg en we blijven in noordwestelijke richting gaan.'

'Moeten we echt? Lull kán niet meer. Ik vind dat ze er slecht uitziet, alsof haar tijd is gekomen. Waarom ga je niet met Beorn op verkenning om de rand van het woud te bekijken? Geef ons wat tijd om tot onszelf te komen, ons wat te wassen. Ik zou brood kunnen bakken, voor de afwisseling wat havermoutpap kunnen koken als de geit wat melk wil geven. Vind je niet?'

Fritha raakte zijn leren arm aan, en ze glimlachte, zodat haar uiteenstaande tanden te zien waren. Baggi krabde op zijn hoofd en in zijn strogele haar en onder zijn wollen tuniek. Onder de banden van zijn leren sandalen waren zijn voeten zwart.

'We zitten allemaal onder de vlooien, het stof en de modder, dat is waar. Vooruit dan maar, je hebt me omgepraat. Maar bedenk wel dat het maar voor één dag is.'

'Bedankt. Je bent een goeie man, Bagwulf. Ook al ben je een slavendrijver, ben je getikt en net zo rusteloos als het tij van de zee!'

Fritha nam een slok uit de beker met mede. Ze was trots dat haar man meer voor zijn gezin wilde dan samen met zijn familie een benauwde hut delen; dat hij zelf meer wilde dan zijn avonden doorbrengen met het drinken van bier. De twee broers hadden gezaagd en getimmerd en gereedschap gemaakt, soms tot het eerste hanengekraai toe. Ze was geroerd over de kwaliteit van zijn handwerk. Bij deze rustgevende gedachte begonnen haar oogleden omlaag te zakken.

De reizigers sliepen diep, ongestoord, tot de haan in de kooi zijn hals strekte en kraaide. Fritha werd met een schok wakker. Baggi was weg, Beorn lag nog te snurken. Wynfrith en Ranulf waren nergens te bekennen. Die waren geheid met Baggi mee. Zijn kleine handlangers, noemde hij hen altijd. Het werd een prachtige zonsopgang, alles was overdekt met voorjaarsgroen, die bijzondere frisheid van jonge gewassen. De dauw glinsterde op de bladeren en de geur van het bed in het bos was een feest voor haar neusgaten.

Fritha bouwde het vuur op om de stenen heet te maken voor het bakken, en ze zocht in de wagen naar de ton met meel. Toen ze zich omdraaide was Baggi teruggekomen met een bungelende fazantenhaan, waarvan het felle verenkleed schitterde in de zon. 'Kijk eens wat ik voor ons heb gevonden? Hij viel zomaar op mijn pad.' Hij lachte. 'Stop die maar in je pan voordat iemand anders 'm ziet.' Hij keek in de richting van de beek. 'Waar zijn de kinderen?'

'Bij jou... Ik dacht dat jij ze had meegenomen.'

'Nee, ze lagen nog diep te slapen toen ik vertrok. Ze zijn vast verder stroomafwaarts groenten voor je gaan zoeken. Wyn is altijd goed in het vinden van paddestoelen. Ze zijn vast niet ver. De hond zal ook wel bij hen zijn.' Baggi glimlachte, maar het was een strak glimlachje en hij liep snel het pad af. 'Wyn! Ranulf! Kom gauw eten... nu!' Er kwam geen antwoord.

Fritha holde naar de andere wagen en schudde het paar dat erin lag ruw wakker. 'Snel! Sta op... De kinderen zijn weggelopen. Wacht maar eens tot ik dat stuk ondeugd te pakken krijg... Die krijgt een flink pak slaag! Ik had haar nog zó gezegd dat ze niet weg mocht gaan.' Maar Fritha voelde een ijzige kou in haar hart.

'Maak je maar niet ongerust, ze zijn vast niet ver weg. Als ze honger krijgen, komen ze vanzelf wel weer terug. Dat zul je zien.' Lull probeerde haar te troosten, maar Fritha wilde er niets van weten.

'Jij blijft hier en je roept steeds. Ik ga terug in de richting waar we vandaan zijn gekomen. Misschien zijn ze stroomafwaarts gaan spelen. Ran vindt het heerlijk om in het water te spetteren.'

Ze liep in de richting van de doorwaadbare plaats, terwijl ze haar over-jas om zich heen trok. De lucht was opeens bewolkt en de koude wind sneed in haar gezicht.

'Toe nou, kinders, kom nu terug! Dit is geen tijd om verstoppertje te spelen,' riep ze wanhopig.

Op de tweede avond was er nog steeds geen spoor te bekennen van kind of hond. Beorn en Baggi hadden de hele dag het struikgewas uitgekamd, met stokken geslagen, geroepen, en ze waren steeds verder het dichte woud ingetrokken, waarbij ze runentekens op de boomstammen hadden achtergelaten als wegwijzers terug naar de wagens. De stilte werd alleen verbroken door opvliegende vogels, en vanaf hoge takken keken zwarte raven zwijgend op hen neer.

Lull liep rondjes rond het vuur terwijl ze de oude bezwering opzegde en er nieuwe smeekbeden aan toevoegde.

Erce, Erce, vind elk kind, haal de kinders.
Bind die apen stevig vast en breng ze veilig terug.
De grond mag ze niet vasthouden of verbergen.

Geen feestmaal voor een draak mogen ze zijn.
Wie hen steelt zal nooit gedijen,
Zal verteren zoals vuur hout verteert,
Zoals de braamstruik en de distel steken.
Toon ons uw macht, uw vermogen om te beschermen.
Drie keer rond het vuur zal ik gaan...

Ze voelde zich misselijk, maar ze bleef de wacht houden. Straks kwamen ze hand in hand teruggelopen, onwetend van de angst die ze hadden veroorzaakt. Ze zouden voor hun ondeugende gedrag een flink pak slaag krijgen van Baggi, hoewel hij zou huilen van dankbaarheid over hun terugkeer. Daarna zouden ze vertrekken en deze vervloekte plaats verlaten om verder te reizen. Nog even, en ze zouden lachen om hun angst. Zo moest het gaan. Maar toen de schaduwen langer werden en de vermoeide mannen thuiskwamen, het ergste vrezend, bleef alleen Fritha hoopvol.

'Wyn is een verstandig meisje. Ze zal beschutting zoeken in een grot of in een holte, ze zal Ranulf water te drinken geven uit de beek. Met water zullen ze het overleven, en de nachten zijn niet koud. En de hond zal ze bewaken. Hij is wel oud, maar hij kan nog steeds goed bijten.'

Ze zat met haar armen om haar knieën geslagen, half in een droom, en ze liet het vuur uitgaan terwijl ze zat te kijken naar het water dat uit de bron borrelde. 'We moeten bij deze bron wachten tot ze terugkomen.' Ze weigerde de ongeruste blikken van de twee mannen te zien. Twee verdwaalde kinderen en nu een krankzinnige vrouw, dat konden ze er net bij hebben.

Die nacht sliep er niemand, en ze liepen om beurten rond het vuur heen en weer. Ze konden het gejank van een vrouwtjeswolf horen, de kreet van een vos, maar niet het geluid van huilende kinderen. Op de derde dag had Fritha nog niets gegeten. Ze bond repen hennepweefsel aan de takken bij de bron als votiefgeschenken voor de watergeesten om te helpen bij het zoeken.

De mannen liepen telkens in kringen, waarbij ze iedere keer een andere richting namen, maar ze hoorden alleen de echo van hun stem in het dal. Tot er ten slotte een stem naar hen terugriep.

Baggi denderde opgewonden door de varens en vond een hut van twijgen en leem, het onderkomen van een kluizenaar, waar een grijze oude man, die naar vuil en verwaarlozing stonk, met opgeheven staf gereed stond om zich te verdedigen.

'Vrede, broeder! Waarom zo'n haast op deze prachtige morgen?'

'Heeft u onze kinderen gezien, een jongen en een meisje, ongeveer zó groot? Ze zijn van onze wagen weggelopen. Ik hoorde u roepen... Ik dacht dat zij het waren.' Baggi liet teleurgesteld zijn schouders hangen. 'Nee, broeder, mijn ogen zijn wazig. Ik zie niemand, maar ik ruik de lucht als een ree. Ik zal bidden voor hun ziel en voor hun veiligheid. Hoe lang zei u dat ze weg zijn?'

'Drie manen, vanaf de dageraad.' Alle kracht liet hem in de steek toen hij Fritha koortsachtig vanaf de hoge oever zag zwaaien, wachtend op een antwoord, uit alle macht hopend op goed nieuws. Hoe moest hij zeggen wat hij in zijn hart voelde, de vrees dat zijn kinderen verloren waren, nooit zouden worden gevonden? Dat een wreed lot hen de diepten van het woud had binnengelokt en dat het allemaal zijn schuld was?

'Pieker niet over wat hun is overkomen. Zoekt en gij zult vinden. Vertrouw op Heer Jezus en Zijn Heiligen, bid de Heilige Geest om een wonder. Hij zal hen vinden, of u anders troost schenken. U moet uw kruis dragen. Reizen is een uitermate gevaarlijke zaak, zelfs in de zomermaanden. Misschien heeft iemand van de open plekken verderop in het woud hen gevonden – de schaapherder of de kolenbranders. Het zijn vriendelijke mensen. Het bericht zal worden doorgegeven door venters en marskramers, er zullen vrome mannen voor hen bidden en het verder vertellen. Blijf een tijdje, tot u een bewijs hebt van hun lot.'

De kluizenaar maakte tekens van een zegening, maar Baggi sloeg er geen acht op. Hij sjokte terug naar de heuvelkam, met een zwaar hart.

'Wie is dat, daar beneden? Is er nieuws? Is er hoop?'

'Er is altijd hoop, Fritha, zolang we adem hebben.' Hij zuchtte, en probeerde zijn angst voor haar verborgen te houden. Hij vervloekte zichzelf omdat hij deze tocht had geriskeerd. Het was allemaal zijn idee. Hij had dit tempo opgedrongen, hen tot deze krankzinnigheid gedwongen. Hoe kon hij hun nu vragen verder te gaan?

Fritha's wangen waren hol, haar magere gestalte gebogen en opeens gekrompen. Ze was zijn hulp, zijn broodbakker en zijn sleutelbewaarder, en ze volgde hem zo trouw. Hij had haar weggerukt van haar familie en nu had iets anders haar kinderen van haar weggerukt. Hij durfde niet in haar grauwe, uitgehongerde gezicht te kijken. Hij kon die gloeiende donkere ogen niet verdragen. Ze was van Britse afkomst, ze wist dingen zonder dat ze werden gezegd, ze bezat de gave de waarheid te weten, alsof ze zijn gedachten kon voelen.

'Zijn we hen echt kwijt?' zei ze met hese, gebroken stem.

'De vrome man zegt dat we de Verlosser God om hulp moeten bidden. Onze kinderen zijn misschien veilig op een schapenweide, bij de wolplukkers. Het bos is heilig terrein, een wildernis van heidevelden en struikgewas tot ver in het westen. We zitten nog steeds in Mercia. Aan de overkant van de rivier heerst het Noormannenrecht. We zullen daar niet welkom zijn. Je moet dapper zijn.'

'Wil je zeggen dat we moeten ophouden met zoeken? Dat alles verloren is en dat we onze kinderen aan de wolven moeten overlaten, aan de raven om aan hun botten te pikken? Bagwulf, ik ga hier niet vandaan voor ik hun lot ken. Ga zelf maar verder, maar verwacht niet dat ik in de wagen stap. Wat heeft het voor zin ons te vestigen als er geen zoon is om de grond te ploegen als wij tot stof zijn vergaan? Je moet niet denken dat ik nog één stap verzet. Ik zit hier vast, hier, waar jij ons allen naartoe hebt gebracht, en hier moet ik blijven.'

Baggi kromp bij haar woorden ineen alsof hij door speren was gestoken. Fritha keek hem met droge ogen aan, ijskoud in haar woede. 'Wanneer we hun beenderen hebben gevonden zal er tijd voor tranen zijn, maar ik ga echt niet met je mee. Ik ga me hier vestigen.'

Beorn verbrak de stilte toen hij hen hoorde schreeuwen, elkaar de schuld hoorde geven. 'Ik wilde dit nu nog niet vertellen, maar bij mijn laatste tocht, hier ver vandaan, heb ik een vacht en bloed, de resten van een hond gevonden – een grijze vacht met bruine strepen. Ik heb niets anders gezien. Ik wilde jullie hoop dat de hond hen bewaakte, niet de bodem inslaan. De grond was overhoop gehaald, hij moet op leven en dood hebben gevochten... met iets.'

'Laten we gaan kijken, laat 't me zien! Waar was dat?' riep Fritha, opeens bedrijvig, en ze rukte aan zijn grijze wollen mouw om hem mee te slepen.

'Laat maar, meisje, er valt nu niets meer te zien. De raven zaten te wachten om hun feestmaal af te maken. Kom liever bij Lull zitten. Ze is bang dat haar weeën beginnen. Help haar nieuw leven voor ons allen te brengen. De schok van dit alles heeft haar water doen breken. Toe, Fritha, we gaan de hoop nog niet opgeven. Baggi en ik moeten een hut rond het vuur bouwen.'

'Dit is geen plek om een huis te bouwen.' Baggi schudde zijn hoofd, terwijl alle kracht uit hem wegstroomde.

'Broer, je hebt het nu lang genoeg voor het zeggen gehad. We stoppen hier in elk geval voor de zomer. Deze plek is voor mij goed genoeg om te ontginnen. Hij ligt hoog, ver van de moerassen, de grond is stevig, er is water en zon vanuit het zuiden. Struikgewas valt altijd gemakkelijker te rooien aan de rand van een woud. Ik reis niet verder met je, en het is Fritha nu te zwaar te moede om verder te trekken. Haal het gereedschap uit de wagen terwijl ik stokken verzamel. We kunnen wanden vlechten, de stenen voor het vuur opbouwen.

Het is beter om iets te doen. Beter dan vruchteloos door het woud te jagen. Het spijt me, maar je weet wat ik vrees. Ik wilde jullie beschermen tegen de waarheid.'

Voor de eerste keer in zijn twintig zomers had Beornwulf het gevoel dat hij de leiding had, dat hij de beslissingen voor hen allen nam. Het wrede lot had hen halt doen houden op deze tocht. Dit was de plek waar ze zouden moeten blijven. Als hij verder wilde, zou Baggi alleen moeten reizen, en hij was ervan overtuigd dat zijn broer dat nooit zou doen.

Fritha zat voor de anderen verborgen bij de bron, haar bron. Haar gebeden hingen in rafelige vodden aan de overhangende takken van de wilg, de watergeest was doof voor haar smeekbeden. Haar hart werd verteerd door het verlangen naar haar kinderen. In haar verbeelding drukte ze hen tegen haar borst, voelde ze hun warme adem, het zachte dons op Rans hoofd. Hen nooit meer te zien... Haar hart was verdoofd door de schok. Ze kon geen kleur meer zien, alleen maar duisternis en bomen. Zwaar was de wond die ze droeg, als een mes dat in haar zijde was gestoken. De zachte klanken van een wiegeliedje bleven in haar keel steken toen ze haar lege armen wiegde. Toen ze diep in het water staarde, dacht ze dat ze hun gezichten naar haar omhoog zag blinken. Ze slaakte een kreet en draaide zich om.

Opeens klonk er een andere kreet. De kreun van een vrouw in barensnood. Fritha kwam als in trance uit haar schuilplaats te voorschijn. Ze leefde in een droom die ze zich half herinnerde, een verhaal dat door een minstreel werd gezongen, bij zijn lier, in de zaal waar mede werd geschonken. De kreten werden luider, trokken haar terug, en ze liep naar de wagen om Lull bij te staan.

Dit was beslist een goed teken, vonden de twee mannen toen ze naar elkaar knikten. Nu moesten ze aan de slag met hun onderkomen. Met een beetje geluk kon er tegen zonsondergang een hut van twijgen met leem staan, brandde er een vuur en had Lull een kind aan de borst. Hoe Fritha daarop zou reageren was iets waar ze niet aan moesten denken.

Het zoeken

In de dagen die volgden op hun vruchteloos zoeken, verzamelden Baggi en Beorn stokken en palen, sneden en hakten ze takken af, vlochten wanden van wilgentenen, zetten die in een geul in een onderlaag van stenen, overdekten kriskras het dak en vlochten er heide doorheen om het goed dicht te maken, waarbij ze een gat in het midden overlieten om de rook te laten ontsnappen. Lull voedde haar dochtertje, dat ze met dauw besprenkelden, naar de maan hieven en Hilde noemden. Het was een sterke naam voor een meisje, maar iedere baby zou flink moeten zijn om hier te overleven. Het kind werd stevig tegen de moeder gebonden in een geïmproviseerde draagzak, dicht tegen haar borsten. Lull was bang om het kind uit het oog te verliezen.

Fritha had geen enkele belangstelling voor de baby toen die eenmaal veilig was geboren. Ze kon het nauwelijks verdragen naar het zachte roze gezichtje en de stralend blauwe ogen te kijken. Al haar wakende momenten hield ze zich bezig met honderd taken, en de rest van de tijd zwierf ze in haar eentje over de bospaden, zoekend, zoekend naar haar verdwenen kinderen. Ze zag een keer een reiziger, en ze stortte zich als een wild dier op hem om haar te vertellen of hij iets had gehoord over kinderen die op andere plaatsen in het woud waren gevonden. Hij durfde bijna niet te antwoorden dat hij niets had gehoord.

Naarmate de maan waste en afnam en de zomer door de bebladerde takken op de open plek scheen, zonk ze steeds dieper weg in hopeloosheid. Ze trok zich terug in een nors stilzwijgen, maar ze werkte als een os: ze liep achter de ploeg wanneer deze de donkere rode grond omhaalde, en raapte de stenen en ruimde die; ze verzamelde gaspeldoorn en takjes voor het vuur en bond die tot stekelige bundels. Ze schepte de kostbare mest op voor de mestvaalt om 's winters de grond te kunnen voeden, en ze liet die in de open lucht stinken en drogen. Geen wonder dat ze ter plekke in slaap viel als ze in de kookpot zat te roeren.

De mannen hakten bomen om, spleten de stammen en laadden die op de wagen om het hout op de open plek te laten drogen en harden. Die moesten de stevige muren voor hun winterwoning worden. Het zou een wedloop tegen het seizoen zijn om gerst en erwten, bonen en haver, vlas, hennep en lijnzaad te zaaien. De kippen, die op hun eigen stukje land achter het hek rondscharrelden, kakelden over een legsel kuikens, en weldra waren er genoeg jonge kippen voor in de pot.

Lull hield zich bezig met het verzamelen van biezen voor het beddenstro en voor de pitten van de lampen, en ze haalde water uit de bron om de droge jonge aanplant te begieten, terwijl ze ervoor zorgde dat ze nooit ver van het terrein afdwaalde of Fritha stoorde bij haar graafwerk bij de bron. Ze looide dierenhuiden, kaardde de plukken haar van de geit tot bollen om die met haar spintol te kunnen spinnen. Ze zouden meer stof nodig hebben om de baby in te wikkelen, en voor nieuwe hemden onder hun grove tunieken. Ze was nog niet fit genoeg voor zwaarder werk, ze voelde zich zwak en duizelig als ze te ver in de zon liep.

Fritha was degene die voor het vuur en voor de kookpot zorgde, die groentescheuten, brandnetels, paddestoelen en kruiden voor de pot zocht. Ze merkte dat ze vaak terugverlangde naar de oude hutten ver weg, naar haar familie die ze nooit meer zou zien, naar het feesten en het dansen van de meimaand, de tijd van bezoeken en vrolijkheid als de marskramers met hun nieuws van de ene nederzetting naar de andere trokken, waarbij berichten en groeten van verre familieleden werden overgebracht. Hier was het allemaal moeizaam geploeter in de hitte van de zon, en ze kon er het nut niet van inzien. Beorn was nu hun leider. Hij had een kind, ook al was het maar een meisje om uit te huwelijken en een bruidsschat voor te zoeken.

Ze hadden allemaal geholpen een stuk grond voor haar schoon te maken, dichter bij het water en haar bron; een prei- en koollandje voor het zaaien van wintergroenten en kruiden voor in de potten, voor uien en spruitjes. Het omspitten van de grond, het opruimen van de wortels en de stenen, die op een hoop gooien, was wonderlijk voldoeninggevend. Het harken om de grond goed los te maken, het uitplanten van haar kostbare zaailingen en stekjes hield wel haar handen bezig maar niet haar gedachten. Er was alleen maar de herinnering aan Wynfrith die aan haar rokken trok, haar wilde helpen, mee wilde doen. Het kind verwachtte dat de plantjes meteen opkwamen, en ze werd ongeduldig toen alles er zo lang over deed om uit de grond te verschijnen.

Fritha keerde haar zonverbrande gezicht naar het beeld van de ossen die voorwaarts zwoegden met de ploeg die in de aarde beet, keurige strepen in de schoongemaakte grond achterlatend, de richel van de ploeg diep en recht. De twee mannen moesten van 's ochtends vroeg tot 's avonds laat werken om het ploegen klaar te krijgen, als ze allemaal de volgende zomer wilden halen. Iedere avond keerden ze bezweet terug, om te eten, het laatste beetje mede uit het vat te drinken, en te slapen.

Fritha werd iedere nacht voor de dageraad wakker, en ze sloop dan naar buiten om met haar eenzaamheid bij haar bron te gaan zitten. Het gaf haar troost weg te zijn van Lull, die voor haar pasgeborene zong, haar voldaan voedde wanneer ze zich maar verroerde. Het was vreemd dat zo'n ziekelijke vrouw zo gemakkelijk had gebaard en zo'n sterke baby met stevige ledematen had voortgebracht, wat bewees dat haar melk voedzaam genoeg was.

Er was niemand, buiten de dove geest van de bron, om Fritha's jammerklacht te horen. Ze zat onder de hoge bomen haar droevige gedachten uit te storten over het water. Haar verdriet hield haar hart omklemd, als de hoepels van een ton. Alleen hier kon ze haar kinderen omhelzen en kussen, hun hoofden op haar knie leggen, zoals in die gouden dagen toen ze allemaal nog bij elkaar waren in de wagen.

Terwijl iedere maan onderging en iedere zon langzaam boven het woud opging, terwijl de diepe schaduwen verdwenen, huilde ze om de pijn te laten verdwijnen, om de aarde haar te laten verzwelgen zoals deze haar kinderen had verzwolgen. Wat verlangde ze ernaar haar eigen baby weer de borst te kunnen geven. Het maanbloed was nooit teruggekeerd sinds de geboorte van Ran, en ze vreesde nu dat ze vanbinnen was opgedroogd, dat ze even onvruchtbaar was als de stoffige grond. Alleen het maanbloed bracht een hunkeren in de buik en de zwelling van een nieuw leven.

Ze betastte haar ketting van houten kralen, rukte aan de leren veter om hem weg te gooien. Wat voor nut had ze ervan gehad, ze had toch alleen maar narigheid en ellende gekend? Haar grootmoeder zwoer bij de kracht van de pioenamulet, maar er was iets sterkers dat alle kracht om te beschermen eruit had weggehaald, en nu zou de grond erdoor verdorren, zouden alle groeiende dingen erdoor worden gedood. Ze zouden allemaal van honger omkomen of aan de moeraskoorts sterven.

Toen herinnerde ze zich grootmoeders woorden: 'Alle dingen gaan voorbij, dus dit ook wel.' Maar zou dit gevoel haar ooit verlaten? Het was als een onkruid dat zich rond bessenstruiken en bloesems wond, om daar de kracht en het goede uit te zuigen. Zoals ze daar in het donker zat, waar wilde dieren rondslopen, voelde ze zich als de treurige vrouw wier lijden eindeloos was, in het lied van de minstreel. Alle dingen gaan voorbij, dus dit ook wel... Hoe kon ze ooit haar eigen vlees en bloed vergeten, of haar zoeken naar hen in het wilde woud vergeten? Zou het ooit draaglijk worden?

Maar als ze hen allen tegen de duistere krachten moest beschermen, zou ze zich schrap moeten zetten, zou ze acht moeten slaan op het andere advies dat haar oude grootmoeder haar vele malen had gegeven: 'Niets groeit uit niets. Je moet je werken zegenen, de aarde eren, die met water en bloed besprenkelen om sterkte af te geven aan je dieren en smaak aan je voedsel.' Een zegening van woorden en daden, dat moest ze bieden, als ze in leven wilden blijven. Hilde moest leven, gedijen en zich vermenigvuldigen, als het verlies van haar eigen kinderen moest worden gedragen.

Fritha spartelde met haar voeten in het koude water, spetterde het stof en het vuil tussen haar tenen weg. Haar huid was als gelooid leer, donker en taai, zoals goede voeten hoorden te zijn, sterke zolen zonder blaren. Ik moet groeien met mijn aanplant, iedereen goed voeden. Voor de eerste keer in weken kon ze de dageraad onder ogen zien met vastberadenheid en vastbeslotenheid. Dit was haar stukje van deze aarde; ze zou dit rijk maken aan fruit en graan. Pas toen merkte ze de bloesem in de hagen op, het wit van de meidoorn dat zijn takken deed doorbuigen als onder sneeuw, het tapijt van madeliefjes en paardebloemen, boterbloemen en pinksterbloemen, de roze hondsroos die door het struikgewas gluurde en het gezoem van de bijen die hun werk van die morgen deden. De seizoenen gingen verder, wat het lijden van een vrouw ook mocht zijn, maar zij zou hier blijven, gewoon voor het geval dát...

Baggi werd met een schok wakker, hij voelde geen lichaam naast zich dat zijn achterste warmde. Fritha was als een schaduw, ze stond elke morgen heel vroeg op. Hij wist waar ze zou zijn, en hij wilde haar niet storen bij haar verdriet. Hij had zijn eigen zorgen, en hij voelde hoe hij een diepe frons op zijn voorhoofd kreeg. Het ging allemaal te goed. Niet, natuurlijk, dat vreselijke verlies van zijn beide kinderen, maar Fritha rouwde daar genoeg over voor hen beiden. Mannen moeten bezig blijven, niet bij hun verdriet stilstaan. Ze konden er niet samen over praten. Er was nu een hoge muur tussen hen, en geen van beiden zou die afbreken. Voor Baggi was het een schild om zich achter te verbergen, zodat hij verder kon gaan met zaaien, schoffelen en het hoeden van de dieren.

Toch ging het allemaal te goed. Hij moest toegeven dat de plek uitstekend was, en dat Beorn voor deze ene keer gelijk had gehad. De grond was klei vermengd met zand en de rijke humus van seizoen na seizoen rottende bladeren. Onbewerkte grond van de beste kwaliteit. Zolang er regelmatig regen kwam zouden zijn gewassen het overleven. Toch voelde Baggi zich ongemakkelijk. Land als dit werd vaak ontgonnen voor gezamenlijk grasland, om schapen en koeien op te laten lopen. De rand van het diepe woud bood de voordelen van schaduw en rijke bladaarde, en ook bescherming tegen de wind. Waarom had niemand dit ooit eerder ontgonnen? Zij waren toch zeker niet de eersten die de doorwaadbare plaats waren overgestoken en de mogelijkheden hadden gezien?

Behoorde dit land de koningen van Mercia toe? Een bisschop of een graaf, de een of andere leenheer in zijn grote kasteel? Of was het land ooit bewerkt, nu overwoekerd en vergeten, rijp om door jonge boeren als zijzelf opnieuw te worden ontgonnen? Maakte het deel uit van het oude jachtwoud, waar de edelen op reeën en zwijnen jaagden? Als dat zo was, bevonden ze zich op verboden terrein en konden ze met zijn allen aan de galg worden gebracht. Hij was er aanvankelijk van overtuigd dat er op zekere dag een baljuw zou verschijnen, die een verklaring zou eisen, en pacht, diensten en tienden voor de eer toestemming te hebben om het land te verbeteren. Maar hij had buiten de kluizenaar helemaal niemand gezien, en toen ze waren teruggegaan om de vrome man nog meer vragen te stellen, was zijn cel verlaten en leeg geweest. Baggi vroeg zich zelfs af of hij hun ontmoeting op die noodlottige dag soms had gedroomd.

Wat zij nodig hadden was een leenheer, een beschermheer, iemand om alle familie die ze hadden achtergelaten te vervangen. Een eenzame hoeve, een paar koeien en wat omgeploegde akkers konden gemakkelijk door overvallers worden verwoest, waarbij hun oogst werd gestolen en hun vrouwen als slavinnen werden weggevoerd. Hij probeerde Beorn duidelijk te maken dat leenheren in wilde streken vast blij waren met nieuwe kolonisten voor hun ruige velden met struikgewas. Zij tweeën hadden gewoon gebruikgemaakt van een mogelijkheid, omdat ze vrije mannen en geen weggelopen slaven waren, maar ze hadden geen enkel bewijs van hun status, buiten hun eigen woord.

Dit woud was zo uitgestrekt dat je er dagen en nachten in kon lopen zonder ooit een andere open plek te vinden. Ze waren niemand tot last en ze bewezen de eigenaar toch zeker een goede dienst met hun zorgvuldige beheer? Hij moest er niet aan denken dat dit alles verloren zou gaan bij gebrek aan de juiste toestemming.

Beorn vond hem niet goed snik, om zelfs maar te overwegen een leenheer te gaan zoeken. 'We kunnen nu nog geen pacht betalen en ook geen diensten verrichten. We hebben hier al veel te veel te doen.' Ze raakten er in de hitte van de middagzon bijna slaags over.

Baggi had soms het ongemakkelijke gevoel dat ze vanuit de verte werden gadegeslagen en dat hun aanwezigheid aan iemand werd gemeld. Ze zaten hier te dicht bij de rand van het woud om onopgemerkt te blijven. Stel dat zij al het werk deden en dat het ontgonnen land daarna in beslag werd genomen en aan iemand anders werd gegeven terwijl zij als dieven werden gebrandmerkt of voor hun inspanningen werden opgehangen? Je kon niet voorzichtig genoeg zijn.

Hij zou op de een of andere manier moeten uitzoeken wie de eigenaar was, om bij hem zijn zaak te bepleiten. Hij zou terug moeten gaan naar de kloosterkerk in het moeras, waar de monniken baden op de open plek die ze 'het Veld van de Martelaren' noemden. Hij was ervan overtuigd dat hij daar een antwoord zou vinden. Maar hoe hij zijn broer ervan kon overtuigen dat dit de juiste manier van doen was, was een heel ander punt. Beorn kon zo koppig zijn als een ezel, wanneer de wind in een bepaalde richting stond. Baggi zou moeten afwachten en het juiste moment moeten grijpen.

Lull en Beorn stonden in de schaduw. De baby was onrustig geweest en had erg gehuild, en ze werd pas stil toen ze met haar in het maanlicht op en neer liepen. Pas toen ontdekten ze Fritha, die op haar groentelandje heen en weer liep en naakt tegen het midzomerse maanlicht afstak. Ze was gebukt bezig. Ze leek in het donker te graven.

'Wat doet die krankzinnige vrouw nu?' Baggi kwam bij hen staan, en hij keek bezorgd naar haar bezigheden.

'Ze is iets aan het opgraven, of anders aan het begraven. Dat kunnen we niet goed zien. Zeg haar dat ze binnen moet komen om te slapen. Er is tijd genoeg om te graven en te harken als het licht is,' fluisterde Beorn, die geamuseerd zijn hoofd schudde.

'Sst! Jullie moeten haar niet storen. Ze is iets speciaals aan het doen. Ze is erg gehecht aan de oude gebruiken en aan de oude bezweringen. Kom mee naar binnen, de baby slaapt nu.'

Ze slopen stilletjes de hut in, maar Baggi's hart was vol droefheid. Waarom moest zijn vrouw zo geheimzinnig, zo vreemd, zo achterbaks doen? Wat deed ze in 's hemelsnaam daar buiten in het donker? Iets waarvan ze niet wilde dat zij het zouden zien, een van de oude trucjes van haar grootmoeder, de een of andere bezwering of hekserij? Hij moest nu meteen naar haar toe om haar ermee op te laten houden. Maar Baggi zonk terug in de varens en het stro. Hij had de moed niet haar te commanderen. Eén blik van de zachte, zwarte ogen was voldoende om hem het zwijgen op te leggen. Hij was de moordenaar van Wyn en Ran. Hoe kon een vader dat ooit vergeten?

Eerst groef Fritha vier zoden op uit de hoeken van het landje, en daarna begon ze voorzichtig de groeipunten te verwijderen van de planten die opkwamen, en ze verzamelde groene kruiden, koolbladeren, radijsjes, alles, behalve klissen – daar mocht ze niets van plukken. Daarna legde ze wat groene scheuten in elk gat, om beurten iets van elke plant. Ze kon er nog geen olie of honing of gist aan toevoegen, want ze konden niets missen, maar voor alle zekerheid werd er wel een beker geitenmelk bij gedruppeld. Een snufje van het kostbare steenzout, wat haren van de dieren en ook een paar van haar eigen hoofd, pioenzaad, venkelzaad, dit alles viel op het bergje, en toen ze van de ene hoek naar de andere liep, bad ze het oude gebed:

Naar het oosten sta ik, en bid om uw genade.
Bewaker van de hemel, de aarde en de lucht,
Laat onze gewassen groeien,
Vul de velden voor ons,
Laat ons zaad zich verdubbelen,
Vul dit land met voedsel voor ons allen.
Bij het sprenkelen van bloed en water,
Als hoeder tegen hekserij en boze daden,
Maak dit land voor eeuwig vruchtbaar.

Langzaam liep ze rond het omgespitte terrein, terwijl ze bronwater in de gaten goot en daarna de grond voorzichtig terugschepte. Fritha deed haar best, ze volgde de oude bezwering en bad dat ze niets had gemist, niets belangrijks dat de betovering kon verbreken. Als Baggi en Beorn hun ploeg en houweel, hun bijl en hun schoffel zegenen, dan zouden de weiden gedijen met gras en zouden de gewassen weelderig zijn. Maar voor alle zekerheid zette ze nog vier kruisen van takken in de gaten, in de hoop dat de christelijke goden, Vader, Zoon en Heilige Geest, hun macht aan de bezwering zouden toevoegen. Ze beloofde dat wanneer de oogsttijd aanbrak, ze een brood zou bakken van alle graanzaden die ze kon vinden en dit als dank in de grond zou begraven. Je moest teruggeven wat je nam, anders zouden je oogsten mislukken. De komende drie nachten moest ze het gebed in iedere hoek herhalen, anders was de bezwering niet sterk genoeg om hen de winter door te helpen.

Fritha keerde terug naar de hut en kroop naast Baggi. Voor de eerste keer sinds vele manen zou ze slapen tot het eerste licht en wakker worden zonder dat de tranen over haar wangen stroomden. Toch bespeurde ze gevaar in de wind. Waarom was het woud vervuld van de kreten van vogels die in hun nachtelijk roesten werden gestoord? Ze dacht dat ze de geur van houtvuur in de lucht rook, dat ze het geluid hoorde van hoeven die door de varens daverden. Gevaar op komst! Ze kon ergens in het westen het geluid van jachthonden horen. Er trokken overvallers door het woud, op zoek naar buit om te plunderen.

'Wakker worden!' Ze trok aan Baggi's blote arm en schopte hem. 'Wakker worden! Allemaal... Neem de baby mee naar de wolvenkuil... Hóren jullie ze niet? Kom op, voor we levend worden verbrand. Ik ruik vuur!'

Vreemdelingen

De pioniers gluurden voorzichtig uit de wolvenkuil, tilden de varens op om te zien of de overvallers waren verdwenen. Lull boog zich over Hilde om haar te beschermen en haar huilen te smoren. Beorn klom er al uit om te zien wat voor puinhoop de overvallers hadden achtergelaten. Ze hadden de hele nacht in het smerige gat in de grond gezeten, zonder zich te durven bewegen, uit angst gevangen te worden genomen of erger. Ze stonden op en rekten zich uit, klam, koud en vervuld van afgrijzen over wat ze zagen.

'Kijk eens naar die hut, alleen maar een berg as! Al dat werk...' Beorn schopte vol afschuw tegen de smeulende resten.

'Maar we zijn er tenminste niet in verbrand. Dankzij Fritha zijn we veilig.'

Baggi klopte zijn vrouw zacht op de arm. Hoe moest hij haar bekennen dat hij haar bijna bont en blauw had geslagen omdat ze hem uit zijn bed had gerukt, uit zijn slaap had gehaald?

Om hen heen lagen de gevederde lijken van de kippen verspreid. Het leek wel of een dolle vos in het kippenhok had huisgehouden. De geiten liepen los rond en de jonge geitjes waren verdwenen, de hut was verbrand en de oogst was vertrapt, maar Fritha's groentetuin was ongedeerd; de rijen groenten stonden nog kaarsrecht, nog steeds geschikt voor de pot. Dankzij haar tovenarij had ze de hoeven en het nachtelijke lawaai gehoord, zodat ze hadden kunnen vluchten tot het gevaar was geweken. Ze hadden hun leven aan haar te danken, en Baggi was trots op haar. Hij zou nooit meer meesmuilend doen over haar bezweringen, ook al moest hij altijd bulderend lachen om de aanblik van haar blote achterwerk terwijl ze de grond onderzocht.

'Stil! Daar komt iemand aan! Kijk, de open plek...' fluisterde Fritha verschrikt. Ze verstopten zich allemaal zo goed mogelijk om te zien of de overvallers nog achterblijvers hadden om de restjes bijeen te vegen. Er kwam een verfomfaaide jonge vrouw te voorschijn, die de verwoestingen bekeek, de groentetuin zag en toen planten in haar rok begon te verzamelen.

'Hela, jij! Wat moet je daar met mijn groente!' gilde Fritha, en ze stormde als een wilde kat uit haar schuilplaats te voorschijn. Het meisje deed een stap achteruit, betrapt bij haar stelen.

'Ik dacht dat deze hut verlaten was, dat jullie waren gedood of voor de Noormannen waren gevlucht. We zijn verdwaald en we zoeken eten. Ik werd erop uit gestuurd om te plukken wat ik kon vinden...' Ze was nog heel jong, en ze liet de planten vallen bij het zien van vier vieze gezichten, vier boze mensen, op een rijtje tegenover haar. Fritha griste alles weg, maar toen ze zag dat het meisje bang was, werd haar toon zachter. 'Wie ben jij dan, zo alleen door het woud zwervend? Hebben ze je achtergelaten?'

Ze betastte de stof van de jurk van het meisje, met allerlei prachtige kleuren, en ze zag het felle rood van haar leren laarzen en haar roodgouden vlechten die met koperdraad waren samengebonden, de zachte, gazen sluier die met goud was afgezet, maar ook gescheurd en gevlekt was. Dit was geen boerenvrouw.

'Ik ben lady Ludmilla, dochter van leenheer Wulfrun van de Tamworthig... Mijn knecht is niet ver hiervandaan. We zijn onze paarden kwijtgeraakt en gisteravond zijn we het woud in gevlucht om aan de overvallers te ontkomen. Van de rivier tot aan het woud wemelen de paden van de Noormannen uit de Peak Lands. Ik vrees dat ik mijn hele familie heb verloren op onze reis naar het kasteel van leenheer Guthric. Ik ben nooit eerder in zo'n groot woud geweest en jullie zijn de eerste woudmensen die ik ontmoet. Ik ben overgeleverd aan jullie genade, maar ik bid jullie, doe mij geen kwaad. Mijn vader zal iedereen die mij te hulp komt goed belonen. Wie is jullie leenheer hier?'

Ludmilla beefde. Ze had nooit eerder boeren van zo dichtbij gezien; zulke haveloze wilde bosmensen met zulke woeste ogen.

Haar stem klonk beschaafd en ze had een accent dat Baggi niet goed kon verstaan, maar hij hoorde de angst erin doorklinken.

'U bent welkom om bij ons vuur te rusten. Dat is alles wat die duivels ons hebben nagelaten, zoals u ziet. Wij zijn ook het bos in gevlucht. Ze hebben ons vee gedood en gestolen, onze oogst is nog niet klaar en er is veel verwoest, maar wat we hebben zullen we delen.'

'Wie is de Hlaford, de broodheer in dit woud?' vroeg de dame weer.

'Wij zijn nieuw op deze hoeve, en we hebben nog geen heer ontmoet. Niets dan reizigers, zoals uzelf.'

'Dus jullie hebben geen beschermheer om jullie te helpen met jullie verlies?'

'Nee. En ook niemand om ons te dwingen diensten te verrichten of pacht te betalen. We staan of vallen door onze eigen inspanningen,' voegde Beorn er snel aan toe. Ludmilla glimlachte. Ze verstond geen woord van wat hij zei. Zijn dialect klonk zwaar en zangerig, niet als de taal van Mercia.

'Kom,' zei Fritha vriendelijk. 'Ga bij de bron zitten en drink wat water. Het is een lange nacht geweest voor ons allemaal. U ziet hier een paar nederige en drieste mensen. We zijn gevlucht voor oorlogvoerende krijgsheren, en nu zitten we er hier weer middenin.' Ze liet Lull en de baby aan de dame zien.

'Kijk... ogen als wilde hyacinten en stevige ledematen. Hilde zal het goed doen,' mompelde Lull tegen de dame die niet gewend was aan zulke kleine wezens, en verschrikt achteruitdeinsde. Lull staarde vol ontzag naar haar gehavende jurk. 'Dit weefsel is heel zacht, en de draden van goud zijn heel rijk geborduurd.'

Fritha was zo stoutmoedig om de stof voorzichtig te betasten. 'Ik heb nog nooit zulke kleuren gezien en ik heb ook nog nooit zoiets moois aangeraakt. Net de bloemblaadjes van een zijden roos die ik een keer in een krans in de oude kerk heb gezien.'

'Het had mijn verlovingsjurk moeten zijn, maar nu is hij bedorven,' zei Ludmilla, en met tranen in haar ogen klopte ze hem af en bekeek de moddervlekken. Ze betastte de gesp van haar leren riem met lange nagels, zo scherp als de klauwen van een adelaar. Aan haar polsen rinkelden armbanden en ze droeg een halsketting van gouden schakels. Fritha en Lull keken vol bewondering naar haar sieraden.

'Is dat zo, gaat u trouwen?' De vrouwen glimlachten.

Opeens begon lady Ludmilla te huilen van vermoeidheid en teleurstelling, en ze vertelde hun over de oude leenheer Guthric, een vriend van haar vader, aan wie ze was beloofd, en over haar weerzin om met hem te trouwen, en daarna over de vreselijke reis en de angst dat haar arme broer Edgar gevangen was genomen of was vermoord. Toen merkte ze dat de schaduwen donkerder werden en dat de zon allang voorbij het hoogste punt was. 'Mijn knecht Osbald zit stroomafwaarts op me te wachten, op de plaats waar we ons hadden verborgen. Ik ben te moe om terug te lopen. Mijn bediende zal denken dat ik dood ben, en hij zal verdergaan zonder mij. Wat moet ik doen?'

'Baggi gaat hem wel vertellen dat u hier veilig bij ons bent. Hij kan hier ook naartoe komen. Misschien kan hij ons op het land helpen, en dan koken we iets. Morgen kunt u teruggaan. Rust nu maar uit bij de bron.'

Fritha kon zien dat het meisje draaierig was van de honger en de angst. De pot zou hen op de een of andere manier allemaal moeten voeden.

Later, toen de zon achter het eikenwoud onderging, zat het vermoeide groepje rond de vuurstenen, net als op die allereerste avond van hun aankomst. De twee vreemdelingen zaten naast hen en dronken op hun beurt uit een houten kom van de magere soep. Die was naast Fritha's emmer het enige gebruiksvoorwerp dat hun restte. Osbald bood zijn helm aan zijn dame om daaruit te drinken, maar ze haalde haar neus op bij de geur van zijn vochtige, bezwete haar. Hij zat op te scheppen over de Great Hall in Tamworthig terwijl lady Ludmilla zat te knikkebollen, vol bier uit het vat. Deze redding veranderde nu in een avontuur, maar straks moest de jonge vrouw haar vader onder ogen komen, en het lot dat haar wachtte.

Ze zaten bij de bron te dommelen, en ze keken naar de gebedslapjes die heen en weer fladderden. Fritha vertelde de dame over haar verdwenen kinderen en hoe ze troost vond bij het water. Dat ze afrikaantjes met botergele blaadjes en bloemen uit de hagen plantte. Ludmilla moest opeens denken aan de relikwie in de domkerk, waar de Gezegende Chad bij zijn heilige bron wonderen verrichtte voor de gelovigen. Als zij tot de geest van de bron bad, zou dit Sint-Werburga helpen haar van een huwelijk met een oude man te redden?

Ze ging haar gezicht met water afspoelen en ze liet haar armen in de bron glijden, wiegde ermee onder de oppervlakte heen en weer. Naarmate de avond verstreek en het bier haar oogleden zwaar maakte, aanvaardde ze dat haar lot was bezegeld. Er viel niets meer aan te doen.

Opeens schalde dichtbij een hoorn, luid en zelfverzekerd. Ze hadden geen tijd om weg te komen voordat een strijdmacht te paard het veld opreed, gevolgd door een wirwar van hollende mannen met schilden en speren, die hen snel omringden. De doodsbange groep keek op tegen de stevige dijen van een gewapende man te paard die op hen allen neerkeek, tot zijn ogen op de gazen sluier van de jonge vrouw bleven rusten. 'Bent u van het geslacht Aethelflaeda, dochter van Wulfrun de Ring-gever? Wordt u hier tegen uw wil vastgehouden door deze schurken?' De bediende stapte naar voren, in een poging haar te verdedigen.

'Heer, ik ben Osbald, knecht van Wulfrun. Mijn vrouwe is ongedeerd. We hebben voedsel en drinken gekregen van deze goedhartige
mensen, pioniers in het woud. Ik smeek u, doe hun geen kwaad.'

'Laat de dame voor zichzelf spreken.' De leider wees met zijn zwaard
en lichtte haar sluier op om het fijnbesneden vierkante gezicht te zien,
met de blozende wangen en door het bier fonkelende ogen, de rozerode
lippen en bevallige contouren van de jonge maagd. Hij was heel tevreden over wat hij daar zag. Zij op haar beurt zag het sterke gezicht van een
krijger met een litteken over zijn wang, haar in de kleur van graan dat is
geoogst, de stierachtige bouw van jeugd en kracht. Ze boog gedwee, vol
onderwerping.

'Mijn dienaar spreekt slechts de waarheid. Hoe komt het dat u weet
van mijn lot en van mijn familie?'

'Uw broer wacht in mijn huis. Die overvallers zijn niet ver gekomen
voor we de zwaarden kruisten en hen versloegen. Ik begrijp dat anderen
hun wraak in het woud hebben gezocht. Hij vroeg ons u op te sporen,
wetend dat u de vlucht had genomen. Dit deel van het woud behoort
mij toe, samen met allen die er wonen. Op ditzelfde moment is heer
Aethelflaeda van Tamworthig te paard, met het zwaard in de hand, klaar
om de noorderlingen terug te jagen over de Trent. U zult met ons terugkeren naar het kasteel, en daarna naar uw vaders huis. Tot deze schurken
zijn vertrokken is het voor edelvrouwen niet veilig om op pad te zijn.'

'Tot wie spreek ik, als mijn begeleider en heer?' vroeg lady Ludmilla
belangstellend.

'Ik ben leenheer Godfrid van de Long Hall, tot uw dienst.' De man
sprong van zijn paard, en hij stond zo stevig als een boomstronk. 'In
wiens dienst zijn zij?' Hij keek om zich heen naar het groepje pioniers en
hun uitgebrande hut.

'Zij behoeven een beschermheer, iemand die hen zal helpen hun vee te
vervangen, hun hut te herbouwen en dit land te herstellen.' Ludmilla glimlachte liefjes en Osbald liet zich niet misleiden. Dit had beslist gevolgen.
Wat hier broeide zou de plannen van leenheer Guthric danig in de war sturen. Op dat moment vond lady Ludmilla haar jonge beschermheer, evenals de arme Baggi en Beorn hem vonden.

Naast zijn geschenk van koeien en twee bunders land ieder, moesten ze iedere maandag op het land van hun heer werken, in de oogsttijd
minstens drie dagen per week, een halve bunder haver voor hem maaien;
ze moesten een penny haardgeld betalen en belasting voor zijn kerk, en

naast dat alles hem alle diensten leveren waar hij om vroeg. De prijs van
een bestaan als vrij man was niet gering.

De pioniers zwaaiden de reddingsploeg van leenheer Godfrid uit zonder iets te zeggen. Maandenlang hadden ze geen levende ziel gezien.
Sinds die dag de zon was opgegaan en ondergegaan leek het of heel Mercia over hun terrein was gereden en bij hen had aangeklopt. Ongelooflijk
dat ze zulk bezoek hadden gehad. Nu moesten ze weer beginnen met het
vlechten van takken en varenbladeren. Zou hun lot ooit veranderen?

Wonderen

Er waren honderden taken die de pioniers klaar moesten hebben tegen de tijd van het oogstfeest. Soms keek Fritha trots naar de oppers hooi, de zakken bonen en erwten voor de winter, de koeien en varkens die vet werden van de eikeltjes en de herfstnoten, de kippen die liepen te pikken in haar groentetuin, die vol stond met kolen, uien en preien. Maar ze was wel doodmoe van al het harde werken.

Baggi en Beorn werkten tot laat in de avondschemering om meer land te ontginnen, rijshout te verzamelen voor de vrouwen om te bundelen en op te slaan. Ze groeven sloten en afvoerwegen, kapten het struikgewas onder de bomen, verzamelden de harde gedroogde balken die voor het winteronderkomen waren meegebracht op de wagen. Samen zetten ze die neer, schuin gebogen als de omgekeerde kiel van een boot, en ze lieten ze in met stenen gevoerde geulen zakken voor ze tenen wanden vlochten en die opvulden.

De leenheer van de Long Hall zond zijn baljuw om de voorwaarden voor de leenovereenkomst te bepalen, waarmee hij hun land verpachtte en weiderechten verleende, en hij inspecteerde hun werk en zei dat ze zich gereed moesten houden voor diensten bij de oogst van hun nieuwe leenheer. Iedere dag vertrokken ze al vroeg naar de Long Hall, over de heuvelkam, het dal in, waar zijn akkers naast een mooie houten kerk lagen, en naast de met riet gedekte woningen die bij het kasteel hoorden, en die hun eigen hut heel klein deden lijken. Hier voegden ze zich bij andere boeren die graan, erwten of gerst brachten, net wat er van hen werd verlangd. In de avondschemering trokken ze vermoeid weer naar huis, waar ze de vrouwen, die reikhalzend uitkeken naar nieuwtjes, het bericht brachten dat de jonge leenheer lady Ludmilla het hof maakte. De mannen kregen op het veld oogstbroden en bier, zoute haring en geitenkaas, waarvan ze vaak restjes voor Hilde bewaarden. Soms vielen ze bij het vuur in slaap.

Het afgelopen seizoen was heel snel voorbijgegaan. Het bezoek van lady Ludmilla, de overval en de verdwijning van Fritha's kinderen leken nu een verre droom. Maar wanneer ze in het donker lag en de eerste herfststormen door het woud hoorde razen en kreunen, hoorde ze vaak haar kleintjes huilen: 'Ma... Ma.' Dan stond ze snel op, dromend dat ze veilig ergens waren, dat ze alleen maar wachtten tot zij hen kwam halen en dat ze door de storm van wervelende bladeren moest hollen om hen in haar armen te sluiten. Maar ze verdwenen altijd weer in de nevel. Ze werd dan misselijk en beverig wakker. Op een morgen werd ze zo hevig door misselijkheid overmand dat ze duizelig in elkaar zakte. Fritha begreep toen dat haar gebeden eindelijk waren verhoord. Dit was misschien een teken van leven, niet van dood.

Met Sint-Maarten was ze ervan overtuigd dat er een kind groeide in haar buik, die stevig en rond was, een kind dat spartelde en schopte, dat maakte dat haar rug pijn deed, haar borsten groter werden en meer jeukten dan anders. Het was moeilijk uit te rekenen wanneer het zou worden geboren. Alstublieft goden, laat het in het voorjaar zijn als het voedsel weer groeit en de kippen eieren leggen. Fritha vreesde de lange duisternis van de winter. Zouden ze de kou en de nattigheid van deze vochtige heuvelrug overleven? Hadden ze genoeg hout voor de haard? Zouden haar potten met kruiden voldoende zijn?

De vrouwen wandelden met de kleine Hilde door het bos, ze plukten bramen, raapten beukennootjes, wilde appels, sleedoornpruimen. De laatste grasklokjes wiegden in de wind en de geur van rook vervulde hun neusgaten van heimwee naar de oude nederzetting en hun familie. Vorig jaar om deze tijd had er alleen maar opwinding voor hen gelegen. Maar nu hadden ze geen tijd voor berouw, want er viel veel te verzamelen. Ze hadden voor hun deel van de zoom van het woud het recht op varkensweiden en weidegrond. Lull ving stekelige egels om op het vuur in de modder te bakken terwijl Fritha de kiemende gerst voor het bier controleerde, evenals de korf waarin een zwerm bijen, die ze veilig uit de boomtoppen had gehaald, zich nestelde voor de winter. Soms glimlachte ze van trots over alles wat ze uit niets hadden gemaakt.

Bij het licht van een bies die in vet was gedoopt sponnen ze wol en haren en weefden die op het weefraam, en ze zetten lapjes stof, bont en leer aan elkaar om er warme laarzen van te maken. Ze hadden geen tijd om ze mooi te verven, zoals de rode laarsjes van lady Ludmilla. Al hun kleren waren donker en saai als geplette havermout.

Maar wat verlangde Fritha ernaar iets te dragen wat zo rood en zo opvallend was als de bloembladeren van een pioenroos, zo paars en zacht als de grasklokjes of de bramenvlekken op haar vingers. Ze had nog meer heilige kruiden geplukt, ze gedroogd en ze op een lap stof uitgeschud om ze te bewaren in een droge zak. Zaden waren heel kostbaar, de belofte van een toekomstige groei, maar ze was bedroefd dat de zomerbloemen voorbij waren en de kleuren van de herfst weldra in een bruin uniform zouden verdwijnen. Morgen moest Lull hun kostbare zout te voorschijn halen voor het slachten van de os.

De marskramer kwam voor de laatste keer dit jaar met zijn ransel vol spulletjes. Ze konden helaas niets missen voor zijn gekleurde snuisterijen en garens, maar hij bracht bericht over de grote veldslagen van koningin Aethelflaeda, wonderbaarlijke verhalen over hoe ze de mannen uit het noorden had teruggejaagd, en hoe de mooie lady Ludmilla de oude leenheer Guthric begon te negeren ten gunste van de ridder van de Long Hall.

Het pad was nu breder en de ridders reden erover, op weg naar de jacht. Soms stopte een vrome man bij de bron om water te halen, en dan gaf hij hun zijn zegen. Toen haar baby zwol en groeide, begon Fritha te vrezen dat er iets niet in orde was. Ze lachten om haar harde buik, die altijd duidelijk werd aangegeven door de viezigheid op haar tuniek. Lull was nooit zo dik geweest als zij nu. Hilde kon inmiddels kruipen en brandde haar vingers aan de hete stenen als ze niet voortdurend in de gaten werd gehouden. Lull raakte geïrriteerd en klaagde dat de hut te klein was, dat de afvoergoten een gevaar waren voor haar kind, en ze bond een leren veter van haar pols aan de baby, zodat ze niet weg kon kruipen. Het grootste deel van de tijd zat het kind veilig op haar rug gebonden. De vrouwen vonden het niet gemakkelijk om samen het huishoudelijke werk te doen, maar Fritha, die meestal de sterkste van de twee was, merkte dat ze vaak even moest rusten om op adem te komen, zo vermoeiend was het dragen van dit kind.

Weldra zaten ze midden in een strenge, koude winter. Fritha bad wanhopig bij de bron dat de baby warm en veilig in haar buik zou blijven tot de dagen langer werden en de vorst niet zo gemeen in haar vingers en tenen beet. Soms doopte ze ze in warme urine om het jeuken te verlichten. Ze verwarmden het bier met hete stenen en deden er kruiden in om de buik te warmen. Ze deed ook wat pioenzaden in haar eigen drank, samen met gedroogde blaadjes van de wilde framboos, zoals haar moeder ooit had gedaan, voor een snelle en veilige bevalling.

'Heb je soms een kalf daarbinnen?' lachte Baggi, en hij klopte op haar bolle buik. 'Hoe moet zoiets eruit komen?'

'Op dezelfde manier als de andere – met veel gevloek en gezweet,' grapte Fritha, in een poging haar angst te verbergen. Soms was ze bang om te gaan slapen, voor het geval haar buik als een rijpe peul zou openbarsten.

Lull en Fritha praatten over de vreemdelingen die langs hun stukje land kwamen op weg van de domkerk, een hele dag lopen door het nevelige, moerassige dal. De houtskoolbranders in het woud zeiden dat het een armzalig grijs geheel was, niet meer dan een paar krotjes naast het afgescheiden deel van de monniken en de schrijn van de Gezegende Chad. Lull smeekte om de reis te maken, maar Beorn stond erop tot het voorjaar te wachten. Haar gezicht stond teleurgesteld, maar klaarde op toen de zon hoger aan de hemel steeg en de uren daglicht langer werden. Weldra vrolijkten de sneeuwklokjes de holten in het woud op met hun kleine groene punten. Wanneer zouden alle andere kleuren terugkeren naar Fritha's bron?

De plek werd altijd Fritha's bron genoemd. Fritha had de wel gevonden, het terrein verzorgd, de grond gevoed, en tot dusver had het hun zelfs op de ijzigste dagen niet aan water ontbroken. Niemand durfde ooit openlijk te spreken over de vreselijke avond van hun aankomst of over de verdwenen kinderen wier beenderen geen begrafenis hadden gehad. Wanneer er reizigers stilhielden om water te putten, nam Fritha hen stilletjes apart om te vragen of ze iets hadden gehoord over kleine kinderen die in het bos waren verdwaald en door vreemden waren gevonden. Er werd dan treurig met hoofden geschud en ze zweeg, trok zich terug in de schaduwen, weg van de anderen.

Op deze manier volgde de ene dag de andere op tot Fritha op een morgen wakker werd met een vlijmende pijn onder in haar rug. De pijn kwam en verdween terwijl ze haar gewone werkjes deed.

Deze pijn was anders dan haar andere baringen, met voortdurende krampen. Het was nu of haar binnenste er met een roestige dolk werd uitgesneden. Uiteindelijk kon ze niet meer, ze waarschuwde Lull en kroop de hut in, om daar naar adem te liggen snakken tot het persen begon. Ze hurkte boven vers beddengoed en probeerde niet te gillen om geen adem te verspillen. Ten slotte kwam het kind, het glibberde naar buiten, een paars meisje, klein voor de afmetingen van haar moeder. Fritha beet de navelstreng door en zorgde voor de rest terwijl Lull zenuwachtig in de buurt bleef. Fritha had de baby aan haar borst gelegd toen een volgende scherpe, stekende pijn haar opnieuw deed hurken om de nageboorte te laten komen. Er volgde een golf van bloed, en er worstelde zich opnieuw een klein wezen uit haar lijf, dat rood en stil voor hen bleef liggen. Lull wierp er één blik op en slaakte een kreet van ontzetting. 'Twee kinderen in één keer! Ze is behekst...' Ze holde naar het manvolk om hun dit vreemde voorval te melden.

Fritha keek neer op het kleine wezentje dat voor zijn leven vocht, zo vreselijk klein, zo volmaakt van vorm, met een gezicht dat vertrokken was van boosheid hoewel het geluid van het huilen heel zwak en deerniswekkend klonk. Haar hart werd vervuld van liefde voor hen; de ene levenslustig, trappelend en sterk, de andere jankend als een jong hondje, vechtend om te overleven. Ze durfde het jongetje nauwelijks aan te raken. Toen kwam er nog een nageboorte, dunner en niet zo royaal als de eerste. Ze zou die nageboorten bakken en zelf opeten, om haar melk sterker te maken. Tweelingkinderen, dubbel zaad.

De geest van de bron had uiteindelijk toch welwillend op haar neergekeken, had de gebedslapjes die in de takken hingen beantwoord. Haar zaad was verdubbeld. De tranen stroomden over haar wangen, tranen van liefde, opluchting en dank. Baggi stond buiten adem in de deuropening, met gefronst voorhoofd. Lull drong naar binnen en wees.

'Kijk! Ik zei het toch... neem ze mee, allebei.' Ze wilde de zwakste baby weggrissen, maar Fritha weerde haar af.

'Raak ze niet aan, ze zijn van mij! Help me ze stevig in te bakeren.'

'Ik ga ze echt niet inbakeren. Dit is hekserij of nog erger. Het is tegen de natuur.' Lull keek de mannen aan om steun te zoeken.

'Lull! Hoe kun je zulke idiote dingen zeggen? De goden hebben me teruggegeven wat ik heb verloren... Kijk maar! Van ieder eentje, voor Wyn en Ran.' Fritha voelde zich onverwacht sterk en machtig.

'Maak ze af... of maak in ieder geval die kleinste af. Eén moet er weg, ze zijn gezaaid in slechtheid en boosaardigheid.'

'Waar heb je het over?' vroeg Baggi, verbaasd over al dit misbaar.

'Ze heeft jouw zaad en dat van hem gebruikt om dit te doen.' Lulls vinger wees beschuldigend naar haar man. 'Hoe kun je er anders twee krijgen? Hoe heb je mijn man kunnen nemen, Fritha? Was één niet goed genoeg?'

'Lull, je hebt te lang naar de maan gekeken! Zeg het tegen haar, Baggi... zeg het, Beorn. Ik heb niemand te schande gemaakt. Het was de geest van de bron die mijn smeekbeden heeft beantwoord... die heeft teruggegeven wat mij was ontnomen. Wyn en Ran zijn weer bij me terug. Zeg haar dat, Baggi.'

Fritha hield de kinderen zijn kant uit. De man deinsde achteruit, wetend dat dit een reden tot schande was waar door zijn familie ver hiervandaan over zou worden gefluisterd. Een tweeling was slecht nieuws, een teken dat er sprake was van toverkunsten. Er moest altijd één van worden gedood, opdat de ander kon gedijen. Een vrouw kon geen twee kinderen voeden. Dat was tegen de natuur. Was zijn vrouw hem achter zijn rug om ontrouw geweest, was ze in het donker van het bos naar Beorn gekropen?

Er steeg woede en achterdocht in hem op, en toen Fritha zijn blik zag, klemde ze de baby's stevig vast. 'Kijk me toch niet zo aan! De Hoge God van de hemel is mijn getuige dat Beorn jou geen weergeld schuldig is, dat hij jou niet schadeloos hoeft te stellen. Deze zijn van mij en van jou, allebei. Ik heb lange tijd, voordat de overvallers kwamen, om dubbel zaad voor al onze gewassen gebeden...

Jullie hebben allemaal gelachen om mijn bezweringen en mijn smeekbeden, maar ik heb de watergeest gebeden om dubbel zaad, en we hebben dat gekregen. Waarom zou een vrouw geen tweeling mogen baren? We hebben twee borsten, of wist je dat nog niet? En deze borsten zullen binnenkort vol melk zijn.' Fritha deed haar uiterste best, maar haar man wist het nog niet zo zeker.

'Je bent gewoon niet goed snik, mens. Twee kinderen betekent maar één ding: twee vaders.' Baggi keek zijn broer aan. 'Een vloek op jou, omdat je schande over ons brengt! Ik eis weergeld – geld of bloed.' Hij gaf Beorn een harde duw en stormde de hut uit.

'Wacht eens even, broer! Je moet me niet zomaar vervloeken om iets wat ik nooit heb gedaan! Ik heb nooit naar haar omgekeken, naar die krankzinnige vrouw van je. Niet één keer, nooit... Hoor je me? Ik heb m'n eigen kind, waarom zou ik iets van jou willen?'

'Goed zo, vertel jij het hun maar,' gilde Fritha, verbijsterd over alle beschuldigingen die over en weer vlogen als vogels die in een kooi gevangen zaten.

'Niet zo snel, Beorn. Ze heeft je behekst, zó zit dat. Ze moest zó nodig zaad hebben, dat ze jou met bier heeft bedwelmd zodat je niet eens meer zag met welke vrouw je ging liggen...' Lull wist niet van ophouden.

'Wanneer hebben wij ooit bier gebrouwen dat zo sterk was dat we niet meer wisten wat we deden? Het is zo slap dat het niet meer dan kinderbier is. Je wilde zelf heel zuinig doen met de gerstekiemen, om altijd wat te hebben, dus begin nou niet zulke onzin uit te kramen, anders zul je m'n vuisten voelen!'

'LAAT ME MET RUST!' schreeuwde de moeder terwijl ze de baby's aan haar gezwollen borsten legde. 'Kijk, ze kunnen drinken. Eén wegnemen? Over mijn lijk! Er is hier niemand te schande gemaakt. Ga Baggi nou maar kalmeren voordat er hier wordt gevochten. D'r zijn al eerder tweelingen in jullie familie geweest, en dat weet-ie.'

'Jawel, en één daarvan werd aan de wolven overgelaten, om het kwaad uit het kamp te weren,' zei Lull. 'Hou het meisje, dan neem ik de kleinste mee het bos in en praten we er verder niet over.' Ze stak opnieuw een hand uit naar het kleinste kind, dat worstelde om de tepel van zijn moeder te pakken te krijgen.

'Waag het eens! Dit woud heeft er twee van mijn vlees gehad, het zal geen derde verslinden! Je hebt het mis, Lull. Je hebt te veel oudewijvenpraatjes gehoord. We zijn gezegend, niet vervloekt. Moge het hoge hemelse zwaard mij doden als ik lieg.' Fritha greep haar borst vast. 'Je zult mij eerst moeten doden voor ik een kind aan jou afsta.'

'Ik pík jouw leugens niet langer!' gilde haar schoonzuster. 'Kijk nou eens wat je ons allen hebt aangedaan. Ik blijf hier geen minuut langer.'

Ze holde met een huilende Hilde naar buiten, het donker in.

Fritha was zo kwaad dat ze schreeuwde: 'Deze hut uit, allemaal! Ik doe het wel allemaal zelf. Zoek zelf maar een onderkomen en laat je hier niet meer zien, jullie allemaal... en dat geldt ook voor jou, Bagwulf, als jij iets van die leugens gelooft.'

En zo begon de grote kilte bij Fritha's bron die hun terrein in tweeën deelde en vele manen duurde. Beorn en Lull zochten hun spullen bij elkaar – en voor alle zekerheid ook wat dingen die niet van hen waren. Ze bouwden een nieuwe hut verderop, onder aan het terrein, uit het zicht, dicht bij een ander beekje. Baggi bleef, onzeker en treurig. Maar hij had geen tijd om een nieuw onderkomen voor zichzelf te bouwen. Wekenlang keek hij niet één keer in de richting van zijn kinderen, ook al woonden ze samen onder één dak. Fritha maakte nog steeds het eten klaar, dat tussen de twee groepen werd verdeeld en zwijgend werd verorberd. Er heerste een ijzige kilte waar ooit warmte en vrolijkheid waren geweest.

Treurigheid en stilte daalden over de huisjes neer, samen met de laatste wintersneeuw die het woud met een verblindend witte deken bedekte. Baggi keek steels naar het donkerharige meisje en het vlasblonde jongetje. Zelfs hij moest erkennen dat ze sprekend op Ranwulf en Wyn leken. Hij kreeg tranen in zijn ogen toen hij zag dat Fritha stellig geloofde dat haar verdwenen kinderen door goedgunstige geesten bij haar waren teruggebracht. Ze noemde hen zelfs bij de oude naam, hoewel hij wist dat dat verkeerd was.

'Geef ze een nieuwe naam, mens. Dit is misschien een tweede kans, voor ons allemaal. Nieuwe namen voor nieuwe kinderen, hè?' Hij glimlachte onwillekeurig naar de knipperende blauwe ogen van zijn zoon.

'Dan moet hij jouw naam dragen, maar we noemen hem Wulf. Deze hier is een geschenk van de goden en we noemen haar Godgifu, of kortweg Gifu. Wat vind je daarvan?' De dooi had ingezet bij Fritha's bron.

Toen de paden schoner werden en de voorjaarsoverstromingen voorbij waren, namen Baggi en Fritha de tweeling mee naar de houten kerk bij de Long Hall, om de priester hen met wijwater te laten zegenen, alleen maar om er dubbel zeker van te zijn dat ze voorspoedig zouden opgroeien. Fritha had Lull en Beorn graag op hun kleine feestmaal genodigd, maar zij zaten vast in hun nieuwe huis door alle sneeuw en nattigheid. Ze had de priester gevraagd of hij dacht dat haar kinderen vervloekt waren, maar hij had tot haar verbazing geglimlacht en gezegd dat de Verlosser der mensheid ook tweelingen in de familie had gehad, potige volgelingen in Galilea, waar dat ook mocht zijn. Als de Verlosser hen niet afwees, dan hadden Lull en haar familie het mis.

De priester fluisterde echter dat een overmaat aan enthousiasme van de kant van Baggi dit wonder misschien had veroorzaakt. Ze moesten nooit paren als het maanbloed hoog stond. Dit veroorzaakte rood haar en verstoorde de orde der dingen. Zijn zaad moest wel heel sterk zijn.

Dit nieuws bracht nieuwe veerkracht in Fritha's stap. De lucht werd lichter, het voorjaar stond voor de deur, maar toen de tijd naderde van het seizoen van hun komst naar Frithaswell, huilde ze opnieuw om Wyn en Ran. Maar de vreugde over de twee baby's aan haar borst verlichtte de pijn in haar hart. Alle dingen gingen voorbij, en dit zou ook voorbijgaan, maar de herinnering aan haar verlies zou tot haar laatste snik bij haar blijven.

Een vreemde oogst

❦

'Ik zal nooit met een oude man trouwen nu ik Godfrid heb gezien. Hij heeft mijn hart gestolen,' had lady Ludmilla haar ouders bezworen, stampvoetend van woede. Haar moeder zuchtte en schudde haar hoofd.

'Wie trouwt er nou alleen om de liefde? Denk je dat ik zoiets voor je vader voelde toen we trouwden? Als je geluk hebt komt dat misschien later... samen naar bed gaan, aan elkaars gewoonten en stemmingen gewend raken. Liefde is alleen maar de dwaasheid in het verhaal van een minstreel. Hoe kunnen mannen ten strijde trekken als ze zulke zwakheden aan hun hoofd hebben, kind? Bedaar nu maar en aanvaard wat voor jou het beste is.'

Maar Ludmilla was niet van plan de knappe Godfrid, haar krijger, te laten ontsnappen uit het net dat zij voor hem spon. Zodra ze de kans kreeg zocht ze hem alleen op, waarbij ze Edgar schaamteloos als haar chaperon gebruikte. Het was niet moeilijk de leenheer ervan te overtuigen dat zij het was naar wie zijn hart uitging, zodat hij snel als haar redder en held op weg ging om om haar hand te vragen.

Wulfrun sputterde dat er problemen waren, maar omdat deze ridder zowel zijn zoon als zijn dochter had gered, moest er dan toch maar iets worden geregeld om Ludmilla van haar trouwbelofte te bevrijden.

'We zullen heer Guthrics trots met zilver moeten sussen, en jij zult hem natuurlijk zijn verlovingsgeschenk terug moeten geven. Die gouden armband is bijzonder kostbaar, hij is gemaakt in de tijd van de grote koning Alfred. Hij heeft me verteld dat hij heel hoog werd geschat in zijn familie.'

Pas toen besefte Ludmilla dat de armband in geen weken of zelfs maanden om haar pols had gezeten. Ze kon zich niet herinneren wanneer hij voor het laatst in de zon had gefonkeld of om de zijden manchet van haar lange mouw had geschitterd. Haar hart bonsde. Als ze de armband had verloren, hoe kon ze dan haar woord teruggeven en de bewij-

zen van de leenheer retourneren? Zo zou ze nooit vrij zijn om het bruids-
bed van haar held te warmen.

Met een bezwaard gemoed reed ze opnieuw het uitgestrekte woud
in, begaf ze zich opnieuw op de kronkelige paden vol modder en slijk.
De sneeuw was snel gesmolten, zodat de paden onder water stonden en
moeilijk te vinden waren. Ze wilde omkeren, maar Osbald Halfdane
spoorde haar aan verder te gaan, hoewel ze allebei wisten dat dit zoeken
naar een speld in een hooiberg was.

'Als u nog langer wacht, zal het voorjaarsgroen de kale grond bedekken en zal het sieraad voor eeuwig begraven zijn.' Osbald was niet in de
stemming zich toegeeflijk op te stellen. Als ze van haar eed van trouw
wilde worden ontheven, moest ze die armband vinden.

Ludmilla's knechten reden heen en weer over modder en moeras, terug langs het pad ten noorden van de exacte plaats waar zij met zijn twee-
en aan de Noormannen waren ontkomen, en ze vonden ten slotte het gezwollen beekje en het groepje bomen op de oever bij Baggi's terrein. Het
zag er in deze kille lucht allemaal heel anders uit, met donkere, kale takken boven hun hoofd, en een dek van rottende bladeren op de rode aarde. Daar ontmoetten ze de ene boer en zijn vrouw, die hen angstig be-
groetten en de dame te midden van haar ruiters niet herkenden. Ludmilla
had zich tegen de kou gehuld in een dikke blauwe wollen cape, afgezet
met bont, met een warme capuchon die haar gezicht omlijstte. Deze keer
was het gezelschap goed voorbereid met lansen en met een rieten mand
vol broden, koud vlees en kaas. Baggi boog diep en vroeg naar de reden
van hun bezoek bij zulk slecht weer.

Ludmilla herinnerde hem aan hun ontmoeting en beschreef het sieraad dat ze hier in de buurt moest hebben verloren. Als deze boerenmensen het hadden gestolen en verkocht, hadden ze deze hut vast verlaten
om in de warmte van een dorpje te kunnen overwinteren. Het arme gezin leek heel eerlijk, en ze staarde verbaasd naar de twee baby's die in leren zakken tegen de borst van de vrouw waren gebonden. Ludmilla vroeg
haar of ze zich herinnerde of zij een gouden armband had gedragen toen
ze naar hun verwoeste hut was gekomen. Fritha glimlachte en knikte. Ze
had geen minuut van dat bezoek vergeten, Lull en zij hadden het vóór
hun ruzie heerlijk gevonden om rond de haard over alle details van dat
bezoek te praten. De vreselijke overvallers, die nacht in de kuil, de komst
van die deftige dame en haar redding door heer Godfrid... Wie kon zo'n
gedenkwaardige dag vergeten?

'Dus je hebt een armband om mijn mouw gezien?' Ludmilla deed ongeduldig, ze wilde verder.

'Jawel, een prachtige band van goud met rode stenen, in de kleur van
klaprozen, als ik het me goed herinner. Ja, die hebben we daar gezien.'
Fritha wees naar haar pols. 'En de gedraaide ring, een schoudergesp met
een drakenkop...'

'Ja, ja... die heb ik nog steeds. Maar de armband is zoek en moet worden gevonden, hoor je?'

Fritha boog en antwoordde: 'We hebben geen sieraad gevonden,
vrouwe, maar we zullen voor u op onze velden en paden zoeken wanneer we de grond omploegen en het zaad uitstrooien. Mijn ogen zijn nog
scherp en altijd op de grond gericht. We zullen ons best doen.'

'Zorg er dan voor!' De dame knikte kort en wendde haar paard om
haar frustratie te verbergen. Ze had zo gehoopt dat hij daar gewoon lag
te wachten om te worden gevonden. Dat verhipte ding! Ze was zo van
de kaart geweest door de fijne gelaatstrekken van haar heer, de verrassing
over zijn komst op het juiste moment en de opluchting dat Edgar veilig
was, dat ze zich weinig herinnerde van haar bezoek hier. Nu moesten ze
langzaam te voet verder naar de Long Hall, terwijl ze in de modder zochten. Het was een hopeloze taak.

Osbald bedankte het paar kortaf. Hij had weinig vertrouwen in de boeren van het woud, ze waren hem te trots en te onafhankelijk naar zijn zin. Dit
stel leek onschuldig, ze waren mager na de winter en ze zagen er te uitgehon-
gerd uit om een zeldzaam sieraad te kunnen hebben verkocht. Ze waren hard
toe aan een voorjaarswasbeurt. Het moest heel zwaar zijn om op zo'n troosteloze plek te wonen. Hij was blij dat de Hoge Heer in de hemel hem in Zijn
barmhartigheid in zijn stand geboren had laten worden, en niet als boer.

De langzame tocht terug naar de Long Hall was zonder enige vreugde, en Ludmilla bekende haar heer haar wanhoop.

'Misschien hebben die diefachtige Noormannen hem gevonden en is
hij nu aan de overkant van de Trent. Maar we zullen trouwen, vrees niet,'
suste hij haar. 'Heer Guthric is een redelijk man. Hij zal er een goed gewicht aan goud voor in de plaats willen nemen. Zulke dingen kunnen
gebeuren... Maak je nou maar geen zorgen om zo'n snuisterij.'

'Ik wou dat het alleen maar een snuisterij was, Godfrid. O, het is allemaal mijn schuld! Ik gaf niets om die oude man, en dus was ik slordig
met zijn sieraad. Vader kan geen geld meer voor me missen. Hij zegt dat
ik zijn geldkist al genoeg heb geplunderd,' zuchtte Ludmilla.

'Er zal toch vast wel een manier zijn?' antwoordde haar geliefde, en hij klopte haar op de wang, wetend dat zijn eigen geldkist leeg was, en zijn beurs licht. Als dit de droevige feiten waren, moest hij misschien toch maar eens ergens anders kijken om een rijke weduwe te vinden die zijn koude bed kon warmen.

Toen de voorjaarsakkers groen werden op hun land, ontplooiden de jonge gewassen zich. Wulf kwam een klein beetje aan, maar Gifu, de inhalige, mollige en gretige aan de borst, stal alles wat Fritha te bieden had en eiste extra slokjes. Wulfs huid was schraal en schilferig. Zijn moeder verbaasde zich erover dat het kereltje hoe dan ook in leven bleef. Ze gaf hem verse melk van de geit, in een zakje waaruit hij kon zuigen, en weldra kwam er meer vlees aan zijn ledematen en haalde hij gemakkelijker adem, begon hij belangstelling te krijgen voor andere dingen dan haar tepel, zeer tot Fritha's opluchting.

Sinds het bezoek van de dame liep ze steeds in haar groentetuin te zoeken of langs de rand van de akkers, gewoon voor alle zekerheid, maar ze vond niets. Hoe moest het leven wel niet zijn als het iemand toestond zo zorgeloos met goud en kostbare stenen om te gaan, dure blauwgeverfde wol in de modder te dragen en op een mooi paard te rijden! Het was een wereld die ze zich niet kon voorstellen. Hoewel het die jonge vrouw niet tevreden scheen te hebben gemaakt met haar lot, want haar ogen stonden rusteloos en bang, herinnerde Fritha zich.

Ze had zelf misschien niet veel bezittingen, maar ze voelde zich gezegend met de hulp van een sterke man en met twee mooie kinderen. Het was jammer dat de scherpe woorden van de vorige winter nooit waren vergeten. Beorn en Baggi moesten nog steeds samen op het land werken, maar de vrolijke grappenmakerij van vroeger was verdwenen. Als zij in de buurt was werden de taken zwijgend verdeeld. Soms ving ze een glimp op van Lull, die in de verte op haar groentelandje bezig was, met de kleine Hilde, die nu achter haar aan dribbelde, nog steeds aan een riem die om haar pols was geknoopt.

Het was goed om de haard voor zich alleen te hebben, maar soms voelde ze hoe de vermoeidheid haar overweldigde. Wat zou Lull het leuk hebben gevonden om de dame weer te zien! En er was niemand met wie ze haar zorgen over Wulf kon delen. Hij gorgelde of pruttelde of lachte niet half zoveel als Wyn of Ran of Gifu. Baggi had gelijk, met hem een nieuwe naam te geven. Hij leek helemaal niet op haar verloren zoon. Hij was op een vreemde manier bijzonder. Haar hart was loodzwaar bij die gedachte, door al het werk dat ze had om hen van eten en drinken te voorzien. Dat was nog erger dan het verzorgen van de schapen, geiten en kippen die het erf vulden. Ze hadden nu eenden en enkele ganzen, die grote eieren en veren gaven, maar het waren erg rommelige beesten en het was moeilijk om hun poep bijeen te schrapen voor de kostbare mestvaalt.

Baggi en Beorn hadden een plan om het beekje in te dammen om dit in een grote vijver uit te laten komen, een vijver voor eenden en om vis in te vangen. Het zou hun alle vrije uren van de zomer kosten om dat gat te graven en het water om te leiden. Ze vroeg zich af wat Lull van dit geweldige idee zou vinden. Alsof het zo moest zijn zag ze haar schoonzuster naderen, met haar kind op de arm, om een emmer water uit de bron te gaan halen. Lull knikte koeltjes, probeerde haar niet aan te kijken, maar toen de kleine Hilde werd neergezet, holde die weg om de eenden op te jagen, waarbij ze plat op haar gezicht viel en hard begon te huilen. Ze was op die lastige leeftijd, niet langer een baby maar ook nog geen kleuter, en ze moest voortdurend in de gaten worden gehouden.

'Blijf bij dat water vandaan, Hilde!' riep Lull, en Fritha tilde Gifu op om te zien wat er gaande was. De peuter wilde grijpen, spelen en aanraken. Ze was te jong om de koelte tussen de twee moeders te voelen. Fritha probeerde de stilte te verbreken.

'We hebben weer bezoek gehad van die dame van het kasteel. Weet je dat ze een verloren sieraad zoekt? Ik dacht dat ze ons wilde slaan en ons mee wilde nemen. Ik denk dat zij dachten dat we iets van haar hadden gestolen. Hoe moet ze ooit iets in al deze modder kunnen vinden? Maar ik heb gezegd dat we ernaar uit zouden kijken.'

'Daar heb je goed aan gedaan... Kom mee, Hilde, niet zeuren. En blijf bij die stenen vandaan, ze zijn glad...' schreeuwde Lull, toen ze zag dat haar kind bij de bron bleef staan, haar handen uitstrekte naar het water. Een luide plons maakte dat ze allebei naar het kind toe renden, dat in het water lag te spartelen. Fritha greep haar bij de tuniek en viste het lichaampje er snel uit. Hilde hoestte en sputterde, maar ze was ongedeerd. Ze huilde geschrokken en hield een bosje wier in haar hand.

'Kom, breng haar naar het vuur en droog haar af, Lull.'

'Bedankt... Ze is zo'n spring-in-'t-veld, ik begrijp echt niet hoe jij dat met twee kinderen doet.' Lull glimlachte en knuffelde haar dochter vol opluchting.

'Gewoon, vanzelf. Gifu is heel gemakkelijk, maar de arme Wulf is nog steeds zwak. Maar ach, dat zijn jongetjes wel vaker,' antwoordde Fritha, en ze glimlachte terug.

'Ze lijken heel veel op jou.'

'Vind je?'

'Vooral het meisje, ze is heel donker... Gifu, heet ze?'

'Jawel, Godgifu... Van God gegeven, dubbel zaad.'

'Fritha?'

'Ja?'

'Dit heeft te lang geduurd. Het is een slechte winter geweest, met niemand om de winterse duisternis te verjagen. Ik heb onze gesprekken bij de haard gemist, en jouw hulp bij het opwinden van de wol. Misschien waren we allemaal wat moe en haastig, te snel boos?' Lull boog haar hoofd en zweeg.

'Scherpe woorden zijn zo gemakkelijk om te zeggen en zo moeilijk om te vergeten,' zei Fritha ten slotte. 'Het is goed om mijn eigen haard en kookketel te hebben, maar je bent altijd welkom om langs te komen. Twee stel handen maken dat alle werkjes lichter lijken, nietwaar? Bovendien heb ik je gezelschap ook gemist.'

Lull drukte even haar hand en keek toen naar Hilde. 'Waar loopt dat kind nu weer op te kauwen? Spuug eens uit!' Hilde beet op de waterplanten in haar hand, kauwde op iets wat met modder was bedekt. 'Doe dat eens weg!' Lull griste het voorwerp weg, en het kind begon meteen te huilen.

Ze bekeek het vieze ding wat beter, betastte het gladde oppervlak, voelde de holte in het midden. Ze veegde hem af aan haar bovenrok, poetste het wier weg. Het was een volmaakte cirkel. Fritha slaakte een gesmoorde kreet toen ze het zag.

'Lull! Kijk, de armband... Hilde heeft het sieraad van de dame gevonden! Ze heeft 'm zeker in het water laten vallen. Kijk eens hoe dat goud met stenen is bezet. Geen wonder dat de dame hem zo graag weer wilde vinden. Kijk eens hoe de stenen in het goud zijn gezet, net fijn metaaldraad. Het patroon is heel mooi. Baggi, Beorn! Kom eens gauw kijken wat het kind in de bron heeft gevonden... Een schat uit de heilige put... opnieuw!'

De vrouwen glimlachten hartelijk naar elkaar, voor de eerste keer sinds vele manen.

Fritha liep met haar emmer naar de bron, en ze raakte eerbiedig de gebeds-lapjes aan, die fladderden in de wind. Eerst hurkte ze neer om zichzelf te besprenkelen met een zegening van water, als blijk van dank. Ze hadden snel de armband teruggebracht naar Long Hall, wat veel vreugde bij de eigenares had veroorzaakt en als blijk van trouw jegens het huis van leen-heer Godfrid werd beschouwd. Osbald Halfdane kwam terug met een baal fijne stof, genoeg voor twee tunieken voor de vrouwen en een hemd voor Hilde. Er waren ook bewerkte benen ringen voor de baby's om op te kauwen, en een uitnodiging voor het feest als de trouwerij plaatsvond.

Fritha had toen in haar arm moeten knijpen om zeker te weten dat ze wakker was en niet lag te dromen! Daar zaten ze dan, aan de feesttafels in de Long Hall terwijl de harp speelde en de minstreel de oude ballades van de held Beowulf zong. Boven hen hingen wollen wandkleden aan de be-rookte dakspanten waartussen de rook omhoogkringelde naar het gat in het dak. De honden blaften luidruchtig, maar hun kleine kinderen lagen veilig in een hoek te slapen. De tafels stonden vol fraaie geglazuurde aar-dewerken schenkkannen, van het soort dat geen van beide vrouwen ooit had aangeraakt. Ze werden volgestopt met gebraden vlees en fijne mede, honingkoeken en dik brood. Hun drinkbekers werden steeds tot de rand bijgevuld, als geëerde gasten op het huwelijksfeest. Baggi's wangen waren rood als hete stenen, en Beorn maakte zijn riem los voor hij het laatste restje bier naar binnen goot.

Aan de hoge tafel zaten de heer en zijn nieuwe dame, die kralen van amber droeg, het geschenk voor de morgen na de huwelijksnacht, als be-wijs van haar bedwaardigheid. Ludmilla droeg een mooi gewaad van ko-renbloemblauwe stof, geborduurd met gouden kantwerk, zijden mou-wen die waren afgezet met het diepste rood van een zomerweide. Haar sluier was als een spinnenweb van zijden tule, waaroverheen ze een krans van verse bloemen droeg. Heer Godfrid was stomdronken en had een ro-ze blos, als een glimmende appel. Hij droeg een tuniek van het donkerste bruin, als een boomstam. Deze was afgezet met galon, even blinkend als zijn felrode haar, en Fritha moest even giechelen bij de herinnering aan de waarschuwing van de priester over wellustige excessen die tot baby's met rood haar leidden.

Het huwelijksfeest had veel dagen geduurd. Eerst kwamen de grote heren en hun familie uit alle delen van het graafschap, daarna de lagere verwanten, en ten slotte de houtvesters en pachters. Iedere groep werd volgens rang en gebruik onthaald.

Vóór het feest hadden Lull en Fritha dagenlang alleen maar zitten kijken naar de geschenken die ze hadden gekregen, bang ze vuil te maken of aan te raken, voor het geval alles zomaar in rook zou opgaan. Daarna spoelden ze hun vingers af en betastten voorzichtig de stof, waarbij ze zich probeerden voor te stellen wat er zou gebeuren als ze dít deden of als ze dát deden. Konden ze nog iets extra' uit deze lap halen? Ze durfden het geslepen mes er haast niet in te zetten, maar de gedachte aan het feest, en daar naakt naartoe te moeten gaan, dreef hen ertoe de eerste snede te maken. Van één ding waren ze beiden zeker: de stof moest in een vrolijke kleur worden geverfd. Geen havermout-, slijk- of modderkleur, maar iets wat hun leven voor altijd zou opvrolijken, de kleur van de pioenroos of de korenbloem, het boterbloemgeel of het heldere bladgroen. Er waren veel kleuren om in de groene bossen uit te kiezen, want de meibloesems bedekten de randen van de akkers.

Eindelijk zouden ze iets hebben om al het grauwe mee op te vrolijken. Het werd tijd om de gedroogde uienschillen van vorig jaar met een stuk meekrap te proberen. Nu moest de metalen pot die hen de hele winter had gevoed, worden schoongemaakt en in de zon gedroogd, worden gevuld met bronwater en schone hete stenen, aan de kook worden gebracht om de stof erin te laten weken, zodat deze prachtig oranjegoud van kleur werd. De lap stof werd daarna recht uitgehangen en gedroogd aan een paar takken, samen met een lijn met dode kraaien die ernaast wapperden, om vogels te verjagen en er geen poep op terechtkwam.

In de warmte van de zon droogde de stof een beetje streperig op, maar was weldra klaar om te naaien. Fritha keek vol ongeduld uit naar de feestdag om haar nieuwe kleren te showen, met haar leren riem waar dieren in gekerfd waren. Ze waste haar lichaam in de bron, boende alle vuil van de winter van haar gezicht en smeerde olie in haar vlechten om ze te laten glanzen. Ze vlocht er ook een paar bloemen in. Daarna liet ze de tuniek over haar hoofd glijden, terwijl ze de nieuwheid ervan indronk. Ze bedekte haar hoofd met het laatste stukje ongebleekt linnen dat ze met twee benen clips vastzette. Voor deze ene keer voelde ze zich als een oranje bloem, en ze was zo stralend om te zien, dat alle bijen op haar geur afkwamen.

Toen ze bij de bron stond, kon ze de mannen zien die op het land hard aan het werk waren, te midden van erwten en koren. Lull was bezig gaspeldoorn te plukken, en haar eigen gezegende kinderen zaten veilig tussen de rijen met prei, kool en ui. De wanden van de nieuwe hut waren stevig, en het verse strodak was degelijk en dicht. Overal om haar heen was het jonge groen te zien, met felgekleurde pioenrozen, bloemen en kruiden om te plukken. Al haar eigen werk werd zichtbaar beloond. Ze zouden blijven leven, en hun kinderen na hen, op deze plek van zonneschijn en schaduwen. Van heidevelden vol struikgewas en omgeploegde akkers, met een sterke leenheer om hen te beschermen. Niets zou toch zeker een hoeve kunnen verwoesten die voor zo'n afschuwelijke prijs was opgebouwd?

Fritha's bron en Beorns akker, met het water in bedwang gehouden en de grond onderworpen door de ploeg. Hier waren haar haard, haar huis en haar gezin. Het was weer voorjaar geworden, een tijd vol hoop en belofte. 'Alles gaat voorbij, dus dit ook,' zei ze hardop. 'We hebben de oppervlakte van deze middenaarde met onze blote handen bekrast en opengehaald, we hebben met ons bloed geofferd, ons vernederd voor de geesten van de verfbrem die vertoornd waren over onze komst.

Geest van de levende bron, bescherm ons bestaan hier tegen hen die ons willen verslinden. Laat het hier gewijde grond zijn. Alle dingen gaan voorbij, maar toch zeker niet deze gezegende plaats?'

Aan de waterkant

'Ik zal dit alles missen,' fluistert Iris als ze over het klinkerpaadje tussen de verhoogde perken loopt, zich bukt om een paar verdwaalde distels uit te trekken, maar ze laat een roze, zijdeachtige papaver staan om een rij bloemkolen op te vrolijken. Het is veel gemakkelijker bewegen en schoffelen rond deze perken, ze hoeft haar pijnlijke rug niet zo ver te buigen. Vol trots betast ze de peulen van de tuinbonen, die dik aan de stengels hangen, precies zoals het hoort. De volgende oogst erwten is klaar om te worden geplukt, en de kleine Franse boontjes doen het prima. Er moeten in het verleden vast veel Bagshotts zijn geweest die hun buik met erwten en bonen hebben gevuld.

De moestuin vormt het middelpunt van ieder landje. Mijn potten en pannen worden erdoor gevuld, ook in die dagen van vroeger, op Friddy's Piece, na de oorlog, als er vrienden kwamen voor de maaltijd en voor de gezelligheid. Dit groentelandje heeft ons toen door moeilijke tijden heen geholpen. Toen er alleen nog maar saai en karig voedsel te krijgen was, hadden wij nog soepen en stoofschotels, pasteien en ingemaakte vruchten.

De moestuin is nooit een groots Edwardiaans tuingebeuren geweest, alleen maar een simpel nutstuintje met groenten en fruitheesters en met hier en daar wat kruiden en enkele zichzelf uitzaaiende vaste planten. Het terrein werd aan de bovenzijde afgesloten door een oude muur en een schuurtje met een gemak, en had aan de kant van het weggetje beschutting van een wilde haag van hulst, vlier, wilde appel en haagdoorn. Aan de zuidzijde lag de oude cottage van baksteen met houten balken, terwijl naar het westen een keurig geknipte taxushaag met een boog als doorgang de rest van de tuin omsloot.

Het is vreemd hoe ik me hierbinnen nooit alleen voel, peinsde ze. Het is net alsof er altijd iemand achter mijn schouder aan het werk is, en er een rij brutale duiven in de vlier zit, klaar om zich op mijn koolplanten te storten. Waarom heb ik toch het gevoel alsof ik deserteer en hen allen in de steek laat door nu te gaan verkopen?

Vanavond zal ze de volledige ronde maken, langs de vierkante perken in de moestuin, door de taxusboog, de flauwe stoep op naar waar de bron uit de doorlaat omlaagklatert. Ze ziet dat het moerassige deel naast de beek een beetje moet worden gefatsoeneerd. De zwaardlelies, die hier vaste bewoners zijn, rukken op uit hun zorgvuldig opgebouwde rij van witte spirea's, groen-met-wit gestreepte hosta's en roze primula's.

Ze moeten eigenlijk worden uitgerukt om ze een lesje te leren, maar ze hebben hier al zo lang gestaan dat ik de moed of de kracht niet heb. Bovendien zitten de stenen vol glibberige algen, ik zou kunnen uitglijden. Hoe komt het toch dat het altijd dit stille, wilde plekje is dat wordt verwaarloosd, alsof het een oude vertrouwde vriend is die weet dat ik het goed bedoel, zelfs als ik er niet aan toe kom hem te bezoeken? Aan het eind van de week hebben we de open-tuindag van Fridwell, mens, en dan wordt dit alles heel kritisch bekeken. Het schoonmaken van die keien is een klusje voor de jongens van Heitje voor een Karweitje, of voor George uit het dorp. Moest ik maar gauw eens laten komen.

Geen tuin is levend zonder ergens het geluid van stromend water. Iris loopt voorzichtig over de stenen trap omhoog naar de overstort, die half verscholen zit onder het groen van de varens en de schaduwminnende planten. Hier is het groen donkerder, met opnieuw hulst en taxus, zilverachtige schors en gebladerte; een koele, beschaduwde hoek waar de stralen van de zon zelden in doordringen. De plek heeft iets tempelachtigs, alsof er een boeddha in een nis zit te wachten om de contemplatie te bevorderen.

Hoe zal ik zonder het geluid van water verder kunnen leven? En wat doen die roze kleuren daar? Die zijn zeker uit iemands vasteplantenborder ontsnapt, ergens tussen de 'Hidcotes' en 'Clotted Creams' vandaan. Wilde schepseltjes, die zich naar licht worstelen. Het wordt binnenkort tijd om stekjes te maken voor mijn nieuwe tuin, zo ik die al zal hebben.

Iris neemt graag het tuincentrum bij de neus door één flinke plant te kopen en daar dan honderden stekjes van te maken om uit te delen en in een kraampje te verkopen. Ook zo'n kleinood uit het Tuinevangelie van Iris Bagshott, haar veel-uit-weinig, haar broden-en-vissen-filosofie.

Een tuin heeft meer preken te bieden dan welke dominee in de kerk ook, beweert ze altijd.

Iris kijkt omlaag vanaf de bovenkant van de hellende tuin, haar blik volgt de lijn van het beekje in zuidelijke richting naar de kerktoren over de volgende akker, en verder, als dit naar een smal kanaal kronkelt, dat uiteindelijk breder wordt om de vijvers bij de oude molens in de verte te vullen. Wat kan water toch fonkelen en het oog trekken, saaie hoeken opvrolijken, hier in een gestage straal over de stenen omlaaggutsen om eenmaal op vlak terrein tot een statige stroom te vertragen.

De kerk heeft een kleine, gedrongen klokkentoren die een schel geluid voortbrengt dat zelfs haar oude oren niet kunnen missen op de derde zondag van de maand. Niet veel soeps om te zien, die Saint Mary Fridwell-Barnsley. De kerk is in het verleden met beperkte middelen opgelapt en verbouwd, en is gebouwd op de fundamenten van een veel ouder en groter gebouw, even oud als Fridwell en haar eigen cottage, met dezelfde funderingsmuren van roze natuursteen, uit een tijd dat het kloosterleven het dichtst bij de hemel was waar je op aarde kon komen. Maar waarom hier? Wie koos deze open plek vanwege het water en de korenvelden, de beschermde ligging en de afzondering? Wie, en waarom?

DEEL TWEE

De priorij

AD 1087-1120

'Voor de jeuk, en de steek,
Voor reumatiek en jicht,
Als de duivel niet in je zit,
Wordt voor deze bron gezwicht.'

ANONIEM

'TUINANJER

Het zijn fraaie, fijne, bescheiden bloemen... jawel, heel bescheiden...
ze versterken het hart en het verstand, en daarom zullen ze dienen
als hartversterkers of geestversterkers, al naar gelang uw toestand.'

De hut bij de bron

De valk klom nog steiler, cirkelde rond het woud, hoog boven de oude akkers bij de bron waar ooit Fritha haar groentetuin had verzorgd. Er zijn hier nu geen tekenen van menselijke bewoning; het ontgonnen land is weer verwilderd. Hier en daar worstelen pioenzaailingen zich door het struikgewas naar het licht, de tuin is door het bos heroverd.

Nu glinstert er staal in het ochtendzonlicht. Opeens, op het signaal van de jagers te paard, jagen de drijvers de heidevogels op uit hun beschutting op het ruige terrein. De valk duikt scherp, ploft onverwacht op zijn prooi, in één klap, scheurt de hals open zodat de veren in het rond vliegen terwijl de roofvogel van zijn buit schranst. Deze nieuwe valk ontwikkelt zich goed, hij is begerig en heeft een heel mollige borst maar is toch bloeddorstig. De weitas vol heidevogels zal veel voldoening geven aan de jager, die zijn tersel met lekkere hapjes teruglokt naar de handschoen en hem een leren kap met een pluim van gekleurde veren opzet.

Vanuit zijn schuilplaats ving Bagnold de varkenshoeder, een van de drijvers, een korte glimp op van zijn opperheer, Guy de Saultain, en hij spuwde op de grond. Hij had de smoor in om die sluwe ouwe vos op Baggi's land te zien, op de plek in het woud waar ooit zijn overgrootouders zich hadden gevestigd. De weiden van Beornsley en Frithswell lagen nu braak, de akkers waren overwoekerd met brandnetels en heesters, met verwarde slierten wilde rozen die zich meester hadden gemaakt van de sloten, terwijl alle begroeiing de grond beroofde van lucht en licht. Ergens diep in de schaduwen lagen de vermolmde balken van de oude hoeve van zijn familie. Aan de manier waarop het beekje hier uit de bron opwelde, wist hij dat dit de exacte plaats was. Hier putten ze water en hier kweekte zijn moeder de kruiden voor het koken. Kijk, daar had je zelfs een paar rode pioenrozen, die moeizaam naar het licht groeiden. Hij zag de oude moestuin weer voor zich, met vrolijke afrikaantjes en ordelijke rijen prei en ui.

Bagnold voelde tranen in zich opwellen en hij werd overmand door droefheid. Hij keek door een mist van tranen om zich heen. Na zoveel jaar lag
het hier nog allemaal te wachten... misschien op zijn terugkeer.

Het riep pijnlijke gevoelens bij hem op zulke troosteloosheid rond
Frithswell te zien. Alleen de vurige gedachte dat deze slaaf zijn geest nooit
zou laten buigen voor de heren van het koninkrijk, kon hem ervan weerhouden te voorschijn te komen om De Saultain te doden. Maar eens zou
Bagnold het terrein weer in handen weten te krijgen, de plaats die zijn
voorvaderen ooit als vrije mannen hadden bezeten voor ze gedwongen
waren geweest die voor voedsel en bescherming te verkopen, in die slechte tijden van hongersnood en pestilentie, vóór de definitieve verovering
door vurige mannen uit het zuiden.

Nu woonde hij samen met Eldwyth en hun nageslacht van meiden,
moest hij de varkens hoeden bij de Longhall, als slaaf van de Normandische ridder en zijn zonen. Ooit was hij echter van plan terug te gaan naar
Frithswell, om alle verwilderde grond en de mooie akkers weer te ontginnen, het wier uit de vijver te vissen en zijn eigen graan te malen, net als
zijn voorouders, die ooit aan het bruiloftsmaal van leenheer Godfrid hadden aangezeten. Wat had het land toen gefloreerd, wat was het welvarend
geweest, daar bij de bron. Wat waren de dochters van Godgifu sterk en
lang geweest, met hoge borsten en een blanke huid, en ze hadden gunsten
verworven bij de hoge familie van Ludmilla's nakomelingen. Wat hadden
Baggi's zonen uit Frithswell sterke mannen voortgebracht, die naast de
zonen van leenheer Godfrid vochten toen er horden Noormannen door
de wouden waren gegolfd, als erwten uit een gescheurde zak, en de mannen van de leenheer hadden standgehouden, hadden de vijand verslagen
– een verhaal dat bij hun karige haard vele malen opnieuw was verteld
om de koude buiken van zijn kinderen te verwarmen, dat overwinnings-
feestmaal van gebraden vlees en grote hoeveelheden mede in zilveren bekers. Bagnold zag ze in gedachten voor zich, bezet met felgekleurde stenen. Soms, als hij van zijn speciale paddestoelen at, danste hij tussen de
juwelen en vloog over de toppen van de bomen heen, sneller dan enige
valk of heer te paard.

Deze wetenschap was de enige schat in zijn ellendige leven, de bron
van zijn vrijheid en macht. De paddestoelen groeiden heimelijk op een
oever. Alleen Bagnold wist waar hij ze in het bos kon plukken.

Hij vertrok in het seizoen na de avondklok, waarbij hij het risico liep
dat zijn ogen werden uitgestoken en zijn kloten afgesneden als hij werd

betrapt, maar het was toch zeker zijn eigen land en het was de enige manier die hij wist te bedenken om die vervloekte De Saultain de voet dwars te zetten. De paddestoelen waren een geschenk van de drie geesten om zijn pijn weg te nemen, en als hij die had gegeten heerste alleen hij een tijdlang als Koning van het Woud. De takken bogen dan voor hem en fluisterden eerbewijzen en aanmoedigingen in zijn oor. Dan kon hij vergeten dat hij weinig meer was dan een slaaf met alleen de helft van zijn linkerarm, nutteloos als boer, slechts geschikt om vee te hoeden, in ruwe kleding gehuld, net als ieder ander in het dorpje Longhall. Zelfs zijn dochter Aella was sterker en nuttiger dan hij.

Hij wist dat hij werd uitgelachen om zijn verbittering over het feit dat hij alleen deernen kon verwekken. Hij gaf de overheren de schuld omdat ze hem van zijn krachten hadden beroofd en zijn familie met dubbel zaad hadden vervloekt. Aella was dertien, een vreemde meid, een woest uiterlijk met haar dat roestkleurig was, en groene ogen met spikkeltjes amber erin. Ze was al slavin op het grote huis, en zijn kameraden maakten vaak grapjes dat ze te fijngebouwd was om van zijn komaf te kunnen zijn. Ze bezat niet het bolle uiteinde aan haar neus, de rode huid of de bezwete rossige lokken van haar vader. Aan de biertafel dronk hij vaak door tot hij omviel en dan hoorde hij hoe ze hem achter zijn rug 'de stomp van Bagshott' noemden. Eldwyth kreunde dan om de dingen die hij uitspookte, en ze vervloekte hem ook.

De laatste tijd keerde ze hem onder de dekens de rug toe en sprak alleen als ze daar zin in had, en ze probeerde hem te vertellen dat alles nog niet zo slecht was onder deze heerschappij. Zolang ze het klotsen van verse melk in haar emmer kon horen, het herkauwen van de koeien, het lawaai uit de smederij vlakbij, het zoeven van de ploeg op de akkers, en ze de groene scheuten op haar koolveldje zag groeien, kon ze niet mopperen over haar lot. Maar wanneer wist een vrouw iets wat de moeite waard was? Ze had tegen hem gezegd dat al dit gepraat over Frithswell haar niets zei.

'Ik heb genoeg van al jouw gezemel over vroeger. Wat kunnen we ons nog meer wensen dan onze eigen haardstenen en onze familie dicht in de buurt, een kerk om onze zielen te redden en genoeg feestdagen om te dansen en spelletjes te spelen? Je bent een chagrijnige zeurpiet! Hoe zou uitgerekend jíj iets kunnen veranderen?'

Iedereen wist dat hij in het woud was opgegroeid en jong wees was geworden in de grote verwoesting van Mercia, na de komst van de Veroveraar, en dat ze hem dolend op het pad hadden aangetroffen, met zijn hand die er slap bij bungelde. Hij herinnerde zich weinig van die nacht, of van de komst van de ridders met hun maliënkolders en stalen helmen en vurige rossen, die op alles en iedereen inhakten en alles en iedereen op hun pad in brand staken. Zijn vader had in de verdedigingsmuur gestaan, met de mannen van Longhall en met de jonge zoon van hun leenheer. Maar hoe kon een boerenbevolking het opnemen tegen zo'n wapenrusting, terwijl ze zelf alleen maar over leren schilden en over hun moed beschikten? Luid waren het gejammer en geweeklaag toen de mannen samen met hun leenheer in stukken werden gehakt en hun vrouwen werden overgeleverd aan de wellust van de Veroveraar.

Twintig jaar lang brandde er een witheet vuur in Bagnolds borst als hij terugdacht aan hoe hij was weggegrist uit de wolvenkuil waarheen zijn moeder met haar kinderen was gevlucht toen de soldaten over de wegen trokken. Soms kon de geur van iets wat werd verbrand of de kreet van een kind hem in paniek brengen, en zag hij zichzelf rennen en rennen. En daarna de verzengende pijn van het hete ijzer op zijn stomp, toen hij in de smidse werd vastgehouden om het zuiveren van de wond te ondergaan. Dat zou hij nooit vergeten. De rest was wazig. Het lot van zijn moeder en zijn familie werd nooit bekend. Na die tijd lag heel Mercia onder de voet van de Veroveraar. De Longhall werd afgebroken en daarna met stenen muren en diepe grachten herbouwd, nu het thuis van deze Normandische ridder. Guy de Saultain nam de landerijen van de oude leenheer in, en hij nam diens dochter Edwenna de Schone in zijn bed. Er was niemand overgebleven om hiertegen te protesteren, want de priester was gedood en de nieuwe overheer bracht zijn eigen geestelijke mee om de kerkelijke tienden op te eisen en toe te zien op het naleven van de wet in het district.

Toen Bagnold zag dat de jagers wegreden naar een andere open plek, naar de volgende buit, spuwde hij opnieuw op de grond. Ze waren vervloekt, daar zou hij voor zorgen. De drie boze geesten waren zijn vrienden, en zij zouden ervoor zorgen dat geen enkele De Saultain ooit op Baggi's land zou floreren. Eens... eens op een dag. Tot die tijd zou hij listen bedenken en stelen, stropen en zich niet aan de avondklok houden, want hij was bezeten van speciale krachten. Met zijn paddestoelentoverkunst was hij drie meter hoog, gekleed in een wereld van kleur en weelde die fijner was dan de mantels van welke pokdalige Normandiër ook. Dit alles zou ooit van hem zijn... ooit op een dag.

Toen Guy de Saultain terugreed van de jacht van die morgen, rinkelden de belletjes aan de riempjes van de valk en luidde de klok van de versterkte toren nog steeds om het nieuws over de dood van koning Willem te verkondigen. Slechts weinigen hier zouden hun hoofd buigen om voor zijn ziel te bidden. Velen echter zouden niet zijn triomf vergeten over de vazallen wier leenheren waren verslagen bij Hastings en Stamford Bridge. Guy zou er zelf ook geen traan om laten. Hoe gretig had hij zijn dorp Saultain niet verlaten om de woeste zee over te steken, hoe vol gedachten aan glorie en eer in de strijd was hij niet geweest – een onnozele jonge blaag te paard, begerig om de Normandische zaak te dienen. Hij had absoluut niet verwacht in deze drassige uithoek te zullen blijven steken, om verraad vanuit Mercia te bedwingen en het middenveld te bewaken. Nu was zijn haar even zilvergrijs als zijn helm, zijn wangen waren hol, en hij leed de laatste tijd aan een ziekte van zijn maag waardoor het voedsel snel door hem heen stroomde en zijn ademhaling moeizaam ging.

Hij voelde zijn krachten minder worden. Hij beleefde nu weinig plezier aan de valkenjacht, of aan zijn nieuwe tersel Courage. De krachtsinspanning om rechtop en waardig te blijven terwijl hij ieder uur om zich heen keek naar een plek om zijn ingewanden te ontlasten, had hem volledig uitgeput. Het enige dat hij nu nog wilde was in de badkuip liggen weken, schoon linnengoed aantrekken en rustig op zijn bed liggen.

Niemand zou treuren om zijn heengaan; zijn zonen Gilbert en Robert waren twistziek en zwak, zijn dochter Ambrosine te vroom voor haar eigen bestwil. Zijn vrome vrouw Edwenna was vele jaren geleden in het kraambed gestorven. Wie bekommerde zich verder nog om zijn welzijn? Hij zag hoe de drijvers grimmig voor hem bogen. Die Engelsen uit Mercia waren een obstinaat stelletje, trots en serviel tegelijk, zoals ze hem met norse, smerige gezichten hun pacht en hun tienden kwamen brengen. De baljuw, die uit hun gelederen was gekozen om eventuele trage betalers achter de vodden te zitten, was niet veel beter, hoewel hij nu zijn haar tenminste kort knipte om te laten zien aan welke kant hij stond. Zelfs zijn overleden vrouw was niet bepaald schoon en netjes geweest toen ze pas getrouwd waren.

De Saksen hielden van opzichtige kleuren, een gemakkelijk doelwit in een veldslag. Richt op lange haren en een schreeuwerige tuniek, en je hebt beet. Maar er viel weinig voldoening te beleven aan zo'n verovering, aan naar het noorden snellen om verraders en oproerkraaiers, opstandige Noormannen en plunderaars, op te sporen voor zij een tegenaanval konden organiseren.

Hier, in het midden van het land, had hij de bloedigste veldtochten gehouden om alle verzet te breken en had hij zijn landgoed gekregen uit erkentelijkheid voor zijn inspanningen.

Deze morgen had Guy over open plekken en paden gereden die hij in geen twintig jaar had gezien, terug over de slagvelden waar de boerenbevolking bijeen was gedreven, als vee voor de slacht. Hun nageslacht was met speren uit hun lijden verlost, de oogsten waren verbrand, de velden braakgelegd. Ze waren tenslotte weinig meer dan dieren, dus konden ze geen pijn voelen, als edelen of Normandiërs. Hoe zou dat ook kunnen met bloed dat dun was en vermengd met dat van Keltische woestelingen? En hoe durfden ze hun meerderen te weerstaan en niet verwachten te worden vernietigd? Hij verbaasde zich vaak over hoeveel martelingen hun nietige lichamen konden weerstaan, hoe koppig ze hun hutjes en hun gezin verdedigden voor ze in de grafkuilen werden gesmeten.

Guy begreep niet waarom ze zijn dromen zo regelmatig kwelden; die bebloede gezichten, die godslasteringen en die vloeken tijdens hun sterven, terwijl ze hem in het gezicht spuwden, zodat hij badend in het zweet wakker werd, als iedere lafaard. Waarom hoorde hij altijd baby's die om hun moeder huilden, het gegil en de smeekbeden van vrouwen als zijn mannen zich op hen stortten om hun onbeschaamdheid het zwijgen op te leggen? Hoezeer hij zijn slaap ook met papaversap en pioenzaad probeerde te bedwelmen, de lange stoet doden achtervolgde hem in zijn dromen. Hij had de oude kerk herbouwd en aalmoezen gegeven en missen laten lezen, biddend dat zijn vrouw voor zijn ziel zou middelen. Het had een tijdje geholpen, maar de verschijningen waren uiteindelijk teruggekeerd om hem aan te grijnzen.

De laatste tijd keerde één beeld 's nachts bij hem terug: de hut bij de bron, sinds lang overwoekerd door varens, waar het vreselijke toneel opnieuw werd opgevoerd, maar nu met het hoofd van zijn eigen dochter in plaats van... de vervloekende vinger van die oude, oude man voor zijn soldaten hem insloten en hem binnen enkele seconden aan mootjes hakten. Waarom bleef dit ene beeld hem zo bij, terwijl er zoveel andere waren? Alleen maar één onbetekenende stop op hun tocht naar het noorden.

Aanvankelijk ontleende hij troost aan de woorden van bisschop Ermenfrid, die ridders absolutie van de eeuwige verdoemenis verleende door voor te stellen dat als ze niet precies wisten hoeveel ze er op het slagveld hadden verslagen, ze voor de rest van hun leven één dag per week

boete konden doen of anders verlossing konden vinden door een gebedshuis te bouwen of land aan de kerk te schenken. Hij had dat alles
een tijdje gedaan, maar hij had het veel te druk om één dag per week aan
godsdienstige gehoorzaamheid te besteden, dus betaalde hij pater Jerome om gebeden voor hem te zeggen. Al zijn bouwwerken bij Longhall
moesten toch zeker ook meetellen? Ja, soms werd hij bevangen door de
vrees dat dit niet genoeg was. Stel dat er een laatste bazuingeschal was,
en een dag des oordeels? Hoe zouden de werken van zijn leven worden
beoordeeld? Zou hij gered worden? Hij had alleen zijn heer, de koning,
gehoorzaamd. Dat was de trouw die iedere ridder moest zweren om het
koninkrijk te verdedigen tegen verraad. Hij was nu in dit graafschap de
vertegenwoordiger van de koning, en de akkers van zijn landgoed werden goed geploegd en ingezaaid. De boeren van Longhall hoorden niets
te klagen te hebben. Hij was alleen maar meedogenloos tegenover de
schurken hier in de buurt: diefstal, overspel, stropen of weglopen waren
zaken die snel werden afgehandeld met de strop.

Ja, zijn dag was redelijk goed verlopen, maar hij was blij de poorten
van het huis te naderen. Het was hem opgevallen dat er verderop veel
goed land lag, het lag gewoon braak, wachtend om te worden ontgonnen. Hij had wat afstandse beesten zien grazen en foerageren op het gemeenschappelijke land, maar hij had zijn horigen liever dicht in de buurt
aan het werk op de akkers van het landgoed, onder het waakzame oog
van de baljuw. Ze hadden hun eigen hutjes en daar waren ze gemakkelijk
in de gaten te houden en te controleren.

Toch was er iets bijzonders aan die bron waar ze Courage in de lucht
hadden gelaten. De manier waarop het water over de met mos begroeide
stenen omlaagstroomde, het tapijt van wilde bloemen op de oevers, maar
bovenal de bloedrode bollen van de pioenrozen die zich omhoogworstel-
den naar de zon, en die met hun stralende kleuren pijn deden aan zijn
ogen. Misschien was het daar... Was dat de plek van zijn dromen waar
wezens uit de schaduwwereld zijn vrede verstoorden?

Guy voelde een felle steek van schrik, alsof hij werd gestoken door de
punt van een lans. Er was niets overgebleven van die dag van lang geleden, geen veelzeggende beenderen, geen overlevenden, niets dan het om-
laagduiken van Courage toen hij zich op zijn prooi liet vallen om de plek
te markeren. Guy de Saultain schudde zich uit, als een valk. Er viel toch
zeker nu niets meer te vrezen van die plek?

Ambrosine de Saultain knielde naast het bed en bad vurig dat de angst haar zou verlaten. Haar vader was stervende, zijn ziekte was verergerd sinds de laatste keer dat hij op valkenjacht was geweest, vele weken geleden. Hij was nu als een geraamte, met een gele huid die strak over zijn botten zat gespannen, en zijn ogen vertoonden een afwezige blik. Ze wenste dat ze hem kon laten eten en kon laten binnenhouden wat de koks hadden klaargemaakt. Hij lag in een lichte kamer boven de hal, een privéruimte waar uitsluitend de familie kwam, leunend in veren kussens. Soms zat ze zijn voorhoofd te betten terwijl de monnik van het ziekenhuis van de domkerk aftreksels en poeders aanbood om zijn pijn te verminderen. Ze had op een geneesmiddel gehoopt, maar de monnik had treurig het hoofd geschud en had het over weken, hoogstens een maand gehad.

Er was iets wat de ziel van haar vader verontrustte. Hij was bang voor de slaap en voor de drankjes met papaversap. Vader was altijd taai geweest, zo groot als de geweldige eiken in het bos, blijvend en eeuwig. Deze man was heel zwak, heel sterfelijk, een boomstam die door de bliksem was gespleten, was afgebroken en blootgelegd. In al haar achttien jaren had Ambrosine zich gekoesterd in het zonlicht van zijn goedkeuring, zijn overduidelijke trots op de manier waarop ze met zoveel gemak de plaats van haar moeder had ingenomen, zelfs als meisje van tien. Ze was zijn vredebrengster, zijn eerstgeborene, met haar als gesponnen goud. Hij had vaak naar haar hoge voorhoofd gewezen en naar haar rechte rug, zijn 'prinsesje' en 'koningin van zijn hart'.

Haar eigen geboorte overspande de kloof tussen twee tegengestelde werelden, smeedde banden met de trotse Saksische voorouders van de Long Hall – Ludmilla en Godfrid de Sterke. Ambrosine, die was geboren op 4 april, de feestdag van Sint-Ambrosius, sprak twee talen: de rijke landstaal van haar moeder en min, en het Frans van het noordelijke Gallië van haar vader. Hij had haar nog steeds nodig om voor hem te vertalen, zelfs na twintig jaren als ridder van dit huis. Lady Edwenna was trots geweest op haar Saksische voorouders en hun goden, maar Guy de Saultain stond op Latijnse namen voor zijn nageslacht. Soms had moeder een lange reis gemaakt om te bidden bij het heiligdom aan de bron van de heilige Chad, dicht bij de domkerk. Ze vertelde haar dochter wonderbaarlijke verhalen over zijn grootheid; bijvoorbeeld hoe hij zijn mantel om een regenboog had gehangen. Vader lachte om zulke onzin, hij beschouwde alle 'Anglais'-heiligen als wilden. Hij stond erop dat ze de Franse taal sprak en leerde lezen, om te begrijpen hoe een huishouden

functioneerde, en hij had haar de zware sleutels van de kasteelvrouwe gegeven zodra haar arme moeder hun zo wreed was ontnomen.

Sindsdien hadden de sleutels haar gordel en haar geest bezwaard. Gilbert en Robert waren nog jonge honden, druk bezig zich in de vecht-
kunst te bekwamen. Ze behandelden haar als een moeder en zij berispte
hun huisleraren omdat ze hen verwenden, en vader omdat hij het te druk
had om hen discipline bij te brengen. Zelfs nu negeerden ze hun zusters smeekbeden en reden er met andere jongens op uit om ondeugende
streken met de boeren uit te halen, met knappe meisjes te flirten en hun
mannelijkheid op de gebruikelijke manieren op de proef te stellen. Ze
had weinig macht om hen tegen te houden en vader was niet in staat het
te proberen. Ze konden niet fatsoenlijk lezen of schrijven, ze woonden
de eredienst alleen bij als ze werden omgekocht, en ze dronken uit vaders
kelder zonder zijn toestemming. Het was jammer dat ze te jong waren
om vrouwen te zoeken en zich te vestigen.

Soms had ze het gevoel dat haar eigen leven vergleed met de zorg voor
anderen. Ambrosine verlangde naar de rust van een klooster, tijd om te
lezen en het religieuze leven te overwegen. De heilige regel van Sint-Benedictus – dat was voor haar het leven. Ze had genoeg van het geven van
opdrachten, het leidinggeven aan het huishoudelijke personeel, de kamers klaarmaken voor gasten, ervoor te zorgen dat ze voldoende voorraden hadden voor de wintermaanden, wat veel voorbereidingen betekende in de moestuin, de boomgaard, de melkschuur, de wijnkelder en de
kaarsenmakerij. Verder moest ze er zorg voor dragen dat alle kleren op
stokken werden gehangen, werden gerepareerd, werden uitgespoeld en
opgefrist. Nu hield ze het toezicht op de laatste reis van haar vader in dit
leven, en wilde ze alles doen zoals hij het zou wensen.

Het meisje keek met voldoening in de kamer om zich heen. De muren waren behangen met mooie tapijten, die soms jaren hadden gevergd
om ze te maken. Aan andere tapijten hadden haar moeder en zij samen
gewerkt, zij zittend aan haar moeders knie om naalden en draden aan
te geven, waarbij ze de mooie strengen betastte, ze als een regenboog op
kleur legde, terwijl haar moeder zulke prachtige afbeeldingen borduurde van bloemen en eenhoorns. Dit was een van de herinneringen waar ze
zich op treurige dagen aan vastklampte, want ze miste de zachtmoedige
aanraking van haar moeder nog steeds.

Ambrosine wist dat het baren van kinderen voor de meeste vrouwen
gevaarlijk was, en ze wilde dat absoluut niet. Haar eigen verloving was

uitgesteld doordat de jongens nog te jong en te wild waren, en nu was haar vader te ziek om besluiten te nemen. Als hij eenmaal was overleden, zou ze stilletjes in een klooster verdwijnen om eindelijk een leven te leiden zoals zij dat verkoos.

Ze betastte de gewatteerde sprei vol bewondering. Het was een van vaders schatten, hij was speciaal voor zijn bruid gemaakt in een klooster in de buurt van Arras. Het stiksel was heel netjes en recht, met kransen van geveerde patronen die heel zorgvuldig waren uitgevoerd. Degene die dit had gemaakt was een uitermate vakkundige kunstenares, en ze verlangde ernaar de tijd te hebben om zo'n kunst te leren. Ze had bedienden om schoon te maken en te koken, te bakken en om kleren te verstellen, maar ze had niemand met wie ze als gelijke kon praten en met wie ze al haar dromen kon delen, niemand wie ze iets kon toevertrouwen. Niemand aan wie ze haar angst kon bekennen, want ze bezat een kleine zwakheid die haar veel zorgen baarde.

Toen ze haar blik door de donkere kamer liet glijden wist ze dat ze in feite beweging zocht: wegschietende spinnen, fladderende nachtvlinders, zoemende vliegen, het geronk van wespen, de glanzende schilden van kevers die over de rieten mat op de vloer snelden. Hoe God zulke kleine monsters kon scheppen om haar bang te maken, was iets wat ze nooit zou begrijpen. Ze mochten geen plaats in haar kamer innemen, en ze probeerde wanhopig ieder spoor van hun aanwezigheid uit te wissen. Het zweet stond haar op het voorhoofd als ze haar nachtelijke inspectie van de kamer verrichtte om te zien of er zich langpotige spinnen in de kieren schuilhielden, klaar om zich aan zijden draden te laten zakken. Als ze alleen was slaakte ze een gil en holde de kamer uit, alsof ze haar achternazaten, zo groot als ze was.

Ze gebruikte een van de jonge slavinnen, Aella, de schoonste, de knapste van alle dienstmeisjes, uitsluitend om vóór haar de kamer binnen te gaan en elke muur, elk kledingstuk en elk oppervlak af te zoeken op indringers. Of ze die doodmaakte of niet wenste Ambrosine niet te weten. Het bewijs moest worden verwijderd. Zelf was ze te gevoelig om een vlo te verpletteren, maar ze voelde zich meer op haar gemak nu deze delicate kwestie door een andere vrouw werd afgehandeld.

Het baarde haar zorgen dat ze alle deuren en raamluiken moesten openzetten, alle knopen en draperieën in de kamer moesten losmaken, opdat de geest van haar vader vrij zou zijn om uit zijn lichaam te ontsnappen als het ogenblik daar was. Nog meer kansen voor de gevleugelde binnendringers om haar lastig te vallen, hoewel dit een egoïstische gedachte was nu vader zo levensmoe was. Het was haar plicht om het hem gemakkelijker te maken, om hem voorzichtig met lavendel en balsemolie te wassen, zijn kussen op te schudden en zijn zweren te verzorgen.

Guy de Saultain bewoog in zijn slaap, en mompelde: 'Verdwijn!... *Dieu!*'

'Rustig maar, vader, ik ben het maar... Het is alleen maar een nare droom.' Het meisje pakte zijn hand. Hij had al zijn krachten nodig om hem weer los te rukken.

'Raak me niet aan... Ik ben vervloekt... Kwaad onder de zon!'

'Zal ik pater Jerome laten komen? Hij zal u door deze duisternis naar het licht leiden, vader.'

'Nee, nog geen priester. Neem de angst van me weg, Ambrosine. Geef me wat vrede.'

'Wat maakt u toch zo onrustig? Ik zal de pater halen, hij zal weten wat we moeten doen... Alstublieft?'

'Niemand mag dit ooit horen, het is alleen voor jouw oren bestemd, kind. Als ik het jou vertel, dan verliest het misschien zijn macht over mij...'

'Mij wat vertel?' Ze boog zich over hem heen om zijn gemompel op te vangen. Zijn adem stonk, ze durfde bijna niet in te ademen. Guy de Saultain ging rechtop zitten, nu vreemd kalm en bedaard. 'Dit is lang geleden gebeurd, bij onze komst... Ik was jong en trots. Je moet weten wat voor man je vader is geweest... Ik wil dat je kennismaakt met de Guy van de schaduwen.'

Voor de eerste en enige keer in zijn leven vertelde hij iemand over de hut bij de bron.

Na afloop ging hij liggen, uitgeput door alle krachtsinspanning van de biecht. Ambrosine zat als verstijfd, ijskoud, en haar gezicht was lijkbleek door zijn woorden, de beelden van die vreselijke scène flakkerden voor haar ogen alsof ze een glimp van de hel had opgevangen. Ze voelde zich onpasselijk, moest kokhalzen over zijn beschrijving van zoveel wreedheid. Haar rug deed pijn van het stijf blijven zitten, ze durfde zich aanvankelijk nauwelijks te verroeren uit angst zijn gedachtestroom te verstoren. Ergens daarbuiten, heel dicht bij Longhall, hadden deze man en zijn soldaten een vreselijke daad gepleegd, uit woede, uit wraakzucht, zelfs om het plezier ervan, zonder ook maar één moment aan hun onsterfelijke ziel te denken of aan die van de slachtoffers die ze martelden en vermoordden. Hoe had haar eigen vader, die hier lag te sterven, ooit deel kunnen hebben aan zulke verschrikkingen? Nu wist zij ook van wat die moeder en haar baby was aangedaan, en ze voelde zich bezoedeld en besmeurd, onpasselijk door wat hij had verteld.

'Ik was jong, meisje, ik dacht dat ik eeuwig zou leven, dat het me niet zou deren als ik het had gebiecht. Maar nu weet ik beter. Het heeft me nooit losgelaten en ik moet het met me meedragen. Bid voor me, of hoe kan ik anders vergiffenis krijgen?' smeekte hij.

'Dat moet u aan pater Jerome vragen. Ik kan niet over zulke zaken oordelen.' Ambrosine merkte dat ze op een doffe, vlakke toon sprak, als van een grote afstand.

De beelden waren nog overal om haar heen, de kreten en het gegil. Hoe kon ze zich daar ooit van bevrijden? Hij had ze over haar uitgestort en nu was zij doordrenkt van alle smerigheid. Ze schoof haar kruk een eindje bij hem vandaan. Zijn biecht had haar van afschuw vervuld, maar hij zat nu in haar eigen hoofd, het was alsof de schande ook haar toebehoorde. Dit was haar vader, ridder van het graafschap. Hoe kon een godvrezende man onschuldigen zulke dingen aandoen? Wie van hun bedienden was getuige geweest van deze daden? Droeg zij ook schuld aan deze misdaad omdat ze vlees van zijn vlees was? Als dit zo was, moest ze snel ter biecht gaan. Pater Jerome zou weten wat ze moest doen.

De spinnenveegster

Toen de avondschemering over de bossen neerdaalde, werden de poorten en luiken gesloten om vreemdelingen en de slechte nachtlucht buiten te sluiten. Aella, de dochter van Bagnold, stond onder aan de trap te wachten of haar mevrouw nog wilde dat de kamer werd geveegd; het nachtelijke ritueel was een geheim tussen hen. Alle geluiden in het huis waren gedempt, de mensen spraken fluisterend en gebaarden hun bevelen. Over de keien op de binnenplaats was stro gelegd om het geluid van de paardenhoeven te smoren en de overgang van de oude ridder naar de volgende wereld zo rustig mogelijk te laten verlopen.

Voor Aella was het leven in het kasteel haar hele wereld, en ze bleef graag zo lang mogelijk om te helpen als ze opdrachten kreeg: om dingen te halen of te dragen, te vegen, te pellen, te kloppen, te serveren en op te ruimen, de moestuin te wieden, de kippen, eenden en ganzen te voeren. Manusje-van-alles, dacht ze vaak, maar ze vond het heerlijk om te doen. Er was altijd wel een werkje om het gevreesde ogenblik uit te stellen waarop ze het terrein moest verlaten en terug moest om bij haar zusjes in hun huisje te slapen, waar ze het dronken getier moest aanhoren van haar vader, die tot laat ruzie maakte met haar moeder.

Op het kasteel heerste bedrijvigheid, gepraat, geroddel, en er waren genoeg restjes om haar buik mee te vullen. Thuis was er een vochtige hut, kleurloos en armoedig, wat schamel huisraad, een houten provisiekist, een pot op het vuur, rook, viezigheid, vlooien en ongedierte. Aella werd in verwarring gebracht door de twee werelden waartussen ze heen en weer ging. Was ze maar geboren als dochter van een ridder, niet van een varkenshoeder met één arm. Op de ladder van het dorpsleven stonden zij bijna helemaal onderaan, en ze wist dat alleen haar knappe uiterlijk en haar nette manieren haar zo'n positie bij de De Saultains hadden bezorgd.

Bovenaan stonden de rentmeester en de dorpsbaljuw en zijn handlangers, die voor heer Guy voor het landgoed zorgden. De bierbrouwers waren populair en de boer werd gerespecteerd, maar er was niemand die naar Bagnold luisterde. Pa was erger dan de gekke, achterlijke zoon van de molenaar als hij te veel had gedronken. Dan liep hij te dazen over de manier waarop hij zijn land en zijn vrijheid was kwijtgeraakt aan de moordzuchtige Normandiërs, en zijn arm aan hun zwaarden. Niemand geloofde een woord van wat hij zei. Hij was een vondeling uit de bossen, na alle onlusten van veel jaren geleden, hoewel hij erover tekeerging alsof het gisteren was gebeurd, niet lang voordat een van hen was geboren. Hij verbood Aella op het kasteel te werken, maar hij bezat geen andere macht dan zijn broeksriem wanneer ze daar toch naartoe ging. Begreep hij dan niet dat ze hun een gunst bewees door de hele dag daar te zijn? Op die manier hadden haar onnozele zusters meer tijd om elkaars haar uit te trekken en naar elkaar te spuwen.

Ze wist dat horigen het dorp niet mochten verlaten, dat ze niet mochten kopen of verkopen, of mochten trouwen, zonder toestemming van hun ridder. Al dat gepraat over het ontginnen van het land bij Frithswell was gewoon een hoop koeienmest. Baggi's land bij Frithswell, waar dat ook mocht zijn, zei haar niets, hoewel haar vader het over niets anders had gehad sinds de laatste keer dat hun heer was uitgereden.

Bagnold had kennelijk de bron en het land van zijn moeder gevonden. Het lag daar gewoon te wachten om te worden omgespit. Zijn fantasieën waren niet meer te remmen als hij te veel bier op had en zich opblies als een haan. Geen wonder dat ze nooit zin had om naar huis te gaan.

Nu ging de deur open en kon ze de kaarsen zien flakkeren toen ze boven moest komen. Aella liep op haar tenen de kamer door, met de stank van alle drankjes in haar neusgaten. De ridder lag stil op het door de zon gebleekte witte linnen. Zijn dochter zweefde geruisloos voorbij, wenkte haar naar de kleine kamer waar zij haar bed had staan.

De vier hoeken moesten worden geïnspecteerd. Ze moest op de vloer knielen om alles weg te vegen wat haar oog mocht storen. Dat waren haar instructies. Ze moest ieder kledingstuk dat aan de haak hing inspecteren. Wat had ze graag die mooie kleren uitvoerig betast, de met bont afgezette randen en zijden gordels, maar daar was geen tijd voor. Aella liep met een kaars naar de muur en zag de vliegen van de muurkleden wippen. Ze bewoog de kaars snel door de lucht om de vleugels van eventuele insecten te verbranden. Daarna pakte ze een kruk om in de hoeken van het plafond te kunnen komen en nieuwe spinnenwebben weg te vegen, maar ze raakte nooit de spinnen zelf aan. Dat zou ongeluk en narigheid voor hen allen tot gevolg hebben. Leven en laten leven, dacht ze toen ze ze uit het zicht veegde. Ongedierte vond ze geen probleem, zelfs als ze in haar haar en in haar kleren zaten, je raakte er gewoon aan gewend. Maar dames waren andere wezens en zij waren er niet aan gewend dat er ongenode gasten op hen waren gehuisvest.

Aella nam gretig alle details in de kamer van haar meesteres in zich op; de wandkleden om de kou en de vochtigheid buiten te houden, de kandelaars met echte talgkaarsen, de schoothond die op het berenvel lag te slapen, het stevige ledikant dat hoog boven de grond verheven was. Op de lange eiken ladekast stond een kruis van zilver met goud waarvoor lady Ambrosine tot de Heilige Maagd bad, haar goud-op-snee psalter, haar fraai bewerkte kam en een schaal gedroogde rozenblaadjes en kruiden om de lucht geurig te maken. Het was als een leven in het paradijs. Aella genoot van de aanblik ervan, maar ze wist dat zij nooit in zo'n weelde zou kunnen leven. Het was genoeg om af en toe in deze kamer te mogen komen en van dienst te kunnen zijn.

Wat bofte ze dat zij hiervoor was uitgekozen, hoewel de andere bedienden haar plaagden en haar uitscholden voor 'vlooienhoedster' en 'spinnenveegster'. Iedereen wist hoe bang mevrouw voor kleine beestjes was, terwijl Aella een taaie was, flink en bedreven in het vangen, doden, schoonmaken en villen van dieren, zodat een paar bijensteken niets voor haar betekenden.

Nu haar laatste taak was verricht, draaide ze zich om en wilde zich terugtrekken, maar haar mevrouw hield haar tegen en legde een hand op haar arm.

'Aella, jij kent deze omgeving vast goed... Ken jij een bron aan de rand van het woud?'

'Er zijn veel bronnen in dit woud en ze hebben allemaal een naam. Mijn vader heeft vroeger gewoond bij een bron die Frithswell heette, toen hij nog klein was... zegt hij. Ik ben maar één keer hier weg geweest, naar een trouwerij in het volgende dorp. Met toestemming van uw vader, uiteraard.' Ze wendde haar ogen af, voor het geval lady Ambrosine kon zien dat ze jokte, want ze was in werkelijkheid vaak met haar vader op zijn strooptochten meegegaan, en ze kende de oevers van de beek beter dan welke knul in Longhall ook.

'Heeft je vader lang in de bossen gewoond?'

'Hij is in de tijd van uw vader als kind hierheen gebracht. Alle mensen van buiten werden na de problemen naar het dorp gebracht, dat zegt hij tenminste.'

'Welke problemen?' vroeg haar mevrouw, met blauwe ogen die Aella doordringend aankeken.

'Ik denk dat het in de tijd van de oude leenheer was, of zo. Er was veel verwoesting... zegt hij. Mevrouw, hij is een man van veel woorden als hij aan de biertafel zit, maar zijn arm is eraf gehakt voor hij naar Longhall kwam, en die is hier dichtgeschroeid door het ijzer van de smid. Dat is in elk geval waar.' Aella voelde zich vreemd verontrust door al deze vragen. Nooit eerder had haar mevrouw haar zo ernstig toegesproken.

'Ga nu maar, Aella. Spreek met niemand over deze zaken. Ik vrees dat het verleden een lange arm heeft.'

'Mijn vader praat ook zoveel over het verleden. Mijn oren worden er doodmoe van!' Ze boog en glimlachte toen ze zag dat de stemming van haar mevrouw wat opklaarde bij dit grapje.

Ambrosine lag de hele nacht te woelen en te draaien, terwijl ze probeerde zich te ontdoen van de angst, de schaamte en de verbazing over haar vaders onthulling, maar uiteindelijk was het de priester uit het dorp, pater Jerome, de bedrijvige kleine man met de hoge stem en de meisjesachtige manier van doen, die met een heel eenvoudig idee voor de oplossing zorgde. Ze had hem de volgende morgen na de mis opgewacht, waarbij ze zijn vasten in verleiding had gebracht met een schaal honingkoekjes, en ze had hem gevraagd hoe een verontruste ziel verlossing kon vinden voor het hiernamaals.

'Met het schenken van aalmoezen, het verrichten van goede werken, het bezoeken van zieken, met boetedoening en bedevaarten, het laten lezen van missen voor de rust van de ziel. Zij vormen de beproefde en vertrouwde weg. Geselen en vasten schrijf ik alleen in extreme gevallen voor. Waarom vraag je dit?'

'Ik maak me zorgen over mijn vader. Zijn heengaan is nabij, en ik vrees dat hij weinig tijd over heeft om boete te doen. Bestaat er geen andere weg?'

'Een kerk schenken of een gebedshuis of een klooster stichten. Hiermee zal eenieder zeker toegang krijgen, kindlief. Maar heer Guy heeft al een mooie stenen klokkentoren gebouwd, met een klok die de uren slaat, en hij heeft ons ook een stenen doopvont gegeven en mooi zilver. Waarom zo'n bezorgdheid in je stem?'

'Ik vrees dat het niet genoeg is.'

'Dan zou een gebedshuis dit alles vervolmaken, net als juwelen op een kroon. Een priorij of een heilig gebedshuis, afgesloten van de wereld en gewijd aan de glorie van God. De stemmen die daar in smeekbeden worden geheven, zouden dan toch zeker tot zijn eeuwigdurende verlossing leiden? Maar ik laat me meeslepen.'

'Ga verder, eerwaarde. Ik denk dat dit een geweldige manier zou zijn om... om zijn leven te zuiveren... er boete voor te doen.' Ambrosine voelde haar hart wild tekeergaan. Een priorij bouwen, nonnen voorgaan in het bidden, een gewijde en heilige plek in dit wilde bos stichten. Ze zag het allemaal heel duidelijk voor zich.

'Heeft je vader hier ooit over gesproken? Hij is geen rijk man, heb ik begrepen. Er is land voor nodig, met geschenken en kapitaal om zoiets te bouwen. Boerderijen om te helpen en voedsel te verschaffen, personeel voor het onderhoud, stenen om een kapel te bouwen... een enorme onderneming. En er is heel weinig tijd. Zou hij ermee instemmen?'

'Ik weet dat mijn vader rust voor zijn ziel wenst. Misschien is dit het antwoord dat hij zoekt.' Pater Jerome knikte, hij had nog steeds geen idee waarom hij zo werd doorgezaagd over deze bezorgdheid ten aanzien van de ziel van Guy de Saultain, hoewel het weinig moeite kostte te bedenken wat er op het geweten kon drukken van een ridder die ooit ten oorlog was getrokken, en vooral een die met koning Willem uit Normandië was meegetrokken. Er was veel waarvoor hijzelf, op zijn eigen reis, zijn oren en ogen had moeten sluiten. 'Laat dit punt aan mij over, Ambrosine. Als de mogelijkheid zich voordoet...'

'Het móét, eerwaarde. Regel dit voordat het te laat is – voor ons allen.'

Toen hij zich van haar afwendde zag ze zichzelf al als priores van haar eigen klooster, zich koesterend in vroomheid, omringd door edele nonnen. Ze zouden eenvoudig leven van het land, zoals de regel van Sint-Benedictus dit voorschreef; een ware zetel van studie en een bron van spirituele verfrissing, een bron voor iedereen. Ze begreep opeens dat haar priorij daar op die gevreesde plek moest worden gebouwd, de hut bij de bron in het woud, het toneel van haar vaders verdoemenis. Pas dan kon de loutering beginnen. Pas dan zouden de zielen van de De Saultains veilig zijn voor vergelding.

Het legaat

Ik, Guy de Saultain, van de Manoir de Longhall, de zorg hebbende
over mijn ziel en de zielen van mijn erfgenamen, verzoek het
diocees Liccefeld drie bunders van mijn land met alle leenplichten
en rechten, gerooid uit het Woud Canok langs de westelijke beek
Bernsleag, en de stroom die Fridswell wordt genoemd, ter beschikking
te stellen voor een Gebedshuis, opdat de kerk het eeuwig zal bezitten
en geen van mijn tegenstanders het weer terug kan eisen. Mocht het
zo zijn dat enige van mijne vijanden het waagt te schenden, deze
mijn aalmoezen die ik aan God geef voor de verlossing van mijn ziel,
laat hen dan vervreemd zijn van hun erfenis van God en voor altijd
verdoemd zijn onder de helse geesten...

De akte was opgesteld, de heilige taak was volbracht, maar Ambrosine de
Saultain voelde geen vreugde toen ze de processie te paard over het smalle, kronkelige pad naar de open plek in het woud leidde. Wat een wilskracht was ervoor nodig geweest om haar vader met haar wensen te laten
instemmen, het document te laten tekenen met zijn kriebelige, zwakke
handschrift en de was met zijn zegel te stempelen. Het land terug te geven aan de kerk – land dat Gilbert en Robert voor het landgoed hadden
gewenst. Gilbert had wekenlang gepruild en gescholden, hij had zijn zuster bedrog en hekserij verweten, hij had haar uitgescholden voor alles wat
er onder de hemel bestond, om deze akte.

Ambrosine hief haar gezicht in de warme bries van de zomermiddag;
ze wist dat ze haar plicht had gedaan, dat ze haar vaders ziel had verlost
en hun naam had gezuiverd. Ze was niet van plan haar daad te rechtvaar-
digen of te spreken over hoe ze zijn instemming had weten te forceren.

'Ik doe dit voor ons allemaal. Jullie willen toch zeker niet dat de zonden
van de vader aan jullie onschuldige nageslacht worden bezocht!' Smeken
was aanvankelijk nutteloos geweest, aangezien Guy weigerde zo'n gift zelfs

maar te overwegen. Toen sloop ze zijn kamer binnen op een moment dat hij veel pijn had, en ze vertelde hem dat zijn lijden niets zou zijn vergeleken bij de kwellingen van het hellevuur dat hem wachtte als hij niet met haar plan instemde. Guy keek koppig voor zich uit en gaf geen antwoord, terwijl hij uitdagend zijn vuisten balde. Ten slotte dreigde ze zijn bekentenis aan de kerk te onthullen, alles openbaar te maken wat ze wist over de slachtpartij en vervloeking, een openbare boetedoening te volvoeren bij het heiligdom van Sint-Chad, zodat de hele wereld van zijn schanddaad zou weten.

'We hebben de juiste plaats gevonden, vader. Ik kan ervoor zorgen dat uw edelmoedigheid eeuwig zal worden herdacht.'

Ze kon zien dat hij zwakker werd; zijn lichaam was niet veel meer dan twee havikachtige ogen die boven een bundeltje stokachtige ledematen gloeiden. Hij gebaarde haar te gaan en liet de priester komen. Ten slotte tekende hij het stuk perkament dat was voorbereid, stuurde hen beiden weg en keerde zijn gezicht in het kussen, om enkele uren later de geest te geven. Ambrosine had gehuild om haar eigen hardvochtigheid, maar zijn eeuwige leven was veel te kostbaar om verloren te laten gaan door zwakheid van haar kant.

De plek was nooit op oude kaarten getekend, Longhall zelf werd nauwelijks genoemd in het grote Doomsday-register, maar dankzij haar werd dit hele gebied nu voor altijd van een naam voorzien en in kaart gebracht. Frithswell, of Frithaswell, zoals de plaatselijke bevolking het noemde, klonk niet gemakkelijk uit de mond van de Frans sprekende schrijver. Dus werd het simpel als Fridswell geschreven. Wat hield die naam haar voortdurend bezig! Ze moesten plannen maken, dromen, schema's opstellen voor allerlei manieren om de priorij te realiseren. Maar de tijd sleepte zich langzaam voort en niemand anders had haast om haar stenen kapel te bouwen. Vandaag zouden ze een bezoek brengen aan de monniken en de lekenbroeders die het terrein schoonkapten, zodat de akkers weer konden worden geploegd en de grond weer een oogst kon leveren.

Ambrosine was woedend omdat de anderen zich alleen maar om de opbrengst van het land bekommerden, en niet om het werkelijke doel van haar missie. De stoet slingerde zich langzaam het bos uit, met sommigen op fraaie rijpaarden gezeten, zoals de vertegenwoordigers van de bisschop, en Gilbert. Pater Jerome zat op een muilezel terwijl zijn parochieassistent, een jonge geestelijke, naast hem liep. Achter hen liepen de bedienden met ezels die waren volgeladen met proviand voor de avondmaaltijd van de lekenbroeders en een kleine versnapering voor de bezoekers. De zon scheen fel op haar overjas van de halve rouw, en Ambrosine was blij met haar witte sluier die de zonnestralen van haar blanke voorhoofd weg hield. Opeens lag de open plek voor hen en kon ze eindelijk de welkome geluiden van activiteiten, het lawaai van de vooruitgang horen.

Het zou de ideale plek voor de priorij zijn, aan twee kanten ingesloten door beken en stroompjes, en aan de andere door dichte bossen, als een eiland dat dreef in een zee van velden en weilanden. Verderop zou de eigen boerderij zijn, en een watermolen en wat visvijvers. In het middelpunt van dit alles, dicht bij de bron, zouden de kapel en de kloostertuin zijn, met een gastenverblijf voor bezoekers en een kleine school voor jonge leerlingen. Het zou volmaakt zijn, zo'n vredige omgeving, maar ze hadden de belofte nodig van extra bruidsschatten en legaten om haar droom uit te laten komen. Ze rekende erop dat dit alles na verloop van tijd zou worden verschaft door volgelingen die dezelfde ideeën hadden.

Er was heel veel uitstel geweest: onrust op het bouwterrein, ongeregeldheden, gereedschap dat was gestolen, alsof er een onrustige geest was die vrij ronddoolde om haar plekje te bederven, maar vandaag was het veel te warm en te mooi om zich waar dan ook aan te ergeren. Vandaag zou het een feestdag zijn. De eerste funderingen waren gegraven en na een lang jaar zou haar droom eindelijk werkelijkheid worden.

Aella de spinnenveegster, dochter van Bagnold 'Bagshott', treuzelde achter de andere bedienden. Haar grijze tuniek kriebelde in deze warmte. Het was geen dag om buiten te zijn, maar binnenshuis, tussen de koele stenen muren van de provisiekamer van het huis. Wie had er nou zin om hier in een hok vol vrome vrouwen te gaan zitten? Ze begreep echt niet waarom haar mevrouw, hoe aardig ze soms ook mocht zijn, per se nóg een kerk moest bouwen. Was één soms niet genoeg? Aella werd er een beetje zenuwachtig van als ze merkte hoe vaak ze deel uitmaakte van de plannen van Ambrosine. 'Ik moet al mijn vertrouwde mensen om me heen hebben, Aella. Mijn hond, mijn dienstmeisjes, al mijn vrouwen.' De dame glimlachte dan alsof ze haar kamenier een gunst bewees. Allemachtig! Zou ze daar iedere avond de muren van het klooster af moeten borstelen? Aella kreeg het opeens benauwd bij die gedachte. Maar ze zou nooit naar Bagnolds hut terugkeren nu de nieuwe heer en meester regeerde.

Moeder had eindelijk een jongen gebaard, waarmee ze de vloek van alleen maar meisjes had doorbroken. Eigenlijk had ze er twee geworpen, maar de laatste had klemgezeten achter Edric en haalde geen adem. Alle dronken hoop van vader was nu gevestigd op zijn kostbare zoon, die krijste en spuugde en niet begreep dat hij was voorbestemd vrij man te worden en Baggi's land bij Fridswell te heroveren. Aella werd nu al onpasselijk van dat jong, terwijl haar jongere zusjes hem aanbaden, hem voortdurend lekkere hapjes voerden zodat hij zo rond en mollig werd als een big, en moeder hees hem op haar heup uit angst dat hij zou verdrinken in de mestvaalt of in de afvoergoten. Zijn benen waren te dik om op te kunnen staan. Soms zag ze hen allemaal bij de mis, wanneer ze het kerkje uit kwamen, vies en haveloos in hun gebruikelijke vodden.

Aella was niet van plan terug te keren naar die zwijnenstal, dus glimlachte ze quasi-verlegen naar haar verre familielid, de slungelige Matthias, de zoon van de hoefsmid, die als een verliefde dwaas zijn hoed in zijn rode knuisten klemde. Zijn leren wambuis was versleten en armoedig, zijn gezicht was alleen schoongeboend op de plekken die in het zicht waren, zijn handen waren overdekt met vuil van de smederij – en de plekken die geen enkele man ooit waste waren zwartgerookt als bacon, maar ze roken niet half zo lekker.

Zijn moeders verwanten waren afkomstig van de Beornsley-tak van de familie en hadden dromen gekoesterd dat Matt schrijver in de domkerk zou worden. Drie dagen lang waren ze het hele eind door het dal naar de school van de monniken getrokken, maar het bleek dat hij alleen de schouders van een os, de kracht van een ploegpaard en helemaal geen hoofd om te leren had. Hij werd weldra weggestuurd om bij de lekenbroeders te gaan werken. Het uitkloppen van hoefijzers en het repareren van ploegscharen was alles waar hij geschikt voor was. In een nonnenklooster zou voor hem geen plaats zijn. Maar hoe moest ze ooit een andere man ontmoeten als ze achter een hoge muur zat opgesloten? Aella bad voortdurend dat het nog jaren zou duren om dat stomme ding te bouwen en dat zij tegen die tijd allang getrouwd was en zelf kinderen had.

Ze stonden allen op de heuvelkam omlaag te kijken naar het werk dat in uitvoering was. Het land wemelde van de mannen in zwarte habijten, die eruitzagen als bedrijvige mieren die sjouwden, groeven en terrein uitzetten met palen. Aella kon de contouren van de muren en de greppels zien, als een enorm hinkelspel dat in het zand was getekend. Sommige funderingen waren zo diep als grafkuilen; ernaast lagen keurige bergen gaspeldoorn en struikgewas te wachten om voor de vuren buiten de cellen van de monniken te worden gebruikt. Hun moestuintjes stonden vol groenten die door een kruisvorm van elkaar werden gescheiden, en de bijenkorven stonden in keurige rijen. Maar de mannen verdrongen zich nu allemaal rond de funderingsgreppel, en ze tuurden omlaag en sloegen een kruis. Er was duidelijk iets aan de hand.

Pater Jerome werd omlaaggestuurd om te zien wat er gaande was en hij keek ook in de kuil, sloeg een kruis en kwam hijgend in de hitte weer omhoog. Hij schudde zijn hoofd naar zijn mevrouw en haar broer.

'En? Vanwaar dit oponthoud?' vroeg Ambrosine.

'Ze hebben beenderen gevonden. Ik vrees dat het menselijke beenderen zijn. Ze waren bezig een goot te graven langs de aangegeven lijn, en toen hebben ze recente beenderen gevonden, geen oude. We zullen ze moeten opgraven en onderzoeken om ze fatsoenlijk te kunnen begraven. Ik vrees dat ze geen christelijke begrafenis hebben gehad, dat ze alleen maar haastig onder de grond zijn gestopt om de een of andere vreselijke daad te verbergen. Dit moet de plek zijn waar de oude familie die bij de bron woonde voor het zwaard is gevallen... Het is een slecht voorteken, heer. Geen goed nieuws, mevrouw.'

'Wat is er aan de hand?' riep Aella van achter in de groep, zonder enig idee te hebben van de gruwelijke ontdekking.

'Stil! Straks hoort ze je nog! Slecht nieuws voor je familie in Fridswell. De beenderen van Bagnolds familie liggen in die kuil... denken we.' Een van de bedienden wees opgewonden naar de groep geestelijken die zich nu verdrong om het zelf te zien.

'Wat voor familie van mij mag dat dan wel zijn?'

'Je weet verdomd goed van wie die botten zijn. Je vader heeft 't ons al honderd keer verteld.'

'Godsamme! Wacht maar eens tot hij dát hoort! Hij zal de hele wereld op z'n kop zetten als hij erachter komt dat lady Ambrosine op Baggi's land bouwt. Hij denkt dat het land nog steeds van hem is. Hij is gewoon knettergek als het over deze plek gaat. Ik had nooit gedacht dat het zo dichtbij zou zijn. Hij mag er niet achter komen, anders...'

'En denk je dat dat zal lukken? Heel Longhall zal dit vandaag nog weten, voor de avondklok. Pater Jerome is een nog ergere kletskous dan de vrouwen bij de put.'

Aella krabde ontredderd op haar hoofd. Onvoorstelbaar dat haar eigen grootouders, ooms en tantes allemaal door elkaar in die berg beenderen lagen.

'Het ziet ernaar uit dat ze ze gaan opgraven om ze fatsoenlijk te begraven, zodat ze in vrede kunnen rusten, de arme drommels. Niet dat ze daar zelf iets van zullen weten, maar goed.'

Aella kreeg het vreemde, griezelige gevoel dat ze werden gadegeslagen door haar gestorven familie, en ze huiverde. Wat zou de vrouwe wel niet van dit alles vinden? Aella moest maar bij haar uit de buurt blijven tot alles weer wat tot bedaren was gekomen. Ze schudde haar koperkleurige krullen en verdween in de schaduw.

Ambrosine de Saultain leunde tegen de stam van een zware eik, en ze volgde de gebeurtenissen als van een grote afstand. Haar gezicht was rood en verhit, haar hart bonsde razendsnel om deze gruwelijke ontdekking. De Heer had de gravers naar de exacte plek van de hut bij de bron geleid. Nu was er een bewijs. Eindelijk was de waarheid bekend. Dit was een nieuw Golgotha dat wachtte op de Dag van de Wederopstanding, en hier zou haar priorij voor een hoognodige zuivering en een zegening zorgen. Hoe eerder die beenderen ter aarde waren besteld en waren gezegend, hoe eerder de broeders verder konden gaan met hun taak. Het was een heel eenvoudige zaak en er hoefde geen onnodig uitstel te zijn.

Later bracht Aella haar mevrouw iets te eten en te drinken toen ze in de schaduw zat. Ambrosine schudde haar hoofd, ongeduldig over het oponthoud. 'Is dit geen geweldige plek? Kijk eens naar de contouren van oost naar west, waar onze kapel zal liggen... We zullen een kleine tuin hebben om in te zitten en een wandelpad voor rustige momenten en contemplatie. O, ik zie het allemaal al voor me! Jij en ik zullen de eersten zijn om onze zusters te verwelkomen, nietwaar?'

Aella wendde zich af om haar blik te ontwijken. Als ze denkt dat ik van plan ben hier te gaan wonen...

Pater Jerome kwam weer terug om te zeggen dat ze het werk stillegden om de beenderen te verzamelen en te tellen. De autoriteiten moesten op de hoogte worden gesteld van hun vondst, en er zou ongetwijfeld opdracht worden gegeven tot een onderzoek.

'Waarom kunnen jullie ze niet gewoon in stilte begraven als we allemaal weg zijn?'

'Dat zal de bisschop niet toestaan. Dit zijn misschien de beenderen van heiligen. We moeten de martelaars eren en zo veel mogelijk te weten zien te komen. Daarna kunnen ze allemaal naar hun laatste rustplaats worden gebracht. Onteer de doden, en de plek zal nooit gedijen of gezegend worden.'

'Maar dit alles is toch zeker lang voor onze tijd gebeurd? In Longhall zal niemand er iets van weten.' Het plan berustte op het feit dat niemand uit het dorp op de hoogte was van de daden van haar vader.

Aella hoorde de discussie en zei niets. Ze wist precies wie hier ooit had gewoond, en wat hij zou zeggen als hij dit hoorde. Misschien moest ze haar vader waarschuwen. Hij zou dit verhaal desnoods aan de baljuw van het graafschap vertellen, en dan zou deze plek ongeschikt worden verklaard voor een gebedshuis, ongeschikt voor het doel van mevrouw. Dan zou her ladyship haar plannen vergeten en Aella zou veilig zijn in Longhall. Met die troostvolle gedachte begon ze de mokken en kleden te verzamelen en liep ze met nieuwe veerkracht in haar tred terug naar het dorp.

Terwijl Baggi 'Bagshott' keek hoe zijn vis op de stenen werd geroosterd, onder een stuk hemel vol sterren, kende hij voor de eerste keer in zijn leven een moment van pure voldoening. Zijn ingewanden zwommen in het bier, weldra zou zijn buik zich te goed hebben gedaan aan voorn, en om hem heen stond een nieuwe oogst aan hemelse paddestoelen om hem tot koning van het nachtwoud te bevorderen. Als kroon op dit alles was de zekerheid dat Fridswell weldra van hem zou zijn. Toen Aella het geheim verklapte van de vondst van de beenderen, wist hij dat de gerechtigheid eindelijk aan de kant van de arme man stond en dat die Normandiërs op Longhall houtworm en gal zouden moeten slikken om uit te leggen hoe het kwam dat de resten op het land waren verborgen. Het was veel maanden geleden dat hij zijn droevige verhaal had verteld aan de onderzoekers die achter een tafel zaten en ernstig elk woord opschreven dat hij over die vreselijke nacht vertelde.

Met behulp van zijn gedroogde paddestoelen was zijn tong losser en soepeler geworden, had hij de luttele bekende feiten weten te verfraaien om het drama van deze duistere daden te versterken, medelijden bij zijn gehoor te wekken en zijn eigen gevoel van onrecht te zijn aangedaan tot een storm van verontwaardiging weten op te blazen. De waarheid echter was dat hoezeer hij ook zijn best had gedaan om zich de gebeurtenissen weer voor de geest te halen, hij zich niet veel van zijn kwellingen herinnerde, maar dat weerhield hem er niet van een ooggetuigenverslag te leveren van hoe zijn grootvader, ooms en tantes, moeder, broers en zusters op gruwelijke wijze waren gevallen voor het Normandische zwaard van Guy de Saultain. Toen hij aan een kruisverhoor werd onderworpen moest hij erkennen dat hij niet wist wie de soldaten waren die deze wreedheid hadden begaan, maar hij verklaarde dat de heer moest hebben geweten dat dit deel van het woud woest en onontgonnen was, en dat hij daarom was teruggekomen om de Hall te bouwen. Hij moest er eerder zijn geweest. Aangezien heer Guy dood was, was er niemand die kon zeggen of dit waar was of niet.

Wat had hij genoten van hun belangstelling, en van de kroezen bier die hem door nieuwsgierigen werden gegeven om meer te weten te komen en zijn tong losser te maken. De dorpsbaljuw sprak namens hem, eiste schadevergoeding, weergeld voor het verlies van zijn verwanten. Bagnold zelf eiste de teruggave van het Fridswellterrein voor zijn erfgenaam Edric. Nu zou het fortuin eindelijk zijn gezin zegenen. Aella hield in het dorp haar mond dicht en haar hoofd hoog. Ze keek in de bloeddoorlopen ogen van haar vader en klopte hem op de arm, alsof ze voor deze ene keer goed over hem dacht.

Het kon hem niet schelen dat er weinig oude mensen waren om zijn verhaal te bevestigen, of dat degenen die nog in leven waren niet tegen de De Saultains durfden getuigen, uit angst hun hut en hun middelen van bestaan te verliezen. Hij stond alleen, als enige overlevende van een massaslachting, en hij schudde bij wijze van bewijs met zijn armstomp. Dit was zijn moment van wraak. Gedurende lange tijd na de zitting werd er koortsachtig naar bewijsstukken gezocht ten aanzien van wie het land eigenlijk was. De pachtovereenkomsten, de documenten in de kloosterarchieven van de domkerk, bewezen dat het deel uitmaakte van een groot stuk land dat door koning Wulfhere aan Sint-Chad was geschonken en dat het sinds de tijd van leenheer Godfrid door de ridders van Longhall werd gepacht, om vervolgens op beperkte voorwaarden aan bepaalde vrije mannen te worden doorverpacht. Er was hoe dan ook geen enkel bewijsstuk waaruit bleek dat Bagnold enig recht had op het stuk land dat ooit lady Edwenna scheen te hebben toebehoord.

Hij verkeerde in gelukzalige onwetendheid met betrekking tot al dit juridische geharrewar. Hij wilde alleen maar positieve dingen horen. Wat hem betrof had hij recht op schadevergoeding en alleen dat stuk land kon hem tevreden stellen. Geen bericht was goed bericht, dus deed de varkenshoeder zijn werk met kwieke stap en een aanmatigende houding tegenover iedereen die hij tegenkwam, waarbij hij zich mooi maakte zoals het de erfgenaam van een onroerend goed betaamde. Als Eldwyth pruilde en bezwaren opperde, was dit alleen maar omdat ze gepikeerd was over alle aandacht die hij kreeg. Hij kon nu net zo vaak rondzwerven als hij wilde, door de bossen trekken, stropen, zijn netten uitzetten in stroomversnellingen in de beek, rustig afwachten, vol vertrouwen op het geluk dat hem wachtte.

Gedurende dat beslissende jaar, en in de maanden die erop volgden, bad Ambrosine dat het tot een regeling kwam. Hoe kon haar wil zo worden gedwarsboomd door een boerenpummel, een horige van het laagste allooi? Haar eerste opwelling was Aella uit haar dienst te ontslaan, omdat ze familie was van die vreselijke man. Bij de zitting had hij zijn hoed gelicht en in aanwezigheid van zijn dame geknipoogd, alsof ze de eerste de beste deerne was. De christelijke verdraagzaamheid verbood haar Aella te straffen voor de onbeschaamdheid van haar vader. Aan de andere kant waren de zonden van de vader nu iets wat ze gemeen hadden.

Ze was echter niet één keer in de verleiding gekomen haar eigen kennis over die hut bij de bron te onthullen. Ze speelde haar rol van onschuldige toeschouwer en brave dochter, waarbij ze met haar stilzwijgen de eer van de De Saultains verdedigde. Er zou nimmer een beschuldiging aan haar adres worden geuit. Een horige die iets van horen zeggen had, telde niet mee voor de rechtbank van het graafschap. Het recht zou zegevieren.

Toen kwam de geweldige dag dat de bisschop in zijn wijsheid besloot dat Fridswell lang geleden de plaats van heilig martelaarschap was geweest en daarom een ideale plek voor een huis van afzondering zou zijn. De beenderen van onschuldigen die waren gevonden in dat wat eens de visvijver moest zijn geweest, zouden in kisten worden gelegd en ter aarde worden besteld binnen de stenen muren van de nieuwe kapel, als rechtvaardig gedenkteken voor het afslachten van onschuldigen door personen die alleen bij God bekend waren.

Het werd aan Aella en aan de baljuw overgelaten om Bagnold het nieuws te vertellen. Hij weigerde hun woorden aan te horen, trok zijn muts over zijn oren en ging ervandoor. De baljuw probeerde hem te vertellen dat hij drie extra varkens voor eigen gebruik zou krijgen, bij wijze van schadevergoeding. 'Eten voor je pot, denk daar eens over na, en geen betaling aan de vrouwe!' Bagnold wilde er echter niets van horen en hij verdween voor twee nachten in de bossen. Eldwyth vreesde voor zijn veiligheid en wist Aella over te halen toestemming te vragen om naar hem op zoek te gaan. Ze wist precies waar hij te vinden zou zijn, verstopt in de struiken bij de open plek in het bos, waar hij de kluizenaarbroeders hun tuintjes zag verzorgen.

'Het is niet eerlijk! Dit alles op óns land... Zolang ik leef zal ze er niets goeds van kunnen krijgen, daar zal ik wel voor zorgen, en na mijn dood zal ik haar achtervolgen.'

'O pa! Wat kun jij nou doen om mevrouw tegen te houden? Ze wil dat verhipte nonnenklooster per se doorzetten. Wie zijn wij om dat tegen te houden?'

'D'r zal niet worden gebouwd op het land van mijn moe. Nooit! Ik zie haar nog over d'r planten gebukt staan, zo trots als een pauw wanneer haar gewassen dikke trossen hadden. Ze vertelde me altijd dat deze grond door de bron was gezegend, dus nou zal ik ervoor zorgen dat hij door datzelfde water wordt vervloekt.'

Voor de eerste keer in haar leven voelde Aella mededogen met haar vader die voor haar ogen leek te verschrompelen. Alle kleur was uit hem weggetrokken, zijn schouders waren opgetrokken en zijn mond hing open. Voor haar stond een oude man, even slap en nutteloos als een matras zonder vulling.

'Zo erg is het nou ook allemaal weer niet. Met die extra varkens zal deze winter niemand honger hoeven lijden, en over een poosje zal Edric het van je overnemen. Wij van Baggi's land zullen weer vrije mensen zijn, wacht maar eens af. Het kan misschien een tijdje duren, maar eens zullen we ons hoofd hoog kunnen houden naast die De Saultains, wacht maar eens af.'

'Ik zal er niet meer zijn om dat mee te maken! Dit wordt m'n dood.'

'Ik denk ook niet dat ik 't zal meemaken, maar we moeten hopen dat onze kinderen het beter zullen doen dan wij.' Aella klopte even op haar buik.

'Hé, wil je zeggen dat je daar een jong hebt zitten?' Bagnold zuchtte even, en hij richtte zijn aandacht op iets anders.

'Natuurlijk niet... Maar dat zal eens gebeuren en dan zal ik ervoor zorgen dat mijn kinders in dit leven een stapje hoger op de ladder komen en geen schop naar beneden krijgen zoals wij. Vrouwe Ambrosine zal iets anders moeten bedenken als ze verwacht dat ik in die priorij van haar ga zitten wegteren. Ze kan wel een ander vinden om haar muren te vegen en de vlooien in de hoeken de doodsschrik op 't lijf te jagen.'

'Precies, vertel d'r dát maar eens. Je bent een van de Baggishotts en dit zal altijd óns land zijn, ónze grond, óns plekje onder de zon. Geen enkele De Saultain zal daar ooit kunnen gedijen zonder onze instemming, en dat is het laatste wat ik erover zeg!' Bagnold dompelde zich onder in de bron, om alle woede en teleurstelling van zich af te spoelen, maar Aella merkte tot haar verbazing dat zij die gevoelens met zich meenam. Ze woekerden en spookten wekenlang door haar hoofd. Ze kon ze niet van zich afschudden. Alleen als Matt, de zoon van de hoefsmid, haar als een beer omhelsde en haar met zijn leerachtige poten betastte, smolt haar treurigheid enkele momenten weg.

Weldra dwarrelden de blaadjes opnieuw over de open plek, om de half-voltooide greppels en funderingen van de kapel en de priorij te vullen. De lekenbroeders keerden terug naar de domkerk waar plannen waren om een grotere kerk van steen te bouwen, en er bleven slechts drie klui-zenaars achter om het terrein te bewaken. Het legaat van Guy de Saul-tain lag onder een dek van ijs en sneeuw. Gilbert was nu de kasteelheer en hij was getrouwd met Madline, een welgestelde jonkvrouw uit Ches-layt, die een aardige bruidsschat had meegebracht. Er was nu een andere vrouw die de grote kamer boven had ingenomen, en er werd nu een ste-nen provisiekamer en een eetkamer voor haar gebouwd. Het dorp zat vol bouwers en metselaars, timmerlieden en voegers, en alle gedachten aan de priorij waren uit het hoofd van Ambrosines broer verdwenen. Er was niets dat zij kon doen om het legaat te verwezenlijken, behalve bidden.

De voortekenen waren niet goed. Er waren slechte oogsten geweest, waarna hongersnood en mislukte gewassen voor lege magen in het dorp hadden gezorgd. Slechts degenen die heel zuinig en voorzichtig waren ge-weest slaagden erin de honger te weren. Iedereen was verzwakt door ziek-te en kou. Aella had haar boete betaald om met Matthias te trouwen en ze smeekte om toestemming om het huis te kunnen verlaten, zonder één keer achterom te kijken. Wat konden horigen toch ondankbaar zijn!

Robert zwierf door het district, op vossenjacht, valkenjacht, meiden-jacht. Hij luisterde naar niemand, laat staan naar zijn zuster. Op het feest van Sint-Ambrosius, in 1095, vond Ambrosine drie grijze haren toen ze haar dikke lokken kamde, die niet langer van gesponnen goud leken maar eerder de kleur van nat zand hadden. Zeven lange jaren had ze ge-wacht tot haar leven zou beginnen, zeven jaren van gebed en frustratie en het verzet tegen Gilberts plannen om een passende partij voor haar te vinden.

Ter ere van deze feestdag vroeg ze de kapelaan en haar kamenier haar te vergezellen op haar vaste route naar Fridswell, waar ze voedsel, olie en kaarsen zou brengen naar de kluizenaars die het terrein zo trouw open hadden gehouden, de bomen van het woud hadden gedund en een boomgaard met appel, peer, kers en walnoot hadden geplant. Ze kende de mannen bij naam, bijna als vrienden. Ze hadden begrip voor haar ongeduld en frustratie en ze gingen altijd in op haar verzoek mee te lopen over het terrein, dit en dat te plannen, alsof morgen met de bouw werd aangevangen.

Ambrosine en haar kamenier kwamen vaak naar de bron. Hier kon ze luisteren naar het gedruppel van het water en kon ze vurig tot God bidden dat hij haar smeekbeden zou verhoren. Het Laatste Oordeel naderde snel toen er weer een eeuw verstreek en er nog steeds geen teken was dat de Koning terugkeerde in Zijn glorie. Er waren vreemde tekenen aan de hemel, van grote gebeurtenissen die zouden komen. De hemel werd verduisterd door een oorlogswind die de onthutsende gedachte in haar hoofd blies dat het jaar 1100 snel naderde en dat er grote duisternis op aarde zou heersen. Stel dat haar familie onvoorbereid de Dag des Oordeels tegemoet trad? Alles wat zij tot nu toe voor elkaar had gekregen waren beloften, beloften. Dat zou niet genoeg zijn om hen te redden.

Toen ze over het water keek, weerspiegelde het zonlicht in schitterende sterretjes van licht op het oppervlak en ze dacht dat ze het gezicht zag van een meisje met donkere vlechten, en ze huilde en wiegde iets in haar armen. Het was een intriest gezicht. Ambrosine stak haar hand naar haar uit, maar het meisje verdween, en slechts de rimpels op het oppervlak waren getuige van deze scène. Had ze dit visioen gedroomd? Was de Heilige Maagd van Nazareth daar vóór haar geweest?

Ambrosine knielde op de oever en sloeg een kruis. Ze moest geduldig zijn. Dit was een teken dat juist voor haar naamdag bedoeld was. Ze had de Maagd Maria in de bron gezien en de plek werd geheiligd door zo'n verschijning. Hier was eindelijk haar hartenwens, een heilige plaats die aan de Heilige was gewijd. Ze voelde opeens een zekerheid die even weelderig en voedzaam was als welk banket dan ook. Hier zou haar eigen woonplaats zijn, haar thuis, haar cel, haar toekomstige vreugde. Alleen hier zou ze vrede voor zichzelf vinden en voor hen die ongetwijfeld zouden volgen. Hier zou ze haar dagen verder in eenzaamheid en gebed doorbrengen, tot op hoge leeftijd en met pijnen, ziekten en kwalen, tot haar laatste ademtocht.

Ze moest niet langer wachten tot anderen voor haar besloten. Desnoods zou ze de kapel met haar blote handen bouwen, wat de prijs ook mocht zijn. Ambrosine de Saultain zou een kluizenaarster worden, en dan zouden ze haar op deze heilige plek moeten laten. Hoe dit alles tot stand moest komen was niet langer haar zorg. Als het de wil van de Verlosser was, dan zou het gebeuren.

Pas toen ze haar ogen weer open had gedaan ontwaarde ze een zwart spinnetje dat over de plooien van haar gewaad ploeterde, dat worstelde om de berg stof te beklimmen. Ze keek vol verbazing hoe de afzonderlijke poten in een harmonische beweging werkten. Zo'n klein stukje van Gods schepping. Hoe had ze ooit bang kunnen zijn dat het haar kwaad zou doen? Het diertje was zo klein en zij was een reuzin met de macht het te vernietigen.

Er was in haar familie genoeg verwoesting geweest voor vele generaties. Alle kruipende beestjes van Fridswell zouden in haar handen veilig zijn, want zij zou naast ze leven en vol nederigheid en dankbaarheid hun manieren ontdekken.

De kruistocht

'Deze wereld probeert over de maan te springen!' zuchtte Aella, toen ze in de hete tobbe het winterse vuil van de tunieken van haar gezin probeerde te schrobben. Aan de takken bungelden gescheurde maillots met gaten in de voeten; over de hagen lagen ruwe wollen hemden als vreemde bloemen uitgespreid, om in de zon te bleken. Alles was bezig te veranderen sinds die ontzagwekkende nacht vlakbij de naamdag van Sint-Ambrosius, toen de sterren langs de nachtelijke hemel daalden en de dorpsbewoners uit hun hutten snelden om getuige te zijn van het wonderbaarlijke schouwspel van God die vonken uit Zijn smederij boven liet schieten. Oude Meg, de wijze vrouw, schudde haar hoofd en zei dat de hemel zich voorbereidde op de strijd. Vader Anselm, de nieuwe priester, zei dat de Dag des Oordeels snel naderde en dat ze zich klaar moesten maken voor de Wederkomst van de Heer. Wat was Aella opgelucht toen de dageraad elke dag net als anders aanbrak zonder Zijn komst. Baby Hilde was vandaag taterend en vol vrolijkheid over het voorjaar uit haar bed gekomen. De geluiden uit de smederij naast de hut waren voor het kind als het kraaien van een haan, en alleen het slaan met de hamers kon haar in slaap brengen.

Edric, Aella's broer, was al hard met Matt aan het werk, maar zijn gezicht vertoonde een norse uitdrukking. Hij deed zijn werk met tegenzin. Hij was te knap met woorden, te twistziek met zijn meerderen. Hij leefde in zijn hoofd, niet met zijn handen, die onhandig en log waren. Op twaalfjarige leeftijd was hij nog even mollig als in zijn eerste levensjaren.

Dit vet had hem gered toen het hele gezin van Bagnold ziek werd. Het halve dorp kreeg pokken, en Bagnold en Eldwyth en Aella's zusjes bezweken eraan. Alleen Edric bleef in leven en woonde sindsdien bij zijn zuster als een koekoek in het nest, waar hij hen zo ongeveer het huis uit at. Aella had voor haar eigen gezondheid gevreesd, maar de engel des doods was barmhartig geweest voor de smederij en was hun deur voorbijgegaan, en weldra groeide er weer een kind in haar buik.

Aanvankelijk stond Edric achterdochtig tegenover hun vreemde gewoonten. Aella probeerde de manieren van het grote huis na te doen: het
eten met een scherp mes, het afwassen van haar kostbare houten kom
en beker, een laat geschenk van haar mevrouw. Ze probeerde het karige
vlees dat ze konden bemachtigen klaar te maken met kruiden en sauzen
die ze uit haar moestuintje samenstelde, en het aan het spit roosteren van
vlees boven de haard, in plaats van alles in de kookpot te kieperen, maar
Matt klaagde dat ze te royaal deed met hun beperkte houtvoorraad en hij
dwong haar ermee op te houden.

Haar man lachte om haar chique manieren, zelfs terwijl hij het eten
naar binnen schrokte. Ze zorgde ervoor dat haar gezicht altijd schoon
was, dat haar haar netjes onder haar hoofddoek zat en dat haar kleren werden gewassen lang voor ze te erg onder de oksels begonnen te stinken. Het
roet en het metaalstof trok voortdurend in hun huid, maar ze stond erop
dat de mannen zich in de beek afspoelden voor ze 's zondags naar de kerk
gingen. Het was de enige manier waarop Aella kon doen alsof ze geen horigen meer waren. Ze glimlachte in zichzelf toen ze bedacht hoe sommige
aspiraties van haar vader toch wortel hadden geschoten bij haar.

Toen de smid ziek werd sloeg Matt snel toe om de smederij over te
nemen. Soms hadden ze het zo druk dat iedereen werd ingeschakeld en
moest Hilde op een veilig plekje worden opgeborgen terwijl Aella holde en
zwoegde als een slavin in de graanmolen. Het kind zat dan naar hen allen
te kijken, dansend van pret als de vonken van het hete metaal sprongen.

Het eerste dat ze over het Heilig Kruis van Jeruzalem hoorden was
toen pater Anselm voor paus Urbanus bad, en voor zijn grote pelgrims-
tocht om de heilige stad van de ongelovige te redden – wie dat ook
mocht zijn. Ongetwijfeld een woeste moordenaar. De oproep aan alle
christelijke ridders om zijn vaandel te volgen zei mensen als een vrouw
van een smid niets, tot op een dag alle wapenrusting van het kasteel werd
gebracht om te worden geslepen, gerepareerd, verbeterd, met schakels
die moesten worden gesoldeerd en schachten die moesten worden ver-
stevigd. De paarden werden opnieuw beslagen. Toen was het geen vraag
meer waar de ridders naartoe gingen.

Op de dag van hun vertrek hield het hele dorp even op met werken
om hen uit te zwaaien. De twee broers, Gilbert en Robert de Saultain,
reden trots uit, met gepoetste zilveren maliënkolders, blinkende helmen,
en erachter een stoet bereden bedienden met uitpuilende manden voor
de lange reis naar het eind van de wereld. Er werd gefluisterd dat ze zich

bij soldaten uit de vier hoeken van het land zouden voegen, in een grote stoet naar het zuiden, naar de open zee.

Aella's oog viel op haar vroegere meesteres, lady Ambrosine, die nu heel streng en bleek leek in haar sobere kledij, net een weduwe of een non. Ze was van top tot teen in het zwart gekleed, en ze droeg een gouden kruis op de borst. De vrouw van heer Gilbert liep naar het hek om haar kinderen op te tillen voor een laatste glimp van hem. Aan haar figuur te zien groeide er een volgende De Saultain onder haar overjas. Aella voelde heel even iets van medelijden met de arme vrouw, tot ze bedacht hoeveel knechten en dienstmeisjes haar in zijn afwezigheid zouden helpen. Het zou een opluchting zijn dat de heer van het huis niet aanwezig was, evenmin als zijn broer. De rentmeester en de schout waren al erg genoeg, zoals die je altijd achter de vodden zaten en controleerden of alles op tijd werd betaald.

Zodra het nieuwtje van zonder hen te zitten voorbij was, hernam Longhall de gewone loop van het leven. Edric was zo rusteloos en lastig, dat Aella naar de priester ging, die voorstelde hem mee te laten doen met een paar scholieren, om te leren lezen en schrijven, en als dit goed ging, kon hij misschien bij de domkerk worden aangenomen als lekenbroeder. Edric popelde om iets anders dan het werk in de smederij te proberen, maar Matt was woedend dat hij misschien een werkkracht zou verliezen, ook al was het een onwillige.

'Jij bent net als de ouwe Baggi met zijn Baggishotts, je denkt dat je beter bent dan ieder ander in dit dorp. Waarom moet Edric leren lezen en schrijven? Wat is er mis met een smederij?' Aella kon zien dat hij zich gekwetst voelde door haar gretigheid om Edric te helpen.

'Jouw familie is uit dezelfde plaats gekomen als die van mij. We hebben Hilde naar een van hen genoemd, van lang geleden. Ze zijn ergens van ver weggetrokken om een beter leven te zoeken. We zijn het toch zeker aan onze kinders verplicht ze kansen te geven als die zich voordoen? Daarna moet Edric het zelf bekijken. Hij past hier niet, dat kun je wel zien. Hij heeft niet de vaardigheid en ook niet de zin om het te leren. Hierbinnen zit een andere zoon voor je om op te leiden.' Aella klopte op haar buik en glimlachte, met een smekende blik in haar groene ogen, en Matt zweeg door de macht die die ogen over hem hadden.

'En als 't nou een deerntje is?' mompelde hij.

'Nee, deze keer niet. Het ligt anders en het schopt harder.'

'Je zult me niet meer kunnen helpen als we d'r eenmaal twee hebben.'

'Ik zal me wel weten te redden, Matt.' Aella zuchtte en duimde heimelijk voor een gemakkelijke bevalling. Hoe kon ze ooit bang zijn geweest in
een klooster met nonnen terecht te zullen komen, het klooster dat altijd
gebouwd had zullen worden maar waar het nooit van was gekomen? Ze
had zich overhaast in Matts armen laten vallen om aan dat lot te ontkomen, maar ze had de laatste tijd tegenover zichzelf moeten erkennen dat
lady Ambrosine misschien toch de verstandigste vrouw was. Vooral aan het
eind van een dag als gisteren, toen Hilde niet ophield met huilen en Matt
mokte, de hond het stuk spek had gestolen, Edric de hamer op zijn teen
had laten vallen en alles op de een of andere manier haar schuld was.

Toen ze 's avonds doodmoe op het stromatras neerviel, met ledematen
die pijn deden van het zwoegen, dwaalde Matts hand in haar richting,
om het gebruikelijke pad tussen haar dijen te voelen... Er kwam nooit
een eind aan het werk van een vrouw!

Er was een jaar verstreken sinds de broers van Ambrosine waren weggereden zonder aan iemand anders te denken dan aan zichzelf.

Ze wist dat geen van beiden zich ook maar iets om Jeruzalem of om
de zaak bekommerde. Ze werden louter gedreven door verveling en door
de uitdaging. Was dit hoe de heilige Ambrosius haar smeekbede had verhoord? Nu haar broers weg waren zou er bij de priorij van Fridswell niet
één steen op de andere worden gezet en zij zat voor altijd vast in Longhall. Ze begreep de wegen van de heiligen niet. Ze had nu jarenlang haar
eigen geloften van kuisheid en gehoorzaamheid nageleefd, ze had het habijt van een religieuze vrouw gedragen, ze had zich aan de vastendagen
gehouden en ze was naar de mis geweest, ze had geprobeerd altijd nederig
en zachtmoedig te zijn. Maar allemachtig, het was genoeg om een heilige te laten vloeken als niet één van haar wensen ooit werd verhoord en er
niet één beslissing kon worden genomen zonder dat een broer van haar
daar zijn zegje over moest doen.

Haar schoonzuster Madline had nu drie jongens om alleen groot te
brengen. Dus moest de ongehuwde jonkvrouw het dagelijkse beheer over
het huis en het landgoed voeren. De dagen werden in beslag genomen
door bezoeken en verslagen, inspecties, huishoudelijke voorbereiding en
inrichting, onderhoud en toezicht terwijl Ambrosine door Longhall zweefde om opdrachten te geven en te controleren of alles in orde was. In de
schaarse tijd die overbleef nam ze haar neven terzijde om hen te leren lezen,
goede manieren bij te brengen, hun verhalen te vertellen over de Saksische

krijgsridders, Beowulf en Guthlac de heilige, net als haar eigen moeder die ooit aan hun vader had verteld, en ze probeerde borduurwerken te voltooien voor het stramien grijs was geworden door stof en verwaarlozing.

Eén dag per maand durfde ze haar taken in de steek te laten om de oude kluizenaars bij Fridswell te bezoeken, voedsel en geschenken voor hen mee te nemen, en bedienden om hen te helpen hun tuintjes te verzorgen. Het was spijtig te zien hoe het terrein werd overwoekerd, opnieuw tot struikgewas en brandnetels verviel. De mannen waren nu te gebrekkig voor zwaar werk. De funderingen waren reeds lang geleden onder het onkruid verdwenen, gesmoord, net als haar hoop was gesmoord door alle taken en verplichtingen. De kist met beenderen was allang op het kerkhof begraven en vergeten. Maar er was één plekje dat altijd goed werd verzorgd en vrij werd gehouden: de tuin bij de bron waar ze het visioen had gekregen. Geen doornstruik mocht ooit de eenvoudige schoonheid bedreigen van de luttele bloemen en kruiden die onder de pioenrozen waren geplant, die ieder jaar bloeiden en alle andere planten dreigden te overwoekeren tenzij ze werden teruggesnoeid.

In de loop der jaren had Ambrosine een verzameling heilige bloemen bijeengebracht – witte lelies, egelantiers, viooltjes en de geneeskrachtige kruiden die op het terrein bij het huis als onkruid groeiden – en ze hierheen verplant. Hierbij voegde ze de vrolijke gele narcissen die nu langs de oevers van de beek dansten, met wilde hyacinten en sleutelbloemen die ieder voorjaar uit het niets opdoken om haar de hoop te geven om verder te gaan. Ze waakte over iedere zaailing als een moeder over een pasgeboren kind. Soms, als er niemand in de buurt was, fluisterde ze een gebed tot de Heilige Geest en de Heilige Maagd Maria: 'Heilige Moeder, hoor mijn smeekbede. Welke geneeskrachtige kruiden uw macht hier ook mag voortbrengen, geef ze veel voorspoed, opdat allen die deze uw bloemen ontvangen, weer heel van lichaam en ziel mogen worden.' Daarna stopte ze wat grond in een zakje aan haar gordel en nam het mee naar het kerkje om het daar met wijwater te laten zegenen, waarna ze het bij haar volgende bezoek weer terugdeed.

Gedurende al deze tijd bereikte slechts heel weinig nieuws over de kruistocht Longhall, en tegen die tijd waren de gegevens maanden oud en onbetrouwbaar. Er werd één keer een dankgebed uitgesproken omdat de belegering van Antiochië voorbij was en de stad was ontzet of bestormd. Ambrosine hoorde geruchten, uit de verhalen die de vrachtrijder haar bedienden vertelde, over ridders die met ontbrekende ledematen of vreselijke wonden terugkeerden, halfdood van de honger, in vodden gehuld, of die dood op een draagbaar naar huis werden gebracht om binnen hun kasteelmuren te worden begraven. Voor hen ging het leven verder, ongehinderd door dit soort zorgen. De kleine William, Hugo en de jongste, Benedict, renden als jonge honden over het landgoed rond, net als Gilbert en Robert dat als kind hadden gedaan, met nauwelijks iets van een herinnering aan die gedenkwaardige morgen toen de ridders waren uitgereden, hun grote avonturen tegemoet.

Het was in het late voorjaar van 1100 toen twee paarden stof opwierpen op het uitgesleten wagenpad vanaf de domkerk naar Longhall. Er werden belangstellende hoofden opgericht; mannen die op het land werkten, terwijl de vrouwen stenen raapten. Niemand herkende de bestofte paarden of hun gebruinde ruiters. Vreemdelingen werden altijd met de grootste achterdocht bekeken, maar de honden op het erf van het kasteel sloegen niet aan. Pas toen de mannen langs de smederij reden, zag Aella, de vrouw van de hoefsmid, de groezelige kruisen op hun wapenrusting toen ze Hilde en de kleine Thomas bij de paardenhoeven vandaan trok. Er was iets in de houding waarmee een van hen in het zadel hing, dat haar deed denken aan de oude heer Guy in zijn nadagen, als hij vermoeid en ziek van de valkenjacht terugkeerde.

Ambrosine werd vanuit haar vertrekken naar de binnenplaats geroepen. Ze bleef stokstijf staan bij de trieste aanblik. De eerste man had een donkergebruinde huid met een litteken dat over zijn ingevallen gezicht liep, en doordringend zwarte ogen. De andere was herkenbaar als Robert, maar niet de broer die was uitgereden met een vierkant gezicht met blauwe ogen die scherp waren als saffieren. Dit waren zieke mannen die krom in elkaar gezakt zaten. Robert viel van uitputting bijna van zijn paard en zakte in haar armen in elkaar, haast zonder iets uit te kunnen brengen.

'Waar is Gilbert? Is hij achter jullie?' vroeg ze. Robert staarde haar aan, er kwamen tranen in zijn ogen, en Ambrosine begreep dat haar oudste broer nooit terug zou komen. 'O, arme Madline...'

Twee stalknechten vergezelden Robert, de nieuwe heer van Longhall, naar zijn kamer, en de lawaaierige kinderen zwegen bij de aanblik van de vieze, stinkende vreemdelingen. Madline was nergens te bekennen, dus nam Ambrosine de kinderen mee en stuurde ze met een bal het park in, zeggend dat ze lief voor hun moeder moesten zijn en heel zachtjes moesten doen.

De andere strijder zat zich bij de lege haard te goed te doen aan wijn en brood, en hij was te zeer op deze bezigheid gericht om aandacht te hebben voor zijn omgeving. Ambrosine zag hoe zijn handen beefden toen hij de beker optilde. Hij keek opeens op, werd zich eindelijk van haar bewust. 'Vergeef me... Ik vergeet mijn manieren in aanwezigheid van een dame. Het is lang geleden. Ik ben Geoffrey Gonville. Robert en ik hebben samen ver gereisd. Ik ben ook op weg naar huis, in de buurt van Chester, aan de oude weg. Robert was niet in staat het laatste stuk van de reis in zijn eentje te doen.'

'Ik kan gewoon niet geloven dat dit mijn broer is. Hij is zo veranderd.' Ambrosine liep te ijsberen, met haar armen om zich heen geslagen, koud van treurigheid.

'We hebben te veel gezien, we zijn te ver gereisd, om niet te zijn veranderd, en Robert verlangde vreselijk naar huis. Het is ons niet goed vergaan. Nou ja, in het begin wel, toen waren er veel plaatsen om te bekijken en te bewonderen. Maar altijd de hitte, het stof, de vreselijke belegeringen. En te veel gewonden en zieken. Ik vind het heel verdrietig, van uw andere broer.' Gonville zweeg even. 'We hebben allemaal goede vrienden en kameraden verloren.' Hij wierp haar een gekwelde blik toe. Ze durfde hem niet goed aan te kijken, want ze wilde hem instinctief in haar armen nemen en tegen zich aandrukken als een kind, hem knuffelen.

'Je moet hier rusten tot je voldoende bent opgeknapt om verder te reizen. Het is de enige manier waarop we je kunnen bedanken voor je goedheid om Robert veilig bij ons terug te brengen.' Zelfs terwijl ze sprak zag ze hoe zijn oogleden omlaaggingen en hij over de tafel zakte om ter plekke in slaap te vallen.

Madline sloop als een schaduw naar binnen, ze gleed over de met biezen bestrooide vloer, en haar mond trilde van emotie.

'Ambrosine... hij is dood! Gilbert is gestorven. Hij is tot Antiochië gekomen, maar het beleg duurde lang en was hevig. Robert zegt dat hij niet heeft geleden, maar ik kon aan zijn ogen zien dat hij liegt. Ik heb de jongens verteld dat hij nu de soldaten van Christus aanvoert, dat we hem veel eer en liefde moeten bewijzen en dat we hem nooit mogen vergeten. We zullen een beeltenis ter zijner gedachtenis laten maken. Ik zal dit meteen regelen. Benedict zal nooit weten...' Madline viel haar schoonzuster huilend in de armen.

'We zullen hem nooit vergeten,' fluisterde Ambrosine, en ze slikte haar tranen weg. 'Hoe zouden we dat kunnen? Want iedere keer dat ik een van zijn zonen zie, zal ik zijn kin zien, en zijn vlasblonde haar, de welving van zijn neus. Zolang we leven zal hij in onze herinnering blijven, dat beloof ik je.'

Ze voelde een ijzige kalmte. De terugkeer van haar broer had niets veranderd. Ze moest als hoofd van de huishouding fungeren, ze moest voor hen allen zorgen zoals ze dat altijd al had gedaan sinds de dood van haar moeder en er een einde was gekomen aan haar eigen jeugd. Robert behoefde verpleging, en de vreemdeling, Gonville, behoefde gastvrijheid zoals het bij zijn stand paste. Madline moest bezig worden gehouden. Dat was de enige manier voor weduwen. Het was nu geen tijd om te treuren en te bedenken hoe het had kunnen zijn; dat zou vele jaren later komen.

In de weken die op hun plotselinge komst volgden, was geen van beide ridders in staat te worden vervoerd of zich ver buiten Longhall te wagen. Het was alsof zodra de last van hun droeve nieuws was neergelegd hun dit beiden toestemming gaf in ziekte en koorts te verzinken. Robert sliep een week lang, waarbij hij alleen wat aftreksels dronk van kamille, verbena of duizendblad en sap van de slaapverwekkende papaver, die door zijn zuster waren bereid. Geoffrey Gonville was gezonder, sterker van lichaam en geest, en hij begon weldra geroosterd vlees te eten en alles te drinken wat hij in handen kreeg, waarbij hij de beker gretig leegdronk. Hij trok er te paard op uit om door de omgeving te zwerven, alsof hij zich voorbereidde op het laatste traject naar het noorden.

Ambrosine ontleende veel kracht aan zijn rustige aanwezigheid, zijn zachtmoedige, attente manier van doen. Hij was een man van weinig woorden, alsof hij heel zorgvuldig alles censureerde wat haar verdrietig of bezorgd kon maken. Hij kon aan de eettafel zitten, diep in gedachten verzonken, terwijl Madline en Ambrosine met elkaar praatten over ieder snippertje informatie met betrekking tot de gestorven Gilbert. Pas als Madline vertrok om andere dingen te regelen, werd hij echt wakker. Op die momenten flitsten zijn donkere ogen in Ambrosines richting, ogen zo donker als sleedoornpruimen in een kom room, en dan werd haar het zwijgen opgelegd, bloosde ze als een onnozele maagd onder de intensheid van zijn blik. Ze was nooit eerder uit haar evenwicht geraakt door de aanwezigheid van een man – bij vader, broers, rentmeesters, priesters was ze altijd zichzelf gebleven. Maar deze man maakte dat ze zich onhandig en links voelde. Er was iets in de manier waarop Gonville naar haar gezicht keek die haar van slag bracht, en ze voelde het gefladder van vleugels onder in haar buik. Wat vreemd dat er een man bestond die zoveel onrust bij haar kon veroorzaken. Ze merkte van zichzelf op dat ze zweeg, zijn blik ontweek, de andere kant uit keek.

Uiteindelijk herstelde Robert voldoende om door het huis te schuifelen en een luchtje te scheppen in het park. Madline stelde voor het bos in te gaan, omdat het daar koeler voor hem was, en Gonville, die geen haast leek te hebben om te vertrekken, zei dat hij hen met alle genoegen wilde vergezellen.

'Vreemde man, vind je niet? Het ene moment heel hoffelijk en charmant, het andere heel afstandelijk. Maar hij kijkt wel heel veel naar jou, zuster, of had je dat nog niet gemerkt? Zijn ogen volgen je voortdurend.' Madline gaf haar schoonzuster een ondeugende por.

'Onzin! Ik denk dat ik hem aan zijn zuster of aan zijn verloofde herinner...' sputterde ze tegen.

'Gaan we ook nog blozen? Dus je hebt 't wél gemerkt?'

Ambrosine zei verder niets en ze probeerde ongeïnteresseerd te kijken, maar ze was zich ervan bewust dat haar benen trilden toen ze afstegen om in Fridswell bij de bron te rusten. 'Ik wil zien hoe mijn nieuwe aanplant het doet,' zei ze.

Madline keek haar treurig aan. 'Het spijt me, het leven heeft je plannen opnieuw gedwarsboomd. Je zult geen heilige bruid van Christus worden, Ambrosine. Ik weet nog hoe je met Gilbert kon redetwisten tot jullie allebei paars zagen van woede. Je beweerde dat je kluizenares wilde worden, en hij zei: over m'n lijk.' Ze zweeg opeens, omdat alle herinneringen haar te machtig werden. 'Hij wilde alleen maar het beste voor zijn zuster, dat weet ik zeker, en nu zul je vrij zijn om je eigen weg te kiezen. Hij heeft geen macht meer over je.'

Ze glimlachte zwak. 'Zijn kinderen zijn nu mijn leven... Ik heb in elk geval nog de troost dat ik voor hen van nut ben. En Robert heeft ons allebei nodig. Heb je hem 's nachts horen roepen als een klein kind? Het breekt mijn hart hem zo verzwakt te zien.'

Ambrosine liep voorop. Zij was degene die 's nachts opstond om haar broer te troosten, die probeerde te doorgronden welke duivel zijn ziel kwelde. Hij was net zoals zijn vader vroeger was geweest, en ze vroeg zich af welke daden zwaar op zijn ziel drukten. Zou haar leven ooit aan de religieuze regel worden gewijd? Wanneer zou ze vrij zijn om haar eigen kruistocht te maken?

Ze wandelden die middag in deze vredige omgeving terwijl de kinderen door het bos holden, de laatste vermoeide wilde hyacinten en bloemen plukten, in de beekjes spetterden en de reeën achtervolgden. Ambrosine nam Robert en Gonville mee om het heiligdom te bekijken, maar haar broer was niet geïnteresseerd en liep alleen weg, om de zon achter de heuvelkam te zien zakken. Ze vertelde Gonville over de plannen voor de priorij en ze wees hem de contouren van de funderingen. Ze liepen samen stroomopwaarts terug naar haar tuintje, nu een bonte verzameling groene kruiden en bloemen die zich weelderig uitzaaiden langs de oevers van de beek. Gonville knielde om van het bronwater te drinken.

'Dit is goed water, fris en schoon. Wanneer je in hitte en stof leeft, wordt de koelte van fris water heel kostbaar. Water schenkt leven en veel goede mannen van ons zijn gestorven door gebrek eraan. Het is vreemd hoe we de Saladin, het volk van de sultan van Egypte en Syrië, altijd als wild en onbeschaafd hebben beschouwd terwijl zij over manieren beschikken om water via kanalen te bedwingen, om zelfs de droogste woestijn te kunnen bevloeien en de meest exotische vruchten en bloemen te kweken. Ze beschouwen alle groene plaatsen als heilig en ze leggen prachtige fonteinen aan in het midden van stenen of betegelde binnenplaatsen om koelte te hebben. Zelfs hun kleren waren licht en luchtig. Wij hadden het altijd erg warm onder onze metalen harnassen. We gaven weldra onze stijve kleren op en namen een bad wanneer we dat konden.

Vrouwe Ambrosine, als u eens wist wat voor indruk de schoonheid van die tuinen op een uitgedroogde ziel maakte, zoveel vrede op zo'n vreselijke plek. Wij zijn degenen die wild en onbeschaafd zijn, dat verzeker ik u...' Hij zweeg. 'Ik vergeet mezelf weer. U schijnt dat effect op me te hebben.'

'Gaat u alstublieft verder. Vertel me over die tuinen – wat kweekten ze daar?' Ze wilde zijn groeiende belangstelling voor haar ombuigen.

'Uw neusgaten worden getroffen door de rijke geuren van rozen en jasmijn en andere planten waar ik geen naam van weet. Ze maken perken met regelmatige vormen en vullen die met veel heesters en planten, zoals ik die nog nooit bij enig Normandisch kasteel heb gezien. Er zijn beschaduwde zuilengangen en altijd het geluid van stromend water in je oren, om de zintuigen te kalmeren. Ze kweken ook kruiden om medicijnen en zalven voor bijna iedere kwaal te maken. Er was zoveel dat we hadden kunnen leren, maar deden we dat? Nee, alles wat wij deden was verpletteren en verwoesten, en nu zijn we verloren.'

'Maar ik dacht dat Robert zei dat jullie Jeruzalem weer onder het kruis hadden gebracht?'

'Ja, en daarbij hebben we veel onschuldige christenen gedood. Voor alles wat we hebben bereikt, hebben we een afschuwelijke prijs moeten betalen. We zijn verdoemd voor daden die niet geschikt zijn om aan een

dame te vertellen. De slachtpartij die we onder de vijand hebben aangericht was barbaars. Zelfs de artsen die we gevangen hadden genomen
werden samen met de rest afgeslacht, en hun lichamen werden buiten de
stadsmuren opgestapeld om in de zon te liggen stinken en zo nog meer
ziekten onder onze mannen te brengen. Er was niemand om uw broer te
redden. Hij stierf in het stof en in het vuil en in de rommel, aan wonden
waaraan hij niet dood had hoeven gaan.'

'Ik vreesde al zoiets uit wat Robert niet zei.'

'Hij voelt de schande van de nederlaag, net als wij allemaal. Er is niets
tastbaars bereikt en de bittere haat tegen ons, in dat land, zal binnenkort
nog veel meer bloedvergieten veroorzaken.

Kunt u hier iets van begrijpen? Kunt u een man vergeven omdat hij
alles wil vergeten en weer een vredig leven wil gaan leiden?'

Hij stak hoog boven haar uit, met smekende ogen. Ambrosine deed
een stap achteruit.

'Alleen God kan ons vergeven. Ik zal voor u bidden.'

'Heeft u geloften afgelegd als non? Ik dacht dat dat alleen maar...'

'Alleen maar een gril was? U weet van mijn broer ongetwijfeld alles
over mijn dwaze droom, maar het is altijd mijn bedoeling geweest een
religieus leven te leiden.' Ambrosine was blij dat dit nu duidelijk tussen
hen was gezegd, als een schild om haar te beschermen tegen de avances
waarvan ze wist dat ze zouden komen.

'Ik zou u met mij mee willen nemen als mijn vrouw. U bezit alle ei-
genschappen die ik al lange tijd in een vrouw heb gezocht – zo eerlijk en
oprecht, rustig en sterk. Ik heb zo'n vrouw in mijn leven nodig. U zou
ieder kasteel sieren met uw vaardigheden, en u hebt mijn hart gebroken.
Ik vrees dat het nooit meer heel zal worden.'

Hij boog zich naar voren, maar ze stak haar hand op om zijn omhelzing af te weren.

'Zwijg heer, ik smeek u. Er kan tussen ons geen sprake zijn van zulke dingen. Ik ben nu oud, allang voorbij de leeftijd om kinderen te baren. Onder
deze sluier is mijn haar dun en bijna zilver. Ik heb tot dit moment nimmer
een man ontmoet om mij te verleiden, maar ik heb vele jaren geleden een
gelofte afgelegd, op deze zelfde plek, en ik kan mijn hand niet van de ploeg
afnemen. Alstublieft, denk niet langer aan mij. U zult zonen nodig hebben
om u hoop te geven. Keer terug naar huis en zoek iemand anders.'

Gonville boog en groette haar met zijn hand. Toen hij Robert vlakbij
zag, liep hij weg zonder iets te zeggen. Ambrosine voelde een loden last

in haar ledematen toen ze terugreden, met vleermuizen die boven hun
hoofd heen en weer fladderden en cirkelden, en de midzomermaan hoog
boven hen. Het had een avond voor vrolijkheid en liefde moeten zijn,
niet voor opoffering en verwarring.

Waarom nu? vroeg ze zich af. Waarom terwijl ik vastzit aan deze plek,
belast met de zorg voor anderen? Ooit was ik graag weggereden, had ik
iedereen hier zijn eigen leven laten leiden, had ik mijn hopeloze droom
vergeten, maar er is iets wat me hier houdt. Ik kan het niet ontkennen.
Ik moet niet zwak zijn. Het is nu te laat voor me.

De volgende dag pakte Geoffrey Gonville zijn schaarse bezittingen in
voor een snel vertrek van Longhall. Er werd tussen hen niets anders gesproken dan vriendelijkheden en woorden van afscheid, maar ze konden
allebei de treurigheid van de ander voelen. Pas op het laatste moment
wist de ridder zijn gastvrouw onder vier ogen te benaderen, en hij gaf
haar een pakje dat in leer was gewikkeld.

'Ik heb deze uit het oosten meegebracht. Ik wilde ze mee naar huis
nemen, maar ik begrijp nu dat ze voor u waren bedoeld. Zaai ze in uw
tuintje en denk aan me. Ik heb ze geurend aangetroffen bij alle muren en
paden van iedere tuin die ik daar heb gezien. Richt ze naar de zon, en ze
zullen uw tuin zuiveren en vervullen van geur. De Arabieren noemen ze
"quaranful" en de Fransen "giroflee". Ze zullen alles laten geuren wat ze
aanraken, eten en wijn van smaak voorzien, wat u maar wilt.'

Ze deed het zakje open. Er zaten veel zaaddoosjes keurig in opgeborgen. Ze glimlachte, maar ze kon niets uitbrengen, uit vrees zich niet te
kunnen beheersen. Toen Madline zich bij hen voegde, gaf Geoffrey haar
een flesje met een rijke geur.

'Dit is Hongaars water, gemaakt van de meest geparfumeerde van alle
rozen. Het zal uw voorhoofd verkoelen wanneer die lawaaierige deugnieten u te veel worden. Robert kan u vertellen hoe het wordt gemaakt, en
misschien zullen hier ooit rozen bloeien om de fles weer te vullen.'

Hij omhelsde zijn kameraad stevig, en beide mannen hadden een
prop in hun keel. Toen sprong hij op zijn paard en reed weg.

Ambrosine was het liefst zijn schaduw achterna geHold, om op zijn
zadel te springen en zich aan zijn middel vast te klampen. Maar ze bleef
zwijgend met haar hand boven haar ogen staan, knipperend tegen de tranen, tot hij uit het zicht was verdwenen.

De priorij

Eindelijk brak de dag aan, helder en eerst met wat buien, om daarna in een prachtige morgen te veranderen met een blauwe lucht en witte wolkjes die standvastig weer voor Fridswell beloofden. De opwinding in het strogedekte slaaphuis steeg toen alle nonnen vroeg werden gewekt voor gebeden en om zich te wassen, zich met zorg te kleden, want er moest nog veel gebeuren voor de middagplechtigheid begon.

De lekenzusters hadden al boeketten verse bloemen geplukt voor slingers rond de pilaren van de kerk, verse biezen om voor de bisschop in het portaal en op de vloer van de refter te strooien. In de provisiekamer werd druk gehakt en geklopt, en de moestuin werd geplunderd voor verse groenten voor de soep. In de kleine vijver vlakbij wachtten de vissen om te worden gevangen.

Het moest een eenvoudige maaltijd worden, zoals dat hoorde bij de regels van Sint-Benedictus, niets overdrevens of genotzuchtigs. Fruit uit hun eigen boomgaard en versgebakken brood dat in de vorm van een kruis was gemaakt van meel uit hun eigen graanschuur. Hier maalde Edric Miller, die vroeger in Longhall had gewoond, het meel tussen stenen die werden aangedreven door een waterrad, wat het wonder van de hele omgeving was, en een nagel aan de doodkist van alle plaatselijke pachters, die nu hun graan bij hem moesten brengen om het te malen.

Straks zou de bisschop door de straten van de domstad in het dal trekken, geflankeerd door monniken en nonnen uit de nieuwe kloosters die overal in het woud en in de dalen van de Trent floreerden. Ze zouden het grootzegel meedragen, en het geborduurde vaandel van de Priorij van de Maagd Maria in Fridswell, met de prachtige afbeelding van de Heilige Moeder die voor deze speciale gelegenheid door de nonnen van zijde en gouddraad was vervaardigd.

Wat bescheen de ochtendzon de balken en stenen van de gebouwen met een heldere, zalmroze gloed. Wat was de kleine kapel stevig gebouwd, van oost naar west. De kloosterhof omsloot een vierhoek van pasgemaaid gras die door twee paden in de vorm van een crucifix werd doorsneden, met een kleine vijver die in het midden was verzonken. Dit was een modern bouwwerk, met onderdak voor tien nonnen en twee postulantes, maar de kracht en de charme scholen in de bescheidenheid ervan. Ze waren nog bezig met de bouw van het gastenverblijf dat werd verbonden met een klein ziekenhuis waar de oude mensen en zieken onderdak konden krijgen.

Het ziekenhuisje had een aparte omsloten tuin waarin waren opgenomen de beek en het tuintje bij de bron, de oorspronkelijke plek waar Ambrosine de Saultain haar hemelse visioen had gekregen. De tuin was nu verdeeld in borders en wandelpaden die met stenen waren afgezet. Hier maakten de bejaarden 's ochtends een wandeling over rechte paden, snoven ze de aroma's van bloemen en kruiden op, maakten ze in de zon hun stijve ledematen los en roken ze de wonderbaarlijke geur van de roze anjelieren die langs alle borders stonden, met hun puntige zilveren bladeren die over de randen hingen.

Ambrosine had er veel jaren voor nodig gehad om alle giften in te zamelen, met beloften van land en bruidsschatten van andere adellijke families in de omgeving. Heer Robert zond de bisschop en de domkerk menigmaal een petitie om hun oude belofte een gebedshuis te bouwen na te komen, en de rest van de familie werkte onvermoeibaar om de droom van lady Ambrosine eindelijk uit te laten komen. Bij elke tegenslag moest ze terug naar het heiligdom, om te bidden om kracht om hun streven voort te zetten. Nu zou haar droom werkelijkheid worden! Op de velden buiten de kloostergangen stonden de gewassen klaar om te worden geoogst, en er waren houten hutten voor de lekenzusters die als arbeiders op hun land zouden werken. De nonnen waren bereid zoveel te doen als mogelijk was naast hun religieuze plichten.

Voor de dorpsbewoners van Longhall en de naburige gehuchten zat er niets anders op dan voedsel en diensten aan deze onderneming ter beschikking te stellen. Ze werden opgeroepen aalmoezen en tienden te geven voor de kaarsen en het doopvont, de liturgische gewaden en de koorstoelen met houtsnijwerk.

Edric 'Bagshott', sinds kort baljuw van Longhall, en zijn vrouw Alice waren druk bezig hun kroost voor deze gelegenheid te kleden. Edrics zaad was even overvloedig als het graan dat door zijn nieuwe molen stroomde. Niet minder dan twee tweelingen, allemaal veilig ter wereld gekomen.

Zijn zuster, de weduwe Aella, bezag alle bezigheden van haar dochters en kleindochters. Zij was de enige die zich die eerste tocht naar Fridswell met haar vader kon herinneren, en hoe hij de familie De Saultain had vervloekt omdat ze zijn land hadden ingepikt. Nu was het van de kerk en er zouden in de komende jaren veel Bagshottbuiken worden gevuld met de oogst aan mogelijkheden die hier de komende jaren zouden zijn. Als het de priorij goed ging, zou het hun ook goed gaan, en ze wenste haar oude meesteres vreugde bij haar inspanningen toe. Allemachtig, ze had lang genoeg op deze dag moeten wachten!

In het kasteel Longhall waren Madline en haar zonen en kleinkinderen bezig zich voor de dienst in het fluweel te kleden, terwijl ze probeerden sir Robert ervan te weerhouden aan de wandel te gaan. Hij was tegenwoordig heel vergeetachtig en broos. Nu waren het de oudste zoon William en zijn jonge bruid Elinore die ervoor moesten zorgen dat het landgoed niet nog dieper in de schulden zou raken. Iedere zilveren penny die ze hadden kunnen missen was naar het verfraaien van de priorij gegaan, en soms vroeg Madline zich wel eens af, wanneer ze naar hun armoedige huis keek, of zo'n offer van diensten, tienden en land het allemaal wel waard was.

Er klonken gedempte stemmen boven het bed van lady Ambrosine, die weldra als de eerste priores zou worden bevestigd. Ze verkeerde niet in goede gezondheid en ze stond verre van stevig op haar gezwollen benen, maar er was niets dat haar ervan zou weerhouden te genieten van iedere minuut van de ceremonie. Ze had haar antwoorden honderd keer gerepeteerd, ze wist precies waar ze moest zitten en staan, had tien keer bij haar kapelaan gebiecht. Nu, op zesenvijftigjarige leeftijd, had ze moeite om zich zonder hulp aan te kleden. Haar temperament was nog even heftig als in haar jeugd, en de jongere zusters bleven bezorgd in de buurt. Dit was háár dag. De oude haaibaai had zich tot het uiterste ingespannen om toezicht te houden op elke steen die werd gelegd, iedere zode die werd gestoken, ieder gewaad dat werd genaaid.

'Ik kan het zelf wel... laat maar.' Ze wisten allemaal dat ze hier niet tegenin moesten gaan. 'Ik moet aan de poort staan om iedereen te verwelkomen. Stel je eens voor, na al die jaren... Vooruit, schiet op!'

Ze kon nog steeds bevelen geven, de oude Normandische bazigheid viel moeilijk af te leren. Haar oren waren goed en haar blik was scherp genoeg om slecht werk op te merken. Haar ademhaling ging echter moeizaam en haar hartslag was onregelmatig. De nonnen vluchtten voor haar toorn als vlooien voor een bezem.

Ambrosine glimlachte toen ze langzaam naar het middelpunt van haar tuin schuifelde, op deze stralende morgen, om te zien hoe al haar troetelkinderen erbij stonden. Ze ging op haar taboeret zitten om haar werk te bewonderen, en ze keek omlaag naar het strodak van het ziekenhuis. De grindpaden die de gebouwen met elkaar verbonden waren allemaal onder haar supervisie aangelegd; het zachte klateren van de heilige bron klonk haar als muziek in de oren. Haar lelies waren vers afgesneden voor de kapel, maar sommige staken nog steeds hun bloem boven de felle pioenrozen uit. Hier was een glorie aan vorm en kleur, maar ook aan geneeskrachtige planten. In het hart van deze tuin was Gods barmhartigheid jegens de mensheid te vinden. Nu had ze haar overpeinzingen omgezet in een preek!

Het was jammer dat vrouwen niet in een kerk mochten spreken en dat er zoveel mannen voor nodig waren om een vrouw geschikt te verklaren om haar Schepper te dienen. Als Eva zich wat meer om haar tuin had bekommerd en wat minder om die slang, was alles misschien heel anders gelopen. Nu moesten ze kapelaans en priesters en regelmatige inspecties hebben en moesten ze de voorschriften van mannen gehoorzamen teneinde hun eenvoudige religieuze leven te kunnen leiden. Maar hier was eindelijk het domein van een vrouw.

Haar ogen gleden naar het geschenk van Geoffrey Gonville. De naar kruidnagel geurende roze anjelieren werden zeer bewonderd en hadden zijn belofte gestand gedaan. Ze dacht aan de muren van Jeruzalem en aan het lijden van Christus, aan haar eigen keuze de liefde van een goede ridder af te wijzen. Zolang de bloemen in de wind wiegden, zouden zulke herinneringen nooit sterven.

Maar nu zou haar liefste wens worden vervuld. Uit het zaad van verwoesting en oneer was deze prachtige plek van vrede voortgekomen, een priorij die voor de wereld verborgen lag, om de familie De Saultain van Longhall, Onze-Lieve-Vrouwe van Fridswell, en het hele hemelse gezelschap te eren. Ambrosine kon nauwelijks haar vreugde bedwingen nu haar dromen niet vergeefs waren geweest. Ze glimlachte spijtig. Haar wensen waren echter pas vervuld toen ze wat geduld had geleerd; met name het vernederende geduld van de oude dag, want nu was haar hele welzijn afhankelijk van de zorg en het medeleven van anderen in haar gemeenschap. Ze was niet langer in staat zonder de anderen zich aan te kleden of te werken, of zonder hulp naar de latrine te gaan, ze moest eten wat haar werd aangeboden en kon niet meer ongestoord slapen. Pas nu, nu ze zo laag was gebracht, werd ze hoog genoeg verheven om de eer ten deel te vallen de eerste priores te zijn. Ambrosine trok haar wenkbrauwen op. De De Saultains waren koppige mensen van nature, en het Saksische in haar maakte dit nog erger. 'Heer, wat ben ik een bezoeking voor u geweest, maar dank u voor deze gezegende dag en voor de belofte van genade voor deze armzalige zondares.'

Haar oog werd getrokken naar een vlinder die met vleugels van rood, zwart en wit van bloem naar bloem fladderde. Hoe had ze ooit bang kunnen zijn voor zo'n mooi schepsel? Ze stond op om hem van dichtbij te bekijken. Ze besloot dat ze een boeketje ging plukken, een paar uitgelezen bloemen voor het beeld van de Heilige Maagd bij de bron.

'Gezegende moeder, wie zal ooit zoveel van deze plek houden als ik? Het is mijn liefdewerk geweest, een lang zwoegen om deze priorij tot stand te laten komen. Moge zij lang gedijen om u te eren...'

In de drukte rond de aankomst van de processie, met tamboergeroffel, met vedels en fluiten, met een menigte dorpsbewoners die voorwaarts drong om een glimp op te vangen van de bisschop in zijn gouden gewaad, met zoveel bezoekers die in het kleine kerkje moesten worden geperst, bleef de afwezigheid van de priores onopgemerkt.

Pas later werd Ambrosine de Saultain gevonden, ineengezakt op het pad in het hart van haar tuin. Er lag een brede glimlach op haar stralende gezicht en ze drukte een bosje roze anjelieren tegen haar borst. Het was duidelijk dat haar eigen viering was begonnen.

De tuin der geesten

De hond verveelt zich door het trage tempo van juffrouw Bagshott vanavond, en draaft de stoep af naar het gat in de haag om haar behoefte te
doen.

Je loopt niet meer zo veerkrachtig, Lady, het is eerder statig sukkelen;
je hondenjaren komen overeen met mijn leeftijd, maar jouw blaas is be-
trouwbaarder dan de mijne. Hoe komt het toch dat stromend water altijd maakt dat ik moet?

Haar oog valt op de pol paarse zwaardlelies, die dit jaar een en al blad
en weinig bloem zijn. Ik zou wat beter voor mijn naamgenoten moeten
zorgen, denkt ze, en ze pakt een notitieboekje uit de zak van haar schort
om ze op de lijst te zetten voor 'de behandeling'. Een plant geeft slechts
naar verhouding wat hij ontvangt, is een andere regel van Bagshott.

Waarom heeft mijn generatie zoveel bloemennamen gekregen? peinst
ze. Op het dorpsschooltje was een vaas vol Roses, Daisies, Violets en Li-
lies voorradig geweest, met hier en daar iets opwindenders in de trant van
Rhoda, Marigold of Marguerite te midden van de doordeweekse bloemen. Nu worden de Katies, Sarahs en Becky's voor hun onderwijs met
de bus naar Barnsley Green vervoerd.

Wat dit dorp nodig heeft is vers bloed, nieuwe gezinnen, niet van die
wandelende ouwe lijken als ik. Misschien is dat de reden waarom ik ermee op wil houden. Misschien verkoop ik alles toch maar aan die pro-
jectontwikkelaar. Ik hoor de kinderen een kans te geven om op het gras
te ravotten en in bomen te klimmen. Het is heel egoïstisch van me om
dit allemaal voor mezelf te houden.

Toch voelt Iris een huivering van weerzin bij de gedachte dat een
bouwvakker haar bloemperken zal omspitten. Maar het is nu geen geschikt moment om over dit onderwerp na te denken, als ze vannacht
nog wil kunnen slapen. Ze moet haar vertrouwde route afwerken, over
het kronkelende pad, door het smeedijzeren hek dat naar de kruidentuin

leidt, naar de best verstopte plek achterin, bij de beek, een beschut, zonnig hoekje voor overdag dat zilver kleurt in het maanlicht.

Hoeveel jaar heb ik niet nodig gehad om mijn buxusstekjes tot zo'n dikke haag te laten uitgroeien, en ik vind de geur ervan nog steeds vies – net kattenpis. Iris duwt de gieter in de oude regenton en besprenkelt de bladeren van lavendel, ruit en tijm opdat deze in de avondlucht hun geur afstaan.

Dit maakt altijd de indruk het oudste deel van de tuin te zijn, een *hortus conclusus*, misschien een geneeskrachtige tuin voor de nonnen, waar eens monnikskap en vingerhoedskruid, bergamot en bilzekruid stonden. Vele eeuwen van uittrekken en opnieuw beplanten kunnen het vage gevoel van dreiging hier niet verdrijven, ondanks alle koele, grijsblauwe tinten en zilvergroene bladeren.

De zomerwarmte is hier nog blijven hangen, de zware hagen worden verzacht door gespikkeld vingerhoedskruid en lichte lelies, gouden bollen marjolein, vederachtige dille, boerenwormkruid en de laatste dicentra 'Tranend Hartje'. De verrukkelijke geuren van frisgroene kruizemunt, lievevrouwebedstro en robertskruid omringen haar. Ze wrijft een salieblad tussen haar vingers.

'Hoe kan iemand sterven die salie in zijn tuin heeft?' luidt het oude gezegde. Nou, heel gemakkelijk, wanneer je zo oud bent als ik, maar alstublieft, God, niet vanavond, niet voordat ik mijn ronde heb gedaan, de Open Dag heb geregeld, alles heb opgeruimd en mijn huis heb verkocht.

Iris snuift de selderijachtige geur van de brede bladeren van de maggiplant op en inspecteert de hoge toortsen, de koningskaarsen, die als schildwachten de twee laurierboompjes bewaken.

Wat dit kruidenbed nodig heeft is een vrolijke Venus in het midden, mollig en stevig, die een schelp als vogeldrinkbak omhooghoudt en de tuin beschermt tegen het kwaad, terwijl ze oprijst uit haar zee van lavendel. Het beste dat Iris tot dusver kan doen is die schoorsteen met de hangende klimop 'Gold Heart'.

Waarom is dit nooit een geliefd plekje van me geweest, ondanks de subtiele beplanting en de geheimzinnige atmosfeer? Er is vanavond iets spookachtigs aan de stilte, en de afwezigheid van zingende vogels helpt ook al niet. Misschien komt het door die pot *Lilium regale* die zo spookachtig door het gebladerte gluurt. Maar moeten witte lelies de spoken niet juist op een afstand houden?

De geest van het verleden stroomt vaak door deze tuin en keert nu terug. Het ijzeren hek piept en kreunt: in de schaduwen zweeft iemand voorbij. Vanuit haar ooghoek vangt Iris een glimp op van licht dat in een andere wereld schijnt, in een andere tijd.

DEEL DRIE

Binnen deze muren

1349

'Van molens en markten
Uit smederij en uit klooster
Brengen mensen tijdingen mee...'
ANONIEM

'WITTE LELIES

De wortel, geroosterd en vermengd met varkensvet, vormt een geschikte zalf om pestzweren te laten rijpen en doorbreken.'

Geruchten

De witte duiven schoten op van de zolder bij het geluid van vreemde handen die het luik openden van de ronde duiventil waar de vetzakken in hun hokken zaten. Er steeg een wirwar van fladderende vleugels op, boven de kloostermuur, naar de veiligheid van het dak van de schuur. De vogels streken omslachtig neer om vanuit hun uitkijkpost de bedrijvige ochtendroutine te volgen rond de priorij van Saint Mary van Frideswelle. In de verte was op het land een rij mensen bezig het laatste koren te maaien, een langzaam en gestaag ritme van de zwaaiende zeisen die blikkerden in het zonlicht. Helemaal achteraan raapte een groepje arenlezers de overgebleven aren op, voornamelijk oude vrouwen en kinderen, terwijl een snaterende vlucht nonnen in vrolijke feestkleding heen en weer snelde, vol vreugde over deze jaarlijkse vrije dag.

Binnen de vierhoek van de kloostergang verroerde zich niemand, want het was laat in de middag aan het begin van de herfst. Alleen de boerenzwaluwen die onder het dak van de kapel zaten, na hun lege nesten in de dakspanten te hebben verlaten, waren bezig hun veren glad te strijken voor de lange vlucht die ze voor de boeg hadden.

Aan de andere kant van het dichte jachtwoud begonnen de herfstbladeren te verkleuren en omhoog te krullen, een zeker teken dat het seizoen ten einde liep. Er waren al een paar blaadjes die als veren omlaag dwarrelden op het gras. Er was maar één nachtvorst voor nodig om de rest los te maken. Diep in de beschutting van de bomen zwierven de damherten rond en aten zich rond aan al het groen, goed verscholen voor de mensheid.

De boomgaarden hingen vol fruit, de takken bogen door onder het gewicht ervan, en de bijen zoemden rond de rijpe gewassen. Hier en daar stonden ladders wankel tegen boomstammen opgesteld en waren kinderen bezig sterappeltjes en ribbelingen in manden te gooien, onder het toeziend oog van twee oude nonnen, die duidelijk opvielen in deze wirwar van kleuren omdat zij nog steeds het habijt van de zwarte zusters droegen. Weldra zouden de koele voorraadzolders vol liggen met peren, kwee-peren, hazelnoten en appels. De mispels zouden tot volmaaktheid mogen rotten voordat ze de tafel van de priores en haar gasten zouden sieren.

In de boomgaard van het kerkhof snuffelden wat varkens naar val-fruit, onder het wakend oog van de vrome vrouwen die onder de zoden ter ruste waren gelegd, nu verenigd in het aanbieden van hun beenderen om ieder seizoen de kersen en de kroosjes te voeden.

Er hing een zware geur van fruit en rijpheid in de lucht. De roze na-tuursteen van de muren van het slaaphuis en de refter glansden in de zonneschijn waar vuurrode rozenbottels en kamperfoeliebessen naar de bovenste verdieping klommen. De vogels koerden tegen elkaar over de binnenplaats met keien, waar kippen liepen te kakelen.

Wanneer ze dichterbij kwamen keek het tuinmeisje, de dochter van een plaatselijke horige, vermoeid op van het bonen plukken. Naast haar lag de houten klepper die ze af en toe hoog optilde om mee te ratelen, om gevederde indringers uit de moestuin te verjagen.

In het duivenhok voelde novice Agnes Bagshott, afkomstig uit de stad met de torens, hoe de warme mest tussen haar blote tenen werd geperst toen ze in de donkere hut keek. Zuster Juliane stak een donderpreek tegen haar af.

'Je moet deze vloer schoonschrapen en alles, tot het laatste restje toe, in de kruiwagen afvoeren – naar mij en niet naar de moestuin, hoor je me, kind? Ik wil niet dat de keldermeesteres dit in handen krijgt. Dui-venmest is het allerbeste dat er bestaat, beter dan kippenpoep. Het ver-teert veel sneller en het is voedzamer en beter voor mijn kruiden. Dit moet naar de medicinale tuin. Laat je door niets afleiden. Wees deze ene keer nou eens gehoorzaam!

Ik begrijp echt niet hoe jij je iedere keer zoveel problemen op de hals weet te halen, na alle moeite die je vader heeft gedaan om jou hier aange-nomen te krijgen. We accepteren meestal geen meisjes van jouw stand... Nou, vooruit, schiet op! Ik wil deze vloer zien blinken voor de dag om is. Pas dan zal ik je toestemming geven om naar het oogstfeest te gaan. Je kunt helpen bedienen, met het personeel. Dat zou jouw permanente rol hier zijn, als ik het voor het zeggen had.

Vooruit jij! Hoe vaak moet ik het je nu nog vertellen? Of ben je niet alleen doof maar ook achterlijk?'

Agnes draaide zich om zodat ze een scheve grijns kon verbergen. Ze had een rond gezicht met kleine groene ogen en ze trok ondeugend met haar mond om de non na te apen voor ze berustend haar schouders liet hangen. Ze draaide de kruiwagen naar de deuropening, stopte haar superplie uitdagend in haar riem, tilde de mestvork op en bukte zich om haar boete te doen. Zuster Juliane schuifelde weg, heel voldaan dat ze die luie novice eens flink op haar nummer had gezet.

De duivenmest werd twee keer per jaar weggehaald, zodat het spul eerst ter plekke kon verteren. De stank was nog net draaglijk en door de spleten tussen de latten kon ze de blauwe lucht zien. De andere novices mochten de hele dag in hun mooiste spullen door de velden pronken, en ze mochten de hele avond feesten, maar zij niet. Het was heel oneerlijk dat ze haar zo straften voor een uitstapje om haar familie verderop te bezoeken, waarbij ze over de muur wipte vanaf de 'heuvel' die aan de ene kant was opgeworpen; het was haar favoriete plekje om zich te verstoppen en de wereld buiten de kloostermuren te volgen. Dus wat maakte het uit als je eigenlijk over de paden hoorde te lopen mediteren en je zonden te tellen als voorbereiding op de biecht bij de oude grijze monnik die uit de stad hierheen kwam? Het was gewoon te verleidelijk om even over de muur te wippen voor een praatje met haar nicht Kit wanneer die liep te zwoegen om Simeon de molenaar te helpen het meel in de molen in zakken te doen.

Kit had veel pijn bij het tillen en alle kompressen, aderlatingen en zalven van zuster Juliane hadden er niet voor kunnen zorgen dat die duivel uit haar lendenen verdween. Agnes probeerde alleen maar te helpen. Ze had trouwens wel ergere dingen gedaan dan bij haar familie op bezoek te gaan, maar ze hoefde geen slapende honden wakker te maken.

'Ik háát je, zuster Juliane, dikke trut!' De woede in haar binnenste zweepte haar op en ze schepte de mest in de kruiwagen tot deze bijna te zwaar was om op te tillen. Ze knoeide ermee, liet een duidelijk spoor van duivenmest achter, terwijl ze door de hekken en over de grindpaden liep, om de groep strogedekte gebouwen die het kleine klooster vormden, heen. Haar voeten deden pijn op de scherpe stenen en op het gloeiend hete grind. Daarna liep ze door het gangetje naar de opening van de kleine kruidenschuur waar zuster Juliane drankjes en tabletten, zalfjes en aftreksels maakte voor de ziekenzaal en voor de zieken in de omgeving, die dag en nacht op de buitendeur aanklopten.

De geneeskrachtige tuin werd omringd door een haag en een hek dat vaak op slot werd gehouden om kinderen weg te houden van de giftige planten; in alle hoeken en gaten van het kleine klooster zaten kostgangers gepropt. Ze accepteerden ieder klein kind, zelfs als dit van net zo'n lage komaf was als zijzelf, als de bruidsschat maar voldoende was om hun geldkisten te vullen en een fraaie bontrand aan de winterhabijten van de nonnen te zetten.

Agnes Bagshott was hier alleen maar dankzij de gemeenschapskas van de ambachtslieden van het stadsgilde. Ze was uit alle dochters van de leden gekozen om hier als non te worden opgeleid omdat haar vader te gierig was om nog een bruidsschat voor een dochter op te brengen. Hij had haar leven verkocht om zijn eigen zakken te vullen, en ze haatte hem daarom. Hij had hevig zijn best gedaan hen ervan te overtuigen dat alleen Agnes voldeed aan de eisen die werden gesteld door de priores, zuster Serena, en de andere beschermvrouwen van het huis De Saulte. Hij had hevig gelogen, zoals de zusters weldra ontdekten.

Agnes was al berispt voor luiheid bij haar werk, ongehoorzaamheid aan de regels en gebrek aan belangstelling voor de diensten. Ze was betrapt toen ze op de markt liep te slenteren, met oude vrienden praatte en probeerde haar vader te spreken te krijgen om hem om haar vrijlating te laten vragen. Na dat wangedrag werd ze teruggebracht en met een stok geslagen en moest plat op de vloer van het koor gaan liggen, met gespreide armen, zodat de hele congregatie op weg naar de dagelijkse mis over haar heen moest lopen. Ze was in de drie maanden sinds haar komst zo vaak op water en brood gezet dat ze al haar overtollige vet was kwijtgeraakt, en nicht Kit zei dat ze net een magere zwerfster was, een bedelkind, en geen vette, dikke non die het er goed van nam.

Zonder bezoeken aan haar nicht zou ze tot wanhoop zijn vervallen, dus was het iedere straf waard om het laatste nieuws te kunnen horen: wie er door de rechtbank van Longhall was beboet wegens overspel, wie er een kind van wie verwachtte, de dorpsroddels van marskramers en reizigers, meestal over vreselijke ziekten in de zuidelijke graafschappen waar iemand 's ochtends nog met zijn gezin aan het ontbijt kon zitten en 's avonds in de andere wereld met zijn voorouders aan de dis zat, zo hard kon zo'n ziekte toeslaan. Agnes vond dit niet goed klinken, maar ze waren in de priorij heel streng met het binnenlaten van vreemdelingen van ver. Maar er waren ook nachtelijke bezoekers aan het slaapverblijf, van wie niemand ooit de moeite nam hen te rapporteren. De plaatselijke mannen – de baljuw, de rentmeester, soms een monnik of priester – wisten vaak een nacht onder het priorijdak door te brengen zonder te worden opgemerkt, maar zij waren niet de typen om de pest binnen te brengen.

Niet dat zij in deze geheimen werd gekend. Als het maar even kon, sprak niemand tegen haar, en ze was nagenoeg onzichtbaar voor de andere novices, die nu eenmaal van veel betere komaf waren. Maar zij hadden niet in Baker's Lane in een huurkazerne van drie verdiepingen hoeven wonen, waar een open riool door de straat liep en waar ze de ruimte boven met haar familie en met de leerling-bakkers had moeten delen. De geur van warm brood maakte haar nog altijd onpasselijk, zo erg had ze het gevonden.

Dat ze werd genegeerd maakte in ieder geval dat niemand bij haar in haar cel wilde slapen, maar ze had 's nachts ook geen pensiongast om haar voeten aan te warmen. Agnes vond het vreselijk als ze in haar bijzijn liepen te giechelen en te fluisteren. Soms legden ze viezigheid in haar bed, dode muizen of bebloede lappen, en dwongen haar het bed in hun bijzijn te verschonen. Zuster Iseult, een nichtje van zuster Serena de Saulte, was de ergste plaaggeest, en ze scheen het heel leuk te vinden om haar uit te lachen om haar grove spraak en boerse manieren, en ze had het over haar lage voorhoofd, haar ruwe huid en haar sproeten. De hooghartige non met haar zijden sluier en fijne linnengoed bezat de macht met één enkele blik of glimlach te kwetsen of te belonen. De andere jonge nonnen blaatten haar na, als stomme schapen.

Als er niemand in de buurt was, greep Iseult Agnes beet en kneep haar gemeen in haar borst of onder haar arm waar de huid dun was. Agnes gaf geen kik, wat het allemaal nog erger leek te maken.

Na drie maanden begon haar vastberadenheid te verzwakken. Ze werd overmand door zo'n intense treurigheid dat ze zelfs de dode nonnen benijdde die onder het gras door de avondzon op het kerkhof in de boomgaard werden verwarmd. Hun geploeter was afgelopen, terwijl aan dat van haar nooit een eind leek te komen. Ze zocht dan haar toevlucht tot het groepje graven bij het gedenkteken van de eerbiedwaardige Ambrosine de Saultain, stichteres van de priorij, die nog net lang genoeg had geleefd om de dag mee te maken dat de kerk werd ingewijd, voor ze bij de stenen muren werd begraven, net als de rest van haar familie. Slechts hier stond Agnes zichzelf toe in huilen uit te barsten.

Het was gewoon niet eerlijk dat zij de uitverkorene moest zijn die aan God werd geschonken, terwijl haar zuster Margery de bruidsschat kreeg, én Hamon, de leerling, toen hij meesterbakker werd. 'Dat had ík moeten zijn!' Met die gedachte had ze zich heel vaak in slaap gehuild. Ze haatte de priorij, zuster Juliane en zuster Iseult – maar nog niet zo erg als ze haar tweelingzuster, Margery Bagshott, haatte. Wat haar betrof mocht ze rotten in de hel, en Agnes zou beslist geen mis voor haar zielenrust laten opdragen. Nooit ofte nimmer.

Er waren generaties lang tweelingen in de familie geweest, zolang iedereen zich kon herinneren, en zeker tot aan Edric, de molenaar van Longhall. Er was altijd wel weer een arme ziel die er twee kreeg voor de prijs van één, een extra mond om te voeden en twee bruidsschatten om bijeen te brengen, dus was het niets ongewoons geweest toen Agnes en Margery binnen enkele minuten na elkaar waren geboren.

Terwijl Agnes opnieuw mest van de stenen vloer schraapte, dacht ze somber na over haar pech. Hamon was van haar geweest, niet van Margery. Zij was degene naar wie hij het eerst had geknipoogd en gelachen. De aanblik van zijn blonde lokken, die over zijn nek, brede schouders en mooie lichaam vielen, maakte dat ze bijna bezwijmde bij het vooruitzicht van hun paring. Ze was de oudste van de tweeling, en hoewel ze bijna als twee druppels water op elkaar leken, was zij iets langer. Maar de sluwe Margery had door uit welke hoek de wind waaide, en ze begreep dat er binnenkort spijkers met koppen zouden moeten worden geslagen. Ze vermoedde dat voor haar als jongste, als ze niet snel iets bedacht om te ontsnappen, het klooster de uitkomst zou zijn.

Margery wist alles over trucjes, ze had al een reeks trouwe aanbidders die op het marktplein rondhing in de hoop een glimp van haar trotse gestalte op te vangen, met de weelderige goudblonde vlechten en de groene ogen met amberkleurige wimpers. Dus was het heel gemakkelijk zich Agnes te noemen, haar zusters jurk aan te trekken, haar vinger naar de arme Hamon te krullen, naar de zolder te klimmen om haar liefde voor hem te bewijzen, waarna ze hem binnen de kortste keren aan de haak had geslagen. De stomme sukkel had niet eens in de gaten gehad dat hij voor de gek was gehouden tot er een broodje in de oven lag en er een verloving moest worden aangekondigd. Agnes vluchtte in tranen weg van de feestelijkheden en van de overhaaste trouwerij. Het was het oudste bedrog dat er bestond, en zo gemakkelijk uit te voeren. Geen van beiden had een spiegel nodig om een beeld van zichzelf te zien, maar onder de huid waren de zusters heel verschillend. Margery was sluw en lui, manziek en overtuigd van haar macht. Ze was slecht, en Agnes haatte haar uit het diepst van haar hart vanwege dit laatste bedrog.

Nu moest zij hier in het donker een duivenhok uitmesten, de medicinale tuin wieden, kruiden plukken en ze in bossen te drogen hangen als de eerste de beste boerenmeid. Alle andere tuintjes werden verzorgd door vrouwen uit het dorp. Het eten werd klaargemaakt door kokkinnen, en de priores had haar eigen bedienden. Waar bleef het leven van borduur- en naaiwerk dat Agnes was beloofd, de kans om te leren lezen en missen te zingen? Haar handen waren nu grof door gruis, niet door meel, haar voorhoofd was donker verbrand en vol sproeten van de zon. Voor haar geen mooie tunieken van zijde, alleen maar de gift van het gilde: een zwartwollen habijt. En ze mocht er nu geen hemd onder dragen, als volgende boetedoening, omdat ze het tuinhek was uitgeglipt naar de grazige oevers langs de beek, en zo de completen had gemist.

Er waren maar weinig andere nonnen die een habijt droegen. Er heerste altijd veel wedijver om te zien wie de mooist gekleurde zomerjurk droeg, de fraaist geborduurde gordels en tasjes, en wie het blankste voorhoofd en het zachtste haar onder de sluier had.

De nieuwe priores, zuster Serena, had een veel elegantere en lichtere toon onder de bewoonsters van de priorij gebracht.

De priores zweefde in en uit al naar gelang het haar beliefde, gevolgd door twee hondjes en een knap kind van ongeveer vijf jaar tegen wie ze in het Frans praatte, en over wie ze het had als haar kleine protégee Amicia, of kortweg Amy. Amy zag eruit als een elfje, gekleed in mooie, soepele jurken met een waterval van blonde krullen tot op haar middel. Ze droeg een krans van verse bloemen in haar haar, die iedere morgen vers uit de privé-tuin van de priores werden geplukt. Ze sliep in de kamer van de priores en ging niet om met de andere pensiongasten, omdat zij bij het huis hoorde. Niemand wist hoe ze bij zuster Serena terecht was gekomen, en wie durfde, buiten zuster Iseult, een vraag te stellen over haar aanwezigheid? Ze zweeg over dit punt.

In de vier maanden sinds haar komst had Agnes de priores alles bij elkaar hoogstens zes keer gezien. Zuster Iseult liet weten dat zuster Serena het veel te druk had met het ontvangen van belangrijke gasten en de dagelijkse routine van hun missen en bijeenkomsten bij te wonen. Ze had haar eigen kapelaan en een privé-kapel om ter communie te gaan wanneer dit in haar plannen paste. Serena gaf diners en feesten en had een voortdurende stroom bezoekers.

Agnes was ervan overtuigd dat iedere gast beter te eten kreeg dan wat haar werd voorgezet. Ze verlangde naar de stevige kost die haar moeder had klaargemaakt, met soep en gekookt vlees, pasteien en stoofschotels. Hier leed ze altijd honger. Binnen een paar maanden was ze afgedaald tot weinig meer dan een landarbeider met notenbruine armen en holle wangen. Niemand had de moeite genomen haar te bezoeken, en als ze dat al hadden gedaan, dan zouden ze haar niet hebben herkend, behalve Hamon misschien. Binnenkort zou hij zijn jonge bruid naar Longhall brengen om naast zijn oom een bakkerij en een oven in het dorp op te zetten. Dat zou Mag het lachen doen vergaan, wanneer ze uit de drukte en de bedrijvigheid van de stad hierheen werd gebracht!

Agnes had bij haar stiekeme bezoekjes zoveel mogelijk nieuws van Kit opgepikt, maar de laatste tijd had ze haar eigen bron – Hamon zelf! Wat had ze hun gesprekken gemist, en de manier waarop ze hadden gedanst wanneer de winkel gesloten was. Hij had altijd een rood hoofd gekregen als ze naar hem had geglimlacht, en ze had geweten dat hij haar nog steeds begeerde, ook al was hij met haar zuster getrouwd, dus was het geen verrassing toen ze over de muur een glimp van hem opving, toen hij met zijn wagen op weg naar Longhall, waar hij zijn familie wilde bezoeken, een omweg langs de vijvers maakte en daar omhoogkeek. Agnes had gezwaaid en schaamteloos gefloten en met gebaren een ontmoetingsplaats verderop langs de beek aangewezen.

Het was aanvankelijk wat pijnlijk geweest, ze hadden elkaar nauwelijks durven aankijken, maar hij had ten slotte zijn armen naar haar uitgestoken en zij had begrepen dat hij van haar hield. Het was heel gemakkelijk geweest om hem met haar te laten doen wat hij wilde, daar en toen in de struiken, onder dekking van de duisternis. Ze ging met haar benen wijd liggen, als een hoer, wachtend op de aanraking van bloot op bloot. Zijn tong was ruw in haar mond maar teder op haar borsten en wekte zo'n gloeiende koorts in haar onderlijf op dat ze gilde dat hij een eind moest maken aan deze kwelling. De explosie van genot die ze daarna voelde had haar buiten haar lichaam geplaatst, in een nieuwe wereld.

Hierna was het heel eenvoudig om de ontmoetingen iedere week te herhalen. Agnes wist een paadje langs de scheidingshaag, dat veel werd gebruikt voor juist dit soort gelegenheden, en ze ontmoetten elkaar bij de beek om hun wederzijdse begeerte te bevredigen. Maar weldra begon ze wrok te koesteren over de weinige tijd die ze samen konden hebben, en als Margery naar Longhall kwam, zou het voor hem niet zo gemakkelijk zijn om 's avonds te ontkomen. Hamon zei dat zijn vrouw geen haast had om Baker's Lane te verlaten, en dat ze niet langer een kind verwachtte. Het was allemaal kennelijk een vergissing geweest.

Wat een verrassing! Volgens mij is ze helemaal nooit zwanger geweest, dacht Agnes grimmig.

De duisternis was voor haar het beste moment van de dag. Ze was er niet bang voor. Ze legde een peluw onder het armzalige beddengoed om haar afwezigheid te verbergen, sloop de trap af en holde naar de kloosterpoort die altijd op een kier werd gelaten voor het komen en gaan van andere nachtelijke bezoekers. Daarna snelde ze door de boomgaard naar de achterpoort, naar buiten langs de Frideswelle-beek, en dan naar Black Brook, in de hoop dat haar minnaar niet te laat zou zijn.

Na afloop was het heel moeilijk om op te staan voor de klok van twee uur die het begin van de nieuwe dag aankondigde, en ze trippelde op koude voeten door de kloostergang, bijna zonder haar ogen open te doen. Ze wist dat ze enorme wallen onder haar ogen had. Maar Hamons bezoeken waren voor haar als een levenselixer.

Konden ze maar samen ontsnappen en ergens opnieuw beginnen, ver weg van deze afschuwelijke plek. Maar ze kon zich met de beste wil van de wereld niet voorstellen dat Hamon de bakker sterk genoeg was om de bakkerij en zijn vrouw te verlaten en de schande van in zonde te leven te trotseren. Dus konden er voor hen alleen maar de gevaarlijke gestolen momenten zijn die voor Agnes alles in dit leven betekenden.

Ze hoopte maar dat die verwaande vrouwen hier het veel te druk met zichzelf hadden om in te zien dat er nóg een overspelige vrouw in hun midden was, en dan nog wel eentje van zestien, van de bedeling, ruw en van lage komaf. 'Zo ordinair als stront,' hoorde ze vaak achter haar rug fluisteren. Maar kennelijk was duivenstront toch iets kostbaars. Ze was waarschijnlijk veilig zolang ze haar handen aan de kruiwagen hield, met haar ogen zedig neergeslagen, en haar gedachten een geheim voor iedereen behalve God.

'In de naam van de eerbiedwaardige Ambrosine de Saultain, eerste priores en stichtster van dit Huis, die op de roeping van de Heer de weg van alle vlees is gegaan en de aarde de schuld van de mensheid heeft betaald in het jaar Onzes Heren 1120, die almachtig in zoveel deugden, getooid met zoveel barmhartigheid, zich onthoudend van alle vormen van vleselijke lust, volgens hemelse aandrang afziend van de omhelzing van mannen, om bij voortduring te worden geëerd door de gebeden in dit Huis, groet ik plechtig de hoge vrouwen van Saint Mary van Frideswelle en maak hierbij mijn voornemen kenbaar een visitatie aan bovengenoemd Huis af te leggen over vier weken vanaf nu, waarbij ik volgens het gebruik de Heilige Mis zal opdragen...'

'Welverdraaid... Allemachtig! Een visitatie en inspectie van de boekhou-
ding. Dat is nou net wat ik nodig heb!' krijste Serena de Saulte toen ze
het stuk perkament over de vloer smeet. Het kind schoof snel onder de
eikenhouten tafel om beschutting te zoeken tegen deze uitbarsting. De
priores doopte haar vingers in het vingerkommetje, veegde ze af aan haar
gewaad en raapte het stuk perkament op, waarbij ze zich bukte om te
glimlachen naar het bange meisje dat te voorschijn kroop en op haar knie
kwam zitten, sabbelend op haar duim.

'Als je daar nu niet snel mee ophoudt, Amy, smeer ik bittere alsem op
je vingers. Je weet dat het slecht is voor je tanden. Waarom schrijft die
stoute man ons altijd in het Latijn, terwijl wij Frans spreken... Weet je,
hij wil me weer te schande maken, *ma petite.*'

Amy nestelde zich tegen haar aan. '*Le jardin, Maman, tout de suite?*
Spelen met Frou Frou...!'

'Niet nu, liefje. Als Maman klaar is met haar vervelende werk. Even
geduld. Kijk eens, ik heb een snoepje voor je. Ga nu rustig zitten, dan
ben je een lief meisje.'

Er was gelukkig niemand die dit gesprek kon horen. Het meisje groeide als gras in het voorjaar, en Serena vond dat ze met de dag meer op haar
en haar familie ging lijken. Het was zelfs moeilijk niet toe te geven aan de
fantasie dat Amicia haar eigen kind was, in plaats van een vondeling die
bij de deur was achtergelaten, die Kit, de molenaarsvrouw als min had
gehad, en die naar haar vertrekken was gebracht toen Serena besefte dat
alles wat zij nodig had om haar geluk compleet te maken een klein meisje
was dat ze kon aankleden en optutten alsof het een pop betrof. Het borstelen van het vlasblonde haar van het kind, dat zacht was als zijde, kal-
meerde haar verontruste geest altijd, en te mogen slapen naast dat kleine,
warme lichaam dat naar rozenblaadjes en lavendel geurde, was hemels.
Wie haar ouders ook mochten zijn, ten minste een van hen was hoogge-
boren, te oordelen naar de hoogte van haar voorhoofd, haar zwanenhals
en haar trotse houding. Ze was niet het kind van boerenmensen – tenzij
het misschien door Serena's eigen familie was verwekt.

Priores worden was altijd het voorrecht van de vrouwen van de familie De Saulte, maar niemand had haar gewaarschuwd voor alle vermoei-
ende taken en verplichtingen die met dit voorrecht gepaard gingen, zoals
regelmatig overleg met Robert, de rentmeester, een chagrijnige pummel
die altijd slecht nieuws had en erop aandrong dat ze hier en daar stukken land verkocht om hun stijgende schulden te betalen. Hij stond hier

maar uit te weiden over hoeveel pachters te laat waren met de pacht, met hun boetes, met hun verplichte dagen om op het land te werken. Hoe de molenaar graan achterhield voor zichzelf, terwijl hij de slechte opbrengsten weet aan het weer, aan de bladluizen, aan de regen. Hij kwam haar de neus uit, met al zijn treurnis en onheil, met zijn modderige laarzen, zijn stinkende broek en groezelige tuniek. Dan was er nog die priester die de tienden van de kerk behandelde, en die sinds vorig jaar zo waren gedaald dat ze zich afvroeg of hij haar soms bedroog. Hij incasseerde de betalingen bij de dood van pachters, de begrafenisgelden en die van de missen daarna. Het eigen land van de kerk, hier in de buurt, had betere pachters en gereedschap nodig, en er moesten reparaties worden verricht aan een lekkend strodak op de schuur en aan de omheiningen van wilgentenen. Er was altijd iets wat moest worden gekocht, betaald of afgerekend. Haar hoofd tolde ervan want ze begreep hier bijna niets van. Geen wonder dat haar rekeningboeken een wirwar van doorhalingen en vlekken vertoonden.

Een ander probleem waren de bijdragen en bruidsschatten voor de kostleerlingen en de novices. Hun aantallen waren opnieuw gedaald en dat was geen goed nieuws voor het inkomen van de priorij. Bezorgde ouders, die hun kleintjes wilden toevertrouwen, hadden de verzekering nodig dat St. Mary's de beste school in het district was, hun klandizie waardig. De laatste visitaties in 1331 kregen geen 'omnia bene' maar een lijst van aanbevelingen en kritieken op alle fronten. Haar arme tante Sabillia had zich danig opgelaten gevoeld bij al deze ophef, en ze had prompt haar ontslag genomen. De sub-priores deed haar best, maar was niet echt tegen deze taak opgewassen omdat ze geen hoofd voor getallen of hersens voor Latijn en Frans had. Dus daalden de revenuen en nu stond Serena de Saulte voor het oude dilemma: hoe de tering naar de nering te zetten. En de De Saultes waren niet gewend genoegen te nemen met het eerste het beste.

'Maman... vite! Kom verstoppertje spelen met Frou Frou,' riep Amy toen ze afdaalden naar de tuin.

'Straks. En wees alsjeblieft voorzichtig, Amy. Het is vies in de tuin, met al die modderige planten om onze kleren te besmeuren.'

'Mag ik pootjebaden in de beek?'

'Alleen als je je rokken optilt en je zoom drooghoudt.'

En dan was er ook nog die verhipte tuin om voor te zorgen. Wat een gedoe! En die tuinmeisjes waren zo dom. Toen ze over het brede pad liep, waarbij haar sleep over de stenen veegde, was alles om haar heen zo volmaakt als Serena het maar kon laten zijn. De verwilderde borders en weelderige beplanting van de oude medicinale perken, de wulpse pioenrozen en de naargeestige lelies, waren alle verdwenen. Ze vond lelies zo wasachtig en deprimerend, ze brachten haar in herinnering dat eens voor iedereen de dood moet komen. Serena had alle planten eruit gerukt en was opnieuw begonnen, waarbij ze de hortolana en de tuinmeisjes opdracht had gegeven de grond op te scheppen tot keurige verhoogde bedden die waren afgezet met stenen, en de grond te bedekken met zacht gras dat keurig werd gemaaid, met een polletje kamille bovenop om een koele zitplaats te vormen in de schaduw van een trellisboog die werd overgroeid door *Rosa alba* en eglantier. Ze wilde alleen kleuren die zacht waren aan de ogen, niets fels of opvallends dat het keurige effect zou bederven. Geen enkel onkruid mocht uit de grond opsteken om haar zorgvuldige beheer te schande te maken; er mochten geen zaailingen van anjelieren of kruipende planten ontsnappen uit de hun toegewezen ruimte in de moestuin. Haar persoonlijke lusthof werd strak ingeregen, ingeperkt, gestut en bedwongen, en Serena accepteerde geen doorn of stekel waaraan het kind zich kon bezeren wanneer ze daar met haar hoepel of haar stokpaardje speelde.

De bloemen waren nu over hun hoogtepunt heen, ze waren slap en verrot, en de rozen waren bedekt met meeldauw. Het moest allemaal afgeknipt worden voor het onaangenaam werd om naar te kijken, en Serena wilde alleen maar met klimop begroeide muren en wintergroene planten zien om alle komende grijsheid te verfrissen.

Het was altijd een opluchting om weer naar binnen te gaan, weg van de kale winterse troosteloosheid. Er viel zoveel te doen. Amy had warmere jurken nodig en ze moest zelf naar de markt in de stad, naar de stoffenhandelaar om de nieuwste spullen te bekijken. Ze zou balen met roodbruine wol, witte voile, karsaai, fries, linnen, bont en linten moeten bestellen om de garderobe van het kind te versieren. Zuster Dorothea, de sacristein, zou beeldschone kledingstukken voor haar maken.

Het deed Serena veel plezier om het kleintje over de brede paden te zien dansen en huppelen, naar het pad door het bos, dicht bij de muur van het woud.

'Denk aan het water, Amy, de visvijver is moeilijk te zien...'

Ze maakte zich zorgen over het bezoek van de bisschop. Hij zou gastvrijheid verwachten en een heel gevolg aan hoogwaardigheidsbekleders en klerken met zich meebrengen. De inspecteurs zouden verdorie iedere non en iedere novice willen ondervragen, rapporten willen schrijven, hun vlees consumeren en extra gedroogde vruchten en noten, goed bier en zoetigheid verwachten voor ze vertrokken. Kon ze maar een excuus bedenken om hem af te poeieren. Ze wilde geen vreemdelingen op bezoek, zeker niet nu er geruchten gingen dat er pest heerste in het graafschap. Ze was blij dat zij haar eigen afzonderlijke onderkomen had aan het eind van de gebouwen, waar ze ervoor had gezorgd dat ze over alle comfort beschikte dat bij haar behoefte en privacy paste, met een voorraad vers water uit de bron voor alles over de priorij werd verdeeld voor vijvers, latrines en de molen, hoewel zelfs daar de laatste tijd problemen waren.

Iedereen wist dat de pestilentie door de slechte lucht vanuit het zuiden werd verspreid en door de wind en het stof werd meegevoerd. Daarom wilde ze graag schoon zijn en alle viezigheid bij haar handen weghouden. Zuster Maud, de sub-priores, was heel laks met het Huis, want ze liet iedereen eten zonder dat ze hun vingers hadden afgespoeld. Serena's vingers waren schraal van het aantal keren dat ze haar handen in water met Hongaarse rozenolie doopte. Ze had schone, vierkante lappen linnen om ze aan af te drogen.

Amy en Frou Frou werden elke dag gebaad en afgeboend. Minon was niet zo gemakkelijk te vangen. Haar vacht was te stoffig om de vertrekken binnen te gaan en de verse biezen te besmeuren. Deze behoefte om steeds haar handen te wassen was soms weleens lastig, en het kostte haar vele uren per week om ervoor te zorgen dat alles goed schoon werd gehouden. Dit betrof ook haar kleding, en als een kledingstuk een vlek of een veeg vertoonde, moest dit onmiddellijk worden vervangen, anders voelde ze zich uiterst ongemakkelijk. Als kind hadden ze haar uitgelachen om haar kieskeurigheid, maar er was altijd een bediende geweest om de jurk uit te trekken en een andere voor haar te pakken.

Nu trok ze iedere dag een schone onderjurk aan, en de wasvrouw waste ieder kledingstuk met de hand. Serena was dol op de geur van zongebleekt linnen en de frisheid van gladgestreken kleren die aan de kledingrail hingen. Haar beddenlakens werden dagelijks gewassen en met lavendel en boerenwormkruid besprenkeld. Alleen haar fluwelen kleding, die aan de mouwen met bont was afgezet, moest nat worden afgenomen en met heet water worden gestoomd, de vleug moest voorzichtig worden opgeborsteld en de kussentjes onder haar armen moesten vaak worden vervangen. Pas wanneer ieder deel van haar lichaam in haar speciale kuip was gebaad en gewassen, kon ze zich in de veren kussens en op het kapokmatras vlijen om dicht tegen het kleintje aan te kruipen en in te sluimeren.

Het grootste deel van haar dag vergleed met deze afwassingen, zodat er weinig tijd overbleef om de gezongen mis of de bijbellezingen bij te wonen. Ze liet alle dagelijkse zaken aan zuster Maud over. Pater John, haar persoonlijke kapelaan en priester van de parochie, kwam naar het kleine voorvertrek dat als kapel was gewijd om haar biecht te horen, haar gebeden te lezen, de mis op te dragen en de andere officies voor haar waar te nemen. Niemand kon zeggen dat ze niet nauwgezet was in haar godsdienstige plichten, hoewel zuster Juliane haar waarschuwde dat voortdurend wassen slecht was voor de gezondheid. 'Een beetje vuil, madame, beschermt de huid, een beetje olie geeft glans en schittering aan de vacht van een dier. Zout is goed als conserveringsmiddel en het zout van de huid beschermt de stof. Te veel wassen verzwakt de vezels en ze verliezen dan hun stijfheid. Baden hoeft net als aderlaten slechts twee keer per jaar te gebeuren, of we het nodig hebben of niet.' Zuster Juliane was een oude taart, en haar geneeskundige inzicht was niet meer wat het geweest was.

In de privacy van haar eigen vertrekken kon Serena de Saulte haar huishouden net zo leiden als haar behaagde als vrouw des huizes, die het waard was om nijgingen en buigingen te ontvangen. Het godsdienstige leven belastte haar niet overmatig. Ze vastte slechts op hoogtijdagen en op heiligendagen zoals de gewoonte was. Gelukkig was vis aan de vervloeking van Adam ontkomen en kon zonder boetedoening worden genuttigd, en er was voldoende paling, zalm, forel, baars om de vastendagen mee door te komen.

Er was vis gevangen met slechte schubben en rottende vinnen, ziekelijk uitziende exemplaren waarvan niemand zin had ze op te eten. Ze werden in de stoofpot gedaan en verspreidden daar prompt zo'n smerige stank dat de hele soep op de mestvaalt werd gesmeten om daar te verrotten. De keldermeesteres had zich uitvoerig verontschuldigd en had het hoofd van de afdeling vis laten komen, die niet wist waarom de vis niet wilde gedijen. 'Het is geen goed teken wanneer de Frideswelle dode vis oplevert. Er moet iets zijn wat het water vervuilt.' Weer een probleem waar zuster Serena een oplossing voor moest zien te vinden. Wat wist zij nou van zulke zaken?

Opeens hield het kind op met voor haar uit hollen en bleef staan terwijl ze opgewonden wees.

'*Vite, Maman! Pauvre petite... une faune perdue... vite!*'

Serena pakte haar sleep, hing deze over haar arm en snelde toe om te zien waar het kleintje zo'n ophef over maakte. Daar in het midden van de vijver stond een jong hert, met zijn gewei verstrikt in een overhangende tak. Hij was zo uitgeput van de worsteling om uit het water te komen, dat hij nauwelijks nog leefde. Hij was kennelijk vanuit het woud regelrecht over de muur en in de vijver gesprongen. 'Wat moeten we doen, Maman? Het arme hert zal verdrinken!' riep het kind.

'Ga gauw de juffer uit de keuken halen. Zeg dat ze zoveel sterke tuinmeiden moet meenemen als ze maar kan vinden... en ook wat touw. Snel!'

'*Merci à Dieu...* we zullen hem redden!' lachte het kind.

O ja, Amicia, we zullen hem redden. En laten besterven, en uitbenen voor het feestmaal van de bisschop. Niemand kan nu worden terechtgesteld voor het doden van een hert uit een koninklijk woud, maar als zijne eminentie zijn buik heeft gevuld met gestolen vlees, zal er voor hem niets anders opzitten dan een '*omnia bene*' uit te spreken voor onze kleine priorij. Misschien komt alles toch nog goed, dacht ze, en ze huppelde het pad af. Ja, alles zou nu goed komen.

De Sint-Michielsmarkt

Vandaag is het zover! Het meisje stond op van haar stromatras op de lemen vloer, ze schudde de armen en benen van haar slapende zusjes van zich af, krabde haar zweren en strekte haar manke been. Niemand verroerde zich toen ze de flap die de deuropening bedekte optilde en haar pijnlijke botten in het eerste daglicht strekte.

Het was marktdag en ze had toestemming het dorp met mevrouw Kit te verlaten om naar de stad met de drie kerktorens te gaan. Zij, Mary Barnsley, 'Manke Mary' voor de bewoners van het huis van de molenaar waar ze werkte, was de eerste in haar familie die een hele dag weg zou zijn uit Frideswelle.

Er zat geen regenwater in hun enige emmer om haar puisterige gezicht mee te wassen. De uitslag rond haar mond was pijnlijk en vurig, maar ze moest er niet aan krabben, anders ging alles weer bloeden. Mevrouw Kit gaf haar soms varkensvet met gedroogde vlierbloesemblaadjes erin om de jeuk te verzachten. Mary popelde om een hoofddoek over de wilde pieken van haar zwarte haar te knopen. Haar mevrouw wilde altijd dat ze het haar uit het zicht hield, ook al was het het mooiste dat ze had, omdat ze altijd op haar hoofd liep te krabben als de luizen in haar schedel beten. Vandaag zou ze vroeg met haar werk aan de gang gaan, om klaar te staan als mevrouw de wagen vollaadde met spullen voor de markt, van de buren en de baljuw. Ze was vrachtrijdster en ze had vergunning goederen te ruilen, kruiden te verkopen en zakken meel naar haar familie in de stad te brengen. Mary was dolgelukkig dat ze vandaag haar hulp mocht zijn.

Ze ging het woonhuis van de molenaar binnen, stookte het vuur op met droge blokken hout en zette de ketel water op om te koken. Daarna besprenkelde ze de biezen met wat water zodat het stof niet zou opdwarrelen. Ze veegde de vieze biezen voorzichtig de kamer uit, in een keurige berg voor de mestvaalt, ze veegde ze eerst bij de haardstenen vandaan, zodat er geen vonken in konden vallen en ze in brand konden vliegen en ze veegde ze naar binnen, zodat het geluk niet het huis uit zou gaan. Daarna schudde ze vol trots de nieuwe gevlochten biezen matten uit; buiten de molenaarsvrouw kon niemand anders in Frideswelle met zulke mooie spullen pronken of de open raamluiken bedekken met flappen van geolied linnen. Toen ze zich bukte om ze voorzichtig naast de eikenhouten zetels en de ladekast te leggen, schoten er dolken van pijn door haar heup, waar geen zalven van smeerwortel of varkensvet tegen hielpen.

Simeon de molenaar was al aan het werk, hij was ieder uur dat het licht was in de molen om toezicht te houden op de knechten en de jongens. De oogst werd binnengebracht en overal uit het district werd koren aangevoerd om op de grote molenstenen te worden gemalen, en hij had het zo druk dat hij niet in de stemming was voor jaarmarkten en dat soort grappen en grollen. Mevrouw Kit zei dat ze inmaakkruiden en azijn nodig had, dat ze groene kruiden te verkopen had en dat ze haar tante Annie Bagshott met haar dochter Margery wilde bezoeken – het hoogtepunt van de tocht. Mevrouw Kit wilde er vroeg bij zijn om haar kraampje voor de bakkerij op te richten voordat andere boerenvrouwen haar daar voor waren. Haar twee zonen konden zich nuttig maken op het erf, terwijl Mary's moeder Alice een oogje op hen zou houden als dank omdat de kleine Mary mee mocht in haar wagen.

Ze maakte zich ongerust dat haar moeder de mevrouw weer teleur zou stellen en uit haar voorraadkast zou stelen als ze weg was, of anders op haar kapokmatras ging liggen in de kamer boven, en het beddengoed zou bezoedelen met haar zure lucht. Moeder had weinig tijd om te rusten, zoals ze altijd voor haar luidruchtige nageslacht moest zorgen. Ze leefden van de hand in de tand, met elke dag één maaltijd van een pan groenten met een stukje gekookte bacon, dat meestal ranzig was door gebrek aan zout. Geen wonder dat ze allemaal grauwe gezichten met holle wangen en etterende zweren hadden. Mary Barnsley was dankbaar voor de stukken geitenkaas en hompen brood die haar vriendelijke mevrouw vaak aan haar familie gaf om de honger te verdrijven.

Het was jammer dat Mary's vader, Jack Barnsley, zo dol was op bier en op het moe op haar gezicht timmeren. Zoiets bleef niet onopgemerkt in het kleine groepje huizen en huisjes dat op enige afstand van de priorij stond. Kneuzingen en blauwe ogen kwamen maar al te vaak voor, maar niemand bemoeide zich ermee uit angst dat het slecht met henzelf zou aflopen. Wat verlangde Mary naar de vrede van die wereld achter de kloostermuur, een wereld waar niemand honger of kou leed en waar vrouwen ver weg leefden van ruwe pakken slaag van broers en vaders. Ze zou dolgraag daar binnen willen werken, maar ze wist dat dit nooit zou kunnen. De molen was daarna de beste plek om te werken. Hij was gebouwd van vakwerk, met grote vijvers en een beek die daar doorheen stroomde om het middenslagwaterrad in beweging te brengen. Het molenaarshuis stond er trots naast, verheven boven de andere huisjes doordat het groter en hoger was dan de rest, met een groot erf en een voorraadschuur om in te koken, tuinen vol groenten en ook een boomgaard, waar Mary het heerlijk vond om in te lopen en appeltjes te gappen. Aan de overkant van het grasveld stonden de kleinere huizen en aan het eind de krotjes van drie boerenfamilies die alleen maar een lapje grond eromheen hadden en wat vervallen schuurtjes met koeien erin. Dit was de plek waar zij 's nachts moest slapen.

Alle mannen waren op het land om werk te doen voor zuster Serena de Saulte. Mevrouw Kit mopperde over hoeveel ze aan de kerk moesten geven: tienden, begrafenisrechten en dodengeld. De families mochten naar de kerk in Longhall of af en toe naar de kapel van de priorij zolang ze maar goed achterin bleven en zich koest hielden. Dit was bijna onmogelijk met twee ondeugende jongens, dus ging Mary af en toe mee om te helpen hen stil te houden. Ze vond het heerlijk om in de koelte van de kapel te zitten en naar de prachtige schilderijen aan de muren te kijken, naar de beelden overdekt met goud, blauw en rood; zoveel kleur en prachtig gezang om het dagelijkse zwoegen op te vrolijken. Kon ze haar leven maar binnen deze muren doorbrengen. Maar alleen mensen van stand mochten vrome nonnen worden.

Ze hield van de manier waarop pater John de dienst leidde, de belletjes en de geur van wierook en kaarsen. Ze popelde om naar de hemel te gaan. Niet dat Mary over het algemeen een woord begreep van alles wat er werd gezegd, maar vorige week had pater John, priester van Frideswelle en Barnsley Common, een brief voorgelezen van de heer bisschop zelf, in het Engels, om de gemeente te waarschuwen boete te doen en voor hun zonden te bidden om de grote pestepidemie te vermijden die over het land neerdaalde als een zwerm sprinkhanen – wat dat ook mocht zijn. Er klonk gedempt gemompel en er werden hoofden geschud bij zulk vreselijk nieuws, maar mevrouw Kit zei dat ze zich niet kon voorstellen dat iets de vrede en de stilte van dit slaperige gehucht zou verstoren. Het dichtstbijzijnde dubbele karrenspoor lag mijlen verderop, dichter bij Longhall en de Stad van de Torenspitsen.

Zoals ze daar over de weg hobbelden, met de kar vol zakken meel en manden met kruiden, vond Mary dat de tocht eeuwig mocht duren. Mevrouw Kit had haar een van haar eigen overschorten geleend om alle viezigheid van haar rok te bedekken, maar ze had geen schoenen die aan Mary's mismaakte voet pasten. Ze had soms een vreemd besef, zonder woorden, van de gedachten van anderen, en ze wist dat deze goede vrouw haar zegeningen telde dat zij met een vriendelijke man was getrouwd en twee gezonde jongens had en haar kookpan altijd vol was.

'Als we bij de arme Annie Bagshott bij het bakkershuis zijn, moet je niet over haar lastige dochters praten,' waarschuwde mevrouw Kit. 'Blijf een beetje bij ze uit de buurt en kijk naar alles wat ik doe.'

Mary wist alles over alle rampspoed van Agnes Bagshott. Ze klom iedere dag over de muur om mevrouw Kit aan het hoofd te zeuren over zuster Iseult en zuster Juliane. Over hoe haar vader moest weten hoe ziek zijn dochter werd, hoe ze de grootste moeite had om daar adem te halen, als een vis op het droge, met doffe ogen en eenzaam. 'Ik zal nog sterven als ik niet wegkom van hier!' zei ze dan.

Dan was er nog mevrouw Mags, haar zuster, die een hoop poeha had, en die probeerde te doen alsof ze de vrouw van de baljuw van het graafschap was en niet met de bakker was getrouwd. Mevrouw Kit had een keer gefluisterd dat Margery de arme Hamon voor de gek hield met haar geflirt en haar spilzucht. Haar arme moeder had ook meer dan genoeg van haar ijdelheid. Mevrouw Kit zei dat ze blij was dat ze nog geen meisjes had om zich zorgen over te maken. Jongens waren eenvoudig, je gaf ze te eten, je gaf ze een pak slaag, je gaf ze een knuffel, en je liet ze spelen als jonge honden tot ze iedere avond onderuit gingen als kaarsjes die werden uitgeblazen.

In Mary's familie waren de jongens ruw en grof, schopten ze haar en stalen haar eten, en ze haatte ze allemaal.

Weldra had ze ogen op steeltjes en draaide ze heen en weer om alles zo goed mogelijk te zien toen het landschap om haar heen haar onbekend werd. Langs de weg stonden dikke, hoge hagen die zich welfden tot een baldakijn van gouden bladeren. Het geritsel van de wind door de takken, de geur van mest en van fruit, verhoogden Mary's opwinding nog. Mevrouw Kit legde uit dat de Sint-Michielsmarkt de leukste was van allemaal, vooral wanneer het rijpe fruit werd uitgestald en de zoete geur van biesgras en kruiden waar overheen werd gelopen zich met de geur ervan vermengde. De markt duurde soms vier dagen.

Langs de hagen stonden de laatste zomerbloemen die er moe en grijs uitzagen, maar de rozenbottels waren goed en ze besloten er op de terugweg wat te plukken om hoestdrank voor de winter van te maken. Straks zouden ze de stad via de noordelijke poort binnengaan, om terecht te komen in donkere steegjes die als een wirwar van wortels door elkaar liepen. Er was weinig licht of lucht in de stad, die altijd in rook gehuld was.

Mary was teleurgesteld over de eerste indruk die ze van deze ontzagwekkende plaats kreeg. Er liepen stinkende grachten door de steegjes; de slager smeet bedorven karkassen op de straat, waar ze werden weggegrist door bedelaars met puisten en een tandeloze grijns. Ze vond het geratel van wagens en het voortdurende geschreeuw een beetje angstaanjagend. Haar mevrouw zei dat ze niet bang moest zijn, dat ze er wel gauw aan gewend zou zijn. Ze waarschuwde ook dat het vandaag lawaaieriger zou zijn dan anders, omdat de marktkraampjes vanaf het marktplein tot in de zijstraten zouden staan. Het marktplein zelf was in elk geval open en licht.

Toen mevrouw Kit de wagen naar de stoet reizigers en handkarren, mestkarren en boerenwagens voerde, kwam de hele rij tot stilstand. De kraamhouders stopten en wachtten. 'Waarom mogen we niet verder?'

'Er mogen geen vreemdelingen naar binnen,' klonk het bericht langs de rij, 'vanwege de ziekte die naar de stad komt.'

'Welke ziekte?'

'Heb je dat niet gehoord? De pest is hier in de buurt, en ze willen die niet in de stad hebben. Keer nu om, of je wordt weggejaagd door de wachters,' zei de poortwachter.

'De heiligen in de hemel staan me bij! Ik ben hier om een zak meel af te leveren bij mijn familie in de bakkerij. Hoe vaak hebben jullie me hier niet door de poort zien gaan? Allemachtig, ik woon nog geen uur hiervandaan langs het pad! Mary, pas jij eens op de wagen.'

Mevrouw Kit, in haar beste roodwollen jurk en sjaal, was niet in de stemming om tegenspraak te dulden en ze sprong omlaag met een stijve rug van de hobbelige rit. Ze marcheerde naar de poort, glimlachte naar de helper van de wacht, gaf haar meisjesnaam Bagshott op, en hun kar werd doorgelaten – zeer tot ergernis van sommige marskramers en marktkooplieden die daar rondhingen in de hoop toegang tot de markt te krijgen.

Eenmaal in de stad reden ze rechtstreeks naar Kits gebruikelijke plek buiten de bakkerij, maar de winkel was dicht en de straten waren stil voor een marktdag. Er hing spanning in de lucht en de huisvrouwen bleven niet staan bij de luttele kraampjes die open waren, maar haastten zich verder, met hun mand tegen zich aan gedrukt en met een sluier voor hun gezicht. Het was stil op de straathoeken; geen jongleurs en vuurvreters, geen dansende beren, geen troubadours of reizend toneelgezelschap. Het was net zo stil als op een vastendag.

Tot verbazing van haar mevrouw was er nergens een vers kruid of een ons specerijen te koop, geen venkelzaad of zoethoutwortel, stukken gember of stroop. Er was helemaal niets geneeskrachtigs meer. Alleen geruchten waren royaal voorhanden: hoe de ziekte in Tamworth en omgeving heerste, steeds dichterbij kwam; hoe de priesters niets anders konden doen dan bidden, en hoe ze zelfs de doden niet wilden begraven; hoe hele families binnen één dag werden weggevaagd, soms zelfs binnen een uur, terwijl ze voor hun zieken zorgden. Mary voelde zich opeens akelig worden van angst, en ze klampte zich vast aan de kar.

'Misschien moeten we gewoon maar die ene stop maken en meteen weer naar huis gaan?'

De lucht was echt heel donker, zelfs het licht leek smerig, en ze voelde zich niet langer veilig. Maar mevrouw stond op de poort van de bakkerij te bonzen en te schreeuwen: 'Will! Ik ben het, Kit, de dochter van je zuster! Laat me erin om m'n spullen af te geven.'

Bovenop de muur tuurde een jonge vent omlaag om te zien wie ze waren. Het was Hamon.

'Het is alleen maar het meel, en de molenaarsvrouw en haar meid.'

De poort werd behoedzaam geopend en de kar werd snel naar binnen getrokken.

'Je bent gek om je nu hier in de straten te wagen, Kit. Wat heeft je bezield om erop uit te gaan? Heb je niet gehoord van de pest?' 'Arme tante Annie' kwam uit het bakhuis te voorschijn, met verhitte wangen waar een laagje wit stof op lag. Margery volgde haar op een afstand, terwijl ze hen achterdochtig opnam.

'We hadden niet gedacht dat het zo snel al hier zou zijn, tante. De praatjes in de kramen zijn er vol van.'

'Dat zal best, want het klopt om zo te zeggen nu ook op onze deuren aan, vrees ik. Ga snel naar huis, Kit, treuzel niet. Denk aan je kinderen. Ik word bang als ik bedenk hoe God ons allen zal straffen! Ik kan niet slapen uit angst dat het door de vensters zal kruipen om ons in ons bed in onze slaap te wurgen. Er zijn er velen die naar de heuvels vluchten. Donkere tijden, Kit, donkere tijden.'

'Jullie hebben water dat bij de poort van de Grijze Paters vers uit de heuvels wordt aangevoerd. Ik hoor dat de pomp vrij is voor iedereen. Hoe kan die ziekte zich dan verspreiden? Wie brengt het naar de deur?'

'Niemand durft naar de pomp te gaan, uit angst dat het vanaf de pijpen in hun emmers meekomt. Er zijn misschien vreemdelingen met de ziekte in hun adem, die uit de pomp drinken. Raak geen zweer of lichaam met de ziekte aan voor je je handen in azijn hebt gedompeld, heb ik me laten vertellen, en zorg dat je steeds knoflook bij je hebt. Ze zeggen dat dat beschermt. Dat is alles wat wij hier weten.'

'Annie, ik zou nergens een teentje knoflook kunnen kopen. Het is uitverkocht.'

Mary luisterde aandachtig, terwijl het zweet over haar voorhoofd stroomde in de hitte van de oven van het bakhuis, maar ze deed haar best haar mevrouw niet te schande te maken door te krabben.

'Tja, je zou met goud moeten betalen voor één enkele teen, zoveel vraag is ernaar. Er is binnen deze muren geen enkele anjelierbloem of pot azijn te koop. De kruidenman is gevlucht en zijn tuin is geplunderd. Waarschuw Aggie van ons dat ze dicht bij de medicinale tuin moet blijven en zelf kruiden moet inslaan, en dat ze daarna op haar knieën moet gaan om voor haar familie te bidden. Ik ben blij dat zij veilig achter die muren zit. Een vrome non kan niets overkomen.'

Het was nu niet het geschikte moment voor mevrouw Kit om hun te vertellen dat Agnes daar zo ongelukkig was. Dat moest tot betere tijden wachten.

Margery kon zien dat het bezoek schrok van hun nieuws.

'Hou toch op, moeder! Je bezorgt ons een hartverlamming met al dit gekwebbel. Het zijn maar praatjes, Kit. Wees maar niet bang. Het is hier nog niet, anders hadden ze er niemand in of uit gelaten, zelfs jou niet. Je bent niet het hele eind hier naartoe gekomen om zulk gekwebbel aan te horen, dus let er maar niet op. Er zijn er in de achterbuurtsteegjes een paar doodgegaan aan ziekte... honden en bedelaars. Dat is toch zeker niets nieuws? Maar zeg eens, hoe gaat het met die slechte rug van je, en met die twee kleine deugnieten? En wie is dit schooiertje naast jou?'

Maar mevrouw Kit klom niet van de wagen na deze vriendelijke woorden. In plaats daarvan keerde ze en zei hun gedag. Margery glipte met haar mee naar buiten, blij in het zwakke middagzonnetje te zijn. De straten met de kraampjes van schragen waren heel stil en de straatventers waren vreemd zwijgzaam terwijl ze met hun manden van steegje naar binnenplaats trokken. Slechts weinigen hadden iets meer betaald om een stalletje op te zetten.

Voor deze ene keer hield Margery haar blikken van linten en versiersels afgewend en ging regelrecht naar het kraampje van de stoffen- en fourniturenhandel. Ze moest zichzelf echt eens opvrolijken. Het kraampje van vrouw Harwise stond vlak om de hoek van het plein, om de plaatselijke meisjes met tweedehands kleding in verleiding te brengen. Goody hield altijd speciale dingen in haar zak achter voor haar, een van haar beste klanten.

Wat Hamon niet wist zou hem ook niet deren; dat ze af en toe een munt uit de beurs aan zijn leren riem stal, dat ze meer broden afleverde dan er waren besteld en het verschil achterhield voor haar kledingtoelage, dat ze klanten, als ze daar de kans toe kreeg, te veel berekende en bedroog, zodat ze nooit zonder wat zilverstukken zat om zichzelf te trakteren. Iedereen bewonderde Margery Bagshott om haar chique kleren, de manier waarop ze kleuren en stoffen op elkaar afstemde, verschillende jurken droeg naar alle feesten en naar de parades van het gilde. Ze droeg geschulpte randen aan haar mouwen en tunieken, kocht nieuwe linten en borduurde er bloemen en motieven op als de chicste dame. Ze oogstte afkeurende blikken van de hogergeplaatste vrouwen, omdat ze zo opschepte, en ze kon zien dat ze zich afvroegen hoe zij aan zo'n kwaliteit stof en andere luxe zaken kwam. Nou, wie het eerst komt, het eerst maalt, en ze glipte op marktdag meestal naar Goody's kraampje voor de drukte op gang kwam. Maar vandaag zou ze zich niet hoeven haasten. Niemand zou iets anders willen kopen dan kruiden en specerijen, zoveel angst heerste er. Maar er waren vast wel koopjes te bemachtigen.

Margery wachtte tot een paar kijkers waren doorgelopen voor ze de marktvrouw op de schouder tikte. 'Is er vandaag nog iets voor mij bij?'

De vrouw draaide zich met een ruk om, met een gezicht dat roze en bezweet was, en met vermoeide ogen.

'Je laat me schrikken... Nee, ik heb niet veel.' Ze zag de blik van teleurstelling in Margery's ogen en ze grijnsde ondeugend. 'Maar speciaal voor jou is er misschien deze schoonheid hier...' Goody haalde een mouwloze overjas te voorschijn, van prachtige zware wol, afgezet met bont, en met spleten om de jurk eronder te laten zien. 'Die was van een dame die ik ken, maar ze heeft hem nu niet meer nodig, de arme ziel.'

'Je gaat me toch zeker niet vertellen dat ze aan de koorts is gestorven?' Margery liet de jas snel los.

'Denk je echt dat ik mijn beste klant een doodsgewaad zou willen verkopen? Nee, ik heb 't uit de beste bronnen dat de weduwvrouw geen kinderen had om hem in haar testament aan door te geven. Ik heb er een
goede prijs voor betaald.' Goody rommelde wat in haar kraampje, zonder het meisje recht aan te kijken.

'Hij is heel mooi en dik. Net wat ik voor de winter nodig heb. Hoeveel moet je ervoor hebben?'

'Twee zilverstukken, omdat jij het bent.'

'Zoveel? Ik denk niet...'

'Mevrouw Baker, kijk die kwaliteit eens, voel eens. Zoiets kom je in
geen jaren meer tegen.'

'Dat bont ziet er een beetje mottig uit... Zitten er geen vlooien in?' Margery probeerde allerlei redenen te bedenken om de mantel niet te kopen.

'Alleen maar stof... er is al veel mee gereisd, en hij zal jouw slanke gestalte nog veel langer sieren. Stel je eens voor hoe je eruit zult zien aan de
arm van je knappe man. Hij zal worden bewonderd omdat hij zo'n be-
schaafde vrouw heeft.' De vrouw wist hoe ze iedere besluiteloosheid weg
kon sussen en vleien. Voor Margery was dit iets uit haar dromen.

'Vooruit dan maar, je hebt me omgepraat. Maar ik moet het wel stukje bij beetje betalen, wanneer ik dat kan. Hier is alles wat ik nu heb. Volgende week breng ik weer wat. Bewaar 'm zolang voor mij.'

'Nee, meisje, neem 'm maar mee. Ik weet waar je woont. Als je niet
komt betalen, kan ik altijd bij de bakkerij aankloppen. En ik weet zeker dat je dat niet zou willen, hè? Mijn benen zijn vandaag moe, en mijn
hoofd doet zo'n pijn dat mijn kraam om me heen draait... Ik ben niet in
de stemming om iets mee naar huis te nemen en het later weer terug te
moeten brengen. Hou 'm maar en geniet van het geluk dat hij brengt.'

Margery stopte het kledingstuk in haar mand, onder de paar broden
die ze had meegenomen om het doel van haar tocht te verbergen. Niemand mocht haar overjas zien tot ze klaar was om hen te verblinden met
haar koopje. Hij moest in de zak bij haar andere aankopen blijven zitten,
hoog op een plank, ver van ratten en muizen. Ze zou hem afborstelen en
nauwgezet op vlooien controleren, maar hij was iedere penny meer dan
waard. Wacht maar eens tot Aggie haar ermee had gezien! Het zou de
moeite waard zijn naar Frideswelle te lopen en haar zuster te bezoeken,
alleen om haar groen van jaloezie te zien worden bij de aanblik van Mags
in haar glorie. Wat een grap zou dat zijn!

'Waar zullen we nu naartoe gaan, Mary? Dit is vandaag een armzalige vertoning geweest voor jou. Helemaal niet wat we hadden verwacht. Heb je zin in een honingkoek of in een appel? We kunnen via Overstowe bovenover naar het heiligdom gaan, als je dat wilt. We komen dan langs het moerassige terrein waar de koning een paar jaar geleden barrevoets ter bedevaart is gegaan naar de schrijn van de Gezegende Chad, bij de bron. Wat een dag was dat voor onze priores en haar nonnen, om achter de koning en zijn hovelingen te moeten lopen! Weet je nog hoe pater John alles in geuren en kleuren heeft verteld?'

Mary glimlachte flauwtjes. Kit deed haar best om hen beiden op te vrolijken, om de dag alsnog te redden, maar niets was zoals zij het zich had gedroomd.

Het meisje vond de stinkende straten maar niets, met alle lawaai en donkere stegen. Frideswelle was veel mooier, en ze verlangde ernaar terug te zijn in de boomgaard, over de muur naar de vredige priorij te kunnen kijken.

'Kom kind, wat een treurig gezicht... Laten we naar het heiligdom gaan om een gezegende munt voor je te kopen.'

Er was nog maar één kraampje dat gezegende penningen en pelgrimsmunten verkocht, en een aflaatkramer die zijn bewijzen verkocht. Mary zag de pelgrims neerknielen bij de bron, die niet veel meer was dan een plasje water met een strodak erboven. Er knielde een oude vrouw neer om met wijwater te worden besprenkeld, terwijl ze bad om genezing voor iemand. Misschien kon de heilige Mary's been genezen en recht maken, zodat ze aan de overkant van het weggetje lekenzuster kon worden? Waarom had God haar verwrongen ter wereld laten komen, moest ze achterstevoren naar buiten worden getrokken? Was ze maar gezond geboren, bij een moeder zoals mevrouw Kit.

Er lag zo'n verlangende blik in haar treurige donkere ogen dat zelfs haar mevrouw erdoor in tranen dreigde te raken, en ze schoof haar hand in haar beurs om een zegening voor het kind te kopen. 'Alsjeblieft, ga jij je nou maar even in de heilige bron dompelen en koop een honingkoek. Maar zeg er niets over tegen je moeder. Daarna gaan we langs de achterweg terug, door de mooie bossen bij Elmhurst, en vandaar naar de Longhall-wagenweg en verder naar Frideswelle.'

Mary knielde moeizaam, en ze wachtte lang op een wonder, maar er gebeurde niets. Ze hoorde alleen maar het geluid van een merel die zat te kwetteren. Het laatste beetje zonneschijn begon te verdwijnen en het zou weldra donker zijn. De Sint-Michielsmarkt was echt een treurige bedoening geweest, en het nieuws van de ziekte had hun stemming wel bedorven, maar boven, in Frideswelle, zouden ze veilig zijn.

Het was bijna donker toen ze over de winderige bovenweg terugkeerden naar het poorthuis van de priorij. In de schemering hield zich een klein meisje schuil in de schaduw: het lievelingetje van de priores, Amicia, die op haar duim stond te zuigen, als altijd wanneer ze door een gat in de haag was geglipt, om zich door haar min te laten knuffelen.

Kit maakte vermoeid de teugels van de muilezel los. 'Ga naar binnen, kind. Ik moet even voor deze kleine madam zorgen.' Mary bleef staan, ze hoorde het kind jengelen: 'Ik wil tietje...'

Ze stond elke dag om troost te roepen, en mevrouw Kit maakte altijd haar hemd los zodat het kind van haar borst kon nemen. Mary wist dat het niet goed was en dat de priores, als ze het te weten kwam, hen allen zou straffen. Amy was nu al twee jaar stiekem aan Kits borst. Het mooie poppetje had alles wat haar hartje begeerde, maar alleen haar min wist van hun kleine geheim. Ze nestelden zich tegen elkaar aan onder de beschutting van het donker, terwijl Mary de wacht hield, zonder er iets van te begrijpen. Ze snoof de frisse buitenlucht op, blij dat ze thuis was, weg van de kwalijke dampen van de stad in het dal beneden.

Twee dagen later heerste er paniek binnen de priorij en was zuster Juliane weer in een slecht humeur terwijl ze om potten varkensvet en preizaad liep te schreeuwen. Haar schuur was weer geplunderd en al haar nieuw toebereide tabletten waren gestolen. De kruiden in de medicinale tuin waren afgemaaid en vertrapt, zodat alles er kaal en verlaten bij lag, met een zilveren gloed van de eerste nachtvorst.

'Wie doet dit toch, kind? Wie is er zo dom om kruiden te stelen zonder de kennis hoe ze te gebruiken? Sommige tuinmeisjes, die bang waren voor hun eigen leven, zijn weggelopen. Kijk, ze hebben giftige bessen en levensgevaarlijke wortels meegenomen... Zonder de juiste tekens van de sterren om ons te leiden zijn onze medicijnen waardeloos. Kom, Agnes, zet je schrap. Ik heb nog meer anjelieren nodig. Kijk eens of er nog wat langs de muur staan. Ze vinden dat de beste plaats nu zuster Serena ze uit de oude tuin heeft uitgerukt om al haar onzin door te drijven. Maar ze is wel heel verdrietig sinds haar meisje gisteren ziek is geworden.

Het arme wurm heeft het gekregen, maar ze kan nu niet worden vervoerd en de priores is naar een andere kamer in het slaaphuis van de nonnen gevlucht om zelf de koorts niet te krijgen. Het kind wordt alleen achtergelaten, met alleen de honden als gezelschap, maar ze moet geïsoleerd blijven omwille van de veiligheid van ons allen. Alleen pater John durft de ziekenkamer binnen te gaan om gebeden te zeggen voor haar herstel.'

Agnes was voor deze ene keer een en al oor, begerig naar nieuws over het uitbreken van de ziekte in het dorp buiten de muur. Het was bij de molen begonnen toen nicht Kit bezwijmde en bloed opgaf, en er werd gezegd dat haar huid vol vlekken zat. De arme Kit, Agnes' enige vriendin, had haar kinderen en haar man uit de kamer buitengesloten, maar Simeon had in zijn verdriet de deur ingetrapt en was nu zelf ook ziek. Hun manke dienstmeid was ook ziek, met de kenmerkende zwellingen, ter grootte van kleine appels, onder haar oksels, maar ze had hen allen verzorgd tot ze zelf op de appelzolder kwam te liggen. Haar eigen familie, aan de overkant van het veld, vreesde voor hun eigen leven en had haar uit hun krot geweerd om de ziekte buiten te houden. Simeon, de molenaar, had zijn jongens naar het dorpje Longhall gestuurd, denkend dat iemand hen wel in huis zou nemen, maar ze werden door zijn oude jeugdvrienden met stokken opgewacht, om de knulletjes weer terug te sturen. Het dorp Frideswelle was nu zelfs van de priorij afgesneden, zo vastbesloten was zuster Serena de koorts buiten te houden.

Agnes klom boven op de muur om naar Simeon te schreeuwen, maar het molenrad zweeg, en ze vreesde het ergste. Iemand had alle gaten in de muur met stenen en doornige takken gerepareerd. De bedelaars en zwervers kwamen onder dekking van de duisternis uit het woud geslopen om de priester te smeken hun doden te begraven. Pater John verstopte zich voor hen in de kerk. Hamon was nu in geen weken langs geweest, en Agnes werd helemaal gek van verlangen naar zijn liefkozingen.

Ze besefte dat als er hier ziekte heerste, die uit de stad moest zijn gekomen. Voor dit moment was ze veiliger binnen de muren dan erbuiten. De priores verscheen nu iedere dag bij de bijbellezing, en ze stond erop dat iedere kamer werd geveegd en met schone biezen werd bestrooid. Ze beval dat alle nonnen moesten worden adergelaten teneinde hun bloed te verbeteren, en zuster Juliane deelde bloedzuigers uit die zich aan iedere non te goed moesten doen, zo dicht bij het hart als mogelijk was.

Agnes verafschuwde het aderlaten want ze werd er altijd moe en neerslachtig van, maar ze had bewondering voor de manier waarop zuster Juliane de ziekte had getrotseerd om het kind Amy op een morgen met Grieks alantvet te willen verzorgen. Eén blik op de afmetingen van haar zwellingen en een vleug van de smerige stank die ze verspreidde, had ech-

ter zelfs haar rechtsomkeert doen maken. 'Ze is gedoemd, zulke verschrikkingen kan een kind niet lang verdragen,' had ze bedroefd gezegd.

Later, omdat ze zich schuldig voelde dat ze het meisje in de steek had
gelaten, was zuster Juliane met haar novice naar de deur van Amy's slaapkamer gegaan. Gelukkig was het kind overleden en was ze al bedekt door
een lijkwade. Pater John tilde haar op met handschoenen aan zijn handen en begroef haar buiten het zicht, onder aan de boomgaard, met alleen de priores als getuige. Drie nachten lang hield de priorij de adem in,
wachtend tot de engel des doods voorbij zou gaan. Drie nachten van waken en bidden. Er waren geen nieuwe uitbraken van de ziekte.

Mary werd wakker in het donker. Haar keel brandde en haar ledematen deden zoveel pijn dat ze zich zelfs niet op haar zij kon draaien. Waar
was ze? Het rook hier niet naar een haardvuur. De misselijkmakende
zoete geur die ze steeds in haar neusgaten had gehad, was er niet meer.
In plaats daarvan rook ze de rijpheid van fruit en vers hooi. Er viel geen
enkel geluid te vernemen. Toen voelde ze de zwellingen, eens ter grootte van appels en nu ter grootte van pruimen, die over haar buik tot boven aan haar jeukende benen liepen. Ze waren hard, pijnlijk, maar ze
waren niet opengebarsten. Haar nek voelde opgezet en stijf, haar oren
bonsden met vreemde geluiden en haar tong hing van de dorst uit haar
mond. Naast haar stond een kruik water, maar ze kon zich niet verroeren om hem op te tillen. In plaats daarvan boog ze zich moeizaam naar
voren om langs het koele aardewerk te likken. Waar was ze? Niet in de
molen, niet bij de haard, maar alleen, toegedekt met een dun kleed, ergens in het donker.

Ze hoorde het geluid van muizen die in het stro ritselden, een haan
die in de verte kraaide, en met het naderen van de dageraad kwam de
herinnering.

Ik moet opstaan om voor het vuur te zorgen. Ik moet de ketel opzetten zoals ik dat altijd heb gedaan... Maar er trok een ziekelijke zwakte
door al haar ledematen. Ze was ziek geweest, net als haar meesteres en de
hele familie; vrouw Kit en haar jongens waren nu gestorven. Diep in haar
hart wist Mary dat zij de enige was die in leven was gebleven. De rest was
een vaag geheel, ze wilde zich niet meer voor de geest halen hoe ze hadden
geleden, maar hoe was zij hier gekomen, veilig op deze koele zolder?

Toen hoorde ze de klok luiden. Het geluid was bijna pal boven haar.
Ze was toch zeker niet in de priorij? Wie had die kruik schoon water bij

haar neergezet? Er moest iemand zijn die wist dat ze hier was. Ze zou vanzelf wel zien wie haar had gered.

Het enige waar Agnes van metten tot vespers aan kon denken was vluchten. De priorij was uit haar lakse gewoonten opgeschrikt en nam de regels nu weer strikt in acht. Iedere non moest een zwart habijt dragen, haar hoofd bedekken en haar handen wassen voor er gebeden werden opgezegd. Er was ook een gestage processie naar de Frideswellebron om van het water te drinken, hoe riskant dat ook mocht lijken, maar de priores zwoer bij de werkzaamheid van het gezegende water, en ze wisten dat de gezegende Ambrosine ooit de Heilige Maagd in de bron had gezien.

Het was de theorie van zuster Juliane dat Amy was gestorven omdat ze te schoon was en van vieze lucht werd weggehouden. Hoe had het kind anders ziek kunnen worden, terwijl ze volledig afgesloten binnen de muren van de priorij leefde? Agnes bood aan de kamers van de priores te soppen, zodat ze eventueel als tijdelijk ziekenhuis konden worden gebruikt. Ze vond het heerlijk om daar tussen de fraaie wandtapijten en het eiken hemelbed met de weelderige draperieën te zitten, en te genieten van het uitzicht over de siertuin, ver weg van alle tumult en drukte. Het bed was op bevel van de priores afgehaald en ontmanteld, om uit het zicht te worden opgeslagen. Zuster Serena kon geen enkele herinnering aan het kleine meisje verdragen. De vloer werd vers bestrooid met rozenblaadjes.

Soms werd Agnes wakker door het geluid van een kind dat huilde. De gedachte aan zulk lijden vervulde haar van afschuw. Als zij ooit de ziekte mocht oplopen, zou ze zo'n langdurige kwelling niet verdragen. O nee! Ze zou zich dan uit haar lijden willen verlossen, en ze wist nu genoeg om zo'n haastig verscheiden te bewerkstelligen. Dat was het enige goede aan haar werk in de ziekenzaal, dat ze toegang had tot dranken en poeders, waarvan de ene veel dodelijker was dan de andere. Papaversiroop zou haar slaperig genoeg maken om alles te slikken wat een einde kon maken aan alle ongemakken, en er werden kleine bolletjes bingelkruid, waterscheerling, dolle kervel en monnikskap bewaard die haar stuk voor stuk een snelle dood konden bezorgen. Ze was nog niet helemaal zeker van de hoeveelheid die ze nodig had, maar ze stal genoeg van alles om drie ronde tabletten te maken die ze in zuringbladeren wikkelde en in een leren zakje om haar hals deed. Ze maakte het middel langzaam en vaardig klaar, waarbij ze zich ieder gebed herinnerde dat de non meestal mompelde, iedere bezwering die bij het maken ervan werd uitgesproken. Agnes leerde snel, door noodzaak gedreven. Alleen al het bij zich hebben van zo'n dodelijke bescherming maakte dat ze zich sterk en kalm voelde, en het viel haar op dat er nu geen pesterijen meer waren van de nonnen van hoge komaf, van Iseult de Saulte of van haar aanhang. Integendeel zelfs. Agnes was nu iemand die met belangstelling en respect werd behandeld. Als ze ziek werden, zouden ze in haar handen zijn, aan haar zijn overgeleverd. Voor de eerste keer wist ze hoe het was om macht te hebben, en dat was een prettig gevoel.

Margery Bagshott smeekte Hamon haar naar Longhall te sturen om bij zijn familie te gaan wonen, weg van alle verschrikking in de straten om hen heen. De lucht was vervuld van de stank van de dood. Iedere nacht werden er lijken als afval in de goot gesmeten. De mestophalers wilden ze wel voor een bepaald bedrag meenemen, maar als de lijken te ver heen waren en niet waren bedekt, lieten ze ze vaak dagenlang stinken, zodat de vliegen en de ratten zich op het afval stortten. De ziekte was sinds de Sint-Michielsmarkt in enkele golven over de stad gegaan. Soms verdween de ziekte voor een paar dagen, om vervolgens terug te keren en een andere straat te nemen, een andere rij huizen. De mensen voelden zich gelukkig en gezegend wanneer ze wakker werden om de nieuwe dageraad te aanschouwen.

De bakkerij was dicht en op slot gebleven, niemand ging erin of eruit. Will Bagshott gaf zijn gezin te eten van zijn reservemeel en het water uit de diepe ondergrondse put die goed aan het zicht was onttrokken. De honden werden afgestuurd op vreemdelingen die probeerden in te breken om voorraden te stelen. Hij verkocht wat hij overhield tegen een hoge prijs aan leden van het Gilde, wetend dat als dit alles voorbij was, hij op veel gunsten kon rekenen. Margery zat bij het raam op de bovenverdieping en keek uit over de stad, als een gevangene in een cel. Het luiden van de kerkklokken zou haar nog eens krankzinnig maken als ze niet ontsnapte. Er was in de buitenwijk een gemeenschappelijke grafkuil waar alle doden 's nachts vanaf wagens in werden geworpen, en als de wind uit het westen kwam, was de stank van rottend vlees overweldigend.

Ze móést hier weg. In de dorpen was het vast niet zo erg, en Aggie was het veiligst van allemaal, had ze gehoord, achter de muren van haar priorij. Als ze had geweten dat alles zo zou lopen, had Margery daar gezeten en had Agnes hier kunnen lijden. Mags was misselijk van angst.

Ze wist dat het niet door de ziekte kwam, want die heerste hier nu al maanden. Er groeide een kind in haar schoot en ze kon geen baby baren in dit rottende gat in de hel. Hamon wist hoe ze er voorstond en hij begon te wankelen in zijn vastbeslotenheid hen allen bij elkaar te houden.

'Alsjeblieft, Hamon, laten we samen gaan, ver hiervandaan,' smeekte ze weer.

'Om door vreemdelingen te worden doodgeslagen? Nee, je moet naar het huis van mijn ouders gaan, of naar de molen van je nicht. Laat ons kind geen risico's lopen, liefste.'

Hamon was opgetogen dat zijn zaad eindelijk in haar buik begon te rijpen, en hij had heel veel plannen voor zijn zoon en erfgenaam. Margery hoopte dat het niet weer zo'n vervloekt dubbel zaad was. Als dat zo was, zou ze één ervan eigenhandig smoren, want ze wilde geen kind van zichzelf dat steeds met een eigen spiegelbeeld werd geconfronteerd, zoals Aggie en zij.

'Ik ga morgenochtend bij het eerste licht, nadat de eerste lading brood is gebakken. Ik kan de poortwachters desnoods omkopen en dan neem ik het pad door de lange weilanden en de beken, naar Frideswelle. Niemand zal me zien,' zei ze gretig.

'Pak je dan maar goed in tegen de wind en tegen de kwalijke bedoelingen daar.'

De gedachte aan warm inpakken herinnerde haar aan het geheim in de meelzak. Dat moest een perfecte manier zijn om haar toestand te verbergen, en ze zouden er allebei lekker warm in blijven. Ze rende de houten trap af naar het buitenerf en tastte naar de zak op de plank, en toen ze het kledingstuk uitschudde, zag ze de vlooien eruit springen. In de hoek jankte de kat ziekelijk en gromde naar haar, met vals geblaas. Ze zou blij zijn als ze hier weg was. Het rook hier beschimmeld en verrot, met de klamme, gistige geuren die haar zo misselijk maakten. Mags vroeg zich af of het wel goed was om zo'n mooie mantel te dragen. Zou iemand haar ervan kunnen beroven? De oude stoffenvrouw was nooit de rest van het geld komen halen, maar aan de andere kant kwamen er niet veel mensen naar de stad en lag de markt er verlaten bij zolang de ziekte heerste.

De overjas zou Hamons ouders verblinden met het aanzien van de Bagshotts in de stad. Alleen welgestelde kooplieden konden hun vrouwen in zulke fijne spullen laten lopen. Ze zou hem opfrissen met het laatste beetje azijn en wat rozenwater. Dat zou haar moeten beschermen tegen pestilente dampen.

'Je ziet er geweldig chique uit, met je overjas. Is dit weer een van je koopjes?' glimlachte Hamon toegeeflijk, want hij wist dat wanneer Margery goed gekleed was, ze gelukkig was en heel inschikkelijk ten aanzien van al zijn verlangens. Welke andere vrouw in de stad had twee van zulke bakkersbollen om zijn honger te bevredigen?

Hij deed stilletjes de poort open, heel behoedzaam, om de rest van het huishouden niet wakker te maken. Ze had gelijk dat ze naar het woud vluchtte, een veilig toevluchtsoord zocht, omwille van hun kind. Hij kuste haar op de wang en klopte haar op de buik.

'Snel, Mags, voor ze je missen. Ik leg het wel uit. Ze zullen het begrijpen. Het ga je goed, en kom niet terug voordat de ziekte is verdwenen, wat er ook gebeurt.'

Ze omhelsde de simpele ziel met oprechte genegenheid. Als echtgenoot had ze heel wat slechter kunnen kiezen, of stelen, dan Hamon de bakker.

Ze zwaaide tot ze de hoek om was, en toen besloot ze de nachtwaker te ontlopen door razendsnel door een heel donker steegje te hollen, waarbij ze zich een weg baande over de lichamen die overal lagen. Het was een vreselijk gezicht, en ze zei de spreuk tegen de pest steeds weer op: 'Anazapta..., ana... zapta.'

Het zou een lange, saaie wandeling omhoog worden. Ze zou eerst Kit de molenaarsvrouw in Frideswelle proberen, en dan een bericht naar Aggie sturen om haar op te wachten bij de poort. Ze wilde het gezicht van haar zuster wel eens zien als die Margery met haar overjas zag, en de gevlochten gouden mantelgesp met granaat, die Hamon haar op de morgen na de trouwerij als bruidsgeschenk had gegeven. Daarna zou ze naar haar dikke buik wijzen. Dat zou echt de lach van het gezicht van een vrome non vegen!

Van aangezicht tot aangezicht

'Wat hoor ik nu? Heeft u mijn orders niet opgevolgd en heeft u die manke meid hier in huis gehaald – dezelfde die de ziekte bijna tot onze deur heeft gebracht? Pater John, ik kan gewoon niet geloven dat u zo dwaas bent!'

Zuster Serena liep in haar kamer te ijsberen, buiten zichzelf van woede over deze brutaliteit. Die priester was niet goed wijs.

'Mevrouw, luistert u alstublieft naar mij. Ik heb uit christelijke barmhartigheid alles gedaan wat me het beste leek voor u allen. Het is zo dat het Onze-Lieve-Vrouwe in haar wijsheid heeft behaagd dit meisje van de ziekte te genezen, en omdat zij voorzover ik weet de enige is met zwellingen die zijn geslonken en met een herstel dat volledig is, leek het mij het beste haar een tijdje op de zolder van mijn onderkomen te laten rusten om dit wonder van barmhartigheid te aanschouwen. Bedenk wel, mevrouw, dat we nu iemand in ons midden hebben die niet meer aan de ziekte kan bezwijken. Ze heeft geen familie meer in leven om haar onderdak te bieden, ze is alleen en onbeschermd. We hebben geen lekenzusters meer om ons te dienen want die zijn allemaal het woud in gevlucht, weg van plaatsen waar mensen bijeenkomen. Zou het niet verstandig zijn om haar binnen deze muren te laten verblijven als hulp voor ons allemaal?'

'Wat heeft een manke nou voor nut?'

'Onze Heer heeft zulke mensen in Zijn wijsheid vele malen gezegend. Ze heeft me verteld dat ze bij het heiligdom van Chad een zegening heeft gekregen, en ik geloof dat hij haar voor dit doel heeft bewaard. Ze draagt zijn penning om haar hals. Ik geloof dat hij, zo groot is zijn macht, heeft verhinderd dat haar zwellingen zouden barsten, als teken dat de nederigen kunnen worden gezegend in het aanschijn van God. Ze zou moeten worden gebruikt om hoop en bemoediging te geven. Wie weet wanneer we haar hier misschien nodig hebben? Ze kan met mij meegaan om de arme zielen te begraven. Misschien beschermt ze mij ook bij mijn werk.'

'Zorg dan dat ze schoon en netjes is, en dat ze me niet onder ogen komt. Ik heb geen zin om eraan herinnerd te worden hoe de volmaaktheid wordt bespot. Waarom kon mijn kleine meisje niet worden gered in plaats van een mank stuk ellende? Het is niet eerlijk.'

'De Heer beziet ons van verre. Misschien ziet Hij de onvolkomenheden niet, ziet Hij alleen wat in het hart is. Mary is eenvoudig en onbeschaafd, zoals u zegt, maar ze is zuiver van hart. We horen vriendelijk tegen haar te zijn.'

'Heel goed, dit is verder uw verantwoordelijkheid, pater John. Laat me nu met rust. Al dit gepraat over de dood vermoeit me.' De priores gebaarde hem te gaan en ze bleef uit het raam staan kijken. Ze voelde zich vanbinnen even koud als het tafereel buiten de luiken, en de ijzige greep van de winter verstrakte zich om haar hart. De laatste bloemen in de perken en op de berceaus waren verlept en verschrompeld door de vorst. Een witte sluier van rijp had het gras binnen de kloostergangen met een zilveren laag bedekt en de visvijvers doen bevriezen. De vissen lagen diep onder het water verborgen. Zouden ze allemaal sterven als vliegen in de zomer, stuk voor stuk, binnen deze muren? Wanneer de eerste sneeuw op het kerkhof viel, zou dan het volmaakte wit nog meer voortijdige sterfgevallen verbergen?

Ze kregen nu in elk geval geen visitatie, want de mannen van de bisschop werden ziek en hij had geen zin om in tijden als deze rond te trekken en was in plaats daarvan naar zijn winterverblijf, diep in het woud, gevlucht. Ze konden hun gestolen wildbraad ongestoord opeten, maar Serena de Saulte had nu weinig zin in feestelijkheden. Lieve Amy... Je hebt het koud, en ik was te bang om bij je te blijven. Kun je maman vergeven? Ze vond geen troost in haar dagelijkse gebeden, maar ze moest zich strikt aan haar taken houden als ze dit allemaal wilden overleven. Misschien had de priester er goed aan gedaan om dat meisje hier binnen te halen. Ze waren zwaar gestraft voor hun lakse gedrag. Het lijden moest hen weer strak en gespannen maken. Slechts door gebed en vasten kon de vijand van de poort worden gehouden. En misschien ook door andere voorzorgsmaatregelen.

Ze tuurde naar de duiventil. De vogels moesten worden gedood, en de katten ook. Maar niet haar honden. Men beweerde dat dieren ziekten konden overbrengen.

In het hart van het klooster en buiten op de verre velden was de grond bedekt met een laagje zilver, vers geëgd en in afwachting van het voorjaar. Wie van hen zou worden gespaard om die jonge groene scheuten te zien?

'Er is iemand voor juffrouw Agnes aan de poort. Neemt u me niet kwalijk, zuster Juliane, maar ze laat zich niet wegsturen.' Mary Barnsley strompelde buiten adem de medicinale tuin in.

'Niemand mag erin of eruit... je kent de regels, kind,' snauwde zuster Juliane terwijl ze bladeren fijnstampte in een mortier. 'Stuur haar weg.'

'O alstublieft! Misschien is het mijn moeder met bericht... Is het slecht nieuws?' Agnes schudde het meisje bij de schouders heen en weer. 'Zeg op!'

Mary boog haar hoofd, ze wilde haar niet vertellen dat het alleen maar de zuster was die ze haatte.

'Ik weet het niet. Ze wilde niets zeggen, maar ze bleef maar naar jou vragen.'

Agnes wierp een bezorgde blik op haar meerdere, waarmee ze om begrip vroeg.

'O, ga dan maar kijken wie het is, maar doe het snel. Geen getreuzel bij de poort – en bedek je gezicht, gewoon voor alle zekerheid. Spreek door het luikje, en bedenk wel: als er ziekte heerst, laten we niemand binnen, zelfs de bisschop niet.'

Agnes' hart bonsde. Stel dat het slecht nieuws was van thuis, over moeder of Hamon. Ze haastte zich naar de houten poort, tuurde gretig door het luikje, en ontwaarde een ineengedoken gestalte in een cape met een halve sluier voor haar mond, een gezicht dat ze maar al te goed kende. 'O, ben jij het, Mags. Wat moet je, na al die tijd? Is er iets met moeder?'

'Nee, het was goed met iedereen toen ik vanmorgen vertrok, ik ben helemaal buiten adem! Ik had gehoopt wat hier te kunnen drinken bij nicht Kit, maar alles is daar verlaten. Hebben ze de ziekte gekregen?'

'Ze zijn allemaal dood, op de meid na, binnen een week na Sint-Michiel.'

'De Heer sta ons bij! Kit is toen bij ons op bezoek geweest. En Simeon en de jongens ook?' De stem van de bezoekster stierf weg en ze sloeg een kruis. Dat was voor de Bagshotts op het nippertje geweest, nadat Kit in de bakkerij was geweest. Goddank was ze daar nu weg. 'Laat ons binnen, Aggie. Ik ben doodmoe van al dat lopen rond Longhall. De De Saultes hebben de weg geblokkeerd en niemand mag erin of eruit. Ik wilde bij Hamons familie logeren, maar ik kwam niet verder dan de kruising. Doe de poort los en laat me erin, zus.'

'Dat kan ik niet doen, Mags. Bevel is bevel, en dit is een gesloten huis. Je bent dwaas dat je zo rond loopt te dolen. Wat dacht Hamon wel dat hij jou zo liet zwerven? Of wil hij soms dat je de ziekte krijgt? Heeft hij nu al genoeg van je spilzucht?' Agnes glimlachte scheef, niet in staat die steek onder water te bedwingen.

'Wie hou jij voor de gek? Het was inderdaad zijn idee. Vanwege dit...' Margery tilde haar mantel op om haar dikke buik te onthullen, en ze klopte er trots op. 'Kijk, d'r ligt weer een bakkersbolletje in de oven. En deze keer rijst hij als een brood.'

'Dat zie ik. En hoeveel manen ben je dan heen?' Agnes' stem klonk hard als metaal.

'Bijna zes... Hij doet vanbinnen een rondedans. Steeds sneller. Ben ik geen slimme meid?'

Agnes werd misselijk van woede. Hamon had haar van alles beloofd en haar zijn liefde gezworen. Ze was draaierig van de schok.

'Haal eens iets te drinken, in de naam van Maria. Mijn keel is zo droog dat ik bijna bezwijm,' jammerde haar zuster. 'Ben je niet blij dat jij veilig hier zit, en niet in de stad? Ik ben zo bang dat ik die pest krijg, dat ik iedere dag naar de kerk ga om tot de Heilige Chad te bidden... Wat vind je trouwens van mijn nieuwe overjas? Van het beste wollen laken. Alleen het beste is goed genoeg voor Mags. Vind je niet dat het me goed kleurt, dit paars? Zo rijk en warm? En ik heb deze netjes gehaakt om mijn vlechten in op te rollen, op de chique manier.' Margery draaide in het rond om haar zuster alles goed te laten zien. 'Kom op, geef me iets te drinken. Waar is je liefdadigheid jegens je arme zuster?'

'Je kunt water halen uit de Frideswelle-beek, die is schoon genoeg, hogerop langs de weg.' Agnes was niet in de stemming het haar rivale naar de zin te maken.

'Ik kan geen stap meer verzetten, Aggie. Mijn tong hangt uit m'n mond en m'n hoofd tolt. In godsnaam, toon wat barmhartigheid.'

Aggie voelde de gedachten in haar hoofd rondtollen. Waarom moet ik medelijden met haar hebben terwijl ze gestolen heeft wat van mij is? Hamon en ik hadden verkering, we hadden elkaar in het geheim trouw beloofd, maar zij heeft ervoor gezorgd dat ze hem trouw beloofde waar anderen bij waren. Waarom zou ik haar nu moeten helpen?

Toen schoot er een vreselijke gedachte door haar hoofd, een schitterend voor de hand liggend idee dat haar naar het hoofd steeg. Je moest het ijzer smeden als het heet was, of 'Carpe diem', pluk de dag, zoals de priester in zijn preek zei. Dit is het moment, dit is je kans. Slechts het nu is belangrijk...

'Ga daar maar even op de oever bij de beek zitten, op dat weiland buiten de muur. Maar spreek tegen niemand. Ik mag hier eigenlijk niet weg, maar ik weet een plek waar ik naar buiten kan glippen, en dan kom ik stiekem naar je toe.'

Margery slaakte een zucht van opluchting. 'Het spijt me dat ik zo lastig ben, maar ik wist dat mijn zuster me niet in de steek zou laten – niet nu zij veilig en wel in haar kloostertje zit. En dat komt allemaal door mij, nietwaar. Het hemd is nou eenmaal altijd nader dan de rok.'

Agnes glimlachte. 'Het komt inderdaad allemaal door jou, Mags.' Ze deed het luikje dicht en liep langzaam terug naar de hut in de kruidentuin, terwijl ze worstelde met haar demonen. Eén blik op haar zorgelijke gezicht, en zuster Juliane slikte een berisping over haar laatkomen in.

'Wat mankeert je? Is er slecht nieuws?'

'Min of meer. Ik heb mijn zuster moeten vertellen over de dood van onze nicht Kit en haar hele gezin. Ze voelt zich niet goed, ze is moe van het lopen. Nu moet ze voor het invallen van de avond terug naar de stad om het slechte nieuws aan onze moeder te vertellen. Ze heeft geen ziekte, maar haar gezondheid is slecht. Wat voor drank kan ik haar geven om haar verdriet te verzachten en nieuwe levenslust in haar botten te geven?'

'Maak voor haar een hartversterker van vlierbes en honing, en laat hierin kamillebladeren en citroenbalsem trekken. Dat moet kalmeren en verfrissen. Je weet hoe je dat moet doen. Zelfs jij kunt zo'n aftreksel niet bederven! Maar haast je, er is heel veel te doen in de tuin. Je moet de perken omspitten en het wordt tijd om te mulchen en de grond winterklaar te maken.'

Zuster Juliane waggelde weg om zelf wat bladeren weg te vegen, nijdig dat er nu geen tuinmeisjes waren om te helpen.

Agnes merkte dat haar handen trilden toen ze de kruik met honing en de potten gedroogde bladeren van de planken pakte. Ze zocht een kleine beker en vulde die met vruchtenextract, waarna ze het bronwater boven het vuur verwarmde voor het aftreksel. Toen alles klaar was, nam ze het smalle gangetje vanaf het tuinpad, waarlangs de laatste stijve lavendelpieken en lage rozen stonden, en liep langs de rand van de gebouwen naar het onderkomen van de priores. De enige die reageerde was de treurige, verwaarloosde Frou Frou, die haar gedwee volgde, zwiepend met haar korte staart, in de hoop op een uitje naar het bos.

'Ik ga even de hond uitlaten... Ik zal haar goed in de gaten houden,' riep ze, en ze liep over de grote stenen platen die over de Frideswellebron waren gelegd, waar de oevers waren overgroeid met berijpt onkruid. Er was niemand die haar list kon horen, dus deed ze het poortje naar het bos open en snelde naar buiten, terwijl ze de kan zorgvuldig rechtop hield om niets te morsen. In de zak van haar tuniek had ze een houten mok.

Ze joeg de hond weg toen ze langs de visvijver kwamen, die onder de bomen verborgen lag. Ze stopte om te controleren of ze door niemand werd gevolgd, en liep toen via het overschaduwde dal naar de buitenmuur erachter. Het pad was vochtig van de rottende bladeren en de doornen van de braamstruiken haakten in haar mantel als om haar tegen te houden, maar ze zwoegde verder. Dit was het moment. Dit was het uur.

Margery zat in haar mantel ineengedoken op de oever van de gezwollen beek. Ze was blij met de warmte en de koestering van haar overjas, hoewel ze zich verbeeldde dat hij nu naar slechte adem en verschaald zweet rook. Ze keek naar de boeren in de verte, die de roodbruine grond omploegden. Wat vreemd dat mensen, ondanks alle ziekte en de versperringen op de wegen, de lijkwagens en de luidende klokken, nog steeds hun eeuwenoude werk deden. Het molenrad werd nu rondgedraaid door lekenbroeders uit de fraterniteit in de stad. Ze had het ergste gevreesd toen ze die vreemdelingen voor het eerst in de molen had gezien. Arme Kit, die goeie ziel, en haar twee jongetjes. Margery huiverde bij de gedachte aan zo'n vreselijke dood.

Ze leunde achterover op haar ellebogen en voelde opeens een geweldige opluchting. Als ze haar zuster goed onder druk zette was het misschien mogelijk dat die een veilige schuilplaats vond, waar Margery ver van de ziekte kon rusten. Aggie kon haar eten brengen en als beloning zou ze de baby mogen vasthouden of een mooi geborduurd manteltje mogen maken om hem in te wikkelen. Ja, het was beslist een hij... Wat zou Hamon trots zijn op zijn zoon! Hij moest een sterke naam hebben, een koninklijke, Edward, Henry of Richard misschien.

Ze draaide zich opgelucht om toen ze haar zuster de helling af zag komen, met een kan in de hand. Die goeie, ouwe Aggie! Margery had altijd op haar kunnen rekenen.

Een mysterie

De priorij maakte zich klaar voor de nacht, de avondmaaltijd was afgelopen, na het gebruikelijke gemopper over de armzalige kost. De nonnen
zweefden terug naar hun onderkomens en zuster Juliane ging opnieuw
op zoek naar haar problematische novice. Ze zou er flink met de scherpe
kant van de bezem van langs krijgen, omdat ze zich had verstopt, of was
ze haar zuster misschien terug naar de stad gevolgd? Het werd tijd voor
de completen, en dan zou ze de priores moeten melden dat er een over-
treding van het reglement was geweest. Net nu ze dacht dat Agnes zich
begon aan te passen en echte belangstelling begon te tonen. Ze werd in
haar overpeinzingen gestoord door luid gebons op de deur.

'Bent u daarbinnen, zuster Juliane? Kom snel! Er is buiten iets vreselijks
gebeurd... er ligt een zuster, een van ons, vrees ik, op het land bij de beek.'

De geagiteerde stem was die van zuster Iseult, die een verwarde bood-
schap had aangenomen van de portier, en die, vergezeld van Manke Mary, op zoek was naar de priores die niet in haar onderkomen was. De oude non deed verschrikt de deur open.

'Kalm toch, zuster Iseult. Wat heeft deze onzin te betekenen, zo laat
op de avond?'

'Het is waar, mevrouw. De oude boer heeft haar, toen hij terugkwam van
het land, op de oever zien liggen en is meteen hierheen gekomen om alarm
te slaan, voor het geval hij anders van het een of ander misdrijf zou worden
beschuldigd. Als u op de heuvel klimt, kunt u net zien waar ze ligt.'

'Is het de ziekte? Wie is het? Wat moest die dwaze non daar buiten de
muur? Ze zijn toch allemaal gewaarschuwd?' brieste zuster Juliane toen
ze hen volgde bij het licht van een fakkel.

'De boer durfde niet dichterbij te komen voor het geval het de pest
was, maar hij zegt dat er geen zweren op haar gezicht te zien zijn. We hebben pater John laten waarschuwen, maar hij is naar Barnsley Common
om de doden te begraven. Er zijn daar weer twee gezinnen overleden.'

'Ze moet naar binnen worden gebracht. Het is niet goed om haar de hele nacht niet toegedekt te laten liggen. We kunnen zuster Mary erop uit sturen om het lijk te onderzoeken, want zij kan niet meer worden besmet,' hijgde de oudere non, buiten adem omdat ze probeerde te praten en mee te lopen. 'Maar kunnen we ervan op aan dat ze hier niet over zal praten en geen schrik onder de zusters teweeg zal brengen?'

'Ze krijgt een draai om haar oren als ze dat wel doet,' zei Iseult beverig. 'En natuurlijk is tante Serena op een moment als dit nergens te vinden. Ze gaat elke keer naar huis, naar Longhall Manor, wanneer ze daar zin in heeft, waarbij ze door de barricades raast als een oorlogskoningin op haar strijdwagen.'

'Zo is het wel genoeg, breng in het bijzijn van ondergeschikten geen oneer over onze gewaardeerde priores. Het moet Agnes zijn... Ik heb haar niet meer gezien sinds vanmiddag, toen ze haar zuster iets te drinken ging brengen. Ik vraag me af of ze weer een van haar oude streken uithaalt...'

'Maar deze non is dood, niet weggelopen. Ik kan gewoon niet geloven dat het zuster Aggie Bagshott is.' Iseult was zowel bang als nieuwsgierig om te weten te komen wier lichaam daar in het duister lag. 'Waar zit die meid toch? Ze is er nooit als je haar nodig hebt.'

Mary was bezig bladeren bijeen te harken voor de composthoop van de keldermeesteres, en ze werd snel op pad gestuurd naar de poort die op het weiland uitkwam. Zuster Iseult haalde haar eigen sleutel te voorschijn – tot grote ergernis van zuster Juliane. Die De Saultes gebruikten dit huis alsof het een privé-verblijf was, vond ze, en daarna zei ze tegen Mary: 'Ga jij eens kijken wie het is... doe voorzichtig en controleer of het de ziekte is. Je weet inmiddels wel waar je op moet letten.'

Mary schoof voorzichtig over de helling omlaag, terwijl ze probeerde niet uit te glijden op het berijpte gras. De nachtlucht was kil, en haar adem hing als een rookpluim achter haar aan. Ze kon nog steeds niet wennen aan die doeken om haar voeten, met harde leren zolen eronder – het was een geweldige luxe om geen wintervoeten te hebben en een warme rok om haar benen te voelen. Waaraan had zij toch zo'n weelde verdiend?

Het lichaam lag met gespreide armen en benen. Het was inderdaad de arme zuster Agnes in haar zwarte habijt. Haar ogen waren wijdopen en staarden met een verschrikte blik omhoog naar de sterren. Ze had geen zweren, er was nergens bloed of iets van een zwelling te zien. Maar het was zo'n vreemde houding om in te liggen. Mary wist zeker dat het de ziekte niet was. Ze klauterde langzaam en moeizaam terug naar de nonnen die bij de poort stonden, en ze schudde treurig haar hoofd.

'Zoals u vreesde, mevrouw, het is zuster Agnes. Maar ik zie geen zwarte plekken of zwellingen bij haar.'

'Zo is het wel genoeg, Mary. Laat ons alleen – en denk aan wat ik heb gezegd. Geen woord hierover tot de priores terugkomt. Je moet hierover zwijgen, of anders...! Ik wou dat pater John er was om ons raad te geven, maar ik vrees dat hij wordt opgehouden. We zullen het lijk heimelijk naar binnen moeten brengen. Het zal een slechte indruk maken als ze door anderen wordt gevonden.'

Zuster Juliane liep terug naar haar tuin om de kruiwagen op te halen, en ze duwde die door de buitenste poort naar het weiland. Samen met Iseult glibberde ze over de oever omlaag om het verstijfde lijk op de kruiwagen te hijsen en die langzaam naar de ziekenzaal te duwen voor nader onderzoek.

Zuster Juliane verbaasde zich over het vreemde uiterlijk van de novice. 'Haar gezicht is opgezet, maar ze is het beslist. Ze heeft geen verwondingen, maar wel een vreemde kleur. Er zijn geen zichtbare bulten onder haar oksels en in de lies... niets anders dan een opgezette buik.' Ze lichtte de tuniek op om de oorzaak van die welving te onthullen. Zuster Iseult slaakte een gesmoorde kreet toen ze de omvang ervan zag. Ze had haar moeder heel vaak op deze manier opgeblazen gezien, en ze twijfelde niet aan de reden ervan.

'Dat zijn geen gezwollen klieren, maar een andere schande! Onze novice hield een geheim verborgen. Ik vrees dat ze is gezwicht voor vleselijke verlokkingen. Al veel maanden *enceinte*, als ik het zo bekijk.'

'Maar waarom is ze dood, als ze geen ziekte of miskraam heeft gehad? Ze zag er eerder wat bleek uit, en ze heeft iets te drinken gemaakt voor haar zuster, of dat zei ze tenminste. Mary kwam haar halen omdat er bezoek voor haar was. Stel dat het geen zuster maar een minnaar in vermomming is geweest, en dat hij haar heeft vermoord?' fluisterde Juliane, met haar hand tegen haar mond geslagen, en ogen die ronddraaiden van schrik. 'Laat me even nadenken... Ik heb haar verteld welke ingrediënten in het aftreksel moesten – de gebruikelijke vruchtenextracten, gewoon wat kamille en vlier. Maar kijk, haar ogen staren alsof ze pijn heeft gehad, en de pupillen zijn vreemd groot. Haar kleur is ook vreemd. Haar lichaam is koud, maar haar gezicht ziet er vreemd verhit uit. Ik begrijp het niet.'

'Aha! Kijk eens, ze heeft een zakje om haar hals... een amulet, iets bijgelovigs, die dwaze meid.' Iseult boog zich voorover en rukte het zakje los, maakte het open. Er zaten twee tabletten in.

'Kijk hier eens. U weet zeker wel wat dit is?'

Juliane liep ermee naar de kaars in de hut en onderzocht de tabletten aandachtig, snoof eraan en peuterde de kruiden er stuk voor stuk uit. 'Volgens mij ruikt dit naar vergif. Ik zal het eens verwarmen om te zien wat er gebeurt. Maar misschien heeft die domme meid gewoon iets genomen om zich van haar last te ontdoen, en heeft ze in haar onwetendheid te veel genomen.'

'U bent heel barmhartig, zuster Juliane. Ik heb eerder de indruk dat ze heeft geprobeerd een einde aan haar schande te maken door zich van het leven te beroven.' Iseult voelde een heimelijke bewondering voor dit gewone meisje dat de moed had gehad een doodzonde te begaan.

'Dat is de meest waarschijnlijke verklaring... een onteerde novice, voor wie door het Gilde is betaald. Ze zou zijn weggestuurd en voor eeuwig verdoemd zijn geweest. Nu maakt ze ons allen te schande met deze smerige dood.'

'Maar er is niemand die het weet. We zouden toch kunnen zeggen dat ze aan de ziekte is gestorven?' Iseult voelde haar wangen gloeien. 'Nee, bij nader inzien zou tante Serena dan volstrekt hysterisch worden. Ze zou ons volledig van de buitenwereld afsluiten uit angst dat de ziekte zich zou verspreiden. Nee, er moet een andere manier zijn.'

'Maar kijk, er zijn kleine zwellingen onder haar oksels. Misschien heeft ze toch iets opgelopen. Ze moet snel worden begraven, vindt u niet?'

Zuster Iseult knikte.

'Maar als zij een doodzonde heeft begaan, mag ze niet bij al mijn voorouders op het kerkhof komen te liggen. Er kunnen geen gebeden voor haar worden gelezen. We zullen het zelf moeten doen, en snel, ergens buiten, of anders kieperen we haar in de molenvijver, zodat het lijkt of ze is verdronken door een ongeluk. Nee, dat is niets. Stel dat ze komt bovendrijven, dan worden er nog meer vragen gesteld en dan zal tante Serena het te weten komen.'

Iseult zocht naarstig naar een oplossing, terwijl haar hart snel bonsde bij de gedachte aan zulk bedrog. Ze wilde het allemaal stilhouden. Op een dag zou haar het onderkomen van de priores rechtens toevallen, als de volgende oudste dochter van het geslacht De Saulte. Ze wilde niet dat er een schandaal aan haar claim zou kleven.

'Laat dit maar aan mij over, zuster Iseult. Ik weet waar ze voor deze ene keer van nut kan zijn, Agnes Bagshott is nooit een waardevolle bijdrage geweest. Nu kan ze misschien iets goeds doen,' verklaarde zuster Juliane.

'Net wat u zegt, eerwaarde zuster. Waar zullen we haar begraven?'

'Hier bij deze muur, een eindje bij de vijgenboom vandaan. Die heeft er wat armetierig uitgezien, hij moet goed worden gesnoeid en hij heeft wat voeding nodig. Ik neem aan dat ze hier de komende jaren van enig nut zal zijn, en buiten ons zal niemand weten waar ze ligt.' Ze zwegen allebei bij de gedachte aan dit bedrog.

'Moet ik haar uitkleden?' vroeg de jongere non.

'Nee, die wol zal snel genoeg wegrotten. Het zakje en die ring aan haar vinger moeten ook op hun plaats blijven. Ik zal morgenochtend tegen de priores zeggen dat Agnes Bagshott weer is weggelopen. Dat zal haar niets verbazen.'

'Maar hoe moet het met de meid?'

'Manke Mary kent alleen maar de eerste helft van onze ontdekking, niet de tweede. Ze zal haar mond houden. Wie anders geeft een mankepoot met bulten in haar nek onderdak? Laat haar maar aan mij over. Ik zal haar vertellen dat pater John het lichaam heeft weggehaald. Ze kan Agnes' plaats in de tuin innemen. Mary werkt hard, ook al loopt ze mank.

Kom, dan pakken we een spade en maken deze klus af. Op die manier komt alles goed.'

De gestalte sprintte stroomafwaarts langs de beek in de invallende schaduwen van de avondschemering, om naar het zuiden toe steeds sneller te gaan, met een loshangende overjas die achter haar aan wapperde als een stel gestrekte vleugels, donker afstekend tegen de oranje avondlucht en de zwarte stammen en takken van bomen waarvan de laatste bladeren van de zomer treurig omlaagvielen. Toen ze de drie torens van de domkerk in het dal beneden zag, begon de eenzame gestalte van vreugde te huppelen.

'Het is je gelukt! Allemachtig, je hebt je kans op de vrijheid benut. Geen regels en voorschriften meer, geen zwart habijt of armzalige kruimels om te eten. Je bent vrij, Aggie Bagshott.'

Uit liefde voor Hamon had ze het onmogelijke weten te bereiken, had ze zich bevrijd van de tirannie van de Frideswellpriorij en was ze voor eeuwig onder het juk van haar vreselijke zuster vandaan.

Nu zou ze samen met haar man een nieuw leven beginnen. Het moest heel gemakkelijk zijn iedereen wijs te maken dat Mags bij de poort van de priorij aan de ziekte was gestorven en haastig bij Kit en Simeon in het gemeenschappelijke graf was begraven. Agnes was hen komen troosten bij hun verlies, en omdat ze nog geen geloften had afgelegd, was ze vrij om haar rechtmatige plaats aan hun zijde in te nemen.

Mags was erg dorstig geweest. Ze had als een dwaas het aftreksel naar binnen gegoten, als een dankbare boer die water uit de bron drinkt, zonder ook maar één moment te denken dat er vergif in kon zitten. Het was heel eenvoudig geweest om zaden en wortels van prachtige planten in helse brouwsels te verpulveren, als je wist hoe. Al die maanden onder zuster Juliane waren niet verspild en nu had Agnes wraak genomen op hen allemaal.

Mags had niet erg geleden.

Agnes had naast haar gelegen om te zien of haar adem was opgehouden, en toen had ze alle kledingstukken zorgvuldig uitgetrokken, om ze stuk voor stuk te verwisselen voor haar eigen spullen: nonnenkap voor gazen hoofddoek, blote voeten voor schoenen, habijt voor jurk plus overjas.

Ze was grondig. Alleen de ring wilde niet van Mags' opgezette vinger af, en het zakje met pillen dat als een ketting om haar hals hing maakte het geheel af. Dat zou hun tot nadenken stemmen, als ze het lichaam vonden van een gevallen non die een kind verwachtte. Geen wonder dat de arme ziel zich van het leven had beroofd.

Agnes voelde zich vreemd gevoelloos en kalm, alsof ze door de lucht zweefde. Ze was geen enkel moment teruggeschrokken voor deze daad. De God van Genade doodde arme mannen en vrouwen als Kit en Simeon en hun kinderen bij duizenden tegelijk. Dan zou Hij zich echt niet bekommeren om nog één meer. Het werd tijd om datgene op te eisen wat haar rechtmatig toekwam, tijd om terug te keren naar de stad van de torenspitsen.

Ze ontweek de wachter bij de poort en de nachtwacht en sloop door achterafsteegjes en bonsde toen op de poort van de bakkerij, luid genoeg om de doden op te schrikken. Niemand gaf antwoord, dus timmerde ze met een stok op de luiken.

'Ga weg!' schreeuwde een stem vanuit het huis. Was het dom van haar om naar Baker's Lane terug te keren om hun te vertellen dat ze veilig was? 'Doe meteen open! Ik ben het, Aggie, ik kom op bezoek.'

Het bezorgde gezicht van haar moeder tuurde door een kiertje naar buiten. 'Ben jij dat, Mags?' Moeder was kennelijk zo ontredderd dat ze haar voor haar zuster hield. 'Dank de Heilige Antonius en alle martelaren dat je weer terug bent! We zijn erg ongerust geweest. Hamon heeft zich niet goed gevoeld sinds jij was vertrokken. Ga zelf maar naar hem toe. Naar boven, snel, maak dat je wegkomt!'

'Maar ik ben het, Aggie... De arme Mags is gisteren bij de poort van de priorij aan de koorts gestorven.' Aggies verhaal was goed gerepeteerd maar leek niet erg overtuigend nu ze haar zusters kleding droeg.

'Dat zeg je nou wel, maar je bent gewoon een beetje in de war door al dat lopen. Rust nu uit en geef je man wat water. Je moet nu voor hem zorgen.' Moeder duwde haar de gammele trap op, waarbij ze nauwelijks keek wie ze leidde.

'Ik ben gekomen om hem mee te nemen...'

'Ja lieverd, dat is goed. Hij is helemaal boven.'

Moeder besteedde geen aandacht aan haar, dus draaide Agnes zich om en wilde gaan, maar de zware deur werd voor haar neus dichtgeslagen en de ijzeren sleutel werd omgedraaid, om haar te weerhouden van een vlucht. 'Moeder! Doe de deur open!' hoorde ze zichzelf gillen.

'Dit is zo het beste, Margery. Je bent overal geweest, en misschien draag je de pest met je mee... Zorg voor je man, dan zorgen wij voor de bakkerij. Je vader weet wat het beste is. Ik breng straks wat soep en brood, wees maar niet bang.'

'Moeder! Ik ben het, Aggie, niet Mags. Je weet het verschil toch wel! Aggie uit de priorij, met speciaal verlof om jullie te helpen. Ik draag de ziekte niet bij me. Kijk maar!'

'Dat is mooi, ga boven nu maar uitrusten. Hamon heeft je nodig.'

Pas toen draaide Aggie zich om en zag zijn vreselijke zweren, zijn zwart geworden gezicht en zijn opgezette tong. Ze had de ene gevangenis verruild voor een andere die veel erger was en waaruit geen ontsnapping mogelijk was. Ze kon de vloeken van haar dode zuster in haar oren horen. Agnes tastte naar het zakje rond haar hals. Het was weg. Ze had gedacht dat ze slim was, en nu moest ze daarvoor boeten. O god, nee! *Mea culpa, mea culpa... mea maxima culpa...*

Mary Barnsley zat op de hoge stoel, en haar lange, donkere haar was getooid met een krans van klimopbladeren, mistletoe en besjes. De kapittelzaal was versierd met hulsttakken, in het donker flonkerden vrolijke kaarsjes en voor deze ene keer brandde er een groot vuur in de haard, met vlammen die flakkerden en opschoten, en de geur van het kerstblok was warm en uitnodigend. Droomde ze? Was zij echt degene die was uitgekozen om 'meesteres van het wanbestuur' te zijn, priores voor een hele dag, om grapjes uit te halen en spelletjes te doen, vrolijk te zijn en over alle nonnen te heersen? Hoe hadden zulke rijkdommen haar ten deel kunnen vallen? Ze had de kokkin opdracht gegeven aalmoezen van noten en bonbons te brengen, ze had zuster Juliane voor de gek gehouden, ze had met alle nonnen zo goed mogelijk een rondedans gemaakt terwijl de minstreel een deuntje op de vedel speelde. De bewoners van de priorij waren voor de ziekte gespaard gebleven, behalve Amy en de arme pater John, wiens goedheid Mary's leven had gered.

Nu zat ze hier, gekleed in de mooiste karsaai, met een rok die haar misvormdheid aan het oog onttrok, met leren laarzen aan haar voeten, met glanzende vlechten en vrij van jeuk dankzij de vele zalfjes van zuster Juliane. Haar zweren waren nagenoeg verdwenen en haar gezicht was schoon. Alleen de harde knobbels in haar nek herinnerden haar aan de reden van haar komst hier, en aan de arme mevrouw Kit. Mary moest deze bewijzen voor altijd met zich meedragen als teken van de barmhartigheid van God en de Gezegende Chad in wrede tijden. Ze zou nooit kunnen begrijpen waarom zij zo bevoorrecht was.

Nu bracht ze haar dagen door in het hart van de priorij, met wieden en zaaien, planten en snoeien, naar de aanwijzingen van de oudere non. Soms werd ze naar de wasserij gestuurd, of het woud in om varens om te hakken en die tot as te verbranden voor het maken van een speciaal loog. Ze vond het heerlijk om over de paden met varens te zwerven en de frisse, koude lucht in te ademen. Haar borst werd ruimer, haar lichaam werd ronder door het goede eten. Op een dag zou er een jongen naar haar kijken en haar manke been vergeten. Niemand noemde haar nu nog Manke Mary, en soms keek zelfs de priores haar kant uit met een glimlach in plaats van met toorn. Mary merkte dit altijd op, want ze bezat deze wetenschap zonder woorden. Het was een nuttige gave.

Iedere keer dat ze de muur van eikenbomen en de poort van het klooster bereikte, popelde ze om weer naar binnen te gaan. Aan haar eigen familie dacht ze nooit.

De winter zou lang en koud zijn, en het feest van Sint-Stefanus zou weldra plaatsmaken voor de vastentijd, maar nu was er alleen maar feest en warmte. Wanneer de sneeuwklokjes opengingen zou ze met een boeketje ervan naar de grafkuil gaan om iedereen te gedenken die niet zo fortuinlijk was geweest als zij.

De wegen van de Heer waren heel vreemd, maar van nu af aan zou ze iedere dag van haar leven de heiligen in hun glorie bedanken voor het zoete leven binnen deze muren.

In de rozentuin

De zon is nu achter de heuvel gezakt en de maan komt op. Op de bakste-nen muur rond de tuin zit een steenuil, die een kreet slaakt en klapwiekend naar de dichtstbijzijnde boom vliegt. Iris loopt snel weg van de treurige geesten van de kruidentuin, over het lemen pad waarlangs kuipen met wit-te tabaksplanten staan, die een geur als van potpourri naar haar gezicht la-ten opstijgen. Nu verder, naar de achterkant van het huis, waar ramen met kleine ruitjes uitkijken over de ovale perken met floribunda-rozen waar-onder het schuim van de gele *Alchemilla mollis* over het kortgemaaide gras opbolt als de onderrokken van grootmoeder. Tijd om de rozen te inspecte-ren op meeldauw en luis, maar eerst doet ze een stap naar achteren om de bruingele 'Gloire de Dijon' te bewonderen, en de laatste 'Mai Gold' die te-gen de bakstenen muur klimmen. Er is iets gezelligs aan de manier waar-op die twee rozen zich met de roomkleurige kamperfoelie verstrengelen op de schoorsteengevel van zalmroze en rode baksteen, en vandaar naar een roodbruin pannendak; een latere uitbreiding aan de oudere zijde van het huis, een bastion van warme steen tegen de ijzeren hand van de winter.

Iris zit op de houten bank met uitzicht op de perken. Dit was altijd het geliefde plekje van haar moeder. Ze had graag bloemen van zonne-schijngeel. De theeroostuin heeft dat ook: een atmosfeer van rechte rug-gen, no-nonsense, beste porselein op het gazon en zondagse manieren. Misschien is het de symmetrische indeling, keurig en recht, vol optimis-tische kleuren. Alleen de zonnewijzer, die hier het punt van aandacht vormt, maakte Iris als kind altijd bang met de waarschuwende mededeel-ing: *Rook en schaduwen zijn wij.*

Ze inspecteert de zonnewijzer op nog meer barsten in de grijze steen die verweerd is door eeuwen van winters, en aan de noordzijde bedekt met korst-mossen. Dit was altijd een beschaduwde plek voor een dame, geen schuil-plaats voor een kind of toevluchtsoord voor een man. Keurig, beschaafd en netjes. Ter nagedachtenis aan moeder is dit altijd precies zo gebleven.

Zal ik hier volgend voorjaar nog zijn om mijn jaarlijkse open dag mee te maken? vraagt Iris zich af. Heb ik als een grondwerker gezwoegd om op mijn knieën honderden bollen in deze zware grond te stoppen, waarbij ik die rotzakken heb gesmeekt heen te gaan en zich te vermenigvuldigen, allemaal om een ander plezier te doen? Dat is de magie van de tuin. Je zwoegt en zweet en eindelijk, vele maanden later, komen ze boven in een overdaad aan kleur. Eerst de sneeuwklokjes en de winteraconieten, dan de krokussen, paars, wit en geel, gevolgd door trompetnarcissen en trosnarcissen, pollen schreeuwerige primula's en zoetgeurende muurbloemen. En tot slot een uitstalling van vuurrode tulpen om voor de grootse finale van de voorjaarsparade te zorgen.

Nou, ze zullen het nu allemaal zelf moeten doen. Ik heb geen puf om me voor hen uit te sloven als een bezorgde moeder voor haar kroost. De dagen van buitenwerk zijn voor mij voorbij. George uit het dorp doet al het zware werk, dus waarom maak ik me zorgen over dit alles?

De aanblik van 'Golden Showers' die over de muur omlaaggolft roept een diepe droefheid in me op. Zou moeder blij zijn te zien dat ze hem zoveel jaar uitstekend had bijgehouden, ook al heeft Iris zelf een hekel aan die knalgele bloemen?

Regels zijn regels, en het evangelie is ook op rozen van toepassing. Ze horen waar voor hun geld te geven, er mooi uit te zien, lekker te ruiken en meer dan één keer te bloeien.

Ik heb me laten verleiden door te veel eendagsvliegen, die hun bloemblaadjes meteen laten vallen. Die saaie 'Golden Showers' is een taaie volhoudster. Ze heeft nauwelijks enige geur als compensatie voor de felle kleur, dus ze wordt nog maar nét getolereerd!

Iris streelt de gewelfde trellis, met witte rozen die er als een romig schuim overheen golven. Dit is daarentegen echt een roos die in deze tuin hoort: *Rosa alba peniflora*, een wulpse slet die zich schaamteloos rond de *Clematis montana* 'Elizabeth' slingert! Er was een keer een bezoeker die heel enthousiast werd over dit ras, hij zei dat het een heel oude variëteit was en dat de roos er misschien al had gestaan voordat de schoorsteen zelf werd opgetrokken.

Iris vraagt zich af of iets het al die tijd op één plek uit zou kunnen houden. Als dat zo was, moest iemand zelfs in die tijd het benul hebben gehad een ding van waarde te herkennen als ze het zag. Het moest een vrouw zijn geweest. Vrouwen en rozen waren voor elkaar geschapen, dus wie moest ze eigenlijk bedanken voor zo'n geschenk?

DEEL VIER

Het nieuwe huis

1565

'Wie in regen zaait, zal oogsten met tranen.
Wie zaait in kwaad, is altijd bang.
Wie slecht zaad zaait of plundert zijn land,
Heeft een slechte blik, en hij maakt het niet lang.'
The Country Housewife's Garden, WILLIAM LAWSON 1618

'DE ROOS

*Wat een ophef hebben schrijvers over de Roos gemaakt! Wat een
misbaar! Ik moet eraan toevoegen: rode Rozen zijn onder Jupiter,
Damascener onder Venus, witte onder de Maan en Bourbon-rozen
zijn onder de koning van Frankrijk.'*

Volharden

De kerkuil dook geruisloos, als een spook met een wit gezicht, over de verwoeste tuin, met nachtogen die op zoek waren naar veldmuizen en woelmuizen. Hij cirkelde hoger, over de kapotte muur naar het bosje dat ten noorden van de priorij lag, waar de vogel neerstreek op een dikke tak van een van de machtige eeuwenoude eiken die sinds het begin der tijden de wacht hadden gehouden bij de kruising van de wegen. Hier pauzeerde hij even, als om de gebouwen te overzien, die afbrokkelden als de puntige tanden van een verrot gebit. Alleen de tiendschuur stond nog recht op het met keien geplaveide erf vlak bij de poortwoning. De oude kerk hing gevaarlijk scheef, het dak moest nodig worden gerepareerd. De rest van de priorij lag er rampzalig bij, beroofd van stenen en balken, met rode bakstenen die tussen de bergen rommel verspreid lagen; een woest landschap van ladders, kruiwagens, kalkbakken en steigers.

Hier en daar konden in het maanlicht de contouren van de oude tuin worden ontwaard in de groenblijvende hagen van hulst en taxus, met klimop begroeide muren, een buitenste cirkel van heesters, donkere vormen van boomgaarden en hagen langs de weilanden. En door dit alles heen het kronkelende lint van het beekje, dat bochtig verder stroomde naar de bredere beek en naar de molenvijvers voorbij de kloostermuur. Hier scheidden strogedekte hutten en huisjes de levenden van hun doden op het oude kerkhof. De geur van mensen die buiten waren, maakte dat de uil op zijn tak bleef zitten, achterdochtig en waakzaam.

De nachtvrouw deed haar ronde, ze doolde over de puinhopen, zorgeloos en verdwaasd, met een ander menselijk wezen dat haar bezorgd volgde en zacht riep: 'Zuster Felice! Wordt wakker... Het is veel te koud om buiten te zijn in niets anders dan uw nachthemd... Wees toch verstandig, ik bid u, komt u toch binnen. Waarom zoekt u zo, te midden van de ruïnes?'

Leah Barnsley huiverde in haar hennepen nachthemd met slechts een wollen omslagdoek tegen de vorst. Iedere nacht werd ze wakker door gestommel op de trap en tocht in de gang, wanneer de oude vrouw liep te slaapwandelen, verward door alle nieuwe bouwactiviteiten, struikelend over planken en balken. Het was een wonder dat ze zich niet had bezeerd. Baggy's gereedschap lag overal. Hij was zeker niet bang voor diefstal, maar haar neef kon nonchalant en slordig zijn. Leah zou hem nog niet het bouwen van een varkenskot toevertrouwen als hij vol bier zat. Hij sloeg hier en daar stukjes over. Zijn hout was nooit goed uitgehard, hij beknibbelde op spijkers en liet ruwe randen achter. Het was haar een raadsel hoe hij ooit het toezicht had gekregen over de bouw van het nieuwe huis; waarschijnlijk waren er steekpenningen uitgedeeld, had hij misschien dubieuze transacties met squire Salte om de kosten laag te houden.

Het huis begon langzaam vorm te krijgen, het werd opgebouwd uit het nonnenklooster en de kapittelzaal, de oude gebouwen waren met de grond gelijk gemaakt, waarbij slechts de zware eiken balken rechtop waren blijven staan, als de ribben van een os. Er zou een nieuwe schoorsteenmantel komen, met een schoorsteenpijp, een glas-in-loodraam in plaats van luiken, naar verluidde, maar het was nu niet het moment om over het bouwterrein te zwerven om te controleren of deze verhalen klopten.

'Kom, mevrouw, het is al laat, en straks begint de haan te kraaien. Mevrouw Salte zal heel boos zijn als ik te laat met haar was begin. U weet dat ze wil dat ik de wastobbe klaarzet en voor haar linnengoed zorg.'

Leah schoof dichter naar de ineengedoken gestalte toe en stak haar hand uit om de slaapwandelaarster terug te voeren naar het logement van de priores, dat aan het eind van de oude gebouwen stond, het laatste overblijfsel van het nonnenklooster, met het hellende dak nog intact. De oude vrouw protesteerde niet. Haar grijze ogen waren dof en waterig, haar schouders hingen omlaag, haar mond viel open waardoor nog maar weinig tanden zichtbaar werden.

'Goed zo, zuster Felice, terug naar bed... Alles is nu verdwenen, de nonnen en het koor. Geen nachtelijke mis meer voor u om te zingen. Staat u daarom zo vroeg op? Hoort u nog steeds de klok en wilt u dan naar het klooster? Er is niets meer van over, alleen maar een berg bakstenen voor het nieuwe huis van uw neef. Hij verspilt niets, alles wordt weer opnieuw gebruikt voor een mooi huis voor u om warm en knus in te wonen. Ik bid u, ga met mij mee terug naar uw logement. U moet weer rusten en ik moet aan het werk, anders krijg ik van mevrouw Sarah weer een draai om m'n oren omdat ik te laat ben.'

Leah Barnsley zuchtte toen ze de broze gestalte over het tuinpaadje naar de open deur terugbracht, en daarna de tien treden omhoog naar het bed van de oude vrouw. Het logement was weinig meer dan een eenvoudige cottage, nu alle wandtapijten en lambriseringen eruit waren gehaald en waren opgeslagen voor de nieuwe kamers van mevrouw Sarah; zelfs de oude kasten met houtsnijwerk waren weggevoerd. Er was niets achtergebleven behalve het hemelbed waarin vele generaties prioressen van het geslacht Salte hadden gelegen. En deze nieuwe vrouw zou zelfs dat hebben laten weghalen als ze ook maar enigszins de kans had gekregen. Haar haviksogen misten niets dat van enige waarde was. Hoe konden die inhalige Saltes zo gemeen doen tegen een oude vrouw die ooit een hoge plaats in het district Frideswelle had bekleed? Hoe konden ze hun oude tante zo verwaarlozen, een dame die meer dan zeventig jaar op deze wereld was en die veertig jaar geleden van haar geloften was ontheven?

Zuster Felice had de sluiting van de priorij met waardigheid en nederigheid doorstaan, zo had Leahs grootmoeder haar kinderjuffrouw heel lang geleden verteld. De familie Barnsley was altijd in dienst geweest van de priorij, al vanaf de vreselijke pestepidemie toen iemand van haar familie de nonnen van de ziekte had gered, of zoiets, en de eeuwenoude eiken nog maar zaailingen waren. Maar binnenkort zou zelfs het logement met de grond gelijk worden gemaakt en zou de oude priores geen plekje meer van zichzelf hebben. Het was niet eerlijk of fatsoenlijk. Het zette de dingen op z'n kop.

Sarah Salte was geen vrouw die tegenspraak duldde, het minst van al van haar bediende en ondergeschikte. Mevrouw was een vreemde in het district, en ze was helemaal voor de nieuwe strenge godsdienst en voor het afbreken van de mooie standbeelden en het fraaie houtsnijwerk in hun kerk. De arme dominee wist niet meer welke kant hij uit moest. Hij was helemaal grijs geworden van al het gedoe. Eerst de veranderingen van koning Hendrik en zijn zoon, toen weer terug in de vreselijke tijd van koningin Maria Tudor met het verbranden van ketters en alle paapse toestanden, toen hij zijn jonge vrouw had moeten verstoppen uit angst voor wat haar kon overkomen. Squire Timon scheen zich niets aan te trekken van dit alles, vooral niet van het gezeur van zijn vrouw, dus bleef de kapel onaangeroerd. De dorpsbewoners sloegen met veel belangstelling gade hoe ze hem de baas was, maar ze waren bedroefd dat hij iemand van zijn eigen familie niet eerde. Leah was volstrekt machteloos hier enige verandering in te brengen, ze was alleen maar een pachtersvrouw met gebruik van het logement voor de duur van het leven van zuster Felice.

Toen ze de zware eikenhouten deur, die glimmend geboend was tot de kleur van turf, opendeed, leek de oude non eindelijk te beseffen waar ze was, en ze liet zich met een zucht van opluchting in het veren matras zakken. Ze rolde zich op als een klein kind en Leah dekte haar zorgzaam toe met de gewatteerde sprei en trok de mooie damasten gordijnen rond het bed dicht om de klamme atmosfeer van de vroege morgen buiten te sluiten.

Straks zou het werk van die morgen beginnen, maar eerst maakte ze melk warm in de pan. Het vuur in de schouw was nog warm genoeg. Joseph, met wie ze kortgeleden was getrouwd, lag op hun stromatras te snurken, onder een met kapok gevulde deken, hun enige huwelijksgeschenk, gemaakt door haar moeder en zusters. Straks zou hij zich voegen bij de gebroeders Bagshott van het aannemersbedrijf, om balken en planken te zagen, palen en steunbinten vast te zetten. De Bagshotts en de Barnsleys waren altijd ergens in het district Frideswelle te vinden, evenals in de stad in het dal, waar ze ooit bakkers waren en nu steenbakkers. Nog steeds een soort bakkers dus, respectabele burgers die zeer gezien waren met deze vloed van nieuwe gebouwen die uit de ruïnes van oude kloosters werden opgetrokken. Wat was ze trots op Joseph, die alles aanpakte wat er op het landgoed te doen was. Ze waren een jaar geleden getrouwd, toen ze de directe dienst van haar mevrouw had verlaten om voor de oude non te zorgen.

Leah moest al het Salte-wasgoed schoon zien te houden te midden van alle bouwactiviteiten, want ze werd beschouwd als de beste wasvrouw tussen Longhall en hier. Haar linnengoed was het witst en het zachtst, en ze kon vlekken wegbleken, kantwerk opfrissen, mutsen en roesjes tot gesteven perfectie plooien. Het geheim van haar succes school in een speciaal recept dat door Bagshott- en Barnsley-vrouwen werd doorgegeven: instructies voor het bereiden van een loog waarin vlekken snel en veilig konden worden geweekt wanneer ze vakkundig in de wastobbe werden gelegd. Mevrouw Sarah had vaak geprobeerd haar het geheim afhandig te maken, maar Leah wilde er geen afstand van doen; nog niet voor een zak donsveertjes of een kan van het beste bier. Zelfs niet voor een nieuwe muts. Eens op een dag zou ze haar dochter vertellen hoe ze het wasgoed wit moest krijgen, maar Leah en Joseph hoopten eerst op een zoon.

Ze bracht de warme melk met kruiden naar de oude dame, maar ze trof haar diep in slaap aan, met verwarde witte haren op het kussen omdat haar slaapmuts was losgeraakt. Ze weet niet dat ze slaapwandelt, dacht Leah. Arme vrouw, ze weet niet wat voor jaar het is, of dat we een koningin op de troon hebben. Ze denkt, vrees ik, dat ze nog steeds priores is, en ze is niet meer bij ons. Als ik oud ben, hoop ik dat ik niet door mijn kinderen in de steek word gelaten of in een hoek word geduwd om weg te teren. De jonge vrouw keerde opgelucht via de smalle trap terug naar de warmte van haar man. Als een vrouw niet trouwde werd ze alleen gelaten, genegeerd, door haar familie heen en weer gestuurd. De arme zuster Felice verging het weinig beter dan de priorij, ze waren beiden halfvergeten relikwieën uit het verleden, slachtoffer van verwaarlozing.

In de warmte van het veren bed droomde zuster Felice Salte van grazige kloosterpaden en het geluid van nonnen die zongen als het koor van de dageraad. Haar nest vol zingende vogels, nu allemaal verdwenen. Ze waren op het laatst nog maar met zijn zessen, en ze hadden altaarkleden en liturgische gewaden geborduurd, met maar twee inwonende bedienden om voor hun maaltijden te zorgen en hun kleren te wassen.

De zon leek altijd te schijnen in de siertuin van de priores, met de rijen lichte rozen, lelies en lavendelperken, de anjelieren en de afrikaantjes die over de rand van het pad hingen. De keurig geknipte taxusboog verbond het ene deel van het klooster met groene doorgangen aan andere delen; herbarium, cellarium, kloostergang, de trap omhoog naar de heilige bron van Onze-Lieve-Vrouwe van Frideswelle... dit alles nu verwoest door haar dwaze vergissing.

Was zij niet degene die had gehoord dat een groep inquisiteurs van kardinaal Wolsey op weg was om het klooster te sluiten? Slecht nieuws verspreidt zich altijd het snelst. Felice had gezegd dat ze zich in het woud moesten verstoppen, dan zou het lijken of de nonnen al waren vertrokken en hoefde er geen inventarisatie te worden gemaakt. Dus verstopten de zusters zich als dieven en wachtten tot het bezoek weer weg was. Ze had vurig tot de heilige Edith van Polesworth gebeden dat de vreemdelingen in de Chase zouden verdwalen en een andere route zouden nemen, met een ander gebedshuis om te sluiten.

In haar droom riep Felice uit: ik was te haastig! Ik dacht dat ze weg waren. Ik rende verheugd naar de toren van de kapel om de klok te luiden... een teken voor al mijn zusters om weer naar huis terug te keren. Maar zíj waren degenen die listig waren, die zaten te wachten met een glimlach op hun gezicht, want dit was een oude truc, en ze glimlachten omdat wij nu aan hun genade waren overgeleverd... O, dwaze vrouw! Lijsten van pachters en land, lijsten van gebouwen en schenkingen, lijsten van liturgische gewaden en kunstvoorwerpen. Niets dat voor hen van enige waarde was, maar ons leven lag in puin. Wat hebben we gehuild toen we de laatste dienst zongen. Niemand wilde afscheid nemen of onze kapel verlaten. Zuster Muriel werd teruggestuurd naar haar familie in Newcastle, zuster Elinor naar Warwick, zuster Philippa naar Brawood. Ze smeekte bij mij te mogen blijven, maar haar broer stond erop dat ze terugkwam, want ze was nog jong en van huwbare leeftijd. En hier ben ik nog, de laatste priores, omdat mijn eigen broer, Richard van Longhall, wil dat ik aanblijf om het terrein te bewaken, als een soort huisbewaarster bij de poort. Hij hoorde niet naar mijn smeekbede om naar een andere orde te worden gestuurd, naar een rustig klooster, en waar had ik trouwens naartoe moeten gaan, omdat er niet één meer over was in het land?

Maar in haar dromen proefde ze nog de smaken en rook ze nog de geuren uit haar jeugd. Het vertrouwde aroma van kaarsen en bijenwas, vers gevogelte dat met appels was gebraden. Soms kon ze de jonge Leah zien poetsen en poetsen, zoals haar moeder en haar grootmoeder voor haar hadden gepoetst. Niets blijft eeuwig bestaan. Het hart van haar priorij was eruit gerukt, de vredige plaatsen waren bedorven toen deze twee jonge Saltes met hun plannen kwamen. Er was geen rust meer voor gebed en contemplatie, niet met die vreselijke Sarah die de baas speelde als een opgeblazen kip, die als een viswijf bevelen liep te schreeuwen. Ze zouden binnenkort alles kaal hebben geplukt, maar ze zouden haar geheim niet in handen krijgen: het Grootzegel van de Priorij, dat nooit aan de bisschop was teruggegeven. Men dacht dat het verloren was gegaan, maar Felice wist precies waar het was verborgen, veilig voor plunderaars. Nu zou het voor eeuwig hier bij Frideswelle blijven. Soms haalde ze het uit de leren verpakking om de gegraveerde beeltenis van Onze-Lieve-Vrouwe met het Goddelijke Kind te betasten, en het visioen te eren van zuster Ambrosine, haar voorgangster en stichteres van de priorij.

Maar dan werd ze met een schuldig gevoel wakker omdat ze probeerde zich te herinneren waar het lag. Veilig in de kast – of had ze het ergens buiten gelegd? Haar geheugen speelde haar weer eens parten, verduisterde haar blik. Zuster Felice kon zich niet meer herinneren waar het zegel nu lag. Ze rinkelde met de bel naast haar bed. Ze moest meteen opstaan om het zegel te gaan zoeken.

Als ze was aangekleed en had gegeten zou ze een stok pakken en langzaam over het bouwterrein naar de stilte van de kapel lopen, en naar de koorbanken van bewerkt eikenhout waarin ze ooit met haar zusters had gezeten. De muren waren vochtig en vlekkerig, en de kleurige muurschilderingen waren al half weggewist door de witkalk. Zelfs de nissen voor de beelden van heiligen stonden leeg, want deze nieuwe meesteres stond erop dat er geen beeltenissen waren om de plaats van haar eredienst met idolen te vervuilen. Felice begreep niets van al deze ophef. Ze voelde zich als een vreemdeling in een ver land, zo onbegrijpelijk was alles voor haar, met een dienst in gewoon Engels en een vreemd gebedenboek en geen missaal. De pastoor had nu een vrouw en kinderen en gedroeg zich in het dorp als een landheer, niet als een nederige priester. Hoe kon ze nou zulke veranderingen aanvaarden? En waar had ze dat pakje toch gelaten?

Felice bedacht dat ze zich alles misschien beter kon herinneren als ze in haar bank ging zitten. Wat verlangde ze ernaar zich te kunnen voegen bij zuster Muriel, zuster Elinor, zuster Philippa, die reeds lang geleden de weg van alle vlees waren gegaan. Waarom wilde haar lichaam zo koppig niet de geest geven, maar klampte het zich vast aan de adem? Ze kon altijd weigeren te eten, dat zou haar einde beslist verhaasten, maar haar maag rammelde en protesteerde iedere morgen tot ze haar havermoutpap gretig, en een beetje beschaamd, naar binnen werkte. Eten en warmte waren nu haar enige vormen van troost, maar ze moest zich zien te herinneren waar ze het grootzegel had verborgen, anders zou het voor eeuwig verloren gaan.

In het kleine, oude gastenverblijf bij de poort van de priorij, dat was volgepropt met zwaar eiken meubilair en bedgordijnen, porde en duwde Sarah Salte, de nieuwe vrouw des huizes van Frideswelle, haar man wakker.

'Snel! De haan heeft al gekraaid maar het is nog donker... Ik kan niet slapen. Word wakker, goede Timon, ik moet met je praten.' De man gromde en snoof en keerde zijn rug naar dit ruwe ontwaken. Ze porde hem met haar ellebogen. 'Word wakker! Mijn voeten zijn koud en er zijn dringende dingen te bespreken.'

Timon Salte deed een lodderig oog vol slaapresten open. Met zijn dertig jaar was hij nog steeds in de volle kracht van zijn mannelijkheid, met een rond gezicht en rossig haar, en zijn gelaatstrekken werden onderstreept door een mooie, kastanjebruine baard. Zijn wangen hadden dezelfde vuurrode tint als zijn nachtmuts, maar omdat hij dol was op de beste malvezijwijn had hij altijd een tong als van ruwe matten, en was zijn hoofd wazig door zulk ruw wakker maken. 'Wat nu, vrouwe Salte?'

'Ik verdraag dat geen dag langer meer!'

'Wat, als ik vragen mag?'

'Dat die vrouw nog steeds in het logement woont... Het wordt tijd dat het wordt afgebroken.'

'We hebben dit al eerder besproken. Ze is nu eenmaal mijn tante. Het is haar thuis, en het is stevig genoeg om ernaast te kunnen bouwen. De funderingen zijn solide...'

'Het zal het hele effect bederven als er zo'n rommelstuk tegen ons nieuwe huis aan zit, als een soort schuurtje.'

'Doe niet zo belachelijk. Het is een uitstekend bouwwerk. Waarom zouden we het afbreken? Dat is niet zinvol.'

'Dan moet zij maar weg. En snel ook.'

'Weg? Waarheen? Dit is haar onderkomen geweest voor welhaast vijftig jaren, sinds ze in het nonnenklooster ging, in... laat me eens denken...'

'Wanneer ons nieuwe huis voltooid is, wil ik niet dat die oude stakker daar loopt rond te dolen, op weg om met haar niet-bestaande nonnen de metten te zingen. Ze doet het nog steeds. Ik heb haar 's nachts om twee uur als een nachtvlinder zien ronddwalen.'

'Ga toch slapen, vrouw. Ze moet hier toch een plek hebben? Waar kan ze anders naartoe?'

Timon werd weer nijdig bij de gedachte dat zijn tante op straat zou worden gezet. Sarah was nieuw in de familie, en ze had geen idee hoeveel de priorij voor hen allen had betekend. Hoezeer hun welvaart had samengehangen met het succes of het mislukken ervan. Hoezeer ze van geluk mochten spreken dat ze nu in staat waren het terrein te bemachtigen en het recht te hebben er een woonhuis op te bouwen.

'Ze kan naar Longhall Manor om zich daar terug te trekken, zodat ze me niet meer voor de voeten loopt.'

'En waar kunnen zij haar dan wel onderbrengen? Bij het personeel? Ze zitten daar vol met kinderen, het krioelt ervan. Gebruik toch je verstand en houd je mond!'

'Maar je hebt mijn vader beloofd een huis voor me te bouwen dat bij mijn stand past.'

'Ga nou gauw weg! Jouw ideeën zijn altijd ver boven onze stand, lieve schat. Ze passen meer bij de staat van een edelman dan bij die van een simpele landheer...'

'Wij zijn Saltes, en we kunnen ons hoofd recht houden tegenover iedereen in dit graafschap, vooral tegenover die vreselijke Pagets die de helft van de streek willen inpikken om hun bezit uit te breiden.'

'Hij heeft fortuin gemaakt, terwijl mijn geldkist nagenoeg leeg is met die slechte oogst en lage opbrengsten en pachters die voor al deze verkwistingen moeten betalen. Het bezit is veel kleiner dan het ooit geweest is.'

'En we weten allemaal wiens schuld het was! Wie van jouw illustere voorouders de verkeerde kleur roos heeft gesteund en ons bijna tot de bedelstaf heeft doen vervallen!' Sarah wist dat de Saltes zich voor de zaak van de rode roos van Lancaster hadden ingezet, en daar veel spijt van hadden gekregen.

'Overdrijf niet, vrouwe mijn. Wees tevreden met al onze huidige plannen en wees barmhartig voor hen die minder fortuinlijk zijn.'

'Als ik behoefte heb aan een preek, laat ik dat wel aan de dominee weten. Als ik hem ooit thuis kan treffen. Felice moet netjes worden opgeborgen. Ze maakt ons te schande met al dat rondzwerven...'

'Ze doet niemand kwaad. Ze is oud, maar ze is nog aardig bij haar positieven.'

'Jawel, aardig genoeg om net zo te leven als die dienstmeid van d'r; ze spit in de tuin en plukt kruiden als een heks. Al die dieren en zo maken dat het er stinkt als op een boerenerf. Ze ziet eruit als iemand uit een ander tijdperk. Tom lacht haar uit. Zo doen kinderen nu eenmaal bij rariteiten.'

'Als ik hem daar ooit op betrap, zal ik hem een pak slaag geven. Ze is een lieve vrouw, soms een beetje in de war, maar een kind van mij mag haar niet uitlachen omdat ze ouderwets is.'

Timon voelde zijn boosheid stijgen. Sarah verwende hun enige zoon, ze aanbad hem, maakte een sukkel van hem. Eerlijk gezegd vroeg Timon zich wel eens af hoe hij zich ooit in een huwelijk had kunnen laten strikken door iemand die zo koud en gehaaid was. Haar tong was altijd scherp. Ze duldde geen tegenspraak en het was vaak moeilijk haar in toom te houden. Haar verkwistende plannen zouden hen nog eens ruïneren. Hij vreesde dat het nog eens tot een grote botsing zou komen.

'Ze is nog steeds een paapse en een bijgelovige. Wat een voorbeeld voor het dorp, dat wij iemand huisvesten die weigerachtig is aan de kerk! Wanneer ze dood is, zou haar lichaam als waarschuwing in een vat moeten worden ingemaakt!'

'Ga toch niet zo tekeer! Tante Felice weet niet beter. Zelfs jouw ouders waren vroeger paaps, voordat koning Hendrik de kerk overnam. We horen haar te beschermen, niet haar te schande te maken.'

'Je bent veel te zacht en te weekhartig. Je vindt je familie altijd belangrijker dan mij.' Sarah gooide het nu over een andere boeg.

'Ik wil hier niets meer over horen. Welterusten!'

'Timon, liefste, laat me je troosten... op de speciale manier. Ik weet dat je het lekker vindt om mijn vingers hier te hebben...' Hij voelde haar onder het beddengoed naar zijn lichaam tasten, onder zijn billen voelen.

'Niet nu. Ga slapen. Je begint een feeks en een verleidster te worden, Sarah Salte.'

'Dan wordt het tijd dat ik ophoud, tijd voor mij om te worden gestraft en berispt. Onderworpen aan jouw wil.' De heks wist precies hoe ze hem moest kwellen en prikkelen. Daarom was hij met haar getrouwd. Ondanks al haar vrome vertoon kon ze heel wulps zijn. Timon kreunde, dreigde te zwichten.

'Liefste schat,' fleemde ze, 'wil jij dan niet dat we gebruikmaken van de zuidhelling om een fraaie siertuin voor me aan te leggen, een groen park voor de kinderen om in te spelen?' Timon kreunde opnieuw. Hoe wist ze zo'n gevoelig plekje te vinden? Als een hoer die haar geroutineerde trucjes gebruikt.

'We kunnen de berceau van tante Felice, haar kruidentuin en haar rozentuin niet rooien. Die heeft er zo bij gelegen sinds de gezegende Ambrosine daar slapend was aangetroffen... De vrouwen van de familie Salte zijn altijd dol geweest op hun tuin.'

'Het is niet veel meer dan een moestuintje, met een paar armzalige bloemen en rozen. Hij moet nodig worden gesnoeid en bijgewerkt. Ik vind het vreselijk om te zien hoe zij linnen op stokken over de taxushagen uitspreiden, net als boerenmensen. Leah Barnsley is zich te veel gaan verbeelden en wil me niet vertellen wat voor loog ze gebruikt, dat valse kreng! Het is een schande. We kunnen de grond rond het logement bij de poort uitgraven en dan kunnen zij hiernaartoe verhuizen. Zie je wel, ik heb een oplossing gevonden. Kom, laten we de liefde bedrijven en die vervelende familie van je vergeten. Als ze mijn tante was...'

'De Heer sta haar bij,' mompelde Timon.

'Wat zei je, liefste?'

'Wees dan maar blij.'

'Hoe kan ik blij zijn als ze mijn plannen, mijn tuinideeën bederft? Het logement staat op de verkeerde plaats. Het moet weg.'

'Wacht dan nog een paar jaar, tot ze is overleden. Dat kan nooit lang meer duren. Ze is over de zeventig. Daarna kunnen we met haar tuin doen wat we willen, duifje van me.'

'Ik ben je duifje niet, impotente zak! Weg met je handen! Je hebt je kans gehad. Ik ga niet tot het einde der tijden zitten wachten om haar

een plezier te doen. Eikenbomen groeien nog sneller dan mijn tuin. Ik wil
het nu, nu we nog jong zijn en kinderen moeten grootbrengen. Ik wil een
terras op de helling, vol rozenhagen en mooie kruiden. Een wandelpad van
stenen, om iets moois te maken van onze taxusbogen, en een leuke berceau
met een doolhofhaag. Zie je het voor je, Timon?' Sarah draaide zich opgewonden naar hem om, met haar kin vastberaden naar voren, en met stralende ogen en een scherpe blik. 'Timon?' Maar hij was vast in slaap.

De vrouw draaide zich vol afkeer om, waarbij ze al het beddengoed
meetrok. Ze was nu klaarwakker. Het huwelijk hield inderdaad meer in
dan alleen maar vier blote benen in een bed. Waar had ze ooit gehoord
dat het huwelijk was als het likken van honing van doornen? Felice Salte
was de doorn in haar leven. Ze moest verdwijnen.

'Baggy' Bagshott voelde zich alsof hij alles onder controle had toen hij op
zijn wagen vanaf Longhall over het kronkelige weggetje naar de priorij
van Frideswell reed. Hij was heel voldaan over deze heldere, frisse morgen. Er stond geen wind om ladders uit hun evenwicht te brengen, er was
geen regen om hem te doorweken, en de zon brandde sterk genoeg door
de nevel om veel najaarsdaglicht te beloven. Als ze nou maar eens konden besluiten of de schoorsteen moest worden gestut of dat het logement
moest worden afgebroken. Squire Timon liep nou al dagenlang te aarze-
len en de zaak uit te stellen. De tijd en de seizoenen verstreken. Het was
niet aan hem om zijn meerderen te beïnvloeden, maar als ze het kerstblok nog in hun nieuwe huis in de haard wilden leggen, en 1566 erin wilden verwelkomen, moest hij dat nu echt weten.

Er waren geen grotere lastpakken dan mensen van stand. Je moest
vanaf het eerste begin beseffen dat zij het laatste woord wilden hebben,
en je moest geloven dat alle beslissingen die zij namen de juiste waren en
dat alle fouten die ze maakten uitsluitend de schuld waren van de uit-
voerende aannemer die niet deed wat hem werd gezegd. Dat was de regel, en de Saltes, die bijna van adel waren, zouden daar geen uitzonde-
ring op vormen. Niet dat hij het persoonlijk juist vond dat die oude non
op straat werd gezet, alleen maar omdat ze niet nog een paar jaartjes wilden wachten. Maar zolang hij voor zijn werk werd betaald en zij tevreden over hem waren, moest hij niet zeuren. Alles bij elkaar zag het leven
er goed uit voor dit nederige lid van het geslacht Bagshott.

Baggy beschouwde zichzelf graag als een man van de wereld. Had hij
geen twintig mijlen gereisd, van Longhall naar Stafford? Kende hij niet

iedere bierhalte langs het pad door de Chase? Had hij de nieuwe ijzer-
smelterijen en kolenbranders niet aan het werk gezien, met de kolenmij-
nen die overal in het woud ontstonden, en het kappen van de eikenwou-
den door de houthandelaren? Had hij niet op oude heuveltoppen gestaan
om te zien hoe de grote vlakten van het dal van de Trent van bos werden
ontdaan om in open velden en parklandschappen te veranderen?

Er was geen ruïne in het diepe woud waaruit hij geen stenen, bakstenen of hout had weten te bemachtigen, door alles overdag te inspecteren
en 's nachts zijn buit op te halen, waarbij hij de boswachters had gemeden
en de hoeven van de paarden had omwikkeld om zijn spullen 's nachts
naar het erf en de schuur bij zijn huisje te brengen. Zo simpel als wat. Had
zijn vrouw niet het beste van alles: een dekbed met donsveren, drie emmers, manden van wilgentenen en een tinnen kan, een kandelaar en een
houten bank, zelfs bedgordijnen en meer kookpotten dan er dagen in de
week waren? Hem ontging niets op zijn reizen. Het was jammer dat de
Saltes zich zo snel op deze plek hadden gevestigd, want nu zou er van Frideswelle niet veel overblijven, dat was een ding dat zeker was.

Ned Bagshott hoopte dat er een karrenvracht succes zijn kant uit begon te komen. Hij had al aardig wat uiterlijke blijken van succes weten te
verzamelen: een mooi paard om zijn stevige wagen te trekken, een zachte
leren wambuis en schort die zijn dikke buik bedekten, een bruinwollen
kniebroek die met banden was dichtgeknoopt, en dikke sokken in zijn
leren laarzen. Op koude dagen droeg hij een korte overjas en leren vin-
gerloze wanten om zijn wratten te verbergen, en een warme pet en een
dik wollen hemd. Zijn vrouw kon haar wastobbe al vullen met alleen zijn
hemden. Ze gaf hem goed te eten, met vlees en soep, bier en brood genoeg. Wat kon een man van veertig nog meer van het leven verlangen?
Hij had twee sterke zonen en genoeg meiden om hem op het land en in
de melkschuur van hun boerderijtje te helpen.

De Bagshotts waren óf roodharig met een blanke huid, óf donker en
getaand, en het was een vreemde mengeling wanneer er twee tegelijk
kwamen, zoals Jem en Eddy, zijn zonen. Ned zelf was gezet en had zwart
haar, dat nu met grijs was vermengd. Zijn bruine ogen puilden voldoende uit om zijn blik een permanent verschrikte uitdrukking te verlenen.
Zijn baard was nog steeds dik en ruig, als de rug van een egel, zijn schouders waren breed en sterk en zijn benen stevig. Alles bij elkaar was hij tevreden over het geheel. Zijn middel straalde zelfvertrouwen uit, want wie
had er nu vertrouwen in de vakkundigheid van een aannemer die zo ma-

ger was als een lat, zonder vlees op zijn botten en gewicht aan zijn elleboog? Hij oordeelde zelf ook op uiterlijk wanneer hij bij de zittingen van de rechtbank aanwezig was, tegenover de juryleden.

Hij wist hoe belangrijk het was een kerel recht in de ogen te kijken wanneer hij zijn boete betaalde omdat hij zijn mestemmer 's ochtends na acht uur in de Longhall-beek had leeggekieperd, omdat hij een muur op de openbare weg had gebouwd of omdat hij zijn sloot niet had uitgebaggerd. Wat maakten ze toch een ophef over niets! Hij bezegelde zijn transacties nog steeds met een handdruk in het kerkportaal, maar hij probeerde daar zo weinig mogelijk naar binnen te gaan. Hij liet dat soort dingen over aan de vrouw, die geen vette pudding was maar een knappe matrone met eelt op haar handen en ellebogen zo mollig als die van een gans, als gevolg van al haar eerlijke werken.

De jonge squire, Timon Salte, was een goede meester, eerlijk en rechtvaardig. Het was jammer dat hij was blijven hangen aan zo'n bazige vrouw die in het hele district rondbazuinde dat dit het mooiste landhuis zou worden dat ooit van paapse stenen was gebouwd. Als ze nou maar eens een besluit konden nemen waar hij moest beginnen! Hij had alles afgebroken, hij had de stenen gesorteerd, alles opgemeten, hulp ingehuurd, en hij had een prijs afgesproken. Hij wilde het logement eigenlijk niet afbreken, want wie het ook mocht hebben gebouwd, die had uitstekend vakwerk geleverd, en hij wilde een uitstekend bouwwerk niet te gronde moeten richten. Dit druiste in tegen zijn gevoel voor eerlijk vakmanschap.

Toen hij dichter bij Frideswelle kwam, keek hij met genoegen om zich heen naar de manier waarop het dorp vorm begon te krijgen rond de molen en de weidegronden onderaan, met het land dat geleidelijk afliep in het zonlicht; een mooi uitzicht voor een huis. Misschien had een van zijn voorouders ooit geholpen de priorij en de kerk te bouwen. De Bagshotts hadden hier hun wortels gehad vanaf de tijd dat Adam nog een jong jochie was, zoals zijn vader hem altijd had verteld.

Het was altijd een kwestie van opbouwen of afbreken, aanvoeren of afvoeren. Zijn verre familie in de stad was nu stijf en bekakt, streng met de godsdienst, en ondanks al hun succes heel ongelukkig. Zijn oom Reuben Bagshott droeg tegenwoordig altijd een zwart bombazijnen wambuis en kuitbroek, een hoge hoed en hij had een puntbaard. Hij dronk weinig bier, zijn kuiten waren mager, en zijn vrouw had een zuur gezicht boven haar saaie jurken. Ze bemoeiden zich zelden met hun ruwe familie van het land, ze waren te deftig of te gierig om hen te ontvangen of zich buiten de stad te wagen, maar oom Reuben werd zeer gerespecteerd, want hij ging altijd tekeer tegen alles wat paaps was.

Je moest hem nageven dat hij het stadsbestuur had geholpen al het land van de kerk te bemachtigen, waardoor er loden pijpen konden worden gelegd vanaf de hooggelegen bronnen in het woud naar de waterkranen in de straten van de stad. Er werden vele mijlen pijpen gelegd en hij zorgde ervoor dat de jonge Ned zijn kans kreeg om met de besten van hen te graven en te hakken. Door het aanleggen van deze leidingen kreeg hij de kans van alles over de bouw te weten te komen, en over de vernielde kloosters waar van alles te halen viel. Hij keek toe, en leerde van de trucjes van anderen: hoe je krap moest meten en royaal moest schatten om je portemonnee goed gevuld te houden; hoe je bakstenen zuinig en natuursteen economisch kon metselen; hoe je vensters in de muur maakte, een mooi dak optrok, voor de speciale klussen vakkundige mensen in dienst nam, die de schuld konden krijgen als er iets fout ging. Het kijken naar de fouten van anderen was een goede manier om te leren. Ned zou de oude Reuben altijd dankbaar zijn, omdat hij ervoor had gezorgd dat de zoon van zijn verre neef ook een graantje mee kon pikken.

Hij vroeg zich af hoe het de Barnsleys verging in de strijd om het huis. Joseph en Leah waren te bescheiden om zich om hun lot te bekreunen, want ze waren maar bedienden die werden betaald om voor de oude vrouw te zorgen. Leah Barnsley was een mooie meid, een van de knapsten uit het hele district, en toch bescheiden. Ze had net zo'n blanke huid als sommige mensen uit het woud, als van een melkmeisje, zonder ook maar één litteken van pokken. Hoe Joe zich van haar genegenheid had weten te verzekeren was hem een raadsel, want hij was een beetje een zeurpiet en een lastpak. Baggy's eigen zoon Jem was er kapot van geweest toen hun huwelijk in de kerk werd aangekondigd, want hij had altijd een oogje op Leah gehad, zonder succes. Hij was verlegen en stotterde af en toe, was te geremd, terwijl zijn tweelingbroer Eddy juist het tegendeel was, wild en onstuimig en vol grapjes en kattenkwaad, hoewel hij nu degelijk getrouwd was met zijn Mary. Soms maakte Meg zich zorgen over Jem, die te veel alleen was, piekerde, of naar de stad liep om rondtrekkende predikers op het marktplein te horen en bij oom Reuben te eten. Baggy hoopte dat hij het niet te serieus zou menen. Maar als het werk eenmaal was begonnen zou Jem te druk bezig zijn, boven op een ladder, om over preken na te denken.

Toen hij de poort binnenkwam kon hij het misbaar uit de portierswoning horen, waar de heer en zijn vrouw flink ruzie hadden. Squire Timon leek wel een urn met zijn hoge laarzen en wijde kniebroek, en zijn handen op zijn heupen leken handvatten.

'Het wordt níét afgebroken!'

'Het wordt wél afgebroken!'

Mevrouw Salte keek omhoog naar haar man, met een rood gezicht, en ze porde hem met een kandelaar in de borst.

'Zwijg, brutale meid, anders laat ik je achter slot en grendel zetten met je gekijf!'

'Maar je had beloofd...' jammerde ze.

'Ik heb helemaal niets beloofd. Het goud groeit nou eenmaal niet aan de bomen. Het logement blijft staan waar het is, en tante Felice blijft er rustig in wonen. We zullen onze schoorsteen er pal tegenaan maken, met kamers boven en beneden. Dan hebben we allemaal profijt van de warmte van de stenen. Schik je erin dat dit mijn laatste woord erover is. Zorg jij alsjeblieft voor jouw werk, dan zorg ik voor het mijne.

Daar hebben we meester Bagshott. Hij heeft lang genoeg last gehad van onze besluiteloosheid. Goedemorgen, tijd om een begin te maken. We hoeven het logement niet te verstoren voor we eraan toe zijn een doorbraak te maken. Begin op de hoek met de buitenmuren. Wees voorzichtig rond de vijgenboom, want hij doet het goed bij die zonnige muur. Ik wens geen nodeloze verspilling.'

'Poeh!' Mevrouw Sarah begreep dat ze werd weggestuurd, en ze raapte de rokken van haar tuniek bijeen en verdween naar binnen.

'Een verstandig besluit, heer. Maar mag ik ook zo vrijmoedig zijn u erop te wijzen dat het dak van het logement enige reparatie behoeft...'

Dit maakte dat de vrouwe stil bleef staan en zich snel omdraaide met een tevreden grijns op haar gezicht, een blik van louter triomf.

'Wat u dan bespaart op het slopen, kunt u gebruiken voor het maken van een mooi dak! Als alle dakpannen dezelfde kleur hebben, is het meer één geheel, heeft het een grootser effect.'

De man keek naar zijn vrouw, onthutst over haar scherpheid. Baggy herkende een van die momenten van compromis tussen een sterke man en zijn lastige vrouw. Het werd tijd om de olijftak omhoog te steken. De man glimlachte.

'Je doet er goed aan erop te wijzen dat één dak meer eenheid geeft. Ik vertrouw erop dat dit in meerdere opzichten het geval zal zijn, liefste. En dan krijg jij ook je tuin, een mooi klein terras voor de dames om een luchtje te scheppen en met hun jurken te pronken.'

De glimlach van de vrouw brak door haar chagrijnige masker heen, als de onderlaag achter het pleisterwerk. Ze was een lelijke vrouw voor iemand van goede komaf. Het sterkste punt was haar stevige kaak die als een wig naar voren stak. Haar lichtblauwe ogen waren koud, klein, en ze stonden te dicht bij elkaar, waardoor het leek of ze scheel keek, maar ze schoten snel heen en weer en misten niets.

Ze overzag de kwaliteit van Bagshotts jasje en de boord en manchetten van zijn linnengoed, die iedere morgen smetteloos begonnen, want Meg was heel precies met schone manchetten en boorden – ze kende het geheim van goed wassen. De vrouw lachte met een reeks gele tanden, een zeker teken van snoeplust, toen ze van hem naar de lege ruimte keek, waar binnenkort haar nieuwe huis zou staan. Ned Bagshott was slechts het instrument van hun wil en voor haar dus niet meer van belang. Hoe had een man deze telg van de Sapcotes ooit aantrekkelijk genoeg kunnen vinden om mee te trouwen? Misschien had squire Timon het oude advies opgevolgd. Toen hij zijn ogen met liefde richtte, zorgde hij ervoor dat hij zo verstandig was ze op de dochter van een heer van stand te richten.

Mevrouw Salte zou als een havik over Neds mannen waken, strak en stijf als de gesteven kraag rond haar magere nek; bij de minste vergissing, afwijking, vertraging, zou ze zich op hen storten om te proberen allerlei extra tierelantijnen gedaan te krijgen als haar recht, zonder extra kosten. Het winnen van de slag om het logement zou een dure zaak worden voor Timon Salte, maar daar had Baggy gelukkig niets mee te maken. Zijn ingehuurde werkkrachten zouden het huis bouwen. Die arme sukkel zou erin moeten wonen met haar!

Ned Bagshott bracht die dag door met het inspecteren van het bouwterrein, waarbij hij iedere man een taak gaf. Daarna pakte hij een spade om de overwoekerde paden rond het oude logement vrij te maken, de stenen uit te proberen of ze nog stevig waren, en de dwarsbalken of ze vrij waren van houtrot. De paden waren overgroeid met taai onkruid en dikke wortels, die eens goed moesten worden teruggekapt. Jo en Leah gingen met uitbundige energie aan de slag, opgelucht dat hun mevrouw ongestoord in het logement kon blijven wonen. Hij had hen gewaarschuwd dat als ze met de grote schoorsteenmantel begonnen, het geluid dagenlang oorverdovend zou zijn.

Toen Baggy omhoogkeek naar de oude muren, die waren overdekt met egelantier en kamperfoelie, met planten die uit gaten in het pleisterwerk groeiden, en hoe de klimop bijna tot de nok van de daken was geklommen, begreep hij dat ze alles moesten terugsnoeien tot op de grond, om dan weer van voren af aan te beginnen. De vijg nestelde zich in de hoek, warm en beschut in het laatste najaarszonnetje, met zijn brede bladeren ter grootte van een hand. Hij dacht aan Adam en Eva die zich verscholen voor de toorn van God, en hun schaamte bedekten met een blad. Ja, dat moest nét zijn gelukt, als hij die glimmende bladeren zo eens bekeek, maar er vielen nu niet veel vijgen te plukken, alleen maar wat bruingevlekte verrotte exemplaren onder het gebladerte. Meneer had gelijk dat hij zo'n mooie boom wilde bewaren, maar de stam was houtig en hard. De boom moest ook flink worden teruggesnoeid en kon wel wat voedsel gebruiken. Hij zou wat van de verwarde massa onder het oppervlak los moeten maken en struiken die erdoorheen waren gegroeid moeten uitgraven. Wat een troep! Hij keek zoekend om zich heen of Jem hem kon helpen, maar die was ergens anders bezig.

Ned glimlachte. Als je een lastige klus gedaan wilt hebben, moet je die zelf doen. Dat was de goede raad van zijn vader, dus ging hij op zoek naar zijn spade, een pikhouweel en een stevige kruiwagen, en toog aan het werk. Hij voelde een schaduw over zich heen glijden. Hij draaide zich om en zag de oude dame die een taxustak voor zich uitstak en daarmee zijn arm beroerde.

'Zuster Felice.' Hij lichtte zijn pet op en boog. 'Ik wens u een goedendag. Mag ik hopen dat ik u niet stoor?' Zou ze nog weten dat ze hem ooit met een stok achterna had gezeten toen ze hem in de boomgaard van de priorij had betrapt op het jatten van appels? Hoe kon deze kleine vrouw, die zo grijs en stil was, de woeste feeks uit zijn jeugd zijn? Eén blik in die afwezige ogen overtuigde hem ervan dat ze zich weinig meer herinnerde uit die tijd.

'Ze zeggen dat een taxustak die je voor je houdt alle dingen zal vinden die zijn zoekgeraakt, dus ik weet niet waarom hij hier blijft steken. U bent niet zoek.' Ze liep verder op haar zoektocht, zonder op zijn antwoord te wachten. Hij glimlachte en wenkte Leah Barnsley, die knikte en haar begon te volgen.

Baggy richtte zich weer op spitten en uitzoeken, op het weghakken van het dode hout en het losmaken van de grond. Hij zou doorgaan tot de lage zon achter het huis was gezakt, en dan zou hij er voor vandaag mee ophouden. Het zou een langzame klus zijn om deze hoek goed vrij te maken.

Hij stond al vrij diep in een greppel toen hij iets zag wat leek op beenderen die in lappen stof waren gewikkeld. Hij stuitte in zijn werk maar al te vaak op resten van katten en honden, op kaken van schapen en hoorns van koeien. Hij kon zich niet opwinden over zoiets. Als je ze niet uit kon smelten, kon je ze maar het beste begraven om de grond voedzamer te maken.

Hij trok een paar beenderen opzij. Sommige verbrokkelden onder zijn aanraking tot stof, maar andere, grotere stukken waren goed bewaard gebleven, en hij vond ook wat leer. En toen zag hij de schedel. Ned Bagshott deinsde verschrikt terug.

'Godallemachtig!' Hij sloeg een kruis en wilde al alarm slaan en schreeuwen, maar hij bedwong zich en keek om zich heen of iemand iets had gemerkt. Er was geen levende ziel te bekennen. Zijn hart bonsde in zijn borst, zijn wangen waren rood, zijn handen trilden. Er was hier iemand na een schandelijke daad uit het zicht begraven. Deze beenderen moesten hier jarenlang ongestoord hebben gelegen, en het was net iets voor hem om dat geheime graf te ontdekken. Wat moest hij doen? Alarm slaan en de dienstdoende veldwachter erbij halen, squire Timon en zijn vrouw waarschuwen, of de grond snel terugleggen zodat niemand ervan zou weten? Zijn eerste opwelling was zijn gruwelijke vondst weer met aarde te bedekken, stenen neer te leggen om de plek te markeren, en de slapende beenderen nog even te laten rusten. Er was niets dat hij voor de arme ziel, wie het ook mocht zijn geweest, kon doen. Het laatste dat iedereen op dit moment wilde was uitstel.

Maar maakte het uit dat het lichaam geen fatsoenlijke begrafenis had gehad? Doolde de geest nu rond, net als de grijze non op zoek naar haar vermiste schat? Had de taxustak ook geweten dat het lijk hier lag? Het waren veel te veel vragen voor hem om aan het eind van een lange dag spitten te kunnen beantwoorden. Hij moest erover nadenken tot morgen, er een nachtje over slapen, maar hij zou niemand iets vertellen over zijn gruwelijke vondst.

Bagshott de aannemer borg zijn gereedschap netjes op in zijn kar en verzamelde de rest bij zijn ingehuurde werkkrachten. Hij reed terug over de hoge weg naar Longhall, zwijgend en in gedachten verzonken, want hij was een man met een last die zwaarder woog dan stenen. Had hij een boosaardige geest gestoord, of het graf geopend voor plunderaars en narigheid? Hij was van nature voorzichtig met de andere wereld en hij nam alle oude gebruiken zorgvuldig in acht – hij legde zijn hand over een talisman om geluk af te dwingen, stopte voorwerpen in muren en daken, en bracht gelukbrengend houtsnijwerk aan op plaatsen waar dit een gebouw kon zegenen. Hij moest zijn eigen goede geluk beschermen, anders had hij misschien kans op tegenslag of slecht weer bij de bouw. Wat moest hij in 's hemelsnaam nu doen om zo'n onrecht als dit ongedaan te maken?

De geometrische tuin

'Wat ben je daar in 's hemelsnaam aan het doen?' schreeuwde de vrouw des huizes, en ze zwaaide met een bezem. 'Ik had gezegd dat je een pad voor me moest graven in de vorm van een knóóp!'

'Jawel mevrouw, dat doe ik ook.' Baggy wees naar zijn poging om een bocht uit te zetten. Sarah Salte snoof vol afkeer. 'Wat bedoel je met die kronkel? Het is net een stuk touw.'

'Jawel, zegt u dat wel. Het is gekruist als de Shire-knoop, die veelbeproefd is, stevig en blijvend.' Baggy was heel tevreden over zijn kronkelende pad.

'Idioot die je bent! Ik wil een nette knoop voor mijn buxushagen – in de vorm van een ruit, en niet in de vorm van een strop van de beul! Kijk, hij moet zó rondlopen...' De vrouw zwierde rond in een denkbeeldige cirkel. 'Zorg ervoor dat de breedte van het pad geschikt is voor de wijdte van de jurk van een dame, niet alleen maar voor de breedte van de kruiwagen van een tuinman.' Haar wijde rok bolde op toen ze over haar denkbeeldige pad paradeerde, en Baggy trok een smalend gezicht achter haar rug.

'Leg de graszoden terug, dan zal ik alles stap voor stap voor je aangeven. Hier de bloemblaadjes, zo gebogen... hier de volgende rij. Er moeten buxushaagjes langs worden geplant, en daarlangs een rij gladde stenen om de totale vorm duidelijk te maken. In het midden komt alles bij elkaar... *comme ça*. En doe het snel, Bagshott!'

'Jawel, mevrouw Salte.' Baggy mompelde binnensmonds een paar stevige vloeken en balde zijn vuisten. Dat mens kwam hem af en toe de neus uit, met haar hooghartige manier van doen en haar venijnige stemmetje! Hij had meer dan genoeg van al haar 'wil je dit of dat nu meteen doen', en alles tegelijk! Ze waren in dienst genomen om de schoorsteen op te metselen, en aan het dak te werken, de doorbraak naar het logement te maken, niet om haar tuin om te spitten, haar terras te egaliseren en te bestraten. Dat was een klus voor anderen die daarin waren gespecialiseerd.

Een symmetrische tuin, jawel! Dat was toch zeker iets voor een tuinman, niet voor een metselaar, timmerman en stukadoor. Toch was hij blij met de manier waarop ze het nieuwe huis netjes in het oude hadden ingepast. De dwarsbalken waren in de kamers boven gelegd, stevige vloerplanken erop, de schoorsteen was bijna klaar, de trap was bewerkt met houten krullen en verfraaiingen. De Bagshotts waren mensen die binnen werkten, niet buiten. Ieder zijn taak. Maar de Saltes probeerden zoveel mogelijk werk uit hen te knijpen om kosten te besparen.

Het weer had meegewerkt en niet voor oponthoud gezorgd. Alles was tot nu toe goed verlopen. Hij vroeg zich nog steeds af of hij die beenderen uit hun verborgen graf moest verplaatsen, en hij voelde zich ongemakkelijk omdat hij er niemand nog iets over had verteld. Misschien konden ze maar beter in de grond blijven liggen.

Squire Timon liet alle huishoudelijke beslissingen over aan zijn twistzieke vrouw, wat zijn handwerkslieden tegen de borst stuitte. Waar ging het naartoe als zulke dingen aan een vrouw werden overgelaten? Zij wist toch zeker niets van zulke zaken? En de manier waarop ze hen opjutte met haar voortdurende eisen: 'Schiet op! Het moet klaar zijn voor het feest van Kerstmis... Ik blijf geen minuut langer in dat gastenverblijf bij de poort. Als mijn vader, sir Sidney Sapcote, me zo had gezien... Dat we zo moeten wonen, als boeren in een krot... Arme kleine Tom!'

'Arme kleine jongeheer Tom' was in werkelijkheid een zeldzame lastpak, zoals hij voortdurend over het bouwterrein rondholde, gekke gezichten trok, in touwen klom en met bakstenen gooide. Als zijn Jem of Eddy zich zo hadden misdragen had Baggy ze allang een pak ransel gegeven. Het verwende jochie scheen zich niet bewust te zijn van enig gevaar voor hemzelf of voor anderen. Jem had hem al eens van het dak gered, van de steiger en uit de visvijver. En alsof hij nog niet genoeg was, was er die oude zuster, die voortdurend over bergjes en geulen liep te struikelen, gevolgd door Leah om haar weer op te rapen, en Jem die bloosde als een verliefde dwaas, iedere keer dat hij dat meisje zag. Het was af en toe een chaos, maar ze bleven werken ondanks alle afleiding, en Baggy was trots op de manier waarop zijn zonen hadden geholpen.

Nu moesten ze dit hele terrein omspitten, de struiken en de rozen eruit halen terwijl de grond keihard was van de vorst. Ze moesten het wandelpad van de oude priores overhoophalen, evenals haar latrinetuin en haar kruidentuin. Het zat hem niet lekker de eeuwenoude taxusbomen uit te trekken, ook al was de tuin overwoekerd en verwaarloosd, alleen maar om aan de grillen van mevrouw te voldoen. Hij zou die taak tot het laatst bewaren en misschien lag er dan sneeuw en kon een ander ze in het voorjaar uitgraven. Laat de winter deze wildernis temmen en de takken van hun blad beroven. Er was al meer dan genoeg te doen met dit alles alleen maar omspitten. Ned Bagshott kon er nog wel wat bereidwillige handen bij gebruiken, om schep en spade te hanteren. Misschien een boer of een van de jongens uit het dorp, maar er was niets extra's om hen te betalen en squire Timon kon hen bij daglicht niet missen van het werk op het land. Hij was trouwens nooit in de buurt om deze zaken te bespreken, hij zat meestal op Longhall, bij zijn broer Richard.

Baggy leunde op zijn spade. Het was een van die morgens waarop de lucht ijzig blauw was en de roeken, die in de bomen in het woud zaten te krassen, blonken als steenkool in het zonlicht. Zijn adem dampte en hij hoopte dat Meg een knapperige pastei voor zijn avondeten zou maken. In de verte doolde de tengere gestalte van de oude dame, die op haar dagelijkse zwerftocht was, eerst naar het portaal, daarna drie keer rond de kerk zelf, terwijl ze in de muren prikte. Daarna liep ze naar de oude visvijvers en ijsbeerde daar langs de oevers, over het pad door de boomgaard omlaag naar de akker, en toen weer omhoog naar het kerkhof, om ten slotte de beek te volgen en even bij de bron te blijven zitten. Waarom deed ze zo rusteloos?

Even later strompelde ze langs hem, waarbij ze lief in zichzelf glimlachte, met nietsziende ogen. Zoals gebruikelijk lichtte hij zijn pet, maar hij wist niet zeker of ze hem kon zien. 'Goedemorgen, zuster priores. Ontbreekt het u aan iets, dat u zoveel mijlen loopt om iets te zoeken? Ik heb u deze afgelopen weken met de taxustak gezien. Kan uw nederige dienaar u op enigerlei wijze helpen?'

De oude vrouw bleef staan, opgeschrikt uit haar dromen omdat ze door iemand werd aangesproken. Wie was deze vreemde man? Het duurde een paar seconden eer haar geest terugkeerde naar het heden. Zuster Felice schudde treurig haar hoofd en hield haar hand boven haar ogen tegen het felle licht. 'Ik ben iets kwijtgeraakt, jongeman, iets wat van grote waarde is voor de priorij. Ik moet het ergens hebben neergelegd. Iedere dag maak ik mijn ronde, maar ik heb me tot dusver niet kunnen herinneren waar ik het voor de veiligheid heb geplaatst. Dat zijn de gebreken van de oude dag. Hoedt u voor de oude dag... die vergt veel te veel van uw tijd.'

'Zeg me wat ik moet zoeken, en ik zal mijn zonen vragen u te helpen deze schat terug te vinden. Hoe ziet het eruit, dit voorwerp?'

'Het is mijn voorouders geschonken, bij het stichten van de priorij. De vrome Ambrosine heeft het van de heer bisschop in ontvangst genomen – een kostbaar juweel om dit Gebedshuis te bezegelen. Nu is mij het lot beschoren, niet alleen de priorij te moeten verliezen maar ook de schat. Wee mij, jongeman!'

Schat? Een echte schat! Het woord danste in zijn hoofd. Ergens lag een kostbare parel verborgen, met ongetwijfeld een beloning van de dankbare Saltes voor het terugvinden ervan. Zijn gedachten tolden van de mogelijkheden.'En u hebt geen idee wat betreft de ligging van die schat, mevrouw de priores?'

'Die is ergens zoekgeraakt, maar niet in de kerk of in het logement. Leah en ik hebben daar in alle hoeken en gaten gezocht. Misschien is hij in de tuin verloren. Ik weet dat mijn geheugen niet meer is wat het geweest is.' Haar gezicht was bleek, haar ogen stonden leeg.

'Laat het dan maar aan mij over, dame. Maakt u zich maar geen zorgen. We zullen het grasveld omspitten om te zoeken.'

Baggy straalde, zijn borstelige wenkbrauwen gingen op en neer. Een verloren schat in de tuin? Zo'n bericht zou de dorpsbevolking snel bij de biertafel vandaan halen, en ze zouden hun spaden zoeken en overal gaan graven en spitten om dat verloren juweel te vinden. Precies het plan dat hij nodig had om de tuin van her ladyship om te spitten!

Baggy's voorspelling kwam uit. Bij de gedachte aan een schat begonnen ze allemaal te graven, diep in de grond te spitten met spaden en schoffels, bijlen en houwelen. De jongens en meisjes van Frideswelle groeven in ploegen, bij zonsopgang en zonsondergang. Alle hagen gingen eruit, alle heesters, struiken en stenen. De oude smalle paden rond de moestuin werden eruit gehaald. Aangespoord door de gedachte aan een beloning groeven en groeven ze, maar ze vonden niets. Weldra lag de vroeger aflopende tuin er omgespit en vlak bij, klaar om te worden beplant. Na zo'n inspanning zouden de rozen schitterend opkomen, bedacht de sluwe aannemer met een glimlach. Mevrouw Kale Kak kwam de laatste hand leggen aan het ontwerp, en de beplanting werd volgens haar wens aangebracht, afgezet met sprietjes buxushaag. Baggy was eindelijk een gelukkig mens.

Twee nachten later werd hij opgeschrikt uit zijn diepe slaap, juist toen hij droomde van een vat met gouden munten dat onder de vijgenboom was begraven. Meg trok hem verschrikt aan zijn arm.

'Word wakker! Hoor dat misbaar, hierbuiten. Het is de duivel met zijn gehoornde horden die ons uit ons bed komt roven. Wie anders zou er om deze tijd van de nacht komen?'

Er klonk een kakofonie van geratel en gerinkel toen er met metaal op metaal werd geslagen, met klinkende cimbalen en schallende trompetten, de grove muziek van pannen en emmers en het gejoel van boze stemmen. De misnoegde dorpsbevolking had zich buiten verzameld om hem op aloude wijze te schande te maken.

Hij stond op van zijn matras en sloeg zijn cape om zich heen, want de nachtlucht was koud en zijn botten waren stijf. Hij deed het houten luik open om een buiging te maken. De muziek werd luider en Jem snelde naar binnen, bevreesd voor zijn leven. Baggy stak zijn handen in een groet omhoog, met een schaapachtige grijns op zijn slaperige gezicht.

'Jawel, jongens, het is terecht... heel jammer dat we niets hebben gevonden, maar de oude zuster heeft echt gezegd dat er een schat in de grond lag... Ik zweer het op het Heilige Boek. Moge God mijn getuige zijn, het was echt zo, "een juweel van grote waarde", dat waren haar eigen woorden, van de heer bisschop in tijden van voorheen. Dus er is niets gevonden? Dat wil nog niet zeggen dat er niets is.

Ik vind het jammer van jullie verspilde moeite. Voorzover ik me kan herinneren heb ik jullie niets beloofd, maar ik zal jullie nu wel iets beloven, jongens. Als ik ook maar één duit of stuiver vind, één munt van het rijk, zal ik alles met jullie delen, dat beloof ik. Zou Edward Bagshott zijn vrienden en buren willen bedriegen?'

Er klonk smalend gejoel. Hoe vaak was deze man voor de rechtbank verschenen voor een boete, een stukje land, een extra stukje van dit of dat? 'Vertel dat maar aan de baljuw, bij de volgende zitting!' Er klonk gelach en de muziek zweeg. Jem was degene die hem redde, de ernstige, donkerogige Jem, die dol was op de zondagse preek.

'Ga naar huis, vrienden, en ga naar bed. We hebben niemand bedrogen want we hebben niets beloofd, het was jullie eigen hebzucht die maakte dat jullie je spade grepen. De volgende keer dat mijn vader jullie bij de Grote Beer ziet, zal ik ervoor zorgen dat hij in zijn beurs tast om jullie een kroes bier te kopen voor jullie moeite, of God zal hem ter plekke met de dood straffen. Ga nu gauw terug naar jullie bed voor de nacht om is. Jullie hebben gezegd wat jullie te zeggen hadden.'

Hij deed de luiken dicht en haalde zijn schouders op bij de aanblik van zijn moeders gezicht. Het was de langste toespraak die ze haar zwijgzame zoon ooit had horen houden. Ze werd nu verteerd door nieuwsgierigheid.

'Wat heeft dit allemaal te betekenen? Wat heb jij uitgespookt, Baggy? Niet veel goeds, denk ik, als onze arme vrienden in een ijskoude nacht hun bed verlaten om jou een lesje te leren. Ik hoop dat je me niet weer te schande hebt gemaakt. Hoe kan ik bij de put iedereen recht aankijken bij al het geroddel? Ik kan jou ook geen ogenblik uit het oog verliezen...'

'Geef me een knuffel, brutaaltje. Kom m'n botten warmen. Dacht jij echt dat ik zou proberen iets voor niets te krijgen? Echt, zou ik dat doen?'

Ze omhelsden elkaar stevig en hij lachte haar angsten weg.

De koningseik

Er was iets aan het uitzicht wat haar niet helemaal beviel. Toen Sarah het totale effect van haar tuin bekeek, was ze teleurgesteld. Wat was het... de buitenste muur beneden op de helling, of de kerk die door de bomen te zien was? Nee, het was die boom verder naar links. Die blokkeerde het totale uitzicht, bedierf de ruimte van de helling omlaag naar de rivier en de weilanden erachter, waarbij de blik omlaaggleed naar het dal en daarna omhoogging naar een rij bomen. Die eiken wierpen schaduw op dit deel van haar ontwerp. Komend voorjaar zou het er donker zijn, en na het vallen van de bladeren bleven er kale contouren over, die onaangenaam waren voor het oog.

'Kijk, heer, die rij bomen... die boom aan het eind moet worden geveld. Het is maar goed dat ik dat nu heb ontdekt, nu er iets aan kan worden gedaan.'

'Maar dat zijn koningseiken, ze zijn geplant ter ere van het bezoek van de koning aan de stad, veel jaren geleden. Het zijn nog steeds fraaie bomen met vele eeuwen van leven in zich.'

'Hout is altijd bruikbaar voor ons, vooral nu er zoveel aan de schuren moet worden hersteld. Als het eenmaal is gedroogd en uitgehard, zul je honderd plaatsen vinden om het te gebruiken. O Timon, wordt het niet allemaal volmaakt? De rozenperken die zich ontvouwen als bloemblaadjes, de mooie lage heggetjes die in ruitvorm zijn gesnoeid om het oog te behagen, de nieuwe beplanting met lavendel. Het enige dat er nog aan ontbreekt is een mooi beeld of een fontein in het midden. Ik zal eens met mijn vader praten om hem om raad te vragen in deze kwestie. Hij zal het beste weten hoe we dit moeten sieren.' Timon knikte zuchtend.

'Het is fraai geworden, liefste, dat moet ik toegeven, en de arme baas Bagshott is uitgeput van al je bevelen. Kijk eens hoe moeizaam hij bukt en over zijn rug wrijft. We zijn allemaal doodmoe van al jouw veranderingen. Ik begrijp echt niet hoe jij op de been kunt blijven, met je hoogzwangere buik.'

'Dat is juist waarom wij daar onze intrek in moeten hebben genomen voor het kerstfeest. Er moet nog veel worden opgeruimd en schoongemaakt. Ik heb tegen Leah gezegd dat ze haar meesteres moet verlaten en alleen maar aan mijn zijde moet blijven.'

'Maar Felice is ziek, en ze heeft de afgelopen dagen het bed gehouden. We moeten de apotheker laten komen, als dit zo blijft. Stoor haar verder niet met geklop en gebons.'

'Hoe eerder ze dan naar het vertrek in het gastenverblijf wordt gebracht, des te sneller zullen wij allemaal er weer bovenop zijn. De kamers daar zijn goed genoeg voor haar.'

'Ik weet niet zeker of het goed is een vrouw van haar leeftijd in deze tijd van de winter te verhuizen. Het zal haar vast van streek maken. Het dak lekt een beetje en de haard zal niet zo warm zijn als onze nieuwe schouw.'

'Gezwets en geleuter, Timon! Je bent nog erger dan een oud wijf als je zo doet. Ze is sterk genoeg en Joseph zal haar over de modder dragen. Ik wens voor mijn bevalling niet meer te worden gedwarsboomd. Heb ik zelf niet genoeg problemen aan mijn hoofd? Eerlijk ruilen is toch zeker niet roven?'

Sarah wilde geen gezeur meer van haar man nu er zoveel te bewonderen viel in haar nieuwe huis. Haar kamers zouden ruim zijn en gevuld met de mooiste eikenhouten tafels, kasten en stoelen. De oude betimmering van de priorij was op de muren aangebracht; de haard prijkte trots in de grote zaal. In de trap waren hun initialen uitgehakt, zodat iedereen ze kon zien en bewonderen. Het dak was bijna voltooid. Als de oude non eenmaal uit zicht was, kon haar voormalige onderkomen een mooie keukenafdeling worden met een provisiekamer en een eigen kamer voor Sarah erboven.

'Mijn damestuin zal in Longhall het onderwerp van gesprek worden. Niet zomaar het tuintje van een boerendeerne. De oude latrinetuin van Felice zal een goed waserf vormen, en ik zal toezicht houden op het wassen van Leah – ik moet weten hoe die achterbakse meid erin slaagt de tobbe vol linnengoed te stoppen en alles zo schoon te krijgen.'

Sarah glimlachte. Alles verliep zoals ze het wilde. Hierna zou het kraambed volgen.

Iedere avond bad ze vurig dat ze zou worden gespaard, want het was immers een bekend feit dat een zwangere vrouw met één been in het graf stond, hoezeer ze ook van stand mocht zijn. Sarah was zo druk bezig geweest dat ze haar eigen angst naar de achtergrond had gedrongen, terwijl ze troost ontleende aan haar nieuwe geometrische tuin die alle sombere gedachten verjoeg. Misschien kon een trellis met muskusrozen het middelpunt vormen, of een taxusboog die uit de oude haag was gesnoeid? Nee. Er moest iets spectaculairders zijn, iets wat beter bij de moderne tijd paste, een uurwerk of een zonnewijzer... Natuurlijk! Waarom had ze daar niet eerder aan gedacht? Die verrezen in alle paleizen van koninginnen, had ze zich laten vertellen. Wat knap dat de zon een schaduw kon werpen die de juiste tijd van de dag aangaf. Als die op een voetstuk of een steen werd gezet, met een buitencirkel van buxushaag, dat zou het paleis van haar dromen compleet maken.

Het nieuwe huis zou schitterend zijn, het zou de afgunst opwekken van het hele district en van de Longhall-Saltes, die zouden komen logeren en hun smaak... haar smaak... zouden bewonderen. Thomas en de baby zouden met hun nichten en neven als gelijken kunnen spelen, niet alleen maar als nakomelingen van de tweede zoon. Ze kon doen alsof ze even rijk maar niet zo ordinair waren als de Pagets. Ze zouden nog altijd van het dorp afgeschermd zijn door de oude eiken bij de poortwoning. Die mochten ook wel blijven, maar de koningseik moest omlaag. Bagshott moest daar onmiddellijk voor zorgen. Niets mocht het uitzicht bederven vanuit 'de tuin van mevrouw'.

'Ze kan de koningseik toch zeker niet zomaar laten kappen! Die heeft er al gestaan sinds mijn voorouders met de vader van de oude heer Richard Salte bij Bosworth heeft gevochten... Hij doet daar helemaal geen kwaad,' mopperde Joseph toen hij de deur van het logement openschopte en de blokken voor de nieuwe haard binnenbracht. Hij zette de zware houten deur met de stopper vast terwijl Baggy en Jem toekeken. 'Als ze wat takken wil laten weghakken, zeg dan maar dat ze die naast de poortwoning om kunnen halen. Die zijn ouder en veel te hoog. Niemand zou ze missen. Maar je kunt toch zeker niet zomaar een boom omhakken omdat die op de verkeerde plaats staat?'

Baggy haalde zijn schouders op. Hij zei niets. Als deze mevrouw 'spring' zei, dan sprong je. Dat was de manier waarop het er in het nieuwe huishouden aan toe ging. Wat een gedoe als een vrouw de broek aan had! Maar met eentje op de troon van Engeland en eentje in Schotland, was dit zeker de nieuwe mode. Naar zijn mening was het niet natuurlijk voor de dochters van Eva om er een mening op na te houden, laat staan bevelen te geven, tenzij ze misschien in een nonnenklooster zaten, en nu waren die allemaal afgedankt.

Misschien dat er nog iets van die bazige geesten hier aan de muren hing. Hij zou blij zijn als ze weg waren van deze vreemde plek. De winter begon nu snel strenger te worden en er moest nog het een en ander aan het dak gebeuren. Het werd tijd om de talisman erin te stoppen, dicht bij de schoorsteen waar de boze geesten naar alle waarschijnlijkheid naar binnen zouden sluipen wanneer het hele huis diep in slaap was. Een klein symbool, een paar uitgelezen voorwerpen, konden het boze oog afweren.

Hij bekeek hun handwerk met trots en voldoening, en hij dacht terug aan de manier waarop Jem de bakstenen in keurige patronen had gelegd. Hij citeerde: 'Zo de Here het huis niet bouwt, vergeefs zwoegen de arbeiders.' Hij was goed met gezegdes uit de bijbel, die Jem, en hij kon er een paar opzeggen nu oom Reuben hem onder zijn hoede had genomen. Reuben preekte veel over zuivere mensen, en over lichtzinnige mensen die in het hellevuur zouden komen. De Saltes leken Jem steeds meer lichtzinnige mensen, en hij zei dat Leah en haar man bescherming behoefden.

Baggy moest hun een sterke talisman geven, iets om hen te behoeden. Er was niets beters dan de hand van een dode... of misschien de botten? De beenderen onder de vijg hadden zichzelf niet begraven, er moest daar iets schandelijks zijn gebeurd. Hij moest de schoenen zien te vinden, als hij dat kon, want een vermoord mens kon rond blijven spoken als hij werd begraven met schoenen aan. Maar misschien zouden die beenderen zonder meer wel alle bewoners beschermen. Baggy moest hier meteen werk van gaan maken.

Hij wachtte tot de avondschemering voor hij over het pad langs de vijgenboom liep. Leah stond naar hem te kijken, en hij deed alsof hij het metselwerk controleerde tot ze de deur achter zich dichtdeed. Hij groef de beenderen op, maar de vochtigheid en het recente blootstellen aan de lucht had de meeste tot stof doen verkruimelen. Wat ervan over was gebleven deed hij in een meelzak en hij klom over de buitenladder naar de overstekende dakdelen, naar het punt waar de nieuwe en de oude gebouwen elkaar raakten.

De wind joeg de laatste bladeren in vlagen op. Toen hij hoger op de ladder klom kon hij de contouren van de geometrische tuin zien, met de nieuw aangelegde paden, en daarna over de tuinmuur de rij eiken en de glinsterende vijver bij de watermolen. In het voorjaar zou alles groen en overdekt zijn, zou de wildernis opnieuw volgens de eisen van her ladyship zijn getemd. Hij zag zelf niet veel in dit soort tuinen. Het was naar zijn mening een verspilling van goede kweekgrond voor voedsel en voer. Alleen lichtzinnige mensen konden zich zulke grillen veroorloven. Jem had gelijk. Je had hier zuivere mensen en lichtzinnige mensen.

Baggy hees de zak omhoog en schoof hem netjes in een spleet, waarbij hij de beenderen gelijkmatig verdeelde om daarna het gat in de dakpannen zorgvuldig op te vullen en een stil gebed uit te spreken. Dit was met de beste bedoelingen, en niemand hoefde er ooit iets van te weten. De beenderen konden hier rustig slapen, niet gestoord door wind of regen, om zijn handwerk te beschermen. Hij hoopte dat de arme ziel begrip had voor deze verandering van rustplaats, en hij wenste hem vrede. De restjes leren schoen die hij had gevonden zou hij vernietigen. Er mocht niets overblijven om de bewoners van het huis te kwellen.

De decemberstormen gierden door het woud, zodat grote bomen voor hun kracht bogen en takken afstonden in onderwerping aan een sterkere macht. Het stro vloog van elk dak dat niet met stenen en touw was verzwaard. In het dal kon niemand slapen, want de donder en de bliksem knetterden boven hun hoofd en scheurden de lucht open met zilveren en gouden strepen. De ratten vluchtten uit de open velden naar de beschutting van huizen en schuren. Vallende takken blokkeerden de wagensporen met afval, sneden dorpen af, maakten dat mensen elkaar niet konden bereiken, en er werden veel stenen losgewrikt uit de kantelen en torens van de oude ruïnes.

De koningseik lag al op de grond om in stukken te worden gehakt. De meesteres had voor de storm opdracht gegeven hem te vellen, en dit was gebeurd. Ze lag nu in de kamer boven, leunend in haar veren kussens, met haar pasgeboren dochter ingebakerd in de houten wieg, met de naam Elizabeth ter ere van de grote koningin.

De koningin van het nieuwe huis lag er voor deze ene keer voldaan bij, in haar triomf, aanvankelijk zonder iets te merken van de storm die boven haar hoofd woedde. Alles was perfect: het huis, hun tuin, de overplaatsing van de oude tante, en dit alles haast zonder commentaar van Timon die naast haar lag te snurken. Hield dit misbaar nu maar eens op, het verstoorde haar rust. Af en toe was ze bang dat het nieuwe dak eraf zou waaien en dat zij zouden worden weggeblazen. De wind loeide door de schoorsteen als een gekwelde ziel, maar zij waren warm en droog en veilig in hun eigen onderkomen, dankzij haar inspanningen.

Sarahs ogen vielen dicht terwijl de oude eiken kreunden, als kegels tegen elkaar aan vielen en stuk voor stuk op de poortwoning neerkwamen.

'De mens, uit een vrouw geboren, is kort van dagen en zat van onrust. Als een bloem ontluikt hij en verwelkt, als een schaduw vliedt hij en houdt geen stand...

Want al zo heeft het de Almachtige God in zijn grote genade behaagd tot zich te nemen de zielen van onze eerwaarde zuster Felice, voormalig priores van St. Mary's Frideswell, en van haar bedienden Joseph en Leah, hier overleden...'

Timon Salte boog het hoofd, eerder in schaamte dan in verdriet. Omdat hij geen weerstand had kunnen bieden aan de eisen van zijn vrouw, was dit vreselijke ongeluk gebeurd. Die bomen waren oud en verrot en hadden al lang geleden moeten worden geveld, terwijl de gezonde koningseik zuiver om een gril was omgehakt.

Wat heb ik gedaan? verweet hij zichzelf. Hij had op alle punten te veel besteed aan dit vervloekte huis, en hij had niets in zijn geldkist om Bagshott te betalen wat hem toekwam. En nu deze nieuwe schande: de onnodige dood van zijn tante. Hij voelde opeens de levenskracht van de jeugd uit zijn ledematen wegtrekken en de twinkeling uit zijn ogen verdwijnen. Hij tuurde met droefenis en spijt in de grafkelder.

Ik moet leren me tegen Sarah te verzetten, anders wordt het onze ondergang, besefte hij. Lieve God, geef me de kracht om een man te zijn, ook al was hij nu omwille van een tuin aan de bedelstaf geraakt en was hij erger te schande gemaakt dan enig hoorndrager.

Ze zouden deze bittere winter op alle fronten moeten bezuinigen en beknibbelen. De meubels en gordijnen moesten worden verkocht, de pacht moest worden verhoogd, en alle pachters moesten meer opbrengen, hoe arm ze ook waren, wilden ze dit overleven.

De Heer zij geprezen! We hadden in ons bed getroffen kunnen zijn, mijn onschuldige kinderen verpletterd door boomstammen! Sarah Salte greep haar zoon bij de schouders om zelf steun te zoeken. Wij zijn gespaard en anderen zijn geofferd. Dat was de wil van God in Zijn wijsheid. Haar instinct om die vervloekte woning te verlaten voor Kerstmis, voor de ge-

boorte van haar kind, was een wonder van genade geweest, en geen vergissing. Het was een eer om zo te worden bewaard. Voor de anderen was
het jammer, moest ze erkennen, maar Felice was oud en de bedienden
hadden geen nakomelingen. Geen van hen moest er iets van hebben geweten. Hoe kon zij de schuld krijgen van hun dood?

Timon liep ruw langs haar heen, zonder zich te verwaardigen haar aan
te kijken. Hij sprak tegenwoordig nooit met haar. Ze voelde dat hij haar
de schuld van dit alles gaf, en zo had het niet moeten zijn. Deze tragedie
had al haar vreugde in het nieuwe huis bedorven. Sarah werd door zijn
familie als moordenares gezien, als iemand die op wrede wijze hun familielid had gedood. Nu begon Timon de nieuwe wandtapijten van de muren en de brokaten gordijnen van het bed te trekken. Hoe kon hij haar
zo te schande maken? Hij wilde niet één keer door de winterse tuin lopen
om de stenen zonnewijzer en haar formele tuin te bewonderen, hij praatte alleen maar over ellende en schande. Wat een flauw gezeur, ze overleef-
den dit heus wel. De familie Salte had hier in de omgeving de afgelopen
eeuwen boven alle anderen gestaan. Alles zou ten goede keren voor het
nieuwe huis. Dat moest, omwille van Sarahs erfgenamen.

Baggy stond zwijgend bij de verbijsterde inwoners van Frideswell, bij
de mannen die zich hadden verdrongen om de arme slachtoffers die onder de machtige eikenbomen lagen te redden, bij Jem, die naar zijn geliefde Leah was gekropen en haar levenloze gestalte in zijn armen had gewiegd terwijl hij het uitschreeuwde van woede. Ze hadden de lichamen
te voorschijn gehaald en het poorthuis afgebroken, zodat slechts een berg
stenen restte als bewijs van deze vreselijke nacht. Had hij deze storm veroorzaakt door zijn gerommel met de geesten? Had hij de wereld op zijn
kop gezet?

Nee, vast niet. 'Want het is de toorn van God die bliksemt waar Hij
wil,' zei de dominee tegen zijn gekwelde ziel. Hij kon nauwelijks naar die
vrouw van Salte kijken zonder haar in de ijzers te willen slaan en haar in
de visvijver te werpen. De heer des huizes was te laat met zijn betalingen
en durfde hem niet recht in de ogen te kijken. Een Bagshott had een Salte
op zijn woord geloofd – een riskante aangelegenheid, zoals Reuben hem
had gewaarschuwd, en nu begon zijn haar grijs te worden van alle zorgen.
Het zou hun slecht bekomen wanneer de betaling werd uitgesteld. Hij
had zijn eigen akkers en oogst verwaarloosd om de Saltes van comfort te
verzekeren, terwijl het enige dat hij tot dusver voor al zijn moeite had gekregen een aandeel in de koningseik was. Wat was het nut van een groene

eik die minstens een jaar moest uitharden? Als al het andere misliep, zouden ze gedwongen zijn die op te stoken in zijn koude haard.

Dit vervloekte huis zou hen allen ruïneren, stuk voor stuk. Hij vreesde dat hij uit de ruïnes van de priorij een gulzig monster had geschapen. Een gulzig monster dat zich had gevoed aan zijn streven om de Bagshotts verder te brengen in deze wereld, waar de mogelijkheden voor welvaart en fortuin openlagen voor hen die dapper genoeg waren om risico's te durven lopen.

Nu wenste hij dat hij op de ladder kon klimmen om die beenderen weg te halen om ze op een brandstapel te smijten. Ze hadden een vloek gebracht aan allen die ze hadden aangeraakt, daar was hij zeker van. Had hij een boosaardige geest opgewekt, met een kwade macht en invloed over deze verdoemde plek? Voor het eerst in zijn leven had hij geen antwoord voor zichzelf; hij had alleen de voldoening gevende gedachte dat als dit het geval was geweest, de Saltes ongetwijfeld ten ondergang gedoemd waren. Toen hij zijn vermoeide ogen over het kerkhof liet gaan, dacht hij dat hij de grijze dame weer op haar ronde zag, op zoek naar haar verloren schat. Baggy knipperde met zijn ogen. Het was alleen maar het licht dat hem parten speelde. Toen hij weer naar de muur van het kerkhof keek, was ze verdwenen.

Jeremiah Bagshott stond naast zijn vader, en hij rees hoog boven hem op, met zijn breedgerande zwarte hoed in de handen geklemd. Zijn donkere gezicht stond grimmig en streng. Hij zou geen tranen meer vergieten om Leah, zijn geliefde, die hem tot twee keer toe was ontnomen, eerst door haar verloving met Joseph en toen door dit wrede ongeluk.

'IJdelheid, ijdelheid... alles is ijdelheid, zo zegt de Here.' Geniet er nog maar van, mevrouw, want jullie Saltes zullen moeten boeten voor jullie ijdelheid. Niet nu misschien, maar eens, in de volheid der tijden. In de tijd van de Here.

Zijn hart was ijskoud toen hij omhoogkeek naar het nieuwe huis met zijn mooie schoorsteen en pannendak, de chique ramen en het sierlijke portaal dat met vakmanschap door de Bagshotts was gebouwd. Het zag er heel mooi en sterk uit, maar net als de koningseik kon dit alles elk moment door de hand van de Here worden geveld. De ijdelheid van die feeks Sarah had dit alles teweeggebracht, doordat de vloek van Eva zich in haar had geopenbaard. Die verleidster zou beslist worden vernederd.

'De tuin van mevrouw heeft ons allen veel gekost. Vervloekt is zij en iedereen die zich er verder in begeeft.'

Ze moeten gestraft worden voor deze slechtheid tegen zijn liefste Leah, wier nederige schoonheid de charmes van deze heks ver te boven ging.

Haar dood had vreemd genoeg een gevoel van verlossing en vrede met zich meegebracht, een nieuw doel, vrij van alle boeien van de liefde die hem bij haar in de buurt had gehouden. Hij kon nu het stof van Frides-well van zich afschudden om op weg te gaan naar de grote stad. Daar zou hij zich naast Reuben omhoogwerken, iets zien te bereiken, en zijn hart en dat van zijn kinderen verharden tegen de ijdelheid van de Saltes. Eens zou dit huis op de knieën worden gebracht.

Jem wierp de schop aarde met grimmige voldoening in het graf. 'De Here heeft gegeven en de Here heeft genomen... De naam des Heren zij geloofd.'

Langs het pad

Het pad slingert rond het huis, onder een pergola die zwaar is van de geurige *Rosa* 'Zéphirine Drouhin'. Iris Bagshott plukt al gaande de uitgebloeide bloemen weg, zorgvuldig op de uitkijk naar tekenen van onheil. Er dreigt altijd een van de plagen van Egypte uit te breken zodra ze ze haar rug toekeert: roest, meeldauw, luizen. Jawel, de gevreesde sterroetdauw!

Wie zal er voor jullie zorgen als ik er niet meer ben? peinst ze. In de herfst zullen jullie mijn ware aard zien, dan gaat de snoeischaar erin, voor jullie eigen bestwil. Dus gedraag je!

> *Gather ye rosebuds while ye may*
> *Old time is a-flying.*
> *And this same flower that smiles today,*
> *Tomorrow will be dying.*

Moeten ze op school nog steeds gedichten uit het hoofd leren? Ik wed dat ze die niet meer op hoeven te zeggen voor een onderwijzer die met een rietje in de hand staat. Zoiets heeft in elk geval wel mijn geheugen voor dingen uit het verleden gescherpt. Wat het heden betreft vergeet ik zonder notitieboekje alles van het ene moment op het andere.

Iris is niet tevreden met het effect, de rozentuin mist warmte. Er moeten meer bogen en trelliswerk komen om het stijve te verzachten, bogen met een weelde aan bloedrode bourbonrozen, blozende damasceners en lichte muskusrozen.

Dat is het probleem met deze tuin, ik ben nooit tevreden, maar ik bezit de moed of de energie niet meer om alles eruit te halen en opnieuw te beginnen. Misschien hebben de rozen behoefte aan een stel jongere, romantischer groene vingers om te friemelen en te draaien, te draperen en te ontwerpen? Ik heb te veel narigheid in dit leven gezien om te geloven dat romantiek een panacee voor alle ziekten is, maar een berceau van zoetgeurende rozen zou een heerlijke schuilplaats vormen.

Iris doet een stap achteruit om de platte kant van het L-vormige huis te bekijken. De geest van het huis spreekt hier luid en vertelt haar nu dat ze een oogje moet houden op de bonte klimop die over het dak klimt aan het eind van het huis, dat daar als een brood is afgesneden. Die klimop moet eens flink worden teruggesnoeid, en snel ook. Het notitieboekje wordt opnieuw te voorschijn gehaald.

Ze herinnert zich hoe de plaatselijke oudheidkundige groep haar gedeelte van het kloosterterrein kwam bekijken, waarbij ze de contouren van de oude gebouwen, tiendschuren en vijvers opzochten. Ze wezen op haar metselwerk en op de Tudor-aanbouw in baksteen die niet in proportie was met de rest van het huis. Ze maakten de dichtgegroeide vijver onder aan de helling schoon, vlak bij de enige overgebleven stenen poort naar het kerkhof, en ze vertelden haar dat dit de visvijver van de nonnen moest zijn.

Er kwam een groepje van hen om in een weekend de vijver zorgvuldig leeg te vissen, maar ze vonden geen schat, alleen maar wat kapot aardewerk en een paar bruine flessen van vaders donkere bier. Iris liet hun de kleine ring van haar oma zien, van gevlochten gouddraad, waaraan een steen ontbrak. De ring was te voorschijn gekomen bij het mulchen van de blauweregen tegen de muur, in de ijdele hoop dat hij misschien zou gaan bloeien. De vingers van de dames van vroeger waren kennelijk dun, en ze vroeg zich af of er een arm meisje was geweest dat wanhopig naar haar kostbare sieraad had gezocht.

Toen kreeg ze bezoek van de Sealed Knot Society, die de schermutselingen bij Barnsley Bridge wilden naspelen. Ze zeiden dat er tijdens de burgeroorlog een klein garnizoen op Fridwell was ingekwartierd. Hadden die soldaten met hun kanonnen soms een stuk van het huis afgehakt? had ze gevraagd, maar de groep wist het niet.

Ik kan me in deze tuin niet verroeren zonder in de voetstappen te treden van voorouders die mij hebben gemaakt tot wie ik ben. Ik leef met deze geesten die me op de hielen volgen, die in mijn oor fluisteren. Ze vallen me niet echt lastig, behalve één: een gekwelde geest die in het oude trappenhuis woont. Er heerst altijd een kilte wanneer zij de ronde doet. Daar ga ik weer, met al mijn veronderstellingen, maar een kind dat is geboren op het slaan van de klok kan niet worden behekst. Ik bezit 'het weten zonder woorden', zoals oma altijd zei, en dat heeft af en toe een hele last voor me betekend.

DEEL VIJF

Het Fridewell-garnizoen

1646

'Toen in de Tuinen slechts Torens groeiden
En overal garnizoenen bloeiden,
Toen Rozen slechts wapens droegen
En mannen om rozenslingers vroegen...
Maar de Oorlog heeft dit neergemaaid:
Door ons wordt nu slechts Kruit gezaaid.'
'Upon Appleton House', ANDREW MARVELL

'ROZEMARIJN

De tijmolie die uit de bladeren en de bloemen wordt gewonnen is heel geneeskrachtig... neem één druppel, of twee of drie, al naar gelang de behoefte voor het inwendige ongemak.'

Nieuwkomers

In de warme bries wapperde de banier als een rafelig zeil. Het vaandel had veel meegemaakt, en het vaandelmotto en de linten met 'Wij Vertrouwen op God' waren van het felle oranje van de ondergaande zon verbleekt tot het fletse abrikoos van de zonsopgang.

De cavalerist zwaaide er triomfantelijk mee toen ze uit de koele schaduw van het eikenwoud de hoge heuvelrug opreden, waar de wind aan de rafelige randen rukte. Er was niemand die hen zag komen, ze werden zelfs niet door vogelgezang verwelkomd, want de hitte maakte dat alle levende wezens schaduw zochten onder dak, tak en in holten, uit de zon en het varenstof van de augustusmiddag.

De kapitein van het peloton stak zijn hand op en ze cirkelden rond, waarbij ze rood stof opwierpen dat in de ogen en in het gezicht dwarrelde. De paarden zwiepten met hun staart om de hinderlijke zwarte vliegen te verjagen, die op de groep neerdaalden zodra ze even stilhielden om hun positie te bepalen.

'Halt! We zijn dichter bij de stad dan ik aanvankelijk had gedacht, nog geen drie mijlen van het garnizoen in Malignant. Kijk eens, daar beneden, de torenspitsen staan er nog steeds – tot onze schande. Het dorp daarginds is Fridewell en verder naar het westen ligt Barnsley Green. Dit voorspelt veel goeds voor ons, want we hebben veel familie in deze omgeving. We zullen ons binnenkort te goed kunnen doen aan wat er op die akkers staat. Vat moed.'

Micah Bagshott, kapitein te paard in het nieuwe modelleger van sir Thomas Fairfax, veteraan van Edgehill en Naseby en veel recente bloedige schermutselingen, afkomstig uit de stad beneden, glimlachte met voldoening om hun geluk. Hij bevond zich op vertrouwd terrein, bijna thuisgrond, dichtbij genoeg om een behoedzaam welkom en respect te krijgen van de lagere boeren en dagloners die zijn illustere naam herkenden. Als iemand het beleg van het royalistische garnizoen wilde breken

door middel van heimelijke bevoorradingskonvooien die in het holst van
de nacht uit het woud te voorschijn slopen, dan kende hij alle weggetjes,
paden en beekjes die naar de ommuurde vesting daar beneden voerden.
Als ze hier wachtten, zou er weinig langs hun patrouilles, of langs die van
de rest van zijn compagnie, die in het dichte woud verspreid zat, kunnen
komen. Het was zo'n wild en dicht woud dat het nog niet tot mijlenver
rond de routes naar het noorden en zuiden in kaart was gebracht en toe-
gankelijk was gemaakt. Hij veegde het stof uit zijn ogen en uit de rimpels van zijn door de zon verweerde gezicht en grijnsde vals, met lippen
die zich tot een dunne streep strekten, terwijl zijn zwarte ogen twinkelden van leedvermaak.

Hij bevond zich nu op Saltterrein, hij kon de blauwe rook die uit de
schoorsteen naar het oosten opsteeg, het pannendak van het nieuwe huis
en de aanleg van de chique tuinen als een landkaart voor zich uitgespreid
zien. Dit was het huis dat was gebouwd over de ruggen van de mannen
van Bagshott, in de tijd van de oude Reuben en Jeremiah de preker, zijn
voorvader, die hem over hun nederige begin had verteld, en zijn vader,
Ned, de aannemer, die door toedoen van die bedriegelijke Salts voortij-
dig in het graf was gekomen. De naam Salt had sindsdien als een vloek
op de lippen van de Bagshotts gelegen. Micah had geen redenen om iemand van de familie Salt iets goeds toe te wensen, want ze waren voor de
koning en niet voor het parlement, zoals het grootste deel van de stad.

Micah was uit de stad verjaagd na het eerste noodlottige beleg en de
dood van zijn grote held, lord Brooke, toen hij met zijn cavalerie onderdak had gezocht waar hij kon. De wraak voor het ondergaan van zo'n
vernedering ten aanschouwe van zijn buren zou eens zoet smaken, maar
daar moest zorgvuldig, op het juiste moment, van worden genoten.

Er hielden zich opstandelingen schuil in het woud, hij kon ze gewoon ruiken, roomsen en huurlingen. Sommigen waren uit hechtenis
ontsnapt en op de vlucht naar het zuiden, om zich bij hun garnizoenen
te voegen. Er moest snel en onbarmhartig met hen worden afgerekend.
Hij maakte geen gevangenen. De compagnie werd in groepen verdeeld
om het gebied uit te kammen. De kapitein was opgetogen nu binnen het
bereik van dit dorp te zijn, met zijn voorraad vers water, een graanmolen, voorraadschuren, stallen en oogst die bijna binnen was. Fridewell
zou zijn mannen goed doen. Hij zou persoonlijk met de familie Salt afre-
kenen. Hij zou met vreugde in hun veren bedden slapen, uit hun kelder
drinken en zich aan hun vleesvoorraad te goed doen. Maar hij zou wel

aan zijn manieren denken, want hij was een beschaafd mens en kon vork en mes hanteren. Zijn opvoeding was grondig geweest en dankzij drie jaar in het leger had hij een voorliefde voor het leven op stand ontwikkeld, door alle overvallen op bange rijke lieden die zagen hoe hun huis in de as werd gelegd, waarna ze in alle richtingen op de vlucht sloegen.

Maar het leger had hem nóg een opvoeding gegeven, een stalen besef te midden van de gruwelen van de oorlog. Het wrede zwaard dat in het vlees sneed, het spuiten van het bloed wanneer een man tussen leven en dood zweefde. De kreten van mannen die smeekten om een genadig einde van hun lijden; kameraden bij wie de ledematen waren uitgerukt, of die waren verpletterd tot verstrengelde ingewanden en beenderen. Hij was gehard door de aanblik van zulke verschrikkingen en hij kreeg nog meer zelfvertrouwen in zijn leiderschap, waarbij hij respect en gehoorzaamheid eiste. Hij werd gerespecteerd om zijn meedogenloosheid, de manier waarop hij ter plekke scherpe maatregelen nam bij iedere inbreuk op de discipline. Kapitein Bagshott aarzelde niet geselingen of executies te gelasten teneinde zijn wil op te leggen. Hij eiste de uiterste loyaliteit van zijn mannen, want zij vormden nu zijn familie, een band die was gesmeed door bloed en noodzaak. Alles wat in beslag werd genomen, deelde hij eerlijk met hen.

Als Micah opluchting of droefenis voelde omdat hij zo dicht bij huis was, liet hij dit zijn mannen niet merken. Hij durfde geen enkele zwakheid te tonen, hij had gezien hoe die bij andere mensen tot dwaasheden en de dood kon leiden. Degenen die lang bij hun daden stilstonden of hun motieven te grondig onderzochten, moesten dat snel bezuren. Het was alsof ze de strijd aan beide zijden voerden, en ze putten zich uit door alle moeite die ze deden om humaan en barmhartig te blijven. Zulke emoties pasten niet goed onder een helm.

Er waren geen wagens met kanonnen om hun tocht over de uitgesleten landweggetjes te vertragen, maar de hitte begon alle mannen te machtig te worden, met hun dikke leren jassen en zwarte borstplaten die hen bij deze hitte levend roosterden. Micah kon de luizen in zijn hemd voelen rondkruipen. Ze hadden een week vanuit het zadel geleefd, waarbij ze op bedden van stofdroge varens hadden geslapen en water uit miezerige stroompjes hadden moeten halen. Kleine dingen als deze bezorgden hem het meeste ongemak, want hij was van nature een zindelijk mens en hij smachtte ernaar zich in de visvijver beneden te kunnen onderdompelen, te voelen hoe het koude water zijn vermoeidheid en alle viezigheid wegspoelde.

Aanvankelijk was het moeilijk geweest om zijn zachte bed te verlaten en op de koude grond te gaan liggen, uitgelezen vleessoorten op te geven voor grof brood en harde kaas, met alleen maar brak water om te drinken en een smerige pijp tabak om aan te trekken. Het was moeilijk om moeder alleen te laten met haar voortdurende zorgen, en zijn jeugdvrienden en studiemakkers, in ruil voor het gefluit van kogels en van lichamen die dood aan zijn voeten neervielen. Hij had genoeg van die muziek. Na verloop van tijd raakte je gewend aan luizen en honger, aan zadelpijn en vijandige blikken. Maar aan de andere kant, o, zo dicht bij huis te zijn! Het zou heel verleidelijk zijn, maar in zo'n zomer van pest en ziekten kon hij zijn mannen niet in de waagschaal stellen door hen de vieze straten en de smerigheid van de stad in te laten trekken. Laat de royalisten maar boeten voor hun zonden. Hij zou hierboven, in Fridewell, koel en schoon blijven.

Hij kneep zijn ogen halfdicht om een beter zicht te krijgen op het dorp dat tegen de helling lag. Ze zouden geen tegenstand bieden, zonder familie om hen te beschermen. Er zou daar niemand van enig gewicht zijn om verzet te coördineren. Er zou ongetwijfeld een oude weduwe zijn, want de gebroeders Salt waren bij Edgehill gesneuveld. Hij had de lichamen bij de andere Midlandmannen zien liggen, en hun vaandel was hem opgevallen te midden van de verzameling gehavende kleuren die ze die dag hadden bemachtigd. Nee, er zou geen verzet zijn, maar het zou hem, gewoon voor alle zekerheid, veel voldoening geven om hen een beetje te intimideren. Een beetje plunderen, een beetje Bagshott-autoriteit tentoonspreiden moest voldoende zijn.

De kapitein wees naar het rode bakstenen huis dat trots apart stond, op enige afstand van de dorpshuizen, omringd door groene gazons en geometrisch aangelegde bloemperken, door heesters en solide bijgebouwen, statig en welvarend in het blinkende zonlicht.

'Ga er op af, daar beneden. Zet alles op zijn kop... Zoek naar zilver, wapens, geld. En laat geen steen liggen. Ik vertrouw die lui niet. Doorzoek de gebruikelijke plaatsen – vijvers, tuinen – en kijk of er recent is gespit. Er zijn al heel wat zilveren borden in rozenperken gevonden. Ga erop af maar plunder het huis niet. We zullen daar comfortabel kunnen rusten, kerels, terwijl we de wegen kunnen bewaken. Ja, we zullen de gouden akkers van Fridewelle een tijdje ons en onze paarden laten voeden.

En nu snel aan het werk! Het zal me een groot genoegen doen de rijkdommen van Salt over de grond uitgestrooid te zien.'

Er liep een vrouw in een zwarte jurk met een witkanten kraag nerveus over het terras te ijsberen, heen en weer, heen en weer. Ze bleef staan om de rozenstruiken te bekijken. Er zaten niet veel bladeren meer aan, en wat er aan zat was dun, alle pracht van juni was lang vergaan. Als ze zorgvuldiger dode bloemen had weggeknipt, was er een tweede bloei geweest om te bewonderen. Maar wie zou die moeten zien?

De grond was uitgedroogd. Zelfs het onkruid verlepte in dit verzengende zonlicht. Ze was nooit erg gehecht geweest aan die perken met hun stijve beplanting tussen de buxus. De geometrische patronen waren allang verwaarloosd en verdwaalde veldbloemen uit de akkers in de omgeving begonnen de ruimte te herwinnen. Had ze maar de moed gehad zich om het tuinwerk te bekommeren, maar ze voelde zich zo terneergeslagen door die oorlog dat ze het niet kon opbrengen iets aan 'de tuin van mevrouw' te doen.

Het was te warm om zwart te dragen, te warm voor dikke onderrokken en stroken, maar haar hoofd stond niet naar kleur. Die ziekelijke bloemen gaven voldoende kleur, alleen hun geur kon het verdriet in haar ziel verzachten. Waarom ben je toch gegaan? O Beavis... om ons zo alleen en onbeschermd achter te laten. Hoe kan ik je vergeven dat je zo vastberaden was, dat je deze gezegende plek en het huis van je hart wilde verlaten om ons over te laten aan de genade van het lot? Drie zomers lang heb ik op je terugkeer gewacht. Hoe kun je dood zijn als ik je lichaam niet eens heb gezien? O Beavis, hoe moet ik dit overleven? Het valt niet te verdragen.

Nazareth Salt voelde hete tranen op haar wangen. Ze keek opnieuw naar de tuin van haar man. Ze was hier ooit als jonge bruid gekomen, vol hoop, gekleed in lichtblauwe zijden brokaat volgens de laatste mode, afgezet met de mooiste kant, een bruidsgeschenk van haar moeder. Hoe slank was haar taille toen, en hoe vol haar boezem, haar haar beeldschoon glanzend door een tinctuur van rozemarijn. Ze had niets van het lelijke van de familie Sapcote, want ze was slechts in de verte aan hen verwant. In tegenstelling tot haar arme kind, Lucilla. Nazareth was ooit een volmaakte Engelse roos geweest, maar nu een verwelkte bloem in haar weduwedracht, met haar door de zon gebruinde huid. Ze nam nauwelijks nog de moeite een muts te dragen.

Benjamin en Elizabeth Salt hadden instemmend geknikt bij de keuze van hun zoon, maar de strenge oude vrouw, die in haar negentigste jaar was, de oude Sarah, had het meisje Nazareth een por met haar stok gegeven, alsof ze de zaailing van een eik inspecteerde. 'De tuin van mevrouw' was de grote vreugde van de oude Sarah, maar totaal niet Nazareths smaak. Beavis was erg trots geweest op het huis, en het was moeilijk om niet van het huis te houden, met zijn stevige bakstenen muren en rustige atmosfeer. Toch had ze dat terras met die perken nooit mooi kunnen vinden. Het was een plek vol uiterlijk vertoon, het was te stijf, deed te veel aan de oude Sarah denken, zoals het op het zuiden en het westen was gericht, uitgespreid over de helling, om de perken en de rozen goed te laten zien. Verscholen achter het oudere gedeelte van het huis lag een ommuurde haag met een stil tuintje, dat zeer was verwaarloosd, dicht bij de bron waaraan het huis zijn naam ontleende. Het zag er nu armzalig uit, het was gedeeltelijk geblokkeerd door resten omgevallen metselwerk en het onkruid overwoekerde de oevers van het beekje. Deze bron, de oorsprong van hun leven, lag er verwilderd bij, verwaarloosd ten gunste van een overdreven zonnewijzer en een stijve rij rozenstruiken.

Dit was het plekje waar Nazareth haar toevlucht zocht, en ze richtte haar inspanningen op het opknappen van de bron en de oude tuin met de haag. Hier voelde ze zich vredig afgezonderd, veilig in het hart van de dingen. Ze ontdekte tot haar verbazing dat ze gevoel had voor planten, dat ze er voorzichtig mee was, in contact stond met de rode aarde en het wezen van de grond, dat ze instinctief wist wanneer ze moest zaaien en wanneer ze moest wachten. Geduld was een gave die ze rijkelijk bezat. Drie zomers lang, terwijl ze wachtte tot Beavis weer thuiskwam, was dit deel van de tuin haar toevluchtsoord geworden als de slaap niet wilde komen. Nu begon haar geduld, net als het beekje, op te drogen.

Nazareth verlangde naar iemand die sterk genoeg was om de last van de verantwoordelijkheid van haar schouders te nemen. Ze had genoeg van het nemen van beslissingen, het geven van leiding aan het landgoed en aan de landarbeiders. Haar eigen familie woonde ver weg en reizen was heel gevaarlijk. Stewarts weduwe Letty had op Longhall haar eigen zorgen en jonge kinderen om op te voeden. Ze was hertrouwd met een goedhartige soldaat met één arm en zou binnenkort een kind van hem baren. Er begon een nieuw leven voor haar. Letty had geen dochter die weigerde te accepteren dat haar vader nooit meer thuis zou komen en in plaats daarvan een trieste hoop koesterde, als een lantaarntje in een donkere nacht.

Kon Lucilla maar iets gezelliger voor haar moeder zijn, en samen met haar van de vreugden van de verborgen tuin genieten. Waarom kon zij niet achter vlinders aan hollen en door de struiken kruipen zoals de kinderen op Longhall Manor, die als speelse puppy's door de tuinen dansten wanneer zij op bezoek kwamen? Lucie bleef echter binnen en zat te borduren, terwijl ze met minachting naar hun capriolen keek.

Het kind zat nu door de ruitjes van de ramen boven aan de trap te kijken. Niets ontging haar, niet het geschitter van metaal op de heuvelkam, of de rij soldaten met hun wapperende vaandel. Hun sjerpen waren feloranje, niet roze. Weer vreemdelingen in het dorp, soldaten van de andere kant, niet net als vader gekleed, met kanten manchetten en veren. Ze zag hem in gedachten nog steeds voor zich, met zijn schitterende borstplaat en zijn blinkende helm. Ze was gretig naar de poort gehold om hem uit te zwaaien, en ze was toen nog zo klein geweest dat ze helemaal in de lucht had moeten kijken terwijl hij te paard zat. Ze had nu geen enkele belangstelling meer voor paarden of wapenrusting. Pas als vader terugkwam zou ze naar buiten gaan om in zijn armen te springen.

Lucilla zag haar moeder zoals gewoonlijk in het rozenperk bezig, als een heks in haar zwarte kleren. Waarom droeg ze weduwekleding terwijl ze wist dat vader na de oorlog thuis zou komen, om weer voor hen te zorgen? Het kind vond het vreselijk om haar met die afschuwelijke platte muts te zien, terwijl haar krullen om haar heen zwierden als bij een melkmeid. Moeder gedroeg zich niet langer als een dame. Vader zou het niet leuk vinden dat ze zich zo had laten gaan. Alles was anders sinds hij bij hen weg was. Lucilla kon de redenaties van haar ouders niet volgen. Je was voor de koning of voor het parlement, voor roze of voor oranje, je was protestants of paaps, opstandeling of weigeraar. Ze kende alle woorden uit haar hoofd, maar wat betekenden ze? Konden ze er niet gewoon samen over praten en 'over' zeggen, vrede sluiten? Waarom moesten ze toch ruziemaken en vechten, net als die stomme neefjes van haar, Richard en Tobias?

Lucie zat graag boven aan de trap door het raam naar het leven buiten te kijken. Het was een goede plek, tussen de oude, donkere kamer en het nieuwe huis. Hier was ze veilig en koel, zonder wespen om haar te steken of gemene kriebelbeesten onder haar rokken. Dit was Lucilla's koninkrijk en zij was de koningin van het trappenhuis: niemand kon erin of eruit zonder dat zij hiervan wist. Niemand bekommerde zich om hoe zij zich vermaakte, zolang ze maar iets in haar handen had, een bijbel of een plaatjesboek, een naaiwerkje of haar mooie houten pop. Moeder had nauwelijks oog voor haar wanneer ze als een bediende heen en weer liep te hollen om haar werk te doen. Martha bracht het schone linnen naar de pers, en ze vond het heerlijk om de lucht op te snuiven van die droge plek, waar lavendelbollen en boerenwormkruid waren gestrooid.

Straks werd het haar meest geliefde uur van de dag, wanneer het zonlicht door de glas-in-loodraampjes viel als een gouden waaier op de donkere eikenhouten trap waar haar initialen diep in het hout waren gegraveerd. De stralen vielen op het portret van 'Oude Sarah', die opdracht had gegeven voor het Nieuwe Huis en 'De tuin van mevrouw', die altijd in één adem werden genoemd. Oude Sarah hoorde net zo bij het huis als de bakstenen en de specie, smaalde moeder altijd. Martha Barnsley zei dat de dame een vreeswekkende vrouw met een sterke wil was geweest, en dat juffrouw Lucilla diezelfde kin met een spleetje en hetzelfde arendsoog voor detail had. Het kind vroeg zich af wat de oude Sarah van deze vreselijke toestanden zou hebben gevonden. Misschien zou ze een lans of knuppel pakken om de vreemdelingen met haar blote handen het dorp uit te jagen.

Er waren brieven gekomen van moeders familie, die te paard uit de stad waren gebracht, waardoor ze had moeten huilen. Ze had zich in de tuin teruggetrokken om het nieuws tot zich te nemen, waarbij ze de velletjes steeds weer had gelezen tot ze waren versleten. Het nieuws over de zaak van de koning was nooit goed.

Lucie stond toen in de deuropening, terwijl ze de deurstopper heen en weer schoof, tot ze een keer had ontdekt dat er een vage afbeelding op stond gegraveerd: een vrouw met een kind op haar knie, en een tekst die te ver was afgesleten om nog te kunnen ontcijferen. Martha, het dienstmeisje, zei dat ze er niets van kon maken, maar moeder, die verbaasd en nieuwsgierig was door het gewicht en de vorm, liet hem aan dominee Masterson zien, die helemaal rood en opgewonden werd en zei dat het misschien het verdwenen zegel van de priorij van Saint Mary was, die eeuwen geleden door een van hun voorouders was gesticht. Hij vermoedde dat het de Heilige Maagd en het Kind waren die waren afgebeeld, en hij raadde hun aan deze beeltenis goed verborgen te houden in deze troebele tijden. Maar hij had het toch liefdevol betast. Moeder zei dat het goed uit het zicht bewaard moest blijven omdat ze anders allemaal voor paapsen zouden worden aangezien, en ze had een ander zwaar voorwerp voor de oude deur gezocht.

Lucilla was woest over al dit gedoe en ze had gesmeekt het zegel in haar eigen kamer te mogen bewaren in haar doos met kostbaarheden, die was ingelegd met parelmoeren initialen. Wie iets vond, mocht het houden, had ze gezegd, en voor deze ene keer had moeder toegestemd.

Het zegel was zo zwaar dat het op de bodem van het houten kistje viel, samen met de kostbare brief, het enige aandenken dat ze van haar vader had. Lucie kende ieder woord van zijn briefje uit het hoofd. 'Groeten aan Lucilla, mijn eigen Kleine Lichtje. Wees aardig voor je lieve moeder en pas goed op haar tot ik terugkom.' Ze had ook een stukje van het mooie lint van zijn beste jasje, en het flesje Hongaars water dat als een relikwie of zo door alle dames in de familie was doorgegeven. Er was ook een veren waaier, waarvan vader zei dat hij was gemaakt van de vleugels van feeen. Als je zo'n schatkist had, met zulke verrukkingen erin, wie had er dan nog behoefte om naar buiten te gaan?

Lucilla keek omhoog naar het hoogste punt van het weggetje. De soldaten te paard reden snel, galoppeerden omlaag in de richting van het huis. Lucie begreep dat het niet de mannen van de koning waren. Ze droegen vreemde helmen, als maskers, en hun gerafelde vaandel wapperde in de wind toen ze door de poort daverden, naar het met keien geplaveide voorplein.

Het kind vluchtte naar haar kamer, verstopte zich onder de sprei, terwijl ze haar schatten stevig tegen haar borst drukte. Als ze heel stil bleef liggen, gingen ze misschien allemaal wel weer weg.

Bij het geluid van klepperende hoeven snelden mevrouw en haar bedienden naar de binnenplaats. Nazareth probeerde kalm te blijven terwijl ze de knoop van haar schort losmaakte, haar haar uit haar bezwete gezicht streek en Martha en Gideon wenkte achter haar te lopen.

'Voor koning of voor parlement?' schreeuwde een soldaat ruw.

'Wij zijn voor onszelf... zoals u ziet is er hier alleen maar een jongen om ons te verdedigen.' Nazareth stond kaarsrecht en keek de man recht aan.

'Wie niet voor ons is, is tegen ons, mevrouw.'

'Wat u ook zegt, meneer, er is hier niets dat uw belangstelling kan hebben. Er zijn geen wapens, paarden of vee meer over. Daar hebben de laatste bezoekers voor gezorgd.'

'Dan moeten we controleren of ze niets over het hoofd hebben gezien. Opzij! Kijk op de gebruikelijke plaatsen, mannen, en doorzoek alles goed. De noodzaak maakt dames net zo goed tot leugenaars als bedelaars.' Hij lachte naar haar, drong zich langs haar heen om af te stijgen, en beval zijn soldaten naar de grote schuur en daarna naar de tuin te gaan. Nazareth volgde hen, op een holletje om hen bij te houden. 'Dit is mijn huis, meneer!'

'Hinder ons niet, dan zal er ook niets gebeuren. Als u ons verder te-
genhoudt, zal het huis in brand worden gestoken. Mooi zo... Doorzoek
de tuin!' Hij zwaaide met zijn arm in de richting van het rozenperk.
'Wat kan er nu onder een groep rozenstruiken verstopt zijn?' gilde
Nazareth hem na.

'Ach mevrouw, het zou u verbazen hoeveel paapse snuisterijen hun
weg naar zulke wortels weten te vinden.' Hij lachte om haar hulpeloos-
heid. Ze zag hoe ze de zonnewijzer omverduwden. Hij brak en viel in
stukken uiteen. Ze hakten in de rozen, spitten de grond om en schudden
hun hoofd van teleurstelling. 'O heer, ik smeek u, dit is een oud en heilig
onderkomen. Kijk, de kerk is al geplunderd. Er is geen raam gespaard gebleven en de klokkentoren is ingestort. Zeg ons wat u verlangt, dan zullen wij ervoor zorgen.'

Ze smeekte nu, bang voor de blik in de ogen van de sergeant, die
wreed en koud was. Hij trok zich totaal niets aan van haar gevoelens.
Zijn mannen waren druk bezig al het gereedschap uit de schuur te halen – de kruiwagen en de hooivorken, de balen stro – en die op het erf te
smijten. De sergeant werd hier kwaad om en stuurde hen naar de put om
die te doorzoeken.

'Er is hier geen put, alleen maar een bron achter in de tuin... u kunt
ons verse water met ons delen, want uw paarden zien er vermoeid uit.'

Ze sloegen geen acht op Nazareth toen ze naar de deur van de provisiekamer stormden, waar de laatste ham hing en waar de laatste potten
met ingemaakt fruit stonden. 'Dit is meer naar onze zin.' Een van de soldaten tilde een stenen pot op en smeet die kapot op de stenen tegels. 'O,
wat onhandig van me!'

Nazareth voelde een allesverterende woede in zich opstijgen, die al haar
angsten overwon. 'Hoe durft u zulk kostbaar voedsel te verspillen terwijl
wij allen wekenlang als nonnen hebben gevast om dit voor de winter te bewaren? Sergeant, houd uw mannen onder controle... Het is net een stelletje wilde roofdieren! Ik wil met uw commandant spreken. Dit onfatsoen-
lijke gedrag geeft geen pas. Het is geen christelijke manier van doen...'

'Zo is het genoeg. Halt. Luister naar het verzoek van de dame,' beval
de kapitein terwijl hij langzaam het erf opreed. Hij stak zijn hand op in
een groet. 'Zo is het wel genoeg, sergeant. U moet niet verwoesten wat
ons moet steunen.'

Nazareth herkende de oranje sjerp van een officier van de cavalerie. Ze
kon zijn gezicht niet zien omdat ze tegen de zon in keek, hij was alleen

maar een brede, hoge gestalte die een lange schaduw wierp. Ze hield haar hand boven haar ogen om te zien wat voor man haar had begroet, maar het enige dat ze achter het vizier kon ontwaren was het gezicht van een donkere man, bestoft en gerimpeld.

'Waarom vinden uw mannen het nodig mijn tuin te verwoesten en mijn voorraden te plunderen? Als het beleefd was gevraagd, hadden we het weinige dat ons restte met u gedeeld. Ziet u, wij leven als eenvoudige boeren, ik heb alleen maar een dienstmeisje en een jongen tot mijn beschikking. Dit is geen daad van beschaving, heer.' Haar stem sloeg over van woede, maar haar benen trilden.

'Mevrouw, ik bied u mijn verontschuldigingen aan als zij te overijverig zijn geweest. Ik zie alleen maar een paar omvergehaalde rozen en ik zal ze onmiddellijk laten herplanten.'

'U kunt zich die moeite besparen, heer. Ik geef niets om die perken, en ik heb er ook nooit iets om gegeven. Laat hen hun gewroet maar voortzetten, zodat ik een beter gewas aan bloemen en kruiden kan planten. Maar de zonnewijzer is vernield. Het was een geliefd voorwerp van wijlen mijn echtgenoot en het was al vele generaties in de familie.'

'Jawel, vanaf de oude Sarah Salte, die dit huis heeft laten bouwen, als ik het goed heb?'

'Hoe komt het dat u kennis van ons hebt, heer? Wij zijn arme boeren met wier fortuin het nu slecht is gesteld, zoals algemeen bekend is.'

'Ik ben kapitein Micah Bagshott van de compagnie der Cavalerie, afkomstig uit deze stad. Ik ben maar al te goed op de hoogte van het lot van dit huis, en hoe ijdelheid veel onheil heeft gebracht over mijn eigen familie in deze streek.'

'Dat was niet door mijn hand, ik ben slechts door mijn huwelijk gerelateerd en ik ben onlangs weduwe geworden. Ik weet niets van zulke verhalen, maar uw naam komt mij bekend voor.'

'Dat zal best! De Bagshotts waren in het verleden ooit onderworpen aan de onzekere genade van de Saltes. Nu zorgt de Almachtige Heer ervoor dat de balans eindelijk weer in evenwicht wordt gebracht.'

Hij lachte toen hij afsteeg en zijn helm afzette, waarbij hij een bos vettige krullen, die tot zijn schouders reikten, uitschudde. Hij torende hoog boven haar uit, als een enorme zwarte beer, met brede schouders, grof gebouwd. Zijn stoffige hoge laarzen reikten bijna tot aan haar middel. Zijn gezicht was pezig en sterk, gladgeschoren, en zijn zelfverzekerde manier van doen was ontwapenend in zijn eenvoud. Als hij inderdaad een echte Bagshott was, dan had hij zich een stuk verbeterd in status en spraak, vergeleken bij zijn boerse familie die rond Longhall verspreid woonde. Hij was bijna een heer. Nazareth nam hem op met een grimmig soort voldoening. Zou hij genoeg heer zijn om haar tegen plundering en schande te beschermen?

'Ik neem aan dat u inkwartiering eist? U bent niet de eerste die dit verlangt. Er zijn weinig andere bouwvallen in dit dorp die niet krioelen van de kinderen. Uw mannen kunnen in de schuren liggen en slapen op het stro in de stallen van het vee...'

'En u zult ongetwijfeld mij en mijn luitenant uitnodigen binnen deze muren te verblijven om uw deugd te bewaken? Dat is de gebruikelijke manier van doen. Maar stuur eerst uw dienstmeisje met water, zodat ik het vuil kan wegwassen. Ik stink naar het woud en ik moet me het elegante gezelschap dat voor mij in het zonlicht schittert waardig maken.'

'U drijft de spot met mij, heer, en dat is u onwaardig. Ik ben maar een arme weduwe met een kind om te beschermen. Ik heb weinig behoefte aan elegant vertoon, want ik heb deze afgelopen maanden alleen maar groenten en stoofschotels gegeten. Neem wat u nodig hebt, maar ik kan u hier geen overvloed bieden. Ik heb een kind dat ziekelijk is en dat moet eten. Sta me toe direct naar haar toe te gaan, want ze zal bang zijn door uw aanwezigheid.'

'Laat mij u niet ophouden, mevrouw Salt. Het is niet mijn aard om een kind van haar moeder weg te rukken. Laten wij deze avond in harmonie dineren, opdat u kunt zien dat wij uw bezit geen schade willen berokkenen. Wat de wapens en het zilver, de kookketels en het voer betreft – een leger op doortocht moet zijn buik kunnen vullen.'

'Hoe lang blijft u?'

'Zolang het belegerde garnizoen in de kathedraal het volhoudt tegen het comité van Twee Koninkrijken. Dat is slechts een kwestie van tijd, met alle honger en ziekte, deze hitte en het weinige water. De koning mag dan beweren dat hij de beste zaak heeft, maar het parlement heeft het betere leger, vindt u niet?'

'Het maakt mij allemaal niets uit. Deze oorlog heeft mij beroofd van de enige schat die ik koesterde: de liefde van een goede en eerlijke man.'

'Squire Beavis Salt, als ik het goed heb?'

'Kent u hem? Hij is bij Edgehill gesneuveld, maar mijn Lucilla bidt nog steeds dat hij ongedeerd bij ons terug zal keren.' Nazareth keek hem onderzoekend aan, in de ijdele hoop dat hij misschien een vleugje troost kon bieden.

Er bewoog een spier in zijn rechterwang, alsof hij zich moest bedwingen. Hij wendde zijn blik af en schudde zijn hoofd.

'Dat dacht ik al... Maar we hielden altijd hoop omdat zijn lichaam nooit bij ons is teruggekeerd.'

'Mevrouw, het was helaas het lot van mannen aan beide zijden om samen in de dood te liggen, hoewel ze in het leven elkaar hadden bevochten. De oorlog is een onbetrouwbare gezel. Hij neemt meer van ons af dan hij teruggeeft. Wie kan zeggen dat hij de winnaar is, na zulke verliezen als wij allen hebben gezien?'

De weduwe knikte toen ze zich langs hem heen drong om naar binnen te gaan. Met een paar woorden had hij voor altijd het laatste glimpje van Lucies lantaarn van hoop uitgewist, maar dit was niet het moment om zulk nieuws te vertellen.

'Zijn ze weg, moeder?' Lucilla tuurde onder de sprei vandaan, met hoopvolle grijze ogen die werden omringd door volle donkere wimpers. Ze lag diep weggekropen met haar pop en de hond, het kistje en de waaier.

'Nee liefje, ze zullen hier een tijdje moeten blijven. Ik ben bang dat je, net als eerst, als een dappere soldaat de vijand zult moeten verdragen.'

'Gaan ze het huis weer helemaal doorzoeken, om de geheime kamer te vinden?'

'Ik weet zeker dat ze er met een stofkam doorheen zullen gaan, op de betimmering zullen kloppen en alle linnenpersen zullen doorzoeken, hoewel de kapitein me een heer lijkt. Hij wenst enkele kamers als onderkomen te gebruiken. Hij zal vanavond met ons dineren.' Lucie ging rechtop zitten.

'Ik heb geen honger...'

'Dat weet ik, dat weet ik. Maar Lucie, we moeten beleefd tegen hem doen. Hij bezit de sleutel tot onze veiligheid en tot het welzijn van het dorp. Probeer beleefd te zijn.'

'Vader zou niet willen dat wij met de vijand aan tafel zitten.'

'Vader weet niet wat we doen.'

'Als hij thuiskomt...'

'Hoe vaak heb ik je dat al niet verteld? Wanneer je bij de engelen in de hemel woont, kun je niet meer terugkomen om op aarde te leven.'

'Nee, dat is niet waar! Hij heeft het druk, in de geheime dienst van de koning, hij is spion achter de vijandelijke linies... Wacht maar af, hij komt eens bij ons terug, en dan wil hij alles weten wat wij hebben gedaan. Hij zal woedend zijn als hij hoort dat u de vijand te eten hebt gegeven.'

'O kind! Als ik dat niet doe, zijn we reddeloos verloren en plunderen ze het hele huis. We zouden afgeslacht worden als vee. Wees toch verstandig.'

'Ik zeg geen woord tegen hen. Nooit.'

'De kapitein is een Bagshott, hij kent deze omgeving goed.'

'Dan moet hij weten dat hij zich niet met een Salt moet bemoeien. We staan boven hen... De Bagshotts zijn boerenpummels, varenplukkers en dagloners. Martha heeft me alles over hen verteld.'

'Lucilla, stil toch! In de ogen van God zijn we allemaal gelijk. Wij kunnen niet kiezen waar we worden geboren, maar Hij plaatst ons in Zijn wijsheid waar Hij Zijn plannen wil verwezenlijken. Hij plaatst sommigen hoog en sommigen laag, zoals hij sommige bloemen mooi en lang van duur maakt, en andere weinig meer dan gras. Probeer te begrijpen dat je zulke dingen niet moet zeggen. Spreek wanneer er tot je wordt gesproken en maak de kapitein alsjeblieft niet boos, ik smeek het je.'

'Als u dat zegt, maar alleen omwille van vader. Gaan we in de keuken eten of gaan we beschaafd eten?'

'Vanavond gaan we voor de verandering beschaafd eten, als dames, rond de tafel die van de koningseik is gemaakt. We zullen ons maal sieren met een kanten tafelkleed en een bosje gevallen rozen. Jij moet je haar netjes opmaken en je batisten jurkje met bloemetjes aantrekken, en een schone muts opzetten.'

Lucie sprong uit het bed en wees naar de kast.

'Dan moet u naar de zolder gaan om uw beste blauwe jurk te voorschijn te halen, niet die zwarte spullen. Het is helemaal niet nodig om rouwkleding te dragen als vader niet dood is. Maak uw krullen wat losser en poeder uw gezicht. Dat zit vol sproeten van de zon, u lijkt wel een dienstmeid. Laten we doen alsof we met vader aan tafel gaan, en niet met een wrede soldaat.'

Nazareth knikte, opgelucht dat ze het kind voldoende inschikkelijk had weten te krijgen. Het kon geen kwaad eens wat schone kleren aan te trekken, haar haar met rozemarijnolie te spoelen en haar lijfje strak te rijgen. Lucie had gelijk, ze had te lang somber zwart gedragen.

Ze zaten met zijn vieren rond de tafel terwijl Martha het soepachtige brouwsel opdiende – een mengsel van zomergroenten en flintertjes vlees – waarbij ze probeerde niet te beven en de vloeistof te morsen. Lucie hield

haar ogen op het tafelkleed gericht, om te zien of de soldaten erop mors-
ten. Peto de hond nestelde zich in gretige verwachting op haar schoot.

'Mijn excuses voor de soep, u zult er een verkenningspatrouille opuit
moeten sturen om er iets van kip in te vinden... het brood is heel zwaar.
Ik sprak niet gekscherend toen ik zei dat we hier op harde kaas en ingemaakte pruimen leven.'

De mannen glimlachten beleefd, maar het kind boog beschaamd haar
hoofd bij deze verontschuldigende woorden van haar moeder. De pruimen waren zacht gepocheerd en voorzien van het laatste beetje room van
hun enige melkkoe. Ze hadden dringend behoefte aan een beetje honing, maar de bijen waren het woud in gezwermd en de honing was bijna op.

De soldaten zaten er eerst stijfjes bij, en ze aten van de soep en dronken uit de bekers met slap bier. Micah had zich bij het stroompje van de
bron gewassen en in zijn zadeltas naar een schone boord gezocht. Er was
er geen te vinden geweest, dus probeerde hij het groezelige exemplaar
binnenstebuiten gekeerd te dragen, maar dat maakte het er niet beter op.
Hij had de klitten zo goed mogelijk uit zijn haren gekamd, maar het effect was slordig en zijn kapsel stond stijf van vettigheid en vuil.

'Dit is een uitstekende maaltijd, zuster, gezien uw tekorten. En jij,
kleine meid, help jij je moeder met haar werk? Je lijkt me een intelligent
meiske.' Hij was niet gewend met kinderen te praten; hij had genoeg
nichtjes en neefjes, maar geen tijd voor gesprekken met hen.

Het meisje staarde hem woest aan, waarbij ze haar kin net zo naar voren stak als de vrouw op het portret in het trappenhuis. Ze keek dwars
door hem heen, alsof hij onzichtbaar was, waarbij ze zijn gêne bespeurde,
om zich vervolgens weer op haar soepkom te richten.

'Vergeef het Lucilla, ze is een verlegen kind dat niet aan gezelschap gewend is. Maar dat gaat na verloop van tijd wel over. Ik heb ontdekt dat
haar negeren de beste manier is om haar nieuwsgierigheid te wekken.'

Er hing spanning in de lucht, een moordende hitte die de kamer ver-
stikte. Niemand zei veel, iedereen luisterde naar het gezoem van de insecten, het slurpen van de soep, het gerinkel van lepel op kom, het getrippel
van de rusteloze hond toen die de vloer afzocht op zoek naar restjes.

De lucht werd donker van een naderend onweer. Er stak een lichte
wind op, er vielen een paar druppels regen, en in de verte klonk het gerommel van de donder. Verder niets. Ze wachtten bij het raam op de verkoelende buien, maar die kwamen niet.

De kapitein kon zijn ogen haast niet afhouden van het gezicht van de weduwe; de manier waarop haar wangen bloosden wanneer ze sprak, de glanzende wrong van gouden krullen zonder ook maar iets van zilver erin, het blauw van haar ogen dat exact paste bij de helderblauwe gloed van haar brokaten jurk, de welving van haar boezem eronder. Dit was niet de zwakke, oude vrouw die hij zich had voorgesteld. Nazareth Salt was knap om te zien, vermoeid door alle ontberingen, maar nog steeds fris, en moedig om zo onbeschermd te leven.

Zijn plannen om haar tuin te vernielen waren verlept door de vrieskou van haar volslagen desinteresse, nee, opluchting dat deze daad nu was geschied! Ze was hem in alle opzichten ongewild te slim af geweest, ze had hem beroofd van zijn kinderachtige wraak op de Salts, ze had gemaakt dat hij zich in zijn eigen ogen gemeen en laag voelde. Er lag geen vrees of minachting in haar blik, alleen maar een lichte belangstelling en een duidelijke bewondering voor zijn fysieke verschijning waarmee hij de meeste vrouwen met wie hij zich had ingelaten had veroverd. Ze hield van de manier waarop hij voor niemand anders boog dan voor zijn Schepper.

De schok van haar verschijning, toen ze 's avonds beneden was gekomen in die blauwe jurk, met een wolk van kant om zich heen en de geur van rozenwater in haar haar, had hem onverwacht getroffen, had zijn gevoelens schandelijk geprikkeld. Een Bagshott die met een Salt dineerde – wie had ooit zoiets mogelijk geacht? Ze was aan zijn genade overgeleverd. Eén bevel en dit alles kon worden verwoest. Maar zolang ze zoveel moeite deed het hem naar de zin te maken, kon hij ruimhartig en inschikkelijk zijn.

Nazareth kon niet slapen. Ze liep door haar kamer te ijsberen, slechts gehuld in een laken. De hitte was ondraaglijk, de jeuk van alle zomerongedierte een kwelling. Hoe kon ze slapen terwijl ze werd omringd door vijandige vreemdelingen... en hem? O ja! Hij had geweten dat ze naar hem had gekeken; de manier waarop hij zijn hoofd aandachtig scheef hield als ze sprak, het flitsen en fonkelen van zijn donkere ogen. Zijn tanden waren geel en zijn mond stonk naar tabak, maar er was nog een andere geur aan hem, een doordringende geur van jeugd en kracht, sensualiteit en het vleselijke. Een gevaarlijke geur voor iemand die zo dicht in de buurt was van iemand die zo eenzaam was en zo aan gebrek aan genegenheid leed. Het was te lang geleden... Nazareth was als eenzame weduwe veilig geweest, ongestoord, maar in één dag was alles veranderd. De twinkeling van een oog, een donderslag, en haar vrede was verstoord.

Nazareth had tot nu toe nooit naar een andere man gekeken dan naar Beavis. Soldaten en priesters, schoolmeesters en heren van stand waren hier voorbijgekomen, maar ze had hun niet één keer een tweede blik waardig gekeurd. Om dan nu met wellust naar een vertegenwoordiger van de vijand te kijken, een van de moordenaars van haar eigen lieve man misschien, om zijn brede schouders en smalle heupen in te schatten, zijn forse bovenbenen. Hoe moest het wel niet voelen om daartussen te worden verpletterd, door zijn omhelzing te worden overweldigd, stormenderhand te worden genomen? Slet, berispte ze zichzelf. Was hij niet slechts een Bagshott, de zoon van een handelaar, misschien een geleerde, maar niet van noemenswaardige stand? Hij bezat weinig finesse en hij was ruw van taal. Hoe kon ze zo'n verraad overwegen?

Het was krankzinnig geweest om de brokaten jurk te dragen, zich aan allen te tonen, haar borsten te laten opvallen. Zijn ogen waren erop blijven rusten. Ze had zich moeten bedekken in plaats van zich te onthullen. Hij had haar blik getrokken, deze lang vastgehouden, en zij was hem, als een vrouw van lichte zeden, brutaal aan blijven kijken. Hij werd opgewonden door haar, ze kon het ruiken, als rook in de wind, en dit maakte haar tegelijk blij en bang. Deze kracht tussen een man en een vrouw... het had bij de rechtbank verboden moeten zijn. Een man en een vrouw die rooksignalen uitzenden, als verkenners in het woud.

Lucie doorzocht haar schrijftafel op zoek naar restjes perkament die over waren van de papieren van het landgoed, een lege ruimte waarop ze letters kon krabbelen en haar handschrift op kon oefenen. Ze had af en toe, samen met haar neefjes, les gehad van dominee Masterson, en ze kon haar naam en enkele Latijnse zinnen schrijven. Ten slotte vond ze een klein stukje dat onbeschreven was, en ze doopte de ganzenveer in om haar woorden neer te krabbelen. Ze moest vader onmiddellijk schrijven. Hij moest naar huis komen. Er hing hier een nieuw gevaar in de lucht, een vreemde geur van verandering en van iets wat ze niet begreep. Het was begonnen toen moeder de trap af kwam en de mannen haar maar aan bleven staren.

'*Venite, Pater, Venite ad Fridewell. Lucilla Salt, 1645.*'

Dat moest voldoende zijn. Dat waren alle woorden die ze kende. Waar moest ze de brief naartoe sturen? Naar tante Letty op Longhall? Misschien wilde die hem wel doorgeven. Moeder zou geen enkele hulp bieden. Maar hoe moest hij daar komen? Brieven hadden geen vleugels.

Het gedogen

De polsslag van het dorp klopte langzaam in de hevige hitte van de nazomer. De zon hing als een koperen bal aan de hemel en de landarbeiders hadden grote moeite hun tempo te handhaven, waarbij ze vaak bleven staan om op adem te komen en het zweet van hun voorhoofd te vegen. De wagenwielen knarsten over de stoppels en de arenlezers bogen zich over hun taak, waarbij ze het stof en het gruis op hun tong en hun tanden voelden.

Het garnizoen in het Huis ging op dagelijkse patrouille als jagers naar de jacht; het eerste enthousiasme voor graven, harken en vissen in vijvers, op zoek naar zilver, het omzagen van omheiningen en hagen voor brandhout taande gelukkig, ten gunste van vuistgevechten onder elkaar of met die dorpsbewoners die zo dom waren hun pad te kruisen. De aanvankelijke paniek van Fridewell ging over in berusting, en vervolgens in norse wrok. Hadden de Barnswells en de Bagshotts, de Millers en de Hoptons zich niet bij het eerste klaroengeschal aan de zijde van het Parlement geschaard? Hadden ze niet geweigerd de Heer van het Huis enig zilver te betalen voor de zaak van de koning? Ze hadden zo langzamerhand meer dan genoeg van dit conflict en van de invasie; ze hadden genoeg van de bugels en het tromgeroffel en van ruiters die hun beesten in hun kerk stalden en schapen roofden voor hun eten, terwijl ze die eerst door het weiland achtervolgden als ridders op een toernooiveld. Sommige dwaze meisjes keken begerig naar een blinkend uniform en een sterke arm, tot de avond waarop dronken soldaten een meisje het woud in joegen en haar neermaaiden als een ree bij de jacht. Mevrouw Salt trok zich het verdriet van de huilende ouders aan en diende een klacht in.

Pas toen besefte kapitein Bagshott dat zijn mannen hem te schande maakten. Hij nam een van de beschuldigden en liet hem ophangen aan de eikenboom op de meent, als voorbeeld voor allen. Het lichaam bungelde hier heen en weer tot de roeken de ogen uitpikten, en het gezwollen, zwarte lijk maakte de molenaar onpasselijk genoeg om hem los te snijden en uit het zicht langs het pad op de heuvel te begraven. Daarna waren er weinig problemen en de familie Bagshott was tevreden dat kapitein Micah wist waar zijn loyaliteit lag.

Op Newhouse verrichtten Martha en Gideon behoedzaam hun werk terwijl hun mevrouw zorgde voor het drogen van de kruiden – lavendel, boerenwormkruid, wijnruit, munt, venkel, borage, smeerwortel en polei – door ze in bossen gebonden in een donkere kast te hangen. Het was ook tijd om de erwten en de bonen te drogen, de appels en peren op te slaan, maar daar was niet veel meer van over na de plundering van de soldaten.

Iedereen speurde de hemel af naar een teken van regen. De harde grond was zo vast als rode baksteen en het was moeilijk om aan de slag te gaan met het opnieuw aanleggen van het rozenperk, hoewel sommige mannen zo beschaamd waren dat ze een houweel pakten om de grond los te maken.

Nazareth, die een breedgerande strooien hoed droeg om haar gezicht tegen de zon te beschermen, stapte vastberaden naar buiten om de tuin van mevrouw naar eigen idee op te knappen, waarbij ze alleen het pad van Oude Sarah intact liet, rond het huis, waar de vijgenboom meer hard hout dan fruit opleverde. Ze zou een cirkel van groene kruiden maken, met spaken om de verschillende beplantingen te scheiden. Er konden een paar rozen rond de gerestaureerde zonnewijzer in het midden worden geleid. Misschien zou ze de rest met gras laten begroeien. Ze had twee mannen weten over te halen de stenen brokstukken weer in elkaar te zetten en het voetstuk weer op te richten. Ze liepen te zuchten en te steunen, maar zij glimlachte lief en schudde met haar krullen terwijl ze probeerde het ding zelf op te tillen, tot de mannen zich zo geneerden dat ze de klus klaarden. Dit alles leidde haar koortsachtige geest af van de verzengende hitte en het voortdurende heen en weer trekken van mannen en paarden over haar land. Maar het leidde haar vooral af van de nadrukkelijke aanwezigheid van de kapitein binnen haar huishouden.

Ze draaiden beleefd om elkaar heen, alsof ze een hoofse dans uitvoerden, een bourrée, waarbij de partners elkaar nooit aanraakten of samenkwamen, maar steeds in het zicht van elkaar bleven. Toen kwam de gezegende opluchting van drie dagen dat alle eenheden op manoeuvre gingen, drie dagen van rust en stilte, een kans om zich rustig te wassen en ongestoord te wandelen, om voor haar huishouden te zorgen en een bericht naar Letty op Longhall te sturen, waarin de komst van de soldaten en al het andere nieuws werd verteld. Ze woonden slechts enkele mijlen bij elkaar vandaan, maar Letty moest binnenkort bevallen. Toen besloot Nazareth het nieuws zelf te gaan brengen. Een paar dagen bij een andere vrouw van stand, even wat verlichting van Lucilla's koppigheid en onophoudelijke vragen. Er was geen sprake van dat het kind deze keer op die verhipte trap mocht blijven zitten, om uit het raam te staren. Ze moest worden omgekocht, omgepraat, in de ezelswagen worden geschopt om met haar neefjes te spelen.

Tot grote verbazing van Nazareth reageerde het kleine katje liefjes op het vooruitzicht van een reis, stopte ze haar pop in een mand, knoopte Peto een lint om de hals en maakte zich gereed om in de wagen te stappen. Net toen ze weg wilden rijden, galoppeerde er een patrouille van de cavalerie het erf op en blokkeerde hun uitgang.

'Op wiens orders verlaat u deze plek?' vroeg de sergeant met de koude blauwe ogen en de smalende mond.

'Het is tijd om onze familie te bezoeken. We hebben daar geen toestemming voor nodig,' antwoordde Nazareth scherp, terwijl ze hun pech verwenste dat ze niet eerder waren vertrokken.

'De Salts van Longhall? Papen en notoire royalisten. U gaat ongetwijfeld naar hen toe om hen op de hoogte te brengen van ons doen en laten. Eerst deze mannen bespioneren en dan informatie verstrekken om ons te benadelen. Uit die kar, mevrouw, en naar binnen. U gaat nergens naartoe.'

'Hoe dúrft u! Ik laat me niet mijn eigen huis in commanderen, alsof het een gevangenis is!' Nazareth probeerde voet bij stuk te houden.

'Dat zal onze kapitein moeten beslissen, dame. Niemand mag dit dorp in of uit als hij daar geen toestemming voor heeft gegeven.'

Nazareth voelde een machteloze woede in zich opkomen. Ze trok haar dochter uit de wagen naar beneden. Lucie was in tranen. Dit zou hun eerste uitje in maanden zijn, en dat werd nu verijdeld door deze omhooggevallen pummel in uniform. Hoe durfde hij zich op deze manier te gedragen?

'Kom kind, laten we naar onze nieuwe tuin gaan kijken,' stelde haar moeder voor.

'Ik wil naar binnen. Ik heb de pest aan uw stomme tuin. Martha zal wel wat wol voor me halen om te kaarden en te borstelen...'

Lucie holde terug naar de voordeur en haar moeder schudde gefrustreerd haar hoofd. De sergeant glimlachte, tevreden dat hij dit spelletje had gedwarsboomd. Hij vertrouwde die heks niet. Hij had het effect gezien dat ze op de houding van de kapitein had – ze had hem zacht en meegaand gemaakt, als een deegbal.

Het was later die middag toen Micah en zijn escorte weer op New-house arriveerden. Hij had een omweg door de stad gemaakt om te zien hoe het met zijn familie ging, had Martha uit de verhalen opgemaakt. In de straten van de stad heerste nog steeds de pest, maar zijn moeder was gezond en wel. De belegering van de kathedraal duurde voort en het kon nog maar een kwestie van weken zijn dat ze zich zouden overgeven.

Nazareth bad voor de arme mannen en vrouwen die in deze hitte in zulke benarde omstandigheden verkeerden. Het maakte haar eigen on-gemak iets lichter te dragen, maar ze sprak de kapitein toch aan over de scène eerder die dag.

'De sergeant had gelijk, mevrouw Salt. Zonder mijn toestemming gaat niemand ons garnizoen hier in of uit. Het is een fort tegen infiltrators en spionnen. We zijn omringd door vijanden, die zich verschuilen in bomen en mijnschachten, of in geheime kamers in landhuizen. We kennen alle trucjes. Waar zouden ze zich beter schuil kunnen houden dan vlak onder onze neus, binnen ons eigen fort, onder uw bescherming? Zo'n daad zou natuurlijk verraad zijn, en iedereen die daarbij betrokken was, zou streng worden gestraft, man zowel als vrouw. U begrijpt mijn bezorgdheid. Ik zou niet willen dat u uw dochter of enig ander familielid in gevaar brengt. U blijft waar u bent, maar uw nicht mag u bezoeken als zij dat wenst.'

'Hoe kan zij op reis gaan nu ze hoogzwanger is? Bovendien heeft Lu-cilla behoefte aan het gezelschap van haar neefjes.'

'Laat dan een paar dorpskinderen komen om haar gezelschap te hou-den. Kinderen spelen dezelfde spelletjes, wat hun omstandigheden ook mogen zijn. Of was u dat niet opgevallen?'

Als hij zo smalend deed, was hij heel lelijk, dan verhardde zijn mond zich tot een scherpe streep. Hij hield zichzelf strak onder controle. Naza-reth zou deze man niet graag dronken en onbeheerst willen zien.

'Doe niet zo belachelijk! Ze is een Salt.'

'Juffrouw Lucilla is nog steeds een kind, ook al is het een bijzonder vreemd kind... Ze heeft zo'n zure uitdrukking op haar gezicht dat de melk ervan zou stremmen.' Hij lachte om zijn eigen grapje.

'Wat geeft u het recht op zo'n toon over mijn kind te spreken?'

'Zie je hoe de leeuwin haar welp beschermt, luitenant?' De andere soldaat draaide zich om, wendde zich af van dit geruzie. 'Vrouwen... die kun je 't ook nóóit naar de zin maken.'

'Ik heb niet de minste behoefte me het door u naar de zin te laten maken!' snauwde ze.

'O, ik denk dat u verbaasd zou opkijken hoeveel plezier ik u zou kunnen verschaffen, mevrouw.'

Nazareth liep snel het pad op, struikelend in haar haast om weg te komen van zijn brutale opmerkingen. De luitenant liep weg, hij geneerde zich.

'Wacht even, mevrouw! Ik begrijp dat ik opnieuw te ver ben gegaan. Neemt u mij niet kwalijk. Het is de hitte en een overdaad aan Spaanse wijn – een goed jaar waarvan ik een paar kannen aan u laat bezorgen. Blijft u alstublieft nog even. Ik heb nog iets anders voor u meegebracht. Ren niet van mij weg voor ik een kans heb gehad het goed te maken. Het is een teken van genoegdoening voor alles wat wij hier hebben aangericht. Kijk...'

Nazareth bleef op de trap staan en draaide zich om. Ze zag hem de flappen van zijn zadeltas optillen en een pakje grijpen dat hij eerst met een berouwvolle blik en daarna met een schaapachtige grijns op zijn gezicht naar haar uitstak.

'Heer, ik behoef geen herinnering aan uw aanwezigheid hier, en ik zal geen verdere grove opmerkingen tolereren. Het doet uw zaak geen goed mij zo voor uw officier te schande te maken.'

'Dat weet ik, maar kijk... Wat vindt u ervan?' Hij liet haar tientallen broze, roomwitte bloembollen zien. 'Tulpenbollen om in uw wiel te planten. Ze zullen hoog en vrolijk boven uw groen uitsteken. En dit is een stekje rozemarijn uit de kruidentuin van mijn moeder. Ze is een uitstekende tuinier en ze verzorgt al haar stekjes heel goed, zodat ze steeds nieuwe heeft. Ik heb het niet in uw tuin gezien. Neem dit stekje en geef het een goede plek, dan heeft u weldra een heester die u zoveel kunt gebruiken als u maar wilt.'

Nazareth was enigszins uit het veld geslagen door deze onverwachte attentie. Deze ruwe man had de moeite genomen na te denken over haar tuin, dezelfde tuin die hij aanvankelijk had geprobeerd te verwoesten. Wat vreemd! Ze wist hoe kostbaar tulpenbollen waren, en hoe de manie voor tulpen jaren geleden als een vuur door het land had gewoed. Deze chique bollen hadden veel Hollandse kooplieden geruïneerd bij hun zoektocht naar de volmaakte vorm en kleur. Daar een paar van te bezitten, die elk jaar hun eigen oogst zouden leveren, was een aangename schok. Het was al te lang geleden dat ze een cadeau van een man had gekregen, laat staan zo'n goedgekozen cadeau.

'Ik kan zo'n geschenk niet van u aannemen. Het is heel vriendelijk bedacht, maar ik kan onmogelijk zoiets waardevols van u aannemen...'

'Zwijg, mevrouw! U kent te veel scrupules. Dit is wel het minste dat ik kan aanbieden voor het ongemak dat onze aanwezigheid u bezorgt. Het is een geschenk voor uw tuin, niet voor uw persoon. Wie kan er nu aanstoot nemen aan zo'n gebaar van berouw?'

'Misschien niemand, maar het verbaast me dat u belangstelling hebt voor zo'n zachtaardige bezigheid als tuinieren.'

'Zachtaardig, zegt u? Maar dat is een slagveld op zich – al dat hakken en snoeien, eggen en spitten, verbranden en rondstrooien. Het is eerder een heel gewelddadige bezigheid. Niets voor bangeriken. Welk een afgunst, roofzucht, heimelijkheid en verwoesting ligt er niet in het hart van de ware tuinier? Hebben deze zelfde tulpen niet ooit rampen aangericht in de Lage Landen?

Kom, loop met mij naar het wiel, dan kijken we waar ze de meeste beschutting hebben wanneer de herfst komt. Deze rozemarijn kan overal groeien zolang hij maar een zonnige standplaats heeft en tegen de winterse vorst wordt beschermd. Mijn moeder heeft ooit horen zeggen dat de rozemarijnstruik, een heilig kruid, slechts tot de hoogte van Christus wil groeien. Ze zegt dat er een goede lotion voor het haar en voor de ziel van wordt gemaakt, maar ik weet niets van zulke zaken.' En Micah lachte, blij dat de stemming tussen hen was opgeklaard.

'Uw moeder spreekt de waarheid. Het is een kruid met veel mogelijkheden, en de olie kalmeert hen die terneergeslagen zijn. Ik zal deze stek koesteren.' Ze liepen zwijgend over de helling omlaag, naar de contouren van het wiel in de kale grond.

'Kijk, u kunt die cirkel volgen wanneer u de bollen plant. Ze zullen rood zijn, is me verteld... Een cirkel van vuur om een koud voorjaar op te vrolijken. Wij zullen tegen die tijd allang weg zijn, en deze onenigheid met de koning zal voorbij zijn. Dit zal een herinnering zijn aan ons gedwongen bezoek. Als ik veel langer blijf, vrees ik dat ik me zal voelen als de Bagshotts van Barnsley Green – dan wil ik hier niet meer weg.'

Zijn ogen stonden dof, en ze bezag hem met onverwacht medelijden. Deze man hoorde nergens thuis, hij was door de oorlog deze kant uit geblazen. De aanvechting zijn mouw aan te raken, in zijn gezicht te kijken om zijn trekken in zich op te nemen, was overweldigend. Dit was een machtige eik met weinig wortels om hem te dragen, snel geveld door een storm.

'Het zal stil lijken wanneer u allen vertrekt.'

'Hoe is dat mogelijk, als alleen al onze aanwezigheid u kennelijk mis-noegen bezorgt?'

'Ja, dat is wel waar, maar zolang u blijft zijn wij veilig, en het lawaai en de bedrijvigheid van de soldaten is wonderlijk welkom na zoveel droevi-ge jaren van stilte. Er valt hier niet veel gezelligheid te beleven.'

'Viert u het oogstfeest?'

'Soms, als er voldoende voedsel en bier is, en een viool om wat te dan-sen. Waarom vraagt u dat?'

'Misschien wordt het tijd dat mijn mannen helpen het laatste graan bin-nen te halen en daarna het einde van ons bezoek en het beleg van de stad te vieren, want ze zullen de ontberingen van de winter niet overleven.'

'Ik dacht dat jullie puriteinen tegen dansen en feesten waren? Ik heb gehoord dat die worden verboden.'

'Gedraag ik me als een puritein of als iemand die de zon niet in het water kan zien schijnen, als iemand met een zwarte hoed en een zuur ge-zicht? Ik ben maar een huursoldaat. Een feest zal mijn mannen wat moed geven voor de winter in onze laarzen en vingers bijt. Een beetje zingen en dansen zal geen kwaad kunnen, en het zal helpen onze stemming te ver-lichten.'

De maan steeg hoog in de invallende schemering, de steenuil die op een tak zat, kraste instemmend. Nazareth huiverde van vrees of van op-winding, ze wist het niet meer. Lucie bekeek hen beiden vanaf haar plek bij het raam, zoals ze daar bij die stomme cirkel stonden, met nauwe-lijks iets van daglicht tussen hen; de schoonheid en het beest uit het oude sprookje. Samen hadden ze de tuin van Oude Sarah verwoest. Zij moest de oren en de ogen van vader zijn, om Newhouse te bewaken tot zijn te-rugkeer, en daarom moest ze hen voortdurend in de gaten houden.

Het oogstfeest

De voorbereidingen voor het oogstfeest kostten veel dagen van plukken en schoonmaken, villen en koken van gevogelte. Er waren hazen gestrikt voor de pasteien, en er was stevig deeg gemaakt om ze mee af te dekken in de bakstenen oven. Er waren appeltaarten om het eenvoudige maal mee af te sluiten, en kaas, honingcake en schalen met frisse koolsalade.

Het viel Nazareth moeilijk enige vreugde op te brengen bij deze jaarlijkse bezigheden. Het oogstfeest vormde meestal het besluit van de seizoenskalender van hard zwoegen, maar dit jaar was er weinig over, en ze moest beknibbelen op haar gulheid tegenover de dorpsbewoners, uit angst voor tekorten in een volgende strenge winter.

Iedereen die gemist kon worden werkte op het land, terwijl het schitterende weer aanhield, om het koren in schoven te zetten, te dorsen, het stro op te slaan en het graan naar de molen te brengen. De kapitein dwong zijn mannen mee te helpen, maar ze werden bespot om hun pogingen. Ze waren in wezen stadsjongens en ze hadden geen gevoel voor dit werk.

Na hier slechts zes weken te hebben verkeerd konden ze moeilijk anders worden beschouwd dan als vijandelijke soldaten die het dorp waren opgedrongen, en werden ze geduld, maar steeds met achterdocht bezien. Het zou een moeizame inzameling worden voor het oogstfeest.

Martha daarentegen was niet van plan de dansavond door iets te laten bederven. Er viel voor het jonge volk in het dorp toch al weinig te beleven, en als ze de oorlog hadden verloren en er werden binnenkort edicten uitgevaardigd om Kerstmis en alle feesten te verbieden, dan wilde ze er zeker van zijn dat dit een avond was om zich te heugen. Ze was vastbesloten met iedere man te dansen, soldaat of geen soldaat, en haar beste sjaal om haar mollige hals te dragen. Juffrouw Lucilla was weer eens lastig, ze wilde niet helpen met het werk of zich een beetje bemoeien met alle bedrijvigheid, maar lag bleek en koortsig op bed. Soms dacht ze dat het kind naar believen koorts of rillingen kon krijgen, maar aan de andere kant was ze nu eenmaal wat vreemd, anders dan de andere kinderen uit de buurt. Martha wist hoe ze het kind met beloftes voor zich kon winnen, en ze zette haar aan het werk om van de laatste korenaren een poppetje te vlechten. Daar zou ze wel een paar uur zoet mee zijn.

Ze zouden schragentafels op het erf zetten, en de oudere mensen konden in de schuur beschutting zoeken tegen de avondlucht. Er zouden kleden over worden uitgespreid, op de gebruikelijke manier versierd met groene klimop en bossen tarwe. De schoven van de oogst zouden een ereplaats krijgen en na afloop het hele jaar op het land staan, om het gewas van volgend jaar te beschermen. In de vier hoeken zouden speciale broden van tarwe, rogge en gerst worden begraven. Dat was iets wat ze hier altijd hadden gedaan, vanaf de kinderjaren van Adam. Moeder zei iets over teruggeven wat er was genomen, maar hoe kon grond brood opeten? Martha vond het een verspilling van goede broden, maar je moest de kabouters nooit uit willen dagen, dus zou ze doen wat haar werd gezegd.

Het zou weer een zwoele avond worden. De maan stond vol aan de donkere hemel, en als ze geluk had kon ze misschien een wens doen bij een vallende ster. Ze kon bijna niet wachten tot het feest zou beginnen.

Om zeven uur arriveerde de speelman en begonnen de dorpsbewoners binnen te druppelen, en ze sleepten de krukjes het erf op toen ze zagen dat de soldaten in de schuur zaten. Het zou een stroef begin worden, met twee tegengestelde groepen die elkaar in de schemering achterdochtig bekeken. Het eten werd op de tafels gezet en het volk verorberde de warme pasteien en stukken brood, dronk van het bier en de cider, en verdrong zich om ervoor te zorgen dat zij als eersten hun deel kregen. De kinderen schoten onder de tafels, propten zich als uitgehongerde honden vol met alle restjes.

Nazareth kon het niet verdragen te kijken naar de lege plek aan het eind van de tafel waar Beavis eens het gebraden rundvlees en het wildgebraad had voorgesneden. Alles was zo volslagen anders dat het zinloos was zichzelf te kwellen, maar toen ze opkeek zag ze kapitein Micah onder de vreemdelingen tabak en meerschuimen pijpen uitdelen, en haar hart sprong even op bij de aanblik van zijn knappe profiel, zijn brede schouders en hoffelijke manier van doen. Hoe had ze dit garnizoen kunnen verdragen zonder zijn aanwezigheid om de excessen van zijn mannen te bedwingen? De pasteien, het bier en de cider begonnen de tongen losser te maken, en de tafels werden afgeruimd. De kinderen holden heen en weer, maar Lucilla bleef binnen, ze zat vanuit het trappenhuis te gluren terwijl Peto bij het raam op en neer sprong.

'Ze laat dat glas nog eens smelten door haar adem,' zei Martha toen ze met een glimlach omhoogkeek. 'Moet ik haar naar beneden halen, mevrouw?'

'Nee, laat haar maar. Zet 'm op, laat de speelman iets spelen. Het wordt tijd dat we gaan dansen.' De speelman stemde zijn viool en uit de schaduwen zweefden vrouwen naar voren om hun partners te zoeken voor een gigue, waarbij ze in een steeds wisselend patroon van lijnen en cirkels over het erf trokken. Nazareth begon onwillekeurig met haar voeten te tikken en met haar heupen te wiegen toen ze vanuit de deuropening naar hen keek.

In zulk schemerig licht kon je je gemakkelijk voorstellen dat er geen oorlog was, geen weduwen, geen beleg, geen gevaar. Toen de cider en de vruchtenwijn haar naar het hoofd stegen en haar vastbeslotenheid ondermijnden, liet ze zich gewillig door de kapitein de cirkel binnenleiden, om heen en weer te draaien, te zwieren en te zwaaien, te wiegen en te buigen, te springen en te zingen. Haar wijde rok zoefde en zwierde in zijn halve omhelzing, waarbij de zachte stof uit zijn greep gliptte. Ze voelde hoe zijn vingers de hare streelden; de aanraking in de palm van haar hand bezorgde haar rillingen van spanning en van genot. Dit was krankzinnig, maar een beetje dansen op het oogstfeest kon geen kwaad, zou de vrede in het kamp bestendigen.

O Nazareth! Wie denk jij dat je voor de gek houdt? Waar zal deze krankzinnigheid eindigen? Ze nam nog een slokje primulawijn om haar hoofd te koelen, maar de warmte van de avond brandde in haar binnenste en terwijl de oogstliederen werden gezongen en de oude mannen aanstalten maakten om hun spookachtige verhalen aan een gretig publiek te vertellen, terwijl ze een pijp rookten en verhit waren van het dansen, liep zij weg over het pad achter het huis naar haar verscholen tuin bij de bron. Ver weg van alle lawaai en tumult kon ze haar gedachten weer op een rijtje zetten. Ze schopte haar schoenen uit en liet haar voeten in het water bungelen om haar verhitte geest wat af te koelen.

Je bent eenzaam en je verlangt naar de aanraking van een man die dit verlangen kan stillen... Wees sterk. Hoe lang zal dit gevoel duren?

Dat wil ik niet weten. Wanneer hij niet bij de compagnie is, is er geen kleur, alleen maar zwarte leegte. Micah heeft met zijn attenties de wilde hyacint teruggebracht, en het roze en het rood van de rozen. Hoe kon ik hebben vergeten hoe hevig ik ernaar verlang te worden begeerd? Hij is een sterke man, en ik ben zwak. Hij zal sterk zijn voor ons allebei, mijn schild en mijn bescherming.

'O Micah.' De naam ontsnapte haar als een zucht. Ze hoorde geritsel van bladeren, maar ze durfde zich niet om te draaien. 'Micah Bagshott, ben jij dat?'

'Ja, hier ben ik, Nazareth, naast je... Wat wil je van me?' Haar hart sprong op omdat hij haar op een veilige afstand door de verborgen tuin was gevolgd, als een nachtvlinder die in de duisternis de violieren wist te vinden.

'Kom met me mee.' Ze trok hem bij de hand verder over de oever omlaag, naar de duisternis bij de waterkant. Ze hoefde het hem geen tweede keer te vragen.

Later, toen hij verzadigd van het bedrijven van de liefde omhoogkeek naar het baldakijn van sterren en naar de hagen die de gordijnen van zijn bed vormden, voelde hij paniek in zich opstijgen. Paniek, omdat hij in een luxueus bed van rozen was verstrikt, met doornen die als dolken in zijn vlees staken.

Jij dwaas! Dit verandert alles. Je bent gezwicht voor haar hekserij; nu kan ze met je doen en laten wat ze wil.

Een dansje, misschien een flirt, maar niet deze overweldigende, verpletterende begeerte naar haar. Ze waren nu verdwaald in een gevaarlijk labyrint van geheime afspraken, misleiding en bedrog. Hoe kon hij zichzelf zo zijn vergeten dat hij in haar geparfumeerde val was gelopen? Hoe vaak had hij die nacht zijn zaad in haar lichaam uitgestort?

Nog later sloop hij naar haar kamer en fluisterde in haar oor: 'Een omsloten tuin is mijn zuster, mijn geliefde.'

In het schemerlicht kon hij nauwelijks zien waar zij ophield en hij begon. Ze waren allebei door een donkere vlam in hun hart naar deze plaats geleid, en hij was bang. Hij had zich lange tijd afzijdig weten te houden van haar leven, op veilige afstand, en nu hij naast haar in dit bed lag, was er in ieder geval iets waarvan hij het gevoel had dat hij er deel van uitmaakte. Was dit wat ze bedoelden met de vereniging van man en vrouw? Er waren veel paringen aan voorafgegaan, vlees op vlees, transacties die meestal met een munt werden afgesloten. Dit was heel anders in kracht en intensiteit. Hij had nooit beseft dat een vrouw zich zo openlijk open kon stellen voor genot en verdriet.

Ze lag nu te slapen terwijl de donder over hen heen rolde en de bliksem aan de nachthemel flitste. Nazareth lag als een baby, met uitgestrekte armen, en hij voelde een grote tederheid jegens haar, en angst. Ze was heel sterk en hij voelde zich zwak door haar kracht. Hij wilde haar wakker schudden en haar al deze dwaze gedachten vertellen, maar het ogenblik ging voorbij. Hij hoorde de kamerdeur piepen. Hij was ongewapend en naakt, onmiddellijk op zijn hoede, en gespitst op gevaar.

'Moeder... ik vind het niet leuk als God in de hemel boven me gaat kegelen. Ik kan niet slapen, laat me erin...'

Een kleine gestalte in nachthemd en nachtmuts rommelde aan de gordijnen en schoof op het bed. Ze schudde haar moeder heen en weer toen ze een ander lichaam aan de andere kant van het bed voelde, en ze zag dat hij naar haar glimlachte.

'Waarom ligt die man in uw bed? Ga weg! Moeder, bent u ziek?'

Nazareth werd wakker bij het licht van de dageraad en ze probeerde te begrijpen wat er allemaal aan de hand was. 'Stil! Klim erin, Lucie, en laat me weer slapen.'

'Hoe kan ik dat doen als er een slechte man in vaders bed ligt?'

Nazareth draaide zich met een ruk om en zag Micahs glimlachende gezicht. 'Lucie toch, stil! Vader zou het nu niet erg vinden.'

Maar het kind was niet tot bedaren te brengen en trok alle gordijnen weg, rukte aan de ringen en sloeg Micah op de arm. 'Ga weg! Je bent een verrader van de koning! Moeder, hoe kun je met zo iemand naar bed gaan?'

'Lucilla, wees kalm! Je begrijpt deze dingen niet. Ga naar je kamer, dan kom ik je troosten en alles uitleggen.'

'Ik zal het aan tante Letty Salt vertellen en dan wordt er vanaf de kansel gezegd dat u een overspelige vrouw bent! Ik weet wat dat betekent. Neef Richard doet het met de meid in de schuur en Tobias kijkt toe, om te leren hoe hij dat ding in haar moet steken en alles heen en weer moet schudden. Dat hebben ze me verteld, en ik heb gezegd dat ik nooit, nooit, iemand dat bij mij zal laten doen! Bah! Hoer! Dat zeggen ze over meiden die dat doen. Ik zal het vader vertellen. U bent slecht!'

'Je moeder is niet slecht, kind. Zij is eenzaam en ik ben eenzaam, en daarom troosten we elkaar. We bedoelen niets slechts. Het is iets tussen ons tweeën, wat we hier doen. Daar heb jij niets mee te maken.'

'Welles! Het is wél slecht. Je maakt dat mijn vader niet bij ons terug kan komen. Ga weg!'

Lucie sloeg met haar vuisten op het bed en begon te huilen. Nazareth ging rechtop zitten, terwijl ze de sprei tegen zich aan drukte om haar borsten te bedekken.

'Lucie, liefje, je begrijpt het niet, van je vader.'

'Hij houdt mijn vader tegen... de soldaten van de vijand houden mijn vader tegen, zodat hij niet naar huis kan komen.' De tranen rolden over de rode wangen van het meisje.

Micah had geen idee hoe hij dit alles recht moest zetten. Het meisje verkeerde in een soort toneelstuk, ze deed alsof Sint-Joris uit de dood zou herrijzen om de draak te verslaan. 'Hoe kan je vader weer thuiskomen als hij zes voet diep bij Edgehill onder de zoden ligt?'

'Dat is niet waar!'

'Ja, dat is wel waar. Ik heb hem dood op de grond zien liggen, samen met zijn broer. Hij zal nooit meer naar huis komen, met ledematen die verpletterd zijn en een hoofd dat is ingeslagen.' De harde woorden klonken heel gewoon, maar waren wreed in hun scherpte.

'Stil, Micah, alsjeblieft!' Zelfs in dit eerste licht kon Nazareth zien hoe haar dochter wilde ogen van schrik had. Ze was lijkbleek en haar mond viel open toen de woorden tot haar doordrongen. Er raasde een wervelwind over haar heen, tilde haar op uit deze scène. In het oog van de storm kon ze twee geliefden onder de beddensprei zien, met hun gezicht vervuld van medelijden en bezorgdheid. De stemmen werden vaag toen de wervelwind haar meevoerde naar de hoek van de kamer, waar ze ineendook om het beeld van het gebroken lichaam van haar arme vader af te weren.

Lucie rolde zich op tot een bal en begon te huiveren, zonder één woord uit te brengen. Haar moeder sprong uit bed, zonder zich erom te bekommeren dat ze naakt was, en ze nam het kind in haar armen.

'Je moet geloven wat de kapitein zegt. We zijn nu helemaal alleen, onbeschermd in deze slechte wereld. Ik heb geprobeerd ons beiden te beschermen, maar vader is voor altijd van deze plek verdwenen. Geloof je me?'

Het kind knikte zwak, vanuit haar verre land.

'Ik haat hem... Ik haat die slechte man. Zorg dat hij bij ons weggaat.'

Nazareth keek wanhopig op. Micah stond al bij de deur, met zijn kleren half aan. Ze smeekte hem met haar ogen te blijven, en haar te helpen bij deze toestand. 'O, alsjeblieft, wacht. Ze zal het wel een keer gaan begrijpen...'

'Maar ik kan daar niet op wachten, mevrouw. Ik zal u verder niet lastigvallen.'

De deur ging dicht en hij was weg. Nazareth voerde strijd op twee fronten en had verloren. Hoe misselijk, beschaamd, vermoeid en verward ze ook was, ze wist dat ze haar kind moest beschermen. Al deze toestanden had haar dochter niet zelf gekozen.

'Kom bij me in bed, Lucie. De donder is nu stil, en de storm is voorbij.'

Ze kon het getik van de regen op de ruiten horen. Het zou morgen koeler en rustiger zijn. Tijd genoeg om dan alle misverstanden uit te zoeken en haar hoofd helder te maken. Maar hoe moest het nu verder, met hen allen?

In de nachten na hun hartstocht werd Micah zo dronken dat hij nauwelijks op zijn benen kon staan. De volgende morgen bonsde en dreunde zijn hoofd als een oorlogstrom. Zijn herinneringen aan het oogstfeest, het dansen en aan hun samenkomen, waren wazig, maar hij kon zich ieder detail van Nazareths schoonheid herinneren; hoe de ene blanke borst iets groter was dan de andere, de welving van haar heupen, de blauwe aderen aan de binnenkant van haar dijen en de rivieren van zilveren striemen over haar buik, de gistachtige, zilte smaak van haar hartstocht. Daarna de binnenkomst van het kind, en zijn schaamte, alsof hij een emmer koud water over zich heen had gekregen – dat stomme, koppige kind met haar beschuldigingen. Hij had er toch zeker goed aan gedaan haar eigendunk te smoren, haar dwaze hoop de grond in te boren? Het was wreed en hard voor hen allemaal. Hij had alles aan zijn eigen zwakheid te danken. Hoe had hij zijn emoties kunnen laten regeren, zich tegenover zijn eigen mannen voor gek laten zetten met de vrouw van een vijand?

Micah schaamde zich bitter voor deze verlangens naar haar, maar de koppige karaktertrek die hem in deze burgeroorlog zo lang in leven had gehouden, onder alle omstandigheden, zei hem dat hij moest maken dat hij hier wegkwam, weg uit dit behekste huis, en alle charmes erin, als hij het wilde overleven. Hier dreigde beslist gevaar!

Bittere zaden

De meesteres van Fridewell House stond vroeg op om een mand met aalmoezen klaar te maken voor de houthakkersgezinnen die bij het mijn-
werkerskamp woonden. Ze nam Gideon als begeleider mee naar de
Chase, waar ze van hut naar hut gingen om kaas en fruit, varkensvet en
honingraten uit te delen. Het was november en de nevels van het dal dre-
ven tussen de bomen door als geesten die in grijze sluiers waren gehuld.
Nazareth huiverde in dit schemerduister, blij dat ze niet alleen hoefde te
zijn op zo'n spookachtig vochtig pad, waar kale takken zich uitstrekten
om haar bij haar mantel te grijpen als wanhopige bedelaars op de markt,
en waar de laatste bladeren als kadavers aan de boomtoppen hingen.

In haar hand hield ze het drankje van de sluwe vrouw die dicht bij
het kamp van de houtskoolbranders woonde, en die door iedereen in het
woud om raad werd gevraagd en met vrees werd bekeken. 'Molly in 't
woud' had middelen en bezweringen voor ziekten waar geen enkele dame
van hoorde te weten. Ze kon iets wat slap was laten verstijven, hartstoch-
ten doen beteugelen, de buik van alle ongewenste inhoud bevrijden voor
de prijs van een zilverstuk of een paar kippen, droog hout dat op maat was
gekloofd, of een kruik illegaal gestookte drank. Onder het mom van liefdadigheid had Nazareth haar in haar eentje bezocht en haar verteld dat haar
dienstmeisje in moeilijkheden verkeerde en hulp nodig had.

De oude heks hoorde het verhaal ongelovig aan en trok aan haar pijp.
Daarna greep ze op haar stoffige plank naar een flesje met polei en absint.

Terwijl Nazareth langzaam terugliep over het pad bedacht ze dat de
transactie met de duivel bijna zonder een woord of blik was volvoerd. Alleen sluwe mensen bezaten die speciale kennis van kruiden en bezweringen, de mystieke krachten om de publieke schande van het baren van een
buitenechtelijk kind te voorkomen. Het was meer dan twee maanden geleden dat haar maandstonden plotseling waren opgehouden, vlak na het
oogstfeest. Ze had geen waarzegster nodig om haar te vertellen dat ze in

de opwinding van de hartstocht zaad had losgelaten aan de man. Aanvankelijk had ze het wegblijven toegeschreven aan alle commotie over de scène van Lucilla en aan de verkoeling tussen de kapitein en haar, maar er waren andere waarschuwingen: een zekere gevoeligheid in haar borsten, duizeligheid en vermoeidheid. Ze had deze weg al eerder afgelegd, en ze kende de tekenen.

Sinds de nacht van de onweersbui had ze nauwelijks zijn kant uit gekeken, en hij had alles gedaan om te voorkomen dat hij met haar alleen was. Kapitein Bagshott zat nu liever bij zijn mannen, waarbij hij dag en nacht patrouilles door de buitenwijk van de stad volvoerde.

Nazareth voelde zich vernederd, zo'n ziekte in haar buik te hebben. Een kind te verwachten van een gewone soldaat. Een overspelige vrouw te zijn, ongeschikt om een kind en nu ook nog eens een bastaard groot te brengen.

O Beavis! Wat heb ik je nagedachtenis bezoedeld. Wat voor bedrog moet ik nu plegen om jouw naam veilig te stellen. Het was wellust en eenzaamheid, niet de liefde die wij deelden. Vergeef me alsjeblieft wat ik nu moet doen, maar ik wil je naam niet nog meer te schande maken dan ik al heb gedaan. Als ik sterf, dan zij het zo. Dan zal het de straf van God zijn voor mijn zwakheid en mijn slechtheid.

Als deze drank zijn beloofde werking heeft, zal niemand ooit van deze schande weten en zal ik de rest van mijn leven besteden aan penitentie en gebeden. Ik zal de zieken en de armen bezoeken, de kerk van je voorouders in zijn vroegere glorie herstellen, en Lucilla opvoeden tot een godvrezende vrouw. Ik zal nooit meer op feestdagen erop uitgaan en ook geen tijd meer verdoen met dansen of zonder begeleiding door de tuin zwerven. De verlokking van de rozen, de geur van de lavendel, hebben mij in het verderf gestort. Alles moet worden uitgerukt en verbrand. Je zult mij een voorbeeld, nee, een aansporing voor alle weduwen vinden in mijn vroomheid en soberheid. Ik zal eenvoudiger zijn dan enig puritein, in zwarte, sobere kleren. O God, hoor mijn smeekbede! Vergeef deze dwaze vrouw, maar het moet gebeuren om anderen te beschermen en omwille van mijn kind...

Ze trok de stop uit het flesje en goot de vloeistof met een grimas naar binnen, uit het zicht van Gideon, die vooruit liep. Het sap brandde in haar keel. Als het zo pijnlijk was, dan moest die bitterheid vast iets nuttigs verrichten. Welk lijden er ook op deze daad van berouw zou volgen, ze zou het alleen moeten dragen.

'Waar is mevrouw, juffrouw Lucilla?'

Lucie was in de provisiekamer bezig een schaal potpourri te mengen. Ze vond het heerlijk de droge, rimpelige bloemblaadjes door haar handen te laten glijden en de geuren van de zomer op te snuiven, die ze hier binnenskamers lekkerder vond dan buiten in de natte tuin. Ze had alle verschillende vormen en kleuren geteld; laurierbladeren en steentijm, spirea met een geur van honing, verrukkelijke groene munt, egelantier en roomse kervel, boerenwormkruid en rozenblaadjes, alle kleuren van de regenboog. Moeder zei altijd dat zoete rozen die naar de neus werden gebracht het hart en het hoofd zouden troosten en bedroefde geesten terug naar de hemel zouden brengen. Ze vroeg zich af of vader ook rozen kon ruiken in de hemel; als dat zo was, zou ze een speciale schaal voor haar eigen kamer klaarmaken, zodat hij kon zien dat ze hem nog steeds herdacht.

Sinds die vreselijke gebeurtenis had ze iedere nacht bij moeder geslapen. Lucilla was bang haar alleen te laten, voor het geval de slechte man weer bij haar in bed zou kruipen. Maar ze voelde dat zijn macht was getaand en dat ze weer veilig waren. Hij at niet meer samen met hen, en het garnizoen kwam nauwelijks nog in Fridewell.

'Lucilla! Is je moeder op dit uur nog steeds in haar slaapkamer?' onderbrak Martha haar dagdromerij.

'Ja, ze zei dat haar buikpijn haar te veel last bezorgde om vroeg op te staan. Ze heeft slecht geslapen.'

'Haast je dan, kind, en vraag of ze een medicijn nodig heeft. Het is niets voor mevrouw om op bed te liggen wanneer het linnengoed in de week moet worden gezet.'

Lucie holde de trap op, op de hielen gevolgd door Peto. Sinds het vertrek van de kapitein bracht ze meer tijd bij Martha in de keuken door, en minder met op de trap zitten wachten op de terugkeer van haar vader. Ze was echter nog steeds de Bewaker van het Koninkrijk. Ooit was er een lelijk beest door deze portalen getrokken om de feeënkoningin te stelen, maar nu was hij afgeweerd, net zoals de mannen van de koning nog steeds standhielden in de kathedraal, dus was alles in orde.

Er was een bult in het bed te zien. Moeder tuurde naar buiten en kreunde, terwijl het zweet van haar voorhoofd druppelde. 'Ga weg, kindje. Ik voel me vandaag wat onwel.'

'Zal ik Martha halen?' vroeg Lucie, toen ze zag hoe bleek en verkrampt het gezicht van haar moeder was.

'Nee, nee... Eens zul je het begrijpen. Het is de vloek van een vrouw om deze kwaal te moeten dragen, de prijs voor het baren van kinderen. Zeg maar tegen Martha dat zij alles moet regelen, en je moet mijn plaats naast haar innemen.'

'Dat zal ik doen, maar ze vroeg of u een medicijn nodig had.'

'Ga nu... Laat me alsjeblieft met rust. Ik heb alle medicijnen die ik nodig heb. Ik zal snel weer in orde zijn, maar zet het stilletje hier even voor me neer, alleen maar voor het geval dat.' Het kind schoof de zware stoel met het deksel de kamer door. Nazareth raapte al haar krachten bijeen om te gaan zitten, terwijl ze zich tot een onechte glimlach van geruststelling dwong, alsof het volstrekt onbelangrijk was wat haar mankeerde. 'Ga je werk doen, snel!'

De hele dag kwam en ging de pijn, als het getij op een strand waar ze jaren geleden ooit was geweest; de plek waar de rivier in de zee uitstroomde. Ze had geboeid toegekeken hoe de golven over haar satijnen schoentjes spoelden, en had toen een flink pak slaag gekregen voor haar dwaasheid. Nu probeerde ze mee te gaan op de golven van pijn die oversloegen in haar ingewanden, waarna de bloederige massa's met geweld in de doeken terechtkwamen. Molly in 't Woud had tegen haar gezegd dat ze moest wachten tot de zuiveringen begonnen, en dat ze alle rommel in een kom moest doen en bij middernacht moest verbranden of in stromend water uit moest spoelen om alle vlekken te verwijderen. Ze had niet zoveel pijn verwacht, maar die moest ze verdragen. Ze durfde niet in de kom of op de doeken te kijken. Gelukkig had ze een kruidenthee bereid van papaversap, kamillewater en verbena, en ze dronk dit uit een beker om haar hoofd te kalmeren.

Toen het schamele novemberlicht tot duisternis verbleekte, voelde ze de pijn minder hevig en frequent worden. Straks zou alles voorbij zijn. De Here zou het in Zijn Barmhartigheid begrijpen. Haar boetedoening zou beginnen zodra ze opstond van dit bed; al die koortsachtige beloften die ze op de terugweg uit het woud had gedaan, zouden worden nageleefd.

Later, toen het donker was, sloop ze met een kandelaar naar de provisiekamer om een stuk kaas en een koel glas cider te halen voor haar droge keel. Haar benen wiebelden eerst alsof ze van pudding waren, maar toen ze over de stenen vloer schuifelde, kwamen haar krachten langzaam weer terug. Ze had alle besmeurde doeken tot een bal geprupt, en toen ze zag dat het vuur in de haard nog oplaaide, verbrandde ze haar zonden stukje bij beetje. De vreselijke stank maakte haar misselijk, maar weldra waren de verkoolde overblijfselen van de doeken niet meer dan as.

De kom uit het stilletje had ze met een servet afgedekt. Ze liep hiermee de tuin in en deed heel voorzichtig de grendel van de priorij los, om Martha in haar kamertje aan de andere kant van de gang niet te storen. Er was slechts één plek waar ze met die bak naartoe kon, en ze liep voorzichtig over het berijpte gras dat glinsterde in het maanlicht dat haar weg naar de bron verlichtte. De recente regens hadden gemaakt dat de bron als een woeste beek omlaag stroomde. Nazareth bukte zich boven het water en leegde de kom.

'Ik werp mijn zonden uit over het water. Stroom, geheime schande, stroom weg naar de eeuwigdurende zee. Erbarm u over mij, o Heer.'

De bron zou niets doorvertellen want het was een heilige bron, en de heidense geesten waren vast lang geleden verdwenen. In dit beschaduwde prieel was het zaad van de vijand gezaaid, daarom was het terecht dat deze schandelijke oogst hier werd verwoest. Nazareth boog dankbaar haar hoofd dat deze krankzinnigheid voorbij was. Had ze niet met eigen ogen het bloederige bewijs gezien?

Met Kerstmis was ze zo gezwollen in haar buik en in haar enkels, dat ze vreesde dat ze de een of andere vreselijke ziekte had. Haar stonden keerden niet terug, zoals ze had gehoopt, maar dat was geen wonder na zo'n zuivering. Ze kon nu weinig vloeistof missen. Haar rug deed pijn en haar ledematen zwollen, haar haar verloor zijn glans en haar lijfje kon niet goed meer worden dichtgeregen. Maar ze werd vooral overmand door vermoeidheid, zodat ze een kruk zocht wanneer ze iets staand moest doen.

Kerstmis was een armzalige vertoning: een beetje groen en wat extra kaarsen, een bezoek aan Longhall, want mevrouw had alle feestelijkheden en drinken afgezworen nu ze een sobere oude dame was. De ziekte waaraan ze leed maakte dat ze voedsel uitbraakte bij het minste luchtje of smaakje. Martha vond het een vreemde, griezelige ziekte, en ze smeekte haar mevrouw rust te houden. Het garnizoen was uit het huis vertrokken maar zwierf door het woud, om de bevoorradingsroutes naar de belegerde vesting in de kathedraal op te sporen. De winter werd strenger en in het nieuwe jaar viel er sneeuw, maar daarna kwam snel de dooi en het gonsde in het woud van de angstkreten en de geruchten over gevechten en overvallen. Nazareth luisterde niet naar alle verhalen. Het ging hun nu allemaal niets aan. Ze zouden al hun krachten nodig hebben om deze winter te overleven.

Op een morgen kwam Martha van het erf naar binnen gehold. 'Kom snel, mevrouw. Er zijn gewonde soldaten op het erf... Ze zijn er slecht aan toe, al weet ik niet aan welke kant ze staan.'

'Maakt dat iets uit? Het zijn allemaal zonen en echtgenoten, ik zal geen ziek mens van mijn deur wegsturen. Als er een goedhartige ziel was geweest die medelijden had gehad met Beavis, dan waren wij nu misschien niet onbeschermd geweest. Zorg voor hen. Ik kom eraan. Het is geen morgen om gewond buiten te zijn.'

De mannen lagen verspreid door de schuur en ze herkende de vertrouwde bruingele jassen van de oude patrouille. Ze waren, net als gewonde dieren, teruggekomen om op een veilige plaats te sterven. Sommigen hadden verwondingen op gezicht en armen, anderen waren alleen maar uitgeput en hadden blauwe lippen van de kou.

'Wat is er gebeurd?' vroeg ze, toen ze probeerde te zien wie er in deze chaos levend of dood was.

'Wat een afgang! We werden op een smal landweggetje overvallen, en de paarden achterin raakten in paniek en daverden naar de soldaten vooraan, liepen hen volledig onder de voet. "Weg! Weg! Wegwezen, ren voor je leven! We worden hier allemaal in de pan gehakt!" De karren werden omvergetrokken en de arme paarden zaten vast, dus sneden we hun tuig los en zij gingen ervandoor. Er werd vanuit de struiken op de ruiters gevuurd. Wat een smerige troep! De verwondingen van de paarden lieten een spoor van bloed achter, dat in de sneeuw bevroor... een vreselijk gezicht, mevrouw. Ik wil zoiets nooit meer zien.' De soldaat verloor het bewustzijn en Nazareth probeerde de stroom bloed uit zijn nek te stelpen.

'Breng hem naar buiten in de kou, mevrouw. Dan zal de wond bevriezen en zal hij niet zoveel bloed verliezen. Deze vorst zal menig leven redden.'

Ze draaide zich om en daar was hij, de man van wie ze had gehoopt dat ze hem nooit weer zou zien. Kapitein Bagshott, overeind gehouden door twee infanteristen, die hem half over de binnenplaats sleepten. Er was geen tijd voor overwegingen, alleen om te handelen.

'Breng hem naar boven naar zijn oude kamer. Hij zal jullie wijzen waar die is.' Ze probeerde kalm en beheerst te blijven, maar haar hart bonsde van bezorgdheid om hem en om hun eigen veiligheid. Waren er nog meer strijdkrachten die hier achteraan kwamen? Zouden ze allemaal worden afgeslacht omdat ze de vijand onderdak hadden geboden? Welke kant je in deze vervloekte oorlog ook mocht kiezen, je was een overloper en een verrader. Ze was ziek van al deze slachtingen in haar eigen land. Het was beter als één partij het uiteindelijk won, dan dat ze steeds van dit soort narigheid op landweggetjes hadden.

Martha haalde de zakken met geneeskrachtige kruiden uit de tassen van de mannen. Gelukkig hadden de meeste soldaten voor hun bescherming hun eigen voorraden bij zich, liefdevol verpakt in zakken die door moeders en geliefden waren geborduurd. Nu zou die liefdevolle zorg worden benut. Sommigen hadden alleen maar gedroogde kruiden voor verkoelende thee bij zich, anderen hadden spullen als zalf en verband. Ze zouden zich moeten zien te redden met wat ze voor haar eigen medicijnkast uit de tuin had opgeslagen.

Eerst doopte ze haar handen in de emmer met loog. Ze deed dit vaak, hoewel het heel pijnlijk was voor haar vingers vol kloven, maar als het het vuil uit het linnengoed haalde, zou het vast ook wel het vuil van haar handen halen en ook de smerigheid van de soldaten zuiveren. Het leek verstandig om ieder van hen met schone handen aan te raken, hoewel ze niet wist waarom dat zo belangrijk was. Het was gewoon een van de dingen die je deed.

Pas toen alle overlevenden waren verzorgd, liep ze moeizaam de trap op om naar de kapitein te kijken. Hij lag met zijn vuile kleren aan op het bed, met een wit gezicht en met diep ingevallen ogen van de pijn.

Zijn wond zat aan de binnenkant van zijn bovenbeen, vlak bij zijn kruis, en ze liet Martha de stof van zijn kniebroek wegknippen zodat ze hem beter kon onderzoeken. Het zwaard had dwars door stof en huid heen gesneden, naar de spier, een rechte snee, als een plak uit een bout. Dit moest worden gehecht en met een kompres worden afgedekt. Ze pakte een naald, maar haar handen beefden toen ze dicht bij dat vlees kwam, en de stank van zijn viezigheid maakte dat ze moest kokhalzen, en ze ging de kamer uit. Toen ze terugkwam fluisterde Martha dat hij het zelf had gehecht, zonder een kik te geven, en dat Micah Bagshott toch wel een moedig man was. Nazareth schaamde zich voor haar eigen zwakheid, en ze zorgde ervoor dat ze hem dagelijks opnieuw verbond, maar het was een hardnekkige wond die eerst niet goed wilde genezen.

Lucie hervatte haar wacht op de trap en week niet van haar moeders zijde, waarbij ze door een kier van de deur naar de soldaat keek en hem blikken vol venijn toewierp. Ze haalden bloedzuigers uit de vijver en legden die op zijn been om de verrotting weg te zuigen. Gideon plukte vochtig veenmos om de wonden van de soldaten te verbinden en Martha zei dat een kompres van beschimmeld brood hielp bij iedere vleeswond, met voor alle zekerheid een spin erin. Kapitein Micah deed smalend en zei dat haar kompres zo sterk was dat het op de muren van de kathedraal moest worden bevestigd, want dat de borstweringen daar beslist van omlaag zouden komen! Uit wanhoop werden alle remedies tegelijk geprobeerd, en de wond veranderde van paarszwart in roze, maar het been was zwak en kon niet worden gebogen.

Kapitein Micah was niet de gemakkelijkste patiënt, maar hij las ieder boek dat voor hem werd neergelegd. De oude kist werd geopend om te zien of er nog gedrukt materiaal in het huis was achtergebleven nadat de eerste overvallers er pagina's uit hadden gescheurd om in hun pijp te roken.

Buiten blies de wind vanuit het noordoosten over het dal van de Trent, om sneeuw tot duinen op te waaien en mannen in schuren vast te houden en het hele dorp te laten huiveren onder schapenvachten en kapokdekens. Het vuur in de haard laaide hoog op van de laatste brandstof die ze hadden, en iedereen zat eromheen om zich in de warmte te koesteren, Nazareth opnieuw in het zwart, met een witte muts, en met als deken een stuk wollen meubelstof dat ze in de kist had gevonden, om haar warm te houden.

'U ziet er nog meer gecapitonneerd uit dan mijn zusters bij de Heilige Broeders, mevrouw Salt. Net de vrouw van een dominee. Waarom zoveel lelijks?' Nazareth keek op, geschokt over zijn opmerkingen.

'Vergeet u soms dat ik weduwe en moeder ben? Moet ik soms geen voorbeeld stellen, heer?' Dat moest hem op zijn nummer zetten.

'Maar u bent nog geen dertig, mevrouw. U heeft toch zeker nog genoeg jaren voor de boeg om een nieuw leven te kunnen beginnen?'

'Nee! Niet na die episode van schandelijke zwakheid. Ik moet aan mijn reputatie denken. Dat is alles wat ik nog heb.'

'Dan heeft u van mij niets te vrezen. Dat waakhond-kind dat uw deur en uw bed bewaakt, zal ervoor zorgen dat u onbezoedeld blijft...' Er viel een stilte die zo pijnlijk was dat geen van beiden weer opkeek. Er zweefden woorden van verontschuldiging als nevel door de lucht.

'U ziet er zo zorgelijk uit, mevrouw, zo terneergeslagen sinds we elkaar voor het laatst hebben gezien. Wat mankeert u?' De kapitein boog zich naar voren om haar hand aan te raken en Nazareth deinsde achteruit op haar kruk.

'Ik weet het niet. De een of andere vrouwenkwaal. Als het voorjaar er eenmaal is, met warmer weer en zonneschijn, zal ik worden vernieuwd.' Ze kon hem echt niet vertellen wat ze had gedaan, maar zijn kennelijke bezorgdheid raakte een gevoelige snaar bij haar en ze begon opeens te huilen.

'O vrouwe Nazareth, wat zou ik u graag in mijn armen nemen om dat zorgelijke voorhoofd te kussen... Kijk toch niet zo benauwd. Ik bezit energie noch begeerte nu ik zo kreupel ben. Wat mankeerde er aan onze verbintenis die slechts heimelijk en 's nachts over de trap tot stand kon komen? Waren mijn minnekunsten niet naar uw wens?' Micahs ogen staken tot in haar ziel.

'Ik smeek u, heer, niet meer van dit soort taal uit te slaan. Ik heb uw bed en uw gezelschap afgezworen. Het is niet gepast voor een weduwe...'

'Het is niet gepast voor een trotse Salt, hoezeer ook beroofd van landerijen en chique titels, om het hof te worden gemaakt door een nederige Bagshott, hoe succesvol hun ondernemingen ook mogen zijn! Mijn overgrootvader heeft dit huis gebouwd dat ons nu allen onderdak geeft, en de Bagshotts zouden het nu vele keren kunnen kopen en verkopen, maar u bent slechts in naam van stand, niet in de daad. Is dat de reden waarom wij nog steeds vijanden zijn?

Geef mij een kans, dan zal ik uw koude, royalistische hart belegeren en uw wrede vastbeslotenheid net zo ondermijnen als dit stinkende kompres mijn arme been pijnigt.'

'En ik zal al uw salvo's en houwen afweren tot aan het trompetgeschal op de dag des oordeels!'

'U bent harteloos, mevrouw.' Micah boog spottend.

'En u, heer, bent een slechte man om mij zo te behandelen...'

Nazareth zag hoe belachelijk deze wederzijdse bedreigingen en verbale steekspelletjes waren. Waarom kon zij niet lachen om dit geflirt, hoe gevaarlijk het ook mocht zijn? Zolang hij gewond was, leverde hij geen gevaar op, maar als hij eenmaal zijn volle levenslust had herwonnen... dan wist ze echt niet hoe ze zijn aanvallen zou moeten afslaan. Haar hart was er niet bij betrokken. Toch zou de herinnering aan haar vreselijke misdrijf haar verdediging tegen verleiding moeten versterken.

Maar na een week van herstel, toen hij nog nauwelijks in staat was op zijn paard te zitten, ging hij weg, terug naar de stad van de kathedraal om steun te verlenen bij de laatste aanval op het garnizoen. De mannen van de koning hadden het zo lang weten vol te houden tegenover een grote overmacht. De kanonnen bulderden over het dal en vanaf de hoge heuvelkam konden ze de rook zien opstijgen toen de belegerde stadsmuren verbrokkelden. De menselijke wezens daar waren gereduceerd tot geraamten die ongedierte aten of bij honderden onder binnenplaatsen waren begraven. De arme paarden waren aan de vijand overgelaten om ze verder lijden te besparen. De grote torenspits van de kathedraal was op het middenschip van de kerk gestort, zodat degenen die in de kerk zaten werden verpletterd.

De vreselijke verhalen over lijden en volhouden maakten dat Nazareth haar eigen zorgen onder ogen zag met nederigheid en berusting. Ze had met een bezwaard hart de kapitein zien vertrekken. Hij had beloofd terug te komen met nieuwe planten voor het wiel in haar tuin, dat goed groeide.

Ze hadden naast elkaar gestaan om de groene puntjes uit de rode aarde omhoog te zien steken. Weldra zou er een cirkel van tulpen zijn, een vurige cirkel om te bewonderen. Ze had hem dat kunnen vertellen wat ze al maanden had geweten. Ze zou weldra een kind baren, en het was veel te laat voor een tweede remedie. Ze had het bewijs in de kom gezien, dus hoe kon er een tweede kind in haar schoot groeien als het niet door hekserij of door de wil van God was? De drank die ze had gedronken was een smerig en bedrieglijk spulletje, ze had zich erdoor laten misleiden, haar angsten erdoor laten sussen, tot het veel te laat was om de loop der gebeurtenissen te veranderen.

Hoe had ze zichzelf zo voor de gek kunnen houden dat ze had gedacht dat haar gebeden bij de bron waren verhoord? God liet zich niet op een dwaalspoor brengen. O nee! Hij zou het laatste oordeel hebben in deze zaak. Maar hoe moest het met Lucilla? Hoe zou zij zulk verraad verwerken? Ze moest naar Letty worden gestuurd onder het een of andere voorwendsel van besmetting en gevaar in het dorp. Lucie zou protesteren en gillen, maar de kleine jongedame kon nu lopen en hollen wanneer het haar schikte, waarbij ze voortdurend achter de kapitein aan liep. Nazareth wist dat haar dochter Micah nooit zou accepteren op de plaats van Beavis, aan zijn haard of in zijn bed.

Ze keek omhoog naar de lange vreemdeling die haar hart had gestolen. Arme ontwortelde man, altijd gehoorzaam aan de bevelen van anderen. Goddank wist hij niets van haar omstandigheden. Want dan zou hij hun vereniging publiek willen maken – of misschien ook niet. Ze zou hem nooit de keus bieden.

Er zou geen vroedvrouw aanwezig zijn bij de geboorte van deze bastaard. Alles moest in het geheim gebeuren, met de hulp van een onwetend meisje. Martha zou moeten zweren alles geheim te houden en bereid moeten zijn aan het kraambed te helpen. Nazareth zou alle voorbereidingen in haar eigen kamer treffen, zelfs haar testament maken, en ze zou Letty schrijven en al het mogelijke doen om een toekomst voor dit kind te regelen. Maar nu nog niet... Eerst moest ze de soldaten uitzwaaien en deze schijnvertoning opvoeren.

De cirkel van vuur

'Mevrouw! Alstublieft, mevrouw... niet meer persen. Laat me alstublieft vroedvrouw Tipley erbij laten halen. Zij zal weten wat er verder moet gebeuren. Wees toch voorzichtig, beheers u. Ik weet niet wat ik moet doen!'
Martha liep in het flakkerende kaarslicht haastig rond het bed. Ze had een paar geboortes meegemaakt, maar deze was te snel en te heftig om normaal te zijn.
'Was de baby nou maar, maak hem schoon. Haalt hij adem?'
'Jawel, hoor maar. Kijk, hij is van paars nu roze geworden – een mooi jongetje. Hij ziet er gezond uit.' Ze hield het mollige kind omhoog naar de moeder, die hulpeloos in de kussens lag en haar hoofd van hen afwendde.
'Baad hem en gooi het water naar buiten in de nachtlucht, niet op de as van het vuur. We willen dat dit kind buiten rondtrekt als een echte man. Ik heb de windsels in de kast liggen, kijk maar, om zijn ledematen recht en stevig te houden... Het is zo koud in de kamer, en dan weer zo warm... Leg hem in de wieg en doe nog een blok op het vuur.'
'Ik moet uw beddengoed verschonen. Het is zo doorweekt van het bloed dat ik het gewoon niet kan opdweilen. Is er nog steeds geen nageboorte?'
'Nee, nog niet. Druk eens op mijn buik, kijk of je hem kunt losduwen. Hij moet daar ergens zitten...'
Maar hoe hard Martha ook duwde, er kwam geen nageboorte, en mevrouw werd moe, koortsig en verhit van de pijn. Het kind huilde en huilde, en de jonge Martha Barnsley werd zo wanhopig dat ze Gideon erbij haalde. Hij had al die tijd voor de deur gewacht, vol ontzetting over wat er binnen gebeurde. Martha huiverde van angst en bezorgdheid. Dit was geen gewone geboorte, zo onverwacht en heimelijk, zonder de vrouwen die meestal in de kamer aanwezig waren om aan het kraambed te helpen en voor de ceremonies te zorgen.
Hoe kon mevrouw een kind baren, zo lang na de dood van squire Beavis, tenzij er iets was voorgevallen met die knappe kapitein van de paar-

den. Zouden de schunnige grappen van de soldaten in de schuur, over dat het paar heimelijke geliefden waren, dan toch waar zijn? Had mevrouw een zoon gebaard van een Bagshottsoldaat, de zoon van een zwarthoed uit de stad? Vast niet! Martha draaide zich weer om naar haar lieve mevrouw, die zo mooi was en die haar dienstmeisje maar drie keer een draai om haar oren had gegeven. Zij was degene die door haar charme en gastvrijheid het huis van de puinhopen had gered. Ja toch? Maar daar in de wieg krijste de waarheid van dit alles, een duister kind met een doordringende stem. Geen hulpeloos schepsel maar een stevige baby die bang was dat hij als onwettig kind zou worden aangemerkt. Dat nooit! Eén blik op die dichtgeknepen ogen en dat kleine mondje, en Martha was voor altijd zijn slavin. Hij moest worden beschermd... uit het zicht worden gehouden.

'Gideon,' beval ze, 'ga naar Longhall en timmer daar op de deur tot er iemand wakker wordt. Zeg ze dat mevrouw ziek is en op het randje van de dood verkeert, maar zeg nog niets over de baby. Haal mevrouw Letty... meteen.'

Het zou uren duren om hem die drie mijlen te laten lopen. Al hun muilezels waren gevorderd door de mannen van de kapitein. Dit zou haar de tijd geven om het kind in het oude gebouw te verstoppen, hem te onttrekken aan nieuwsgierige ogen en geroddel. Ze zou alle rommel en het bloed moeten verbergen, en ook alle bewijzen van de geboorte. Zo moe als ze was zou ze de kamer op moeten ruimen om alles voor te bereiden op het bezoek. De baby kon net zoveel huilen als hij wilde zonder dat dit werd gehoord door de dikke, stenen muur van het logement van de oude priorij, maar hij zou het niet lang overleven zonder een min om hem te voeden. Wie kende ze in het dorp die de afgelopen weken was bevallen? Wie zou dit vreselijke geheim kunnen bewaren?

'Martha, mijn baby, breng hem hier, laat me hem voeden... Martha!' Nazareth bezat nauwelijks de kracht om de woorden te fluisteren, terwijl ze in en uit een diepe vrede zweefde, over een zachtkabbelende rivier van slaap naar de monding en het diepe water werd gevoerd, naar het gouden licht en naar Beavis... Ze zweefde boven de kamer, wiegend als een blad. Slechts de verre kreet van haar pasgeborene, een armzalig geluid, trok haar terug naar het bed. 'Mijn baby... Waar is mijn baby?'

'Stil, mevrouw, rust wat uit. Hij is veilig. Ik heb Lucilla laten waarschuwen, en mevrouw Letty... U moet nu uitrusten. Is er iets anders wat ik moet doen?'

'Micah, laat Micah waarschuwen... Hij zal voor alles zorgen.'

'Nee, mevrouw, dat zou niet goed zijn. Kapitein Micah is naar de stad gegaan.'

Nazareth greep haar arm. 'Zijn moeder zal zorgen voor... ze heeft me rozemarijn gegeven... als aandenken. Een bloem voor mijn wiel.'

'Welke moeder? Wie is Rozemarijn?' Die arme mevrouw was nu zo verward dat er geen touw aan vast viel te knopen, zo verzwakt was ze door het verlies van al dat bloed.

'Lucie niet... Nee, niet hier. Houd haar weg!'

'Wees maar niet bang, het kind zal de baby niet hier zien. Hij is veilig bij mij. Heeft u een naam voor uw zoon gekozen, mevrouw Nazareth, een naam voor uw zoon?'

'God, wees barmhartig voor ons... barmhartigheid en penitentie. Zorg voor hem. Erbarm U over mij... penitentie.'

Nazareth kon geen weerstand meer bieden aan het getij, en ze viel in slaap, dreef over de rivier naar de open zee, terwijl er golven van vrede over haar hoofd sloegen, over haar gezicht en haar lippen.

Martha boog haar hoofd en huilde, sloeg langzaam een kruis. Haar mevrouw was zo diep in slaap dat geen sterveling haar aan deze zijde van de hemel zou kunnen wekken. Er viel nu niets anders te doen dan alles op te ruimen, te wachten, en dan het raam te openen om haar geest vrij weg te laten zweven. Het zou morgen zijn eer de groep van Longhall het vreselijke bericht zou vernemen. Wat zou er worden van Newhouse, van Lucilla en van de kleine Penitence, want dat was ongetwijfeld zijn naam?

Toen kapitein Bagshott op een mooie morgen in mei de stad uitreed, over het kronkelige landweggetje van Fridewell, voelde hij zich licht van opluchting. Het beleg was eindelijk voorbij, de muren rond het terrein neergehaald. Het armzalige garnizoen was waardig naar buiten gekomen onder de witte vlag, en nu was de hele stad in hun handen. Hij had voor zijn hele leven genoeg van de oorlog en van het zadel. Het was nu geen tijd om bruggen te verbranden maar om ze te repareren. Hij rook bloesem in de lucht, zag de bloemblaadjes die voor hem op het pad waren gevallen. Hij dacht aan een bruidspad en aan witte slingers. Ja, hij zou het leger verlaten om met zijn weduwe te trouwen. Een eerzame vrouw van haar te maken.

Hij ging eerst langzaam in draf, maar hij versnelde het tempo toen hij dichter bij zijn bestemming kwam, langs de molen en de weilanden en dc boeren die aan het werk waren in het zonlicht. Hij had zijn wapen-rusting afgelegd en was gekleed in hoge laarzen en een chique kniebroek, een mooi jasje met een eenvoudige kraag, hij had zijn haar gekamd en geknipt, zijn wangen met zijn mes afgeschraapt om zijn huid glad te la-ten lijken. Het was tijd om feest te vieren.

Voor de eerste keer in zijn leven voelde hij een steek van blijdschap bij het zien van de oude schuur waar het garnizoen in gelegerd was ge-weest, de met keien geplaveide binnenplaats en het L-vormige huis. Hij werd niet langer overmand door afgunst en minachting voor de Salts. Hij wist dat hij een deel van haar hart bezat. Het zou voldoende zijn om hun gezamenlijke reis mee te beginnen. Haar dochter zou wel dwarslig-gen, mokken en zwijgen, maar hij zou haar uiteindelijk voor zich weten te winnen als hij haar genoeg tijd gaf en haar moeder met haar deelde.

Hij reed de binnenplaats op en steeg af. Het was allemaal nog net zo-als toen hij in maart was vertrokken. Er viel geen teken van leven te be-speuren, er kwam geen rook uit de schoorsteen, er stond alleen maar een wagen voor de stoep van de voordeur. Hij draaide zich om naar de tuin op de helling, om het wiel en de cirkel van tulpen te zien. De bladeren stonden stijf als speren rechtop, maar er viel geen cirkel van vuur te be-kennen, alleen maar groene sprieten. Alle rode tulpen lagen op de grond, netjes afgeknipt, als hoofden op een executieblok. Hij begreep er niets van, en hij keek weer naar het huis. Het gezicht van dat ellendige kind staarde hem even aan en was toen verdwenen. Wie zou er nou de bloe-men van tulpen koppen voordat ze waren uitgebloeid? Wie anders dan een nors, vijandig kind? Ze verdiende een pak slaag.

Hij marcheerde naar de onderkant van de trap en riep luid: 'Mevrouw Nazareth, bent u thuis?'

Er klonken snelle voetstappen door de hal en een geschokte Martha keek hem treurig aan. 'O kapitein, bent u daar eindelijk! U hebt ons droe-ve nieuws gehoord...'

'Wat voor nieuws? Waar is je mevrouw?'

Martha neeg even. 'Komt u naar de salon en gaat u even zitten. Ik heb een treurig bericht voor zo'n prachtige dag. Komt u binnen en doe de deur dicht.'

Lucilla zat op de trap en probeerde luistervinkje te spelen om het gefluis-ter van beneden op te vangen. Het akelige beest was teruggekeerd, maar nu was er geen feeënkoningin om te stelen. Moeder lag op het kerkhof onder de grond, met een krans van taxus en rozemarijn, hulst en wijn-ruit om haar hoofd. Moeder zou niet op Longhall gaan wonen. Ze was ziek geworden door de pest en ze was gestorven en Lucie moest nu al haar spullen inpakken om haar koninkrijk voor eeuwig te verlaten.

Tante Letty was heel aardig, en ze liet haar hun nieuwe baby Arthur vasthouden, maar zij had gevraagd bij Martha en Gideon op Newhouse te mogen blijven. Longhall was haar thuis niet en ze had een hekel aan haar neefjes, die ruwe jongens. Ze wilde niet alles inpakken om daar te gaan wonen.

En nu was de vijand weer terug. Stel dat de kapitein Newhouse wil-de stelen om er zelf te gaan wonen, net als eerst, toen hij met haar moe-der had geslapen, alsof ze een gewone dienstmeid was. Hoe durfde hij terug te komen om hen te kwellen, zich te verheugen over hun verdriet? Ze zou hem weleens laten zien wie er over dit koninkrijk heerste. Zij was nog steeds de koningin van de trap!

De kapitein zat verbijsterd met gebogen hoofd terwijl de tranen over zijn gezicht stroomden. Martha had nooit eerder een volwassen man zien huilen, echte tranen van verdriet en ontzetting. De arme man kon nau-welijks een woord geloven van de leugens die ze hem vertelde, dezelfde leugens die ze de anderen had verteld.

De baby lag veilig in zijn wieg in het logement, buiten het zicht van iedereen behalve Gideon en haar. Het was eerst een worsteling geweest om hem te voeden, maar ze molken de geit en weekten een doek in de melk en ze voedde hem zo, dat hij aan de doek zoog alsof het een speen was. Gideon maakte van zacht geitenleer een trechter met een gat bo-venaan. De baby leerde snel stevig te zuigen om melk binnen te krijgen. Soms weekte ze wat brood in melk met honing. Het kind hapte er flink in. Hij zou gedijen, en ze had hem lief alsof het haar eigen kind was.

Het was een vreselijke zonde om zijn geboorte niet te noemen, maar wat moest ze anders? Kon ze de kapitein voldoende vertrouwen, zodat hij haar mevrouw niet te schande zou maken? En juffrouw Lucilla zou er niets van begrijpen. Hoe eerder dat wonderlijke kind hier werd wegge-haald, hoe eerder haar bedroefde hartje zou genezen. Het huis zou door vreemden worden gepacht tot het kind oud genoeg was om haar erfenis op te eisen, het arme schaap.

Soms vroeg Martha zich af wat voor geesten er in dit huis verkeerden. Of ze goed of boosaardig waren, want de Salts hadden niets dan narigheid gehad vanaf het moment dat de linkervleugel was gebouwd, in de tijd van Oude Sarah.

Micah trok naar het kerkhof, naar de verse berg aarde ten oosten van de ingestorte kerk. Er klapwiekten duiven rond de toren, en de eerste zwaluwen schoten hoog boven zijn hoofd door de lucht. O Nazareth, dit is niet hoe ik jou had willen eren. Nu kan ik alleen maar deze armzalige stekjes boven op je zetten, ter nagedachtenis aan wat tussen ons had kunnen zijn. Er is niets overgebleven, behalve wat gekopte bollen en deze stekjes. Hoe kon je zo ziek worden en sterven terwijl je zo hard vocht om je huis te behouden en je kind te beschermen? Nazareth, ik zou eerder zijn gekomen als ik had geweten...

Hij bleef staan met gebogen hoofd. Hij moest opnieuw alleen verder, net nu hij had gedacht zijn leven hier bij het hare te voegen. Langzaam liep hij terug en bleef nog een laatste keer staan om Nazareths huis te bekijken. Aan de ene kant waren de oude stenen muren van de priorij, aan de andere de langwerpige aanbouw van baksteen met hout.

Er steeg zwarte rook op, niet uit de schoorsteen maar uit de deuropening, met vlammen die opschoten tot boven aan de trap. Hij zag het bange gezicht van het kind dat door het zwartberoete glas keek. Martha gilde: 'Brand!' en holde weg om een emmer te halen, terwijl Gideon naar de oude alarmklok rende om die te luiden in de hoop op hulp uit het dorp.

'O heer, juffrouw Lucilla... Ze heeft de trap in brand gestoken. Het hout is droog en de gordijnen hebben vlamgevat... Lucie... Het raam!'

Micah liet zich geen twee keer bidden. 'Haal de emmer en ga naar de vijver. Maak een keten van emmers van daar naar hier. Gooi die daar eerst over mijn hoofd.' Hij rukte zijn jasje uit en maakte het drijfnat, waarna hij naar het krijsende kind rende.

'Ga daar bij die rook weg, Lucie!'

'Peto is hier... en de wieg.' Het meisje tilde de hond op.

'O God, nee! Ze heeft de baby! O heer, snel! Er ligt een kind in de wieg... U moet hen redden!' gilde Martha.

Hij keek omhoog. Ze zaten in het trappenhuis in de val, terwijl de zwarte rook om hen heen kringelde. Als hij ze naar de andere kant kon krijgen... Micah schreeuwde om de ladders, maar die waren niet te vinden omdat de soldaten ze hadden gestolen tijdens hun laatste plundertocht. Toen zag hij de vijgenboom, met zijn harde hout en de dwarstakken. Als hij zich goed uitstrekte, kon hij misschien iets bereiken.

Lucilla kreeg het benauwd van de rook. Ze snelde naar haar kamer en deed de deur dicht, maar het was daar donker en griezelig, dus liep ze verder naar het oude huis en naar de verbindingsdeur naast de linnenkast. Hij zat op slot. Ze zat gevangen in haar koninkrijk, en dat beviel haar niets.

Peto beefde hevig, en ze drukte hem stijf tegen zich aan. Dit was allemaal haar schuld, zij had die cirkel van vuur aangestoken rond al haar speelgoed om de vreselijke reus ervan te weerhouden ze te stelen. Het was dom om met vuur te spelen. Hadden ze haar dat niet talloze malen duidelijk gemaakt bij de haard? De kaarsen hadden vonken op de biezen matten laten vallen, en die hadden vlamgevat. Nu zat ze in de val en er was niemand om haar te redden, niemand behalve een bang dienstmeisje. Toen zag ze het gezicht achter het venster, en ze deinsde achteruit.

'Doe open!'

Ze kon het beest bij het raam zien, hij klauwde om binnen te komen. Ze schudde haar hoofd en zag hem zijn vuist door het glas slaan.

'Doe in godsnaam dat raam van het slot en laat me je naar buiten dragen...' Micah probeerde wat minder woest te kijken. 'Kom, het is hier gevaarlijk en Martha wacht beneden. Snel!'

Een seconde lang aarzelde het meisje, maar de rook begon onder de deur door te sijpelen en de gang stond in lichterlaaie. Ze kon de vlammen horen knetteren. De arme Oude Sarah begon te smelten in haar lijst. Ze duwde hem het hondje in de armen en hij liet het voorzichtig zakken naar de andere redders beneden.

'Kom alsjeblieft, Lucilla. Ik doe je geen kwaad. Ik heb met mijn hele hart van je moeder gehouden, zoals we allemaal van haar hebben gehouden. We zijn allemaal verdrietig.'

Hij liet haar voorzichtig zakken. Haar tengere gestalte schoof gemakkelijk onder zijn arm en hij liet haar veilig zakken, alsof ze een bundeltje stro was.

'De wieg? Waar is de wieg, kind? Heb je de baby gepakt?' Martha stond als een bezetene te krijsen.

'Er is geen baby, alleen maar een stropopje in haar wieg. Ik ben bang dat die helemaal is verbrand.'

Martha liet zich uit wanhoop op de grond zakken. Sprak het kind de waarheid? Had ze de baby uit de kamer boven weggegrist en in het vuur gegooid? Als dat zo was, was ze gestoord en moest ze worden gestraft.

'Ik geloof je niet. Ik heb de jongeheer in de kamer gelaten...'

'En hij is hier, veilig en wel, panickvogel.' Gideon hield het ingebakerde kind in zijn armen. 'Dat was het eerste dat ik deed toen jij brand schreeuwde. Hij heeft op het stro liggen slapen, veilig buiten de rook.'

De menigte stond vol verbazing naar de baby te kijken. Martha en Gideon waren verdraaid jong om een kind te kunnen hebben. Ze voelde hun onuitgesproken gedachten aan en schreeuwde: 'Jullie hoeven niet zo te kijken, hij is niet van mij... Echt niet, hè Gideon?'

'Van wie is deze vondeling dan wel?' De kapitein inspecteerde de bundel.

'Grappig dat u dat vraagt, heer. Als u even meegaat, dan zullen we het uitleggen.'

'Dat kan wachten... het huis staat nog steeds in brand!' zei hij, en hij holde weg om de keten van wateremmers te organiseren. Als ze zich op het oude gebouw concentreerden, konden ze misschien de bulderende vlammen ervan weerhouden alles te verslinden.

Micah stond met het kind in de schemering te kijken terwijl een welkome hoosbui voltooide wat de mannen waren begonnen. Het was nog erger dan hij had gevreesd. De aanbouw van Sarah Salt lag in puin, er was niets over dan het gedeelte dat de oude priorij was geweest. De mannen hadden een barrière gemaakt om het vuur tegen te houden, maar het waren de prima bakstenen van Bagshott geweest die stevig waren gebleven, de muren van natuursteen hadden beschermd. Aan de ene kant was de ruïne van de ijdelheid van Oude Sarah, aan de andere het oude stenen gebouw dat overeind was gebleven. Niet alles was verloren gegaan, maar het verkeerde in treurige staat. Hij voelde even iets van verdriet om Nazareths kind dat door haar eigen dwaasheid en koppigheid van haar thuis was beroofd. Nu zat ze veilig op Longhall, waar ze weinig kwaad kon uitrichten, en toen ze afscheid hadden genomen, had ze even naar hem geglimlacht voordat ze haar hoofd afwendde.

Aanvankelijk had hij helemaal niets begrepen van wat Martha hem had verteld toen hij aanstalten maakte om zijn paard te bestijgen en het geruïneerde huis te verlaten.

'Niet zo snel, kapitein Bagshott. Bent u in al deze rook en rommel niets vergeten?' Ze kwam naar hem toe en legde hem een bundeltje in de armen.

'Wat is dit?'

'Iemand over wie ik u al veel eerder had moeten vertellen. Ik wist niet of u hem zou accepteren.'

'Accepteren... deze baby?'

'Jawel, uw zoon, die op vijftien april is geboren. Ze is gestorven bij het ter wereld brengen van uw zoon. Ik was erbij, en Gideon. Alleen wij tweeën weten ervan, en zo moet het blijven.'

'Je hebt hem verzorgd alsof het je eigen kind was?'

'Maar het is niet mijn kind. Eens zal de goede Heer me een kind geven om te voeden, maar dit kind is echt van u. Kijkt u zelf maar.'

Micah staarde in het roze gezichtje – de donkere ogen, sprekend zijn eigen ogen, staarden hem aan. Hij kuste het voorhoofd van het kind. 'Heeft ze het nog geweten?'

'Hij heet Penitence. Dat waren de woorden die ze met haar laatste adem heeft gefluisterd. Ik heb er verkeerd aan gedaan door hem verborgen te houden. Ze heeft ook om uw moeder geroepen. Ik weet dat ze wilde dat hij werd grootgebracht als een Bagshott, niet als een Salt.'

'Als ze in leven was gebleven hadden we de taak kunnen delen, maar nu sta ik er alleen voor. Met jouw hulp, als je daartoe bereid bent. Net als Miriam in het riet, nietwaar?'

'Iets in die richting, heer. Mijn mevrouw zal gemakkelijker slapen als ze weet dat haar zoon een vader heeft om hem in deze slechte wereld te beschermen. Neemt u hem mee naar de stad?'

'Nee, vanavond blijven we in het logement van de priorij. Morgen zal mijn moeder een grote verrassing krijgen. Ik denk dat het beter is als ze eerst een goede nachtrust heeft gehad, vind je niet?'

Micah tilde de brullende baby uit zijn houten bedje in het oude logement en pakte hem stevig in tegen de buitenlucht. De nacht was zacht, er twinkelden sterren aan de middernachtelijke hemel.

'Stil, kleine brulaap. Kom, laten we nog een laatste keer de ronde doen om te zien wat er van dit alles is overgebleven.'

De tuin van Fridewelle lag te smeulen onder rokende balken en puin, en de geometrische perken van 'de tuin van mevrouw' waren bedolven onder verkoold meubilair. Er hing een doordringende stank van rook en verbrand metaal. Alle tierelantijnen waren verdwenen. En dat was maar goed ook, dacht Micah grimmig, hoewel niet op deze manier. Hij keek naar het gezicht van zijn kind. Arm moederloos schepsel!

Iets in de nachtlucht lokte hem door de boog van taxus het trappetje op naar het verborgen prieel, een heimelijke geest die hem verder dreef naar de plek waar zijn hart was beroerd. Er fladderden hier nachtvlinders rond de geurende violieren, want de lucht was hier zuiverder. De witte bloemhoofden wiegden als geestverschijningen.

'Kijk eens naar die bron daar... dit was de geliefde schuilplaats van je moeder. Ik voel haar geest hier bij ons.' Micah strekte zijn armen uit om het kind hoog boven het water naar de maan omhoog te houden.

'Geest van deze vervloekte plek... zegen mijn kind. Moge hij barmhartigheid en vergevensgezindheid in zijn naam meevoeren. Laat de Bagshotts en de Salts geen strijd meer voeren maar in vrede met elkaar leven. Dat wat oneerlijk tussen ons was, is nu vergeven... O Nazareth – als je me kunt horen – mijn tranen vermengen zich met het water. Bid voor ons en voor het zaad dat wij hebben gezaaid, laat hem gedijen en sterk worden. Pen zal veilig bij me zijn, ons geheim zal worden bewaard, maar waarom moest je ons nu verlaten?'

De dronken haag

Deze zomer blijft prachtig, en toch word ik ieder jaar luier met tuinwerk terwijl er duizend klussen wachten om te worden gedaan. Nu hoef ik me geen zorgen meer te maken.

Iris Bagshott kijkt vanaf het verste uiteinde van het huis omlaag naar de boomgaard en het weiland erachter. Het wordt moeilijker om de lokale bevolking ervan te weerhouden over de hekken te klimmen; en dan zijn er ook nog de eekhoorns en konijnen, de muizen en woelmuizen, een enkele ree. De winde slingert zich door de meidoornhaag; het overwoekerde gras zit vol distel, zuring en brandnetel, tot grote vreugde van de vlinders. Overdag doen goudvinken zich te goed aan de pluizige zaaddozen; de boterbloemen, koekoeksbloemen en margrieten worstelen om lucht te krijgen, en de sterke, stekelige armen van de bramen brengen rozig witte bloesems voort. Hier zullen in de loop van het seizoen zonder enige hulp vruchten rijpen.

Wanneer ze door een poort van overwoekerde rododendrons en azaleastruiken naar het houten hekje loopt, wordt de schemering intenser en moet ze opnieuw aan rook en schaduwen denken. Deze plek is verder bij het huis vandaan, een wildere plek waar de lucht koeler is en het licht spookachtiger. Het bos vol fluisterende eiken is slechts enkele takken verwijderd van de muur rond het terrein. Het woud zou zich met gemak uit kunnen strekken om alles weer op te eisen.

Ooit scharrelden er zwarte bantammers in de boomgaard, stond er een witte geit in de buurt van de haag om het gras kort te houden, met een stoffige ezel op het landje, die op palmzondag de kost verdiende wanneer hij uit zijn pensioen werd teruggehaald om een zondagsschool-Jezus te dragen, in die oude tijd toen de dorpskerk en het schooltje het middelpunt van deze gemeenschap vormden.

Hoezeer de boomgaard ook wordt verwaarloosd, de appels zullen met hun gewicht de takken doen doorbuigen en de eksters zullen hun buikje rond eten. De kersen zijn door roofzuchtige vogels gegapt en de bloesem van de kroosjes heeft onder de late nachtvorst geleden. De schors van de perenbomen is verrot.

Voor noten- en perenbomen geldt: 'Boompje groot, plantertje dood.' Wie zal zich om deze plek bekommeren wanneer ik alles heb verkocht? Stel dat ze de boomgaard niet mooi vinden en hem rooien? Als de bulldozers komen zal deze wildernis voor eeuwig zijn verdwenen.

Er wellen tranen op, en Iris heeft de grootste moeite om ze te bedwingen. Doe ik hier goed aan? Bomen worden oud, net als mensen. Ik zou ze voor de toekomst moeten vervangen. Een tuin heeft behoefte aan een beetje wildernis. Stel dat de nieuwe eigenaren pietluttig zijn en al mijn onderbegroeiing wegkappen? Waar kunnen de muizen en de woelmuizen zich dan verstoppen of waar moeten de egels hun winterslaap houden? Het leven is zelf nooit keurig en netjes, maar deze rommel... Zou er nog tijd zijn om er een pad doorheen te maaien, voor de bezoekers op zaterdagmiddag?

Misschien regent het, en komt er niemand? Wie zal zich trouwens opwinden over een beetje rommel? Nu het bord er staat, zal er een gestage stroom bezoekers komen, sommigen kritisch, anderen niet, en sommigen om heimelijk eens een kijkje te nemen in Friddy's Piece, zonder enige belangstelling voor de tuin te hebben. Zaterdag is voor ons allemaal de dag des oordeels. Zal het voor mij gemakkelijker zijn om alles te verkopen wanneer het er slecht en verwaarloosd uitziet?

Er waren tijden dat ik boven op die ladders had gestaan, om vruchtboomcarbolineum ergens op te meren, om uit te dunnen en te snoeien, manden met appels naar de ciderpers te dragen, bramen, sleedoornpruimen en vlierbessen uit mijn kronkelige hagen te plukken, voor de winterdrank. Maar die dagen zijn voorbij, Iris. Laat George maar wat maaien als het je dwarszit.

Wie heeft er ook alweer gezegd dat het verleden de beste saus is voor een onverteerbaar heden? Wat heb ik per slot van rekening nog om naar uit te kijken, behalve looprekjes of rolstoelen? Stop, hou op! Je maakt deze ronde niet om jezelf in de put te helpen. Vooruit, zo erg is het nou ook weer niet. Er zullen ook mensen zijn die deze boomgaard schilderachtig vinden, en voor een geïnteresseerd oog valt er veel te zien, met de kweepeer die over de muur klimt, en de moerbeiboom, zelfs een oude mispel met zijn grijze schors, knoestige stam en onverwachte bladeren, die groot en zacht en donzig zijn.

Het notitieboekje komt er weer aan te pas. In de avondschemering valt haar oog op de oude appelboom waar verleidelijk een schommel aan bungelt. Ze laat zich voorzichtig op de houten zitting zakken. Die houdt haar, en ze duwt zichzelf zachtjes heen en weer, net als vroeger.

Ik moest die trouwens maar even laten nakijken. Er zal zaterdag vast wel de een of andere wildebras zijn die erop wil schommelen.

Er is altijd een schommel in de boomgaard geweest, en Iris vraagt zich af wie er daar voor het eerst een heeft opgehangen.

DEEL ZES

De school

1770

Als de pure bloem, zo onbevlekt,
Het onverschillige oog niet trekt;
Als voor het zachte ruisen van de beek
Je onrustige gemoed geenszins bezweek,
Kies dan voor eerzucht boven vredig zijn
Al doet zo'n leven vaker pijn.

DR. ERASMUS DARWIN

'DE MISPELAAR

De vrucht is van de oude Saturnus en is een betere medicijn, zodat hij het vermogen tot volhouden versterkt en daarom aan de verlangens van vrouwen kan voldoen. De goede oude man kan het niet verdragen als de gedachten van vrouwen afdwalen.'

Geheimen

De vlieger van lapjes schoot omhoog, zweefde op de wind, met zijn staart wapperend boven de open velden achter de boomgaarden van Fridwell House, over de lappendeken van akkers en hagen waar mannen hun hand boven hun ogen hielden om er een glimp van op te vangen, boven de nieuwe bakstenen toren van St. Mary Virgin, daarna de boerderij van de dominee, de molen en de vijvers en de rij huisjes langs de weg naar Longhall.

Beneden, op de grond, holde een rij jongens achter de eigenaar van de vlieger aan, terwijl ze aan zijn hemd trokken en smeekten om de vlieger ook eens vast te mogen houden. Heel even werd er gekibbeld en gevochten. In de worsteling raakte de vlieger los, vloog als een vogel uit hun greep, en ontsnapte naar het dal van de Trent, waar arbeiders aan de tolweg op hun spaden leunden om de vreemde vogel boven hun hoofd voorbij te zien komen. De vlucht werd met een glimlach gevolgd, tot de voorman hen uitschold omdat ze hun tijd verdeden.

De vlieger zweefde verder boven het grijze lint van de verharde weg die door de Chase van noord naar zuid liep. Toen nam de wind af en de vlieger viel omlaag als een neergeschoten fazant, viel in de beek en dreef ver bij het dorp Fridwell vandaan.

Een kleine jongen in een bruine kniebroek, een wijd hemd en een vest, staarde vol ongeloof omhoog naar de lege lucht en keek de andere jongens toen beschuldigend aan. 'Het... is... allem... m... maal jullie s... s... schuld.'

'O, j... j... ja?' aapte een jongen hem na, met zijn handen uitdagend op zijn heupen. 'Ga je dat nou tegen je lieve m... m... mammie zeggen? Klikspaan, boterspaan! Zeg op, Barnswell, als je dat kunt. We hebben niet de hele dag de tijd.'

Ephraim Barnswell boog vol frustratie zijn hoofd. Waarom kwamen zijn woorden er niet net zo gemakkelijk uit als die van alle anderen op

school? Waarom was hij zo langzaam en onhandig? Nu was hij de mooie
vlieger kwijt, die zijn moeder voor hen allemaal had gemaakt van lapjes
stof. Waarom moesten die stomme pummels trouwens naar zijn boomgaard komen om het fruit te pikken en hem lastig te vallen, aan zijn touw
te hangen en op zijn schommel te zitten, waarbij ze de takken braken
met hun gewicht? Waarom dwong ze hem zijn speelterrein te delen met
een stelletje pestkoppen dat alleen weet had van stenen rapen, onkruid
wieden en appeltjes gappen? Hij vond het vreselijk dat de school bij hun
huis was. Waarom ging moeder ermee door? Was het niet erg genoeg dat
ze bij IJzeren Man moesten wonen, die hem 'stom', 'achterlijk' en 'dat
onderkruipsel' noemde? Ephraim had hem nog nooit bij zijn eigen naam
horen noemen.

Ik ben niet stom. Ik kan de woorden alleen niet zomaar, in één adem,
uitspreken. In mijn hoofd kan ik ze prachtig vormen, maar mijn tanden
en mijn tong bibberen wanneer ik hardop spreek, en dan begint IJzeren
Man te schreeuwen en maakt het nog erger.

Wanneer Ephraim met zijn moeder alleen was, waren er weinig problemen, maar ze waren bijna nooit alleen, met die pummels en pestkoppen die altijd weer kwamen storen.

De jongen zocht vergeefs naar zijn vlieger. Zijn handen beefden. Er
was weer een van zijn kostbare speeltjes verdwenen. Waarom moest hij
toch zijn kinderboeken, spelletjes, hoepels, stokpaard en soldaatjes met
hen delen? Ze waren binnen de kortste keren allemaal gedeukt en gescheurd, uit elkaar gerukt en kapot. Het was niet eerlijk!

Er waren tien kinderen op het schooltje: de zonen van de molenaar,
de dochters van de boer, het kind van de wagenmaker, zelfs arbeiderskin-
deren brachten af en toe een paar penny's schoolgeld mee. Moeder stuurde niemand weg. Ze zei dat ze geld nodig had voor 'het fonds'. Ephraim
dacht dat IJzeren Man voldoende koperstukken in zijn beurs moest hebben van het graven van sloten en het leveren van werkkracht voor de aanleg van de tolweg.

Iedereen kon zien dat zijn moeder eigenlijk een dame was. Had ze
geen beschaafd accent? Speelde ze geen spinet? Was ze niet een Salt van
Longhall Manor, een naam die ooit werd hooggeacht in het district?
Kon ze niet lezen, schrijven en mooie bloemen tekenen, waarbij ze iedere
naam in het Latijn wist, als een geleerde? Ook al werd hij honderd, dan
zou Ephraim nooit begrijpen hoe ze had kunnen trouwen met zo'n dronken zwijn als Abel Barnswell, zijn vader.

Wat was hij bang voor het moment dat de grendel omhoogging, dat hij Abels laarzen op de tegelvloer hoorde, met de lucht van het boerenerf en de taveerne in zijn adem, de stank van zijn kleren, en het ijzer van zijn vuisten. Soms, als zijn eten niet op een bord in de keuken klaarstond, gloeiend heet, en de tafel niet voor hem was gedekt, smeet IJzeren Man moeder in zijn woede door de kamer en schopte haar met zijn laars. Ephraim wist dat hij haar niet te hulp moest komen. De straf zou alleen maar worden herhaald. In plaats daarvan glipte hij uit het zicht en rolde zich op in een hoek, bibberend om zijn eigen zwakheid, tot hij de stoel hoorde schrapen en een mes op een bord hoorde rinkelen.

Met een beetje geluk zou de bruut smakken en boeren en zich langs hen heen dringen om weer naar de taveerne te gaan. Dat waren de goede avonden, wanneer Ephraim het bloed weg kon vegen en zijn moeders tranen kon drogen. Ze zou het vuur wat opstoken en dan ging ze naar de geheime koffer die ze onder de trap verborgen hield, om het perkament en de pennen te voorschijn te halen. Dan liet ze hem haar botanische tekeningen zien en gingen ze samen een bloem op de tafel ontleden en ieder bloemblad, elke meeldraad en stamper en elk blad tekenen. Bij het licht van een bieskaars las ze hem dan voor uit oude in leer gebonden boeken, die in een kist op de zolder lagen, met haar gezicht geschramd en gekneusd, maar met grijze ogen die straalden van belangstelling.

Op een slechte avond bleef IJzeren Man thuis, om bij de haard te snurken. Ze slopen dan op hun tenen rond, om hem niet wakker te maken. Zolang er genoeg maanlicht was konden ze de tuin in glippen, om zo ver mogelijk bij hem vandaan te komen. Moeder wapperde dan met haar armen alsof het kapotte vleugels waren, of ze ging op de schommel zitten, met haar armen om de touwen geslagen, terwijl ze huilend heen en weer schommelde. Dan ging hij op het hek zitten dat uitkeek over de weilanden, waar hij in de schemering luisterde naar de roep van de vossen en het krassen van de uilen in het bosje, terwijl hij zich afvroeg waarom ze deze vreselijke gevangenis moesten verdragen.

Hij haatte IJzeren Man met een withete woede, maar zijn eigen kleine handen waren nutteloos, machteloos tegen de klappen van die pestkop. Eens, beloofde Ephraim zichzelf, zou hij groot en sterk worden en dan zou de heerschappij van IJzeren Man voorbij zijn. Hij popelde tot die dag zou aanbreken.

De oude dominee wist van de tekeningen en de pakken slaag. Hij kwam altijd overdag, wanneer IJzeren Man naar zijn werk was. Soms nam hij Ephraim terzijde en fluisterde: 'Wees geduldig. De Heer ziet alles... Zorg voor je moeder. Haar last is groot en onterecht, vrees ik. Als ze ooit hulp nodig heeft, weet je waar je me kunt vinden.'

Ephraim zag dat er tranen stonden in de blauwe ogen van de dominee, en zijn handen beefden terwijl hij sprak. Hij schoof vaak een munt in de hand van de jongen als hij vertrok. 'Voor het fonds... kind... voor het fonds.' Soms bleef de oude man staan om met moeder de planten te bewonderen, en dan fluisterden ze zo zacht dat hij niets kon horen. Soms nam dominee Thomas haar tekeningen met een zucht mee en rolde ze zorgvuldig op onder zijn cape, uit het zicht van spiedende ogen. Dan bloosde moeder van trots en blijdschap, want dan zouden er meer munten zijn voor het fonds. Dan liep ze mompelend door de tuin, terwijl ze haar lange omslagdoek over haar borst wikkelde.

Waarom leefden ze zo afgezonderd van haar familie? Waarom kwam er nooit een rijtuig naar hun deur, waarom zaten er nooit brieven voor hen in de zadeltas van de postjongen? Buiten de dominee kwam er nooit iemand bij hen over de drempel, behalve die stomme leerlingen van moeders schooltje. Wat hadden ze gedaan om zo te worden genegeerd, om zoveel ellende bij IJzeren Man te moeten ondergaan?

Hetty Barnswell popelde om haar leerlingen te laten vertrekken. De meisjes hadden de was gedaan met haar dienstbode Nance, om hun te leren hoe ze loogballen moesten maken van de as van verbrande varens, die werd gezeefd, gedroogd en met vet werd vermengd. Ze roerden de was, stampten de kleren met de wasstamper zodat ze de vezels bewogen en het vuil losmaakten. Het was een goede les voor de oudere meisjes, met de vele huizen in de stad waar ze meisjes van het land als personeel zochten.

Nu had Hetty het druk met het avondeten, een hoge pastei gevuld met vleesresten en groenten en nieuwe aardappels uit hun groentetuintje. Wat wenste ze dat ze met haar tekeningen aan de slag kon, of met de stekjes uit de eigen plantenverzameling van dominee Thomas, in plaats van een groep lawaaierige kinderen te moeten wegloodsen voor de heer des huizes terugkeerde. Als hij hen zag, kwamen er problemen.

Ze zag hoe Ephraim langzaam het pad opliep. De vlieger was voorbijgezweefd, en ze wist dat de jongen boos zou zijn over het verlies. Hij vond het vreselijk dat ze haar schooltje had, hij vond het vreselijk dat hij zijn eigen wereldje met zulke ruwe kinderen moest delen, maar hun penny's waren hard nodig voor het ontsnappingsfonds, en voor de extra's waar de heer des huizes nooit voor wilde zorgen. Hoe konden ze anders naar de stad lopen met zakken groene kruiden om te verkopen, of om lint voor haar hoeden te kopen, papier voor hun tekeningen, kleinigheden om dit bestaan dragelijk te maken? Niemand in de stad herkende haar als Mehetebel Salt, alleen maar als Goody Barnswell, kruidenverkoopster, met haar rode cape en capuchon. Haar schoonheid was nu verbleekt, met de blauwe plekken op haar wangen die tot geel waren verkleurd, haar eens zo glorieuze massa rossig-goud haar die was verbleekt tot een vale kleur stroblond onder haar zwarte luifelhoed.

Abel lachte als hij haar op marktdagen uitgedost zag als een boerenvrouw. Als hij had geweten dat ze op haar terugtocht verf en pennen vervoerde, papier en tekeningen in haar kruidenmand had verstopt, zou hij ze eruit hebben gerukt en kapot hebben gescheurd. Ze was zijn rechtmatige bezit, ze was aan hem verkocht onder de voorwaarde dat er geen erfgenamen waren om aanspraken te maken. Hij vond dat zijn deel van de oude overeenkomst moeilijk na te komen was, wanneer hij haar met zijn lust doorkliefde, zijn zware lichaam boven op het hare rolde en vol minachting zijn zaad boven haar uitstortte.

'Geen nageslacht, Hetty Salt, anders krijg ik mijn erfenis niet. Ik heb tien jaar gewacht om die akkers daar beneden van mij te laten worden. Als jij een wurm van mij verwacht... dan scheur ik met mijn blote handen je kont open om het eruit te rukken!'

Zijn smerige adem stonk naar bier en tabak, zijn broek naar pis en oude winden. Hij gebruikte haar lichaam en wierp haar dan opzij. Er viel niet met hem te praten wanneer het sterke bier zijn brein verduisterde.

Hij bekeek zijn zoon met afkeer en minachting, schopte hem als een puppy, maar Ephraim huilde nooit. Soms dacht Hetty dat het misschien beter was als ze dood waren, bevrijd van deze tirannie, maar op de een of andere manier zou de dood Abels ultieme triomf over haar zijn. De familie Salt zou voor eeuwig van hun steen des aanstoots zijn bevrijd. Ze zou hun nooit die voldoening geven tot het ontsnappingsfonds groot genoeg was om haar vlucht te betalen en hen in leven te houden terwijl zij ver hiervandaan werk zocht. Tot die tijd moest ze blijven sparen en beknibbelen en zuinig doen onder zijn dak – onder haar eigen familiedak, want Fridwell House was altijd een huis van de familie Salt geweest, ooit het bezit van oudtante Lucilla, het was afgebrand tijdens de Burgeroorlog en was jarenlang een ruïne gebleven.

Soms kon ze in de kerk voelen hoe de dorpsvrouwen haar nieuws-gierig aanstaarden, terwijl ze zich afvroegen hoe squire Richard en zijn vrouw, lady Drusilla, konden toestaan dat hun dochter trouwde met zo'n nederige slotengraver en landarbeider met nauwelijks een paar akkers op zijn naam en geen enkele connectie. Hetty zou beleefd glimlachen, we-tend dat ze de dorpsvrouwen nodig had om haar schooltje te steunen. Ze had al haar middelen moeten aanwenden om het dak van de salon en de trap te repareren en alle troep van jaren weg te ruimen om een kamertje te maken met banken, witgekalkte muren en een grote tafel. Ze mocht geen vuur in de haard aansteken voor de heer des huizes thuiskwam.

In deze omgeving duurde de jeugd maar kort, en haar luttele lessen in lezen, schrijven, en een beetje handvaardigheid, naaien en bakken voor de meisjes, tuinwerk voor de jongens, was ongeveer wat ieder van hen wenste. De enige luxe was het ingelegde notenhouten spinet dat ze bij haar huwelijk naar Fridwell had mogen meenemen. Soms zong Hetty en speelde voor hen als beloning, want haar stem was nog altijd helder en zuiver. Rond het middaguur deelde ze soep, brood en kaas uit. De leer-lingen moesten leren stil te zitten en te bidden voor hun eten, een mes te gebruiken en stil te zijn in aanwezigheid van ouderen, vooral als de heer des huizes binnen gehoorsafstand was.

Soms vroeg Hetty zich af wat ze had gedaan dat zo slecht was dat ze op deze ellendige manier moest leven. Op haar achttiende had ze met de deftigste mensen van het land op de Assembly Balls gedanst, ze had op 'Miss Smith's Academy for Young Ladies' gezeten, had zijde en brokaat gedragen, en had in het seizoen rond de renbaan geparadeerd om het oog te trekken van een gepaste jongeman. Toen dit was bereikt werd ze vu-rig het hof gemaakt door John Stamford, een ambitieuze jonge advocaat met een praktijk in de stad, een afgestudeerde uit Oxford, die veel goed-keuring van haar moeder en tantes kon wegdragen, want ze was de jong-ste van drie zusters en van weinig belang.

Het paar wandelde in de tuinen van Longhall, zorgvuldig gechape-ronneerd, maar ze wisten toch heimelijke gesprekken te voeren buiten gehoorsafstand. Haar grootste vergissing was dat ze meneer Stamford op zijn woord had geloofd toen hij haar overhaalde mee weg te glippen en hem heimelijk in het prieel te ontmoeten, waar zijn kussen indringend werden op een manier die haar schokte. Hij drong zich vreemd aan haar op en veroorzaakte haar veel pijn en ongemak, maar ze vertelde het aan niemand, tot duidelijk werd dat er iets aan de hand was. Ze meldde het aan haar moeder, zonder de ware aard van haar omstandigheden of de gevolgen ervan te doorgronden, zo onwetend was ze op dit gebied. Het was ten slotte een kwestie van tijd voor ze getrouwd zouden zijn.

John Stamford werd ontboden, en hij ontkende iedere betrokkenheid bij zulke intimiteiten, waarbij hij haar vreselijke scheldwoorden naar het hoofd smeet: 'een wulpse hoer, een slet, uitschot en een leugenares'. Hij zei dat hij geen schandaal wilde om zijn carrière te ruïneren, en daarom geen verdere genoegdoening zou eisen vanwege deze smet op zijn blazoen. Hij vertrok naar Londen en sloot daar een winstgevend huwelijk. Hetty werd in haar kamer opgesloten en mocht met niemand spreken.

Op een morgen werd ze op Longhall Manor over de bochtige trap naar beneden gebracht naar een zijkamertje, waar een ruwe man in een donker tweedpak met de pet in de hand stond, zonder haar aan te kijken. Hij werd voorgesteld als Abel Barnswell, boer van Fridwell, die haar op staande voet naar de kerk zou begeleiden om met haar te trouwen, onder de voorwaarde dat ze alle claims op de familie zou intrekken. Deze hele onfortuinlijke kwestie mocht nooit meer ter sprake komen.

Haar koffer was gepakt, haar bruidsschat werd omschreven als een stuk van Fridwell House met akker, weiland en boomgaard, en als er geen verder nageslacht kwam, zou boer Barnswell nog drie bijbehorende akkers krijgen: Banky Piece, Far Orchard Field en Meadow Pleck.

Op die manier werd Hetty weggestuurd en werd haar vroegere leven verwoest, was haar reputatie voor altijd bezoedeld en raakte ze van haar ouders vervreemd. Ze werd snel in het portaal van de kerk van de hand gedaan door de nieuwe dominee, die weinig vragen stelde.

Toen Hetty op Fridwell House arriveerde, viel haar daar een vochtige, muffe ontvangst van muizen en schimmel ten deel. Onder het beheer van Salt was het pand net voldoende opgeknapt om tegemoet te komen aan de behoeften van de vrouw van een kleine boer. Na verloop van tijd kwam de baby, die volgens de berichten te vroeg zou zijn geboren; het kind had een rood gezicht als van een gevild konijn, en vanaf het moment dat ze hem in haar armen hield, voelde Hetty een intense liefde voor hem. Ze had geen moeite hem zelf te voeden.

Abel wierp één blik op hem en smaalde: 'Die bastaard is net zo lelijk als de zonde waarmee hij is verwekt.' Hij reed naar het bierhuis op Barnsley Green om zich zwaar te bedrinken en hij bleef een week of langer weg, zodat zijn vrouw zelf alles moest doen. Toen besefte Hetty dat ze er altijd alleen voor zou staan.

Tien jaar lang verzorgde ze de jongen, het huis en de tuin. Het schooltje werd haar reddingslijn, haar band met het normale leven. Hiermee
vulde ze de uren waarin ze niet kon tuinieren, naaien of tekenen. Met
Ephraim in een omslagdoek tegen haar borst gebonden had ze gehakt en
gespit, gewied en gezaaid, de verwaarloosde tuin weer tot leven gebracht.
's Zomers ging ze met haar vellen perkament en haar pennen naar de
boomgaard om alle bomen vast te leggen. Hetty bezat een oog voor het
kleinste detail van blad, stam of bloem, en een verfijnde manier van om-
gaan met het penseel. Ze kon de manier vastleggen waarop de papavers
in de wind dansten, de manier waarop de geitenbaard was gevormd. Ze
spitte het oude groenteperk om en kweekte daar kruiden die ze als plant
en als zaaigoed op de markt verkocht. Op regenachtige dagen haalde ze
haar gedroogde planten te voorschijn en ontleende veel genoegen aan het
tekenen van hun kenmerken.

Ze werd vooral gefascineerd door de herhaling van patronen en vormen. Hoe de oude strookjes grond in het dorp nu plaats hadden gemaakt
voor een lappendeken van akkers die waren omringd door hagen als schil-
derijlijsten. Het patroon van bakstenen op de nieuwe toren boven de
grotere stenen van de muren van de oude dorpskerk. Overal waar ze keek
zag ze patronen en vormen. Ze vond het leuk om op volgorde te zaaien,
waarbij de ene kleur door de andere werd opgevolgd, met hoge en lage
planten, dikke en dunne.

De oude tuin was een mengelmoes van vormen en rondingen en perken; sommige daarvan ruimde ze op, andere liet ze bestaan.

Bij het licht van de ene kaars die haar 's avonds werd gegund vormde ze stoffen uit haar lapjesmand tot cirkels en driehoeken, waaiers en
vierkanten, om voor Ephraim een doorgestikte deken te maken voor de
koude nachten. Als ze deze stukjes bekeek, zag ze de stukjes van haar leven voor zich op de tafel uitgespreid liggen, een deerniswekkende aanblik. Er waren uit haar kinderjaren katoenen lapjes die waren versierd
met lichtroze rozenknopjes, een stuk blauw-met-goud brokaat dat haar
aan zomerweiden en blauwe luchten deed denken, een restje lila tafzijde
van haar eerste baljurk – niet de jurk die ze had gedragen op de avond
dat ze haar verleider had ontmoet. Die had ze vol afkeer verbrand. Er lagen restjes in van haar sombere trouwjurk, waarvan het roodbruin haar
herinnerde aan die eerste vreselijke nacht met haar man, en nog wat chique stukjes deftige gordijnstof uit haar andere leven. Van nu af aan had
ze goedkope vodjes, kale stukken stevig weefsel, grauwe aardetinten om

de modder te verbergen. Daarmee vulde ze de blokken van de lapjesdeken verder in, en ook restjes van overhemden, lakens, overals en schorten. Het zou een mengelmoes van kleur zijn, overwegend grauw en met weinig vrolijks erin, net als haar leven nu, maar ze zóú iets moois voor Ephraim maken, al zou het haar dood worden.

Toen hij nog een baby was, was ze af en toe naar zijn kamertje geslopen om naar hem te kijken als hij vredig lag te slapen. Hij had de blanke huid van de Salts, met het rossige haar en de grijze ogen. Die verfijnde gelaatstrekken benadrukten slechts het grove, donkere gezicht van zijn 'vader'. Soms vreesde ze voor zijn toekomst, want ze geloofde dat een kind een nieuw schilderij van de natuur was, vers neergezet in olieverf, en als ze niet uitkeek zou hij worden bedorven door alle mishandeling en geweld. Zijn ziel was nu nog een blank vel papier, maar op deze vreselijke plek kon zijn frisheid voor altijd worden bezoedeld en tenietgedaan.

Toch was Fridwell House goed voor hen. Goed verscholen, zodat niemand haar verdriet of haar blauwe plekken kon zien, met de tuin als troost en afleiding. Ze had er belangstelling door gekregen voor de plantenwereld en de botanische wetenschap. Hetty slaagde er zelfs in een opslagplaats af te bedelen voor haar gereedschap en haar gedroogde planten, en die werd snel haar toevluchtsoord.

Alleen dominee Thomas wist van haar bezigheden, en zijn lippen waren verzegeld. Via hem verdiepte ze zich in de botanie, de kunst van het vermeerderen van zaad, het kruisen van rassen en de pasopgerichte Botanische Vereniging in de stad, onder leiding van niemand anders dan dr. Erasmus Darwin. Dit was haar grootste maar heimelijke triomf. De goede dokter was onder de indruk van haar tekeningen en hij gaf haar opdracht zijn eigen verzameling exotische planten te tekenen. Hoe moest ze haar blijdschap verbergen? Soms was Hetty bang dat die naar alle kanten zou uitbarsten, als paardebloemen in het voorjaar.

De watertuinen

Op Parson's Farm werd dominee Thomas met een schok wakker. 'Heb ik de deur van de kas dichtgedaan? Vriest het buiten?' Omdat hij nu toch wakker was, zette hij zijn nachtmuts op, trok zijn gewatteerde jas aan, en tastte naar zijn pantoffels en een kaars, waarna hij de warmte van zijn bed verruilde voor de kille trap en de achterdeur. Al dit gedoe voor een paar kasplanten terwijl hij zich eigenlijk zorgen zou moeten maken over anderen die behoeftig waren.

Buiten was de nachtelijke hemel bezaaid met sterren en mistige wolkenflarden. De deur van de kas was dicht, en hij voelde zich even een beetje schuldig, omdat hij zijn nieuwe stekjes vertroetelde als baby's. In het hele dorp heersten honger en ellende sinds het verlies van de gemeenschappelijke landerijen en de strokenakkers. De mannen raakten hun middelen van bestaan kwijt.

Maar één vrouw en haar kind hadden zijn steun op een andere manier nodig.

Waarom werd een kennelijk deugdzame en vrome vrouw zo wreed gemeden voor één enkel ogenblik van zwakheid? Hij werd gekweld door de aanblik van die littekens op haar gezicht, haar strakke stilzwijgen en haar loyaliteit jegens die rotzak van een Barnswell. De dominee zou zelf die dronken pummel niet graag op een donkere avond tegen het lijf lopen. Er zou echt iets moeten gebeuren.

Naar zijn mening bracht mevrouw Hetty geen schande over de naam Salt, zoals die andere beschilderde sletten in de familie, die een compleet struikgewas op hun hoge hoofddeksels droegen en die wapperden met waaiers ter grootte van windmolens, die lange slepen en tierelantijnen aan hun jurken hadden en die hun gezicht wit schilderden en met rouge besmeurden, als hoeren in een bordeel. Hoe kon Drusilla Salt rustig slapen, nu ze wist dat haar kind en kleinkind, die ze had verstoten, er zo ellendig aan toe waren?

Maar waarom schoof hij de familie Salt alle schuld in de schoenen terwijl hij er zelf in had toegestemd het paar te trouwen, tot zijn eeuwige schande? Een renpaard aan een muildier koppelen was tegen de wetten van de natuur. Het maakte hem ongemakkelijk de consequenties van zo'n verbintenis te overwegen.

Wat had je kunnen doen, Benjamin? zei hij tegen zichzelf. Wees eerlijk, je verkeerde niet in een positie om opdrachten te geven of de eis van je beschermheer te weigeren. Je was nieuw op je post, in ongenade gevallen omdat je een volgeling van dominee Wesley en zijn medestanders was. Je was de oude Salt dankbaar dat hij je een bestaan bood, maar er moet altijd een prijs worden betaald voor gunsten. Squire Salt wist dat jij connecties had in het district, dat je grootvader, Penitence, zoon van Micah Bagshott, een dissenter was en dat zijn dochter Kitty ook al was getrouwd met een geestelijke die zich niet bij de staatskerk wilde aansluiten. Hoe vaak smijt Richard Salt je niet in het gezicht dat de oude rebel die zijn oudtante van een zekere dood heeft gered, kapitein was bij de ongeregelde troepen die tegen kerk en koning waren, tot hun eeuwigdurende schande? Een mooie stamboom voor een dominee, hoor!

Benjamin Samuel Thomas was nooit van plan geweest zich te vestigen als predikant, maar in Oxford was hij onder de invloed gekomen van de 'Holy Club', in het kielzog van de beroemde veldpredikers George Whitefield en de gebroeders Wesley. Zijn moeder had hem Benjamin genoemd in de hoop dat de Almachtige de laatste van haar twaalf nakomelingen zou sparen en dat hij dan tot de dienst van de Heer zou worden gewijd. Hij had nooit veel keus gehad. Oxford, het ambt, een huwelijk en de geboorte van tweelingzonen, en de verlokking van een wetenschappelijke studie ontweek steeds zijn greep. Het dichtst dat hij bij studeren kon komen was wat amateurgepruts op het gebied van astronomie, botanie en zoölogie, en deze kas onder de sterren, gebouwd tegen het einde van het oude boerenhuis aan de dorpsmeent. Hier koesterde hij zijn bloemen, ruilde zaden, bestoof zijn prijswinnende primula's met de gekartelde randjes, benijdde hen die het zich konden veroorloven het lidmaatschap van tien pond per jaar te betalen voor botanische uitstapjes en zaadcatalogi.

Deze planten vormden zijn gezin, nu Mary, zijn vrouw, tot hoger heerlijkheid was bevorderd en zijn twee zonen naar het buitenland waren vertrokken als zendeling. Toch was er in het hart van zijn bestaan een leegte die als honger aan zijn maag knaagde.

Had hij tegen de Heilige Geest gezondigd, had hij die ene onvergeeflijke zonde begaan? Ontkende hij de innerlijke getuige van die geest, het besef van zijn persoonlijke verlossing? Hij had de veldpredikers van verre gevolgd, had hen het gepeupel zien opwekken van rebellie tot geloof, het gevaar tegemoet zien treden zonder enig uiterlijk teken van vrees. Hoe kon hij veilig in deze uithoek zijn bloemetjes zitten verzorgen terwijl de wereld zijn gemeente had moeten zijn, zoals Wesley zo vaak zei?

De oude man beschaamde hem, zoals hij in alle soorten weer te paard het land doortrok, om overal het evangelie van de heilige schrift te verkondigen. Wat was er met zijn eigen roeping gebeurd? Soms had Ben het gevoel dat het eerder de roeping van zijn moeder was geweest, niet die van hemzelf, die hem als een zware mantel was opgelegd, hem terneerdrukte.

Ik ben zwak, Heer. Ik had dat paar beter moeten onderzoeken voor ik hen trouwde. Maar ik heb gedaan wat mijn broodheer me opdroeg, en ik heb geen oog gehad voor haar lijden. Het weinige dat ik nu doe is om mijn geweten te sussen, dat is alles, hoewel ik half verliefd ben op haar schoonheid. Wanneer ik haar over haar schilderwerk gebogen zie, of vredig in de tuin aan het werk, moet ik denken aan de prachtige regels:

Er is een tuin in haar gezicht
Waar rozen en witte lelies groeien...

Stop! Hou op! Wie houd jij hier voor de gek? Je hebt je in dit gat begraven uit angst en luiheid, je preken zijn zo plat als stokvis, je hart is zwaar. Waar is dat brandende vuur dat John Wesley je heeft gegeven op de avond dat je eigen 'hart wonderlijk werd verwarmd' door de zekerheid van de verlossing? Het is afgekoeld, als de brandende sintels die uit het vuur zijn gevallen. Je bent op de loop gegaan bij het eerste beetje kritiek van je bisschop, toen hij de methodisten 'hypocrieten, jakobieten en alleen maar dwepers' noemde. De koude wind van het misprijzen doofde weldra jouw geestdrift voor een reveil!

Soms, als hij omlaag keek van de kansel van de St. Mary's, met de schamele gemeente in de vakken en de banken, probeerde hij zich voor te stellen hoe zijn preken een gloed van reveil in het dorp zouden opwekken; vreugdevol gezang, goede werken die overal opsprongen als fonteinen, gretige leerlingen voor bijbelstudies. Hoe zou het niet kunnen zijn als ze allen overliepen van de vreugde van persoonlijke verlossing in plaats van verveeld en ongedurig tijdens zijn woorden te zitten suffen?

Maar Ben Thomas besefte dat hij dit lot had verdiend, want hij had niet aan het hemelse visioen gehoorzaamd, zoals Paulus dat zo juist had gesteld. Hij was lauw, hij verkoos zijn planten boven zijn preken, zijn eigen comfort boven het leven onderweg. Begon hij niet de zestig te naderen en waren zijn knieën niet dik en pijnlijk, niet van het knielen in gebed maar van het planten van bollen? Hij zou hier op deze naargeestige plaats blijven sudderen, zich onopvallend gedragen, de notulen van de plaatselijke botanische vereniging opstellen en al het mogelijke doen om mevrouw Barnswell te steunen.

Niet dat hij niets binnen zijn gemeente deed, als zoveel luie dominees die op jacht gingen en met de hoge heren dineerden. Hij had zijn catechesaties, en de klusjes die hij zelf deed om het werk van zijn twee dienstmeisjes en de boerenknecht op het erf te verlichten. Hij bezocht de zieken en doorzocht de bijbel op teksten om hen te troosten.

Maar slechts in de beslotenheid van zijn plantenkas verloor hij alle besef van tijd en kon hij zijn bekommerde geest tot rust laten komen.

'Waar ga je nou weer naartoe, mens?' snauwde Abel Barnswell, toen hij zijn vrouw in de weer zag met manden en kannen die ze aan de verzamelde rij kinderen gaf.

'We gaan alleen maar wat bramen plukken en zo. Het blijft mooi weer. De dominee weet een nieuw plekje verderop, en we moeten ze plukken voordat de duivel ze met nachtvorst raakt en ze aan de takken laat rotten.' Ze glimlachte zwak, in de hoop dat dit zijn nieuwsgierigheid zou bevredigen. Voor iemand die zich zo weinig om haar welzijn bekommerde was hij uitermate nieuwsgierig naar haar dagelijkse bezigheden, en vol wrok als hij dacht dat ze ook maar enig aangenaam respijt van haar huishoudelijke werk had.

'Laat die sukkel dan maar met mij meegaan. Het wordt tijd dattie es een eerlijke duit verdient, in plaats van aan jouw schortenbanden te hangen. Bramen plukken is vrouwenwerk...' Ephraim verstopte zich angstig achter zijn moeder.

'Nee, meneer Barnswell, de dominee komt hen onderrichten terwijl ze paddestoelen, rozenbottels, meidoorn- en sleedoornbessen plukken. Ik zal een mooie vruchtenwijn maken, en dan kunnen we wat we overhouden op de markt verkopen. Veel handen maken licht werk. Heeft u geen zin om dat graven en spitten te laten rusten om met ons mee te gaan?' bood Hetty aan, doodsbang dat hij deze uitnodiging zou aannemen.

'Nee, ik heb wel betere dingen te doen dan met vrouwvolk mee te gaan. Het is jammer dat die dominee niet eens wat vaker zijn mouwen oprolt om als een echte vent op het land te werken. Wou je soms zo iemand als hem in het struikgewas aan de gang zien?' Abel bulderde van het lachen om zijn eigen liederlijkheid.

'Hij is een oude man... en van de kerk, meneer. Hij wil de kinderen graag dingen over de natuur bijbrengen.'

'O ja? Nou, ik wed dat hij zijn dienstmeiden vroeger ook wel het nodige over de natuur heeft bijgebracht...' Het begon een van de langste gesprekken te worden die ze in weken hadden gehad, en Hetty had er schoon genoeg van.

'Kom mee, jongen, tijd om te gaan. We moeten via de overstap en over de heuvelkam naar het volgende dal in het zuiden.' Ze trok haar cape als een schild om zich heen toen ze langs haar man kwam, en ze probeerde niet te huiveren toen hij hoog boven haar oprees, met een achterdochtige uitdrukking op zijn misprijzende gezicht. 'Waar staat m'n hap om mee te nemen?'

'Ingepakt in de doek, op dezelfde plaats als altijd.'

Ze keek niet achterom toen hij schreeuwde: 'Kom niet te laat thuis. Ik wil m'n eten precies op tijd, bedenk dat wel.'

Houd je mond, ga weg, bederf de dag niet voor hij is begonnen, dacht Hetty. Hij wilde altijd het laatste woord, om haar de dreiging van een pak slaag boven het hoofd te laten hangen, om zowel haar geest als haar lichaam te breken. Ik bezit te veel wilskracht voor hem, en dat weet hij. Hij is degene die zwak is. Soms voelde ze iets van medelijden met deze logge, domme boer die haar even hevig haatte als zij afkeer voelde jegens de familie die hen aan elkaar had gekoppeld.

Ze ontmoetten dominee Thomas en zijn dienstmeisje aan de andere kant van de overstap, en liepen over de weilanden waar schapen graasden op de groene uitlopers tussen de stoppels. Op de heuvelkam trokken ze naar het Barnsley-pad en toen omlaag naar een dal waar de bosjes volhingen met bessen, sleedoornpruimen, eikels en hazelnoten. De zon was hoog en warm en de kinderen begonnen als bezetenen te plukken. Er hingen vliegen boven de rijpste vruchten, de vogels schoten weg om beschutting te zoeken, de laatste vlinders daalden neer op de distels die blote voeten en benen schramden. Er zou genoeg fruit zijn voor taarten en voor wijn, voor vruchtensiroop en voor jam. Binnen de kortste keren had Ephraim paarse lippen en vingers, en hij sprong van struik naar struik, waarbij hij de rijkste takken probeerde te pakken die altijd buiten zijn bereik hingen. Het dienstmeisje van de dominee had binnen heel korte tijd haar mand gevuld en ging toen de jongere kinderen helpen, die wilde spelletjes deden en elkaar achternazaten. Ze waren het erover eens dat een wandeling naar de nabije watertuinen van dokter Floyer hen wat tot rust zou brengen.

'Als we het gebied vanaf het noorden betreden, zullen we ons niet op verboden terrein bevinden. Er is nu een wet die je verbiedt zonder toestemming over iemands land te lopen, kinderen. Luister goed naar wat ik zeg, want er zijn mannen die vallen zetten voor mensen om jullie tegen te houden en jullie te kunnen beschuldigen van het overtreden van het verbod. Ik heb houthakkers gezien die kreupel waren van ijzeren strikken en die werden opgehangen als stropers. We hebben toestemming om hier vandaag te zijn, maar val de vrouwen niet lastig bij hun tuinwerk. We gaan alleen maar even een kijkje nemen.'

Het groepje wandelde omlaag naar open parkland, langs fraaie huizen die tussen bomen stonden, met oprijlanen van grind die met een bocht door de velden liepen. Daarna werd het pad smaller en schaduwrijk in een kloof van overhangende rotsen die met groen mos waren begroeid. Er stonden grote hulstbomen die zich over hen heen welfden, en ze liepen door weer een park, waar de struiken vreemde bladeren hadden. Hier werd de beek naar kleine meertjes geleid, die werden gevoed door een beekje met oevers vol struikgewas die de badplaats aan het zicht onttrokken.

Er werd veel gepraat over koude baden, en Hetty herinnerde zich dat haar vader ooit de beroemde arts sir John Floyer voor zijn gezondheid had geconsulteerd en toen de voorgeschreven behandeling had ondergaan, in zijn eentje onder het dak, waar hij in het ijzige water van de bron moest baden. Waarvoor het ook bedoeld mocht zijn, het deed zijn humeur geen goed en hij kwam daarna te bed te liggen, terwijl hij verklaarde dat de man een charlatan en een kwakzalver was. Op de een of andere manier had ze gedacht dat dit nieuwe tempelbosje een gewelfde koepel zou hebben met een mooi uitzicht, wat het geheel iets Grieks zou verlenen. Maar het was niet meer dan een bakstenen hutje boven een put, echt niets om over heuvels en dalen een omweg voor te maken. De kinderen wilden omlaag hollen om in het water te spetteren, maar ze werden weggejaagd door de tuinlieden die zeiden dat ze moesten vertrekken.

Hetty begreep niet waarom de goede dokter zo'n eenvoudig landelijk geheel wilde verbeteren, beken wilde omleiden en eilanden met struikgewas wilde maken. Ze dacht aan het open parkland op Longhall. De bomen waren daar nu omgehakt om meer uitzicht te hebben, en de schapen waren achter het hek gezet. De tuin was ingeperkt, omheind en gekunsteld, als een opgedirkte dame die een stevig korset behoefde. Wat mankeerde er aan eenvoud? Een knap gezicht had geen verf nodig. Ze zag dominee Thomas in de struiken verdwijnen. Om stekjes te stelen, ongetwijfeld. Het was vriendelijk van hem om haar te willen opvrolijken, maar het zien van dit parkland herinnerde haar alleen maar aan haar val in dit leven, aan de hopeloosheid van haar positie, aan het feit dat zij in het dorp vlees noch vis was, en aan het ellendige leven in haar echtelijke gevangenis.

'Kom... Kom mee. Het wordt tijd om verder te gaan met plukken voordat die zwarte wolk ons inhaalt. Rennen!'

Terwijl ze nog sprak voelde ze de regendruppels al op haar gezicht vallen. De wind werd fris en er kon elk moment een hoosbui losbarsten die hen tot op de huid zou doorweken. Geen van hen was op slecht weer gekleed. De kinderen die blootsvoets waren, hadden nog het beste schoeisel voor de terugtocht naar hun voorraad bessen. Hun manden waren drijfnat en de bramen waren doorweekt en voos. De schalen en kommen waren door het een of andere dier omvergelopen en vertrapt en onbruikbaar geworden. Het was een verfomfaaid groepje volwassenen en kinderen dat vermoeid via de overstappen terugklom naar Fridwell. Hun oogst was bedorven en ze waren veel te laat. Met een angstig gevoel in haar maag bespeurde Hetty problemen, en ze zorgde ervoor dat de dominee en alle kinderen eerst veilig thuis waren.

Abel Barnswell stond hen op de drempel op te wachten; hij stapte het erf op om hen te begroeten met een grimmige grijns op zijn gezicht en een stalen blik in zijn ogen.

Ephraim wist dat er narigheid zou komen. De mond van IJzeren Man was een strakke streep, zijn wangen waren verhit. De jongen voelde zijn moeder verstijven toen ze dichterbij kwamen, en hij merkte dat ze haar pas vertraagde. Waarom had ze de dominee samen met de anderen terug laten gaan naar het dorp? Hij was de enige die zich voor hun laatkomen had kunnen verontschuldigen, die de armzalige oogst aan vruchten had kunnen verklaren, die de woeste uitbarsting had kunnen vermijden, al was het maar voor een paar minuten. Ephraim was koud en nat en moe en hongerig. Hun oogst aan bramen zou IJzeren Man niet tevredenstellen, maar de jongen zou aanbieden zelf weer terug te gaan om nog meer voor zijn moeder te plukken. Er waren dichtbij nog andere struiken om van te plukken.

'En, hoe laat had jij gedacht thuis te komen van het hoereren met je chique vriend?' Er heerste een doodse stilte terwijl moeder een vriendelijk antwoord op zijn uitdaging voorbereidde.

'Ach, meneer Barnswell. U ziet het weer, u ziet hoe wij eraan toe zijn... helemaal doorweekt. We hadden meer tijd nodig dan we hadden gedacht. We hebben veel mee naar huis gebracht, ziet u wel?'

IJzeren Man greep haar mand en smeet die over het erf. 'Noem je deze natte troep het werk van een dag? Terwijl ik mijn rug breek met al m'n gezwoeg, loop jij als een soort herderin door de velden te dolen en doe je verdomme net alsof je nog steeds juffrouw Hetty Salt bent, de deftige dame met d'r kouwe kak... en niet de hoer met wie ik om geld moest trouwen, zodat zij zich niet voor dat hoerenjong hoefden te schamen!'

'Nee, Abel, alsjeblieft... de jongen! Niet hier...'

'Hij kan maar beter weten dattie een hoerenjong is, dattie alleen maar mijn naam heeft om die bekakte familie het schaamrood te besparen. Gewoon een straathond, uit de buik van een hoer... dat is mijn zoon Ephraim. Hij hoort te weten dattie niet van mij is en dattie in dit leven niets anders van mij zal krijgen dan m'n naam.'

'Ik d... d... dank God dat ik n... n... niet van jou ben!'

De woorden ontsnapten Ephraim in grote woede. IJzeren Man stapte op hem af en tilde hem op alsof hij een slappe lappenpop was, en hij smeet hem tegen de staldeur die openvloog. Ephraim viel niet op de keien, maar bleef ongedeerd op het zachte stro. 'Nutteloos rotjoch! Verdwijn uit mijn ogen!'

'Nee, Abel! Niet de jongen. Raak hem niet aan... Hij kan het niet helpen... Niet het kind!' gilde Hetty toen Abels harde ogen op haar werden gericht. Ze snelde naar hem toe als een leeuwin die haar welp verdedigt, ze timmerde hem op de borst, terwijl haar hulpeloze pogingen hem deden bulderen van het lachen. Toen verstrakte zijn gezicht en hij maakte zijn broekriem los. Hij ging haar weer een pak slaag geven.

'Nee, alstublieft, o God! Niet waar de jongen bij is...'

Opeens trok er een vreemde blik van verbazing over zijn donkere gezicht. Hij stak zijn armen in de lucht in een gebaar van overgave toen hij voorover wankelde en stuiptrekkend aan haar voeten neerviel.

Dominee Thomas schrok wakker uit zijn dutje bij de haard door luid gebel aan de voordeur en door het geblaf van zijn honden. Hij zat met zijn voeten in een bak met warm mosterdwater en hij had een omslagdoek om zijn schouders, want alle nattigheid van die middag had hem tot op het bot verkleumd. Hij had de hele avond zitten klappertanden en de mosterddampen maakten dat hij moest niezen.

'Doe open, Mollie.'

Het dienstmeisje kwam meteen terug. 'Het is mevrouw Barnswell, en ze is in alle staten, dominee. Moet ik haar binnenlaten?'

'Natuurlijk. Wat doet ze in 's hemelsnaam buiten op een avond met zulk slecht weer?'

De vrouw was drijfnat, en ze hield haar gezicht in het flakkerende kaarslicht half verborgen onder haar capuchon.

'Kom snel, meneer... naar mijn huis. Er is een vreselijk ongeluk gebeurd. Snel, u bent daar dringend nodig.'

De dominee was niet gewend zo laat op de avond nog lastig te worden gevallen, maar hij droogde zijn voeten af, pakte zijn leren laarzen, sloeg zijn regencape om en zette zijn zwarte driekantige hoed op.

'Wat heeft dit allemaal te betekenen? Vanwaar deze heimelijkheid?'

Hij verbaasde zich over haar gedrag, over de manier waarop ze hem over de meent naar het hekje van het kerkenpad dreef, naar het bruggetje over de beek en daarna naar de boomgaard. Hij bleef met zijn arm aan de schommel haken, en hij deinsde verschrikt achteruit, alsof hij werd aangevallen. Ze liepen haastig naar de binnenplaats, waar een fakkel brandde met een stank van teer. Daar zag hij Abel Barnswell languit op de keien liggen, met een langstelige bijl die tussen zijn schouderbladen stak. Ephraim zat ineengedoken bij de staldeur te huilen.

'Grote hemel! Wie heeft dit gedaan?' De dominee knielde neer om te zien of de man nog ademhaalde, maar de geest was reeds lang geweken uit het lichaam dat stijf op de grond lag.

'We weten niet wat er is gebeurd... hè, Ephraim? Hij moet hier zijn geweest toen we terugkeerden van ons uitstapje. We zijn regelrecht naar de keuken gegaan om eten te koken want het was al laat. Ik had het te druk om naar de binnenplaats te gaan. Ephraim heeft het vuur opgestookt en hij was bij mij, dus we werden pas ongerust toen het donker werd, en toen zijn we hem gaan zoeken, hè, Ephraim? We hebben hem gevonden met... met dat ding in zijn rug. Ik weet niet wat ik moet doen.'

'U had alarm moeten slaan en de veldwachter moeten waarschuwen, of de kerkvoogd, om een verklaring af te leggen over uw vondst.'

'Ik ben naar u toe gekomen, eerwaarde. Ik kon niet goed nadenken. Wie zou nu zoiets vreselijks willen doen? Dominee Thomas, ik smeek u, help ons... Wat moeten wij nu doen? Wat moet er van ons worden?' Er gleed een uitdrukking van pure ontzetting over haar gezicht.

'U moet rechtstreeks naar de pastorie gaan. Pak wat droge kleren, en Mollie zal ergens een bed voor jullie beiden opmaken. Iets warms te drinken... een geneeskrachtige brandewijn om u te verwarmen. Ga nu, en neem de jongen mee. Zeg maar dat ik u heb gestuurd en dat ik zelf de politie zal waarschuwen. Ga snel, kind, God zij met je!'

Hij zag hoe Hetty de zwijgende jongen het huis in sleepte. Korte tijd daarna kwamen ze weer naar buiten met een bundeltje aan een stok, waarna ze door de regen omlaag liepen naar de meent.

O God in de hemel, ze liegt! Ieder woord dat ze zegt klinkt alsof het zorgvuldig is verzonnen. De dag is gekomen... *dies irae, dies illa...* Ik wist dat het hier binnenkort van moest komen. Wat moet ik nu doen? Haar verraden en hen beiden aan de galg laten komen, voor dat waardeloze stuk verdriet? Ongetwijfeld in uw ogen van waarde, o Heer, maar niet in de mijne.

Ben Thomas wist zodra hij het lichaam zag dat dit een schandelijke moord was, en hij hoefde niet ver te zoeken om de schuldige te vinden. De zelfbeheersing van Hetty Barnswell was opmerkelijk, die resolute, strakke blik, zonder één traan, zonder te verblikken of verblozen bij de aanblik van de gapende wond en van het bloed dat uit de rug van het vest van haar man sijpelde. Wie van hen had hem geraakt? Kon een kind zoveel kracht bezitten? Maakte het wat uit? Ze zouden ongetwijfeld allebei schuldig worden bevonden, en zij zou haar kind voor alles willen beschermen zoals hij ongetwijfeld haar wilde beschermen...

Hij wist het zodra hij de bramen in het licht van de lantaarn als robijnen over het erf verspreid had zien liggen, vermengd met het donkere bloed.

Hij begreep dat er een vreselijke ruzie moest zijn geweest en dat er één daad van geweld te veel was geweest. De zelfbeheersing was geknapt, om vele jaren van opgekropte woede los te doen barsten, zodat de hand die dit scherpe wapen had gehanteerd, over kracht en precisie had beschikt.

Hij wist dit alles, want hij bezat het vermogen van de Bagshotts om zonder woorden te kunnen weten. Hij wist dat moeder en kind beiden aan de galg zouden komen, tenzij hij een manier kon bedenken om hen te redden... Misschien kon ze aanvoeren dat ze niet toerekeningsvatbaar was geweest, maar wie zou dit bevestigen, wetend dat zij een heel kalm en rationeel iemand was, van goede komaf en altijd heel zorgvuldig in haar doen en laten? Misschien kon ze beweren dat ze zwanger was, maar de vrouwen die haar zouden onderzoeken zouden het tegendeel verklaren en dat zou het er nog slechter op maken. Misschien moest ze nu meteen dit district ontvluchten, maar dan zouden ze onmiddellijk worden verdacht en als misdadigers worden gezocht, zouden ze als zwervers moeten leven van de barmhartigheid van de armenzorg. Haar middelen zouden niet ver reiken.

'O, Hetty! Wat moeten we doen om jou te redden?' Dominee Benjamin Thomas besefte dat hij meineed zou moeten plegen door een leugen te vertellen.

Ephraim zag zijn moeder in de bloementuin zaaddozen zoeken om een mooie schikking in een vaas te maken om te schilderen. Hij zag haar tong als een slang in en uit haar mond gaan terwijl ze zich op haar penseelwerk concentreerde. Ze zaten bij de beek te kijken naar het water dat snel over de stenen stroomde. Ze was nu vrij van IJzeren Man, die veilig in een houten kist onder de grond lag.

Ephraim kon nog steeds de woede in zijn binnenste voelen, de woede die had gemaakt dat hij het dichtstbijzijnde zware werktuig had gegrepen om IJzeren Man zo hard mogelijk te slaan. Hij had iets vreselijks gedaan, maar moeder zei er niets over tegen hem, en de dominee vertelde leugens. Soms wilde hij het liefst de vreselijke waarheid opbiechten, maar zijn stem wilde sinds dat angstaanjagende ogenblik niet meer werken. Hij had door de schok van het gebeurde niet één woord meer kunnen spreken.

Moeder zei dat ze ver weg gingen om deze plaats te vergeten en dat ze alleen maar het hoogst noodzakelijke mee konden nemen op de reis. Het ontsnappingspotje zou net voldoende zijn om hun overtocht te betalen. De reis zou zwaar zijn en ze zouden nooit meer terugkomen. Ephraim was daar blij om. Geen school meer, geen geklets en gefluister en pakken slaag, geen angst meer. Hij krabbelde zijn vragen op stukjes papier.

'Gaat dominee Thomas met ons mee naar het nieuwe land?'

Zijn moeder schudde haar hoofd. 'Ik heb hem gevraagd ons te vergezellen, maar hij zei dat hij anderen moet gehoorzamen.'

'Wie zal er voor ons zorgen?'

'We zullen nu op elkaar moeten passen, en de Heer hierboven zal ons leiden op onze weg.'

Het kind fronste zijn wenkbrauwen. Zou Hij die alles zag een moordenaar beschermen tegen zijn verdiende straf? Tot dusver waren er geen bliksemflitsen met snelle rechtvaardigheid geweest, alleen maar een oorverdovende stilte rond het dorp en het mijden van hun gezelschap.

'Er is nog één tocht die we moeten maken voor we vertrekken, jongen. Een tocht die we al veel eerder hadden moeten maken.'

Op de eerste dag van oktober 1770 vertrokken ze voor de wandeling van drie mijl omhoog, naar Longhall, langs de landarbeiders die hun pet lichtten en weer aan het werk gingen, langs de sleper, langs de wagenmaker en zijn knecht die zwaaiden. Ze liepen door de poort naar Longhall Park, waar het vee naast de oprijlaan van grind op open weilanden liep te grazen. Zijn moeder belde aan in het portiek bij de voordeur. Toen het dienstmeisje hun armoedige kledij zag, stuurde ze hen naar het achtererf, naar de keuken.

Ze wachtten tot de bedienden opendeden en werden binnengelaten in de keukenhal. Ephraim was vol ontzag voor wat hij zag: het bulderende vuur, het gebraad aan het draaispit met de kleine hond die steeds maar rondliep in de tredmolen. Hij had nog nooit zoveel potten en pannen gezien, zoveel bedrijvige mensen die heen en weer holden. Het nijvere geroezemoes verstomde opeens door hun aanwezigheid en het personeel stond zijn moeder aan te gapen. Ze werden door een oude bediende terzijde genomen, die spijtig zijn hoofd schudde.

'Het spijt me, juffrouw Mehetebel... ze wil u vandaag niet ontvangen. Misschien als u een andere keer komt? Het spijt me.'

'Het geeft niet, Bailey. Ik wilde het gewoon een keer proberen, aangezien ik binnenkort naar het buitenland ga en niet van plan ben terug te keren. Ik dacht dat ze misschien voor één keer een blik op mijn zoon hier wilden werpen... maar geef dit alsjeblieft aan hen.'

De jongen zag hoe ze een rol tekeningen te voorschijn haalde – rozen en schetsen van buiten op het veld, haar mooiste bloemenwerk.

'Als je zo vriendelijk zou willen zijn dit aan de squire en zijn vrouw te geven. Ik zou niet graag willen dat ze denken dat ik een opvoeding tot dame verloren heb laten gaan...'

Haar stem brak. Ze greep haar zoon bij de arm. Langzaam draaiden ze zich om naar de buitendeur. Al het gerammel met pannen en het gemompel werd gestaakt en er viel een pijnlijke stilte. Alleen Ephraim zag haar tranen.

In de jaren die op deze vreselijke gebeurtenis volgden, kon dominee Thomas niet langs het huis rijden zonder dat het klamme zweet hem uitbrak. Hij sloeg een kruis en bad dat wat voor goeds er ook van zijn leugens mocht zijn gekomen, dit uiteindelijk tot groter heerlijkheid van God zou mogen dienen. Terwijl hij over de hoofdwegen en de tolwegen van zijn nieuwe gemeente doolde, en hier en daar stilhield om zijn oude paard te laten grazen, in schuren en op markten te preken, om een avondmaal bedelde bij de armlastige gemeenten die rondtrekkende methodistische predikers ondersteunden, sprak hij vaak over offers in dienst van de Heer. De wereld was nu waarlijk zijn gemeente, en zijn geest steeg uit boven zijn pijnlijke ledematen, gekloofde vingers en hardnekkige hoest. Hij had de gerieflijkheid van een geregeld leven opgegeven voor een leven onderweg. Er had niet veel anders op gezeten toen het schandaal losbarstte.

Het was zijn getuigenis, en het stilzwijgen van zijn dienstmeisje, waardoor Hetty was gered. Hij zwoer dat hij de weduwe veilig naar haar deur had vergezeld en dat hij zelf het lichaam had gezien nadat het door dieven was achtergelaten. Niemand had durven twijfelen aan de getuigenverklaring van een geestelijke, maar er was veel geroddel en niet weinig schandaal gevolgd. Hij trok zich niets aan van het geklets bij de dorpspomp, dat suggereerde dat de dominee weldra met de weduwe zou trouwen. Maar hoeveel hij ook van haar hield, toch besefte Ben dat een verbintenis met een oude, grijze man, krom en armoedig, nooit Hetty's keuze zou zijn maar slechts een gebaar van dankbaarheid.

Wat had ze hem gesmeekt hen naar de andere kant van de wereld te vergezellen, om ergens in de koloniën zendingswerk te verrichten, maar hij kende de prijs die hij moest betalen. Hij had veel recht te trekken in zijn luie leven. Het werd tijd om terug te keren naar het veldwerk, naar de troost van de bijbel in plaats van die van de haard. Hij moest de rest van wat er van zijn aardse leven over was besteden aan het redden van zielen.

Op een van zijn reizen sloeg hij een keer af van de tolweg naar Stafford en klom de steile helling naar Fridwell op. Hij was zo krom, versleten en bejaard dat niemand de gestalte herkende die over het kerkhof liep en bleef staan bij de heuvel in het gras waar Abel Barnswell lag. Door het struikgewas heen kon hij de boomgaard zien, met Ephraims schommel, maar nu slingerde er geen kind heen en weer, holde er niemand tussen de bomen.

Om alle herinneringen nog eens op te halen liep hij over het pad omhoog en stopte even op de oever van het beekje, waar dotterbloemen en hondsviooltjes bloeiden. Er kwam geen rook uit de schoorsteen, de hel-

lingen waren begroeid met beemdgras, in de boomgaard graasden schapen. Er was niets over van Hetty's aanwezigheid, alleen maar wat verwilderde rozen, een wirwar van muur en kweekgras in haar kruidenbedden,
geen enkel teken van leven. Hij wendde zich af met tranen in zijn ogen,
want het was een mooi huis dat nu tot een ruïne verviel. Hij wist dat de
dorpsbewoners bang waren dat er nog steeds een geest van een geweld-
dadig gestorven mens door de tuin doolde. Wat een verspilling van zo'n
degelijk huis! Als er niemand binnen was, kon hij er een nacht gratis onderkomen hebben, zijn restjes met de muizen delen. Als hij goed zocht,
zou hij misschien wat verdwaalde bessen en vruchten vinden, en er zou
fris water uit de put zijn om het stof weg te wassen.

Er hing een naargeestige lucht in de woning. Boven lag een kapokmatras op de kale planken; de vogels hadden eraan geplukt voor nestmate-
riaal. Het leek onvoorstelbaar lang geleden dat hij die ballingen, die nu
aan de andere kant van de wereld leefden, voor het laatst had gezien. Hij
ging op de trap zitten en betastte de ene kostbare brief die ze bij haar aankomst had gestuurd en die hem door een zeeman was gebracht, een jaar
nadat hij was geschreven. Hij droeg de brief altijd bij zich en hij kende
ieder woord uit het hoofd.

Beste Benjamin Thomas, broeder in Christus.
Ik groet u als dankbare dochter, want in dit leven bent u voor mij in
mijn problemen van alle mannen de meest loyale en trouwe geweest.
Zonder uw hulp zouden wij verloren zijn geweest en had mijn
kind niet het geweldige leven gehad waar hij nu hier, in de Nieuwe
Wereld, van geniet.
Het valt moeilijk voor te stellen dat we slechts een oceaan
verwijderd zijn van de tranen en de droefenis van het leven in
Fridwell. Toch denk ik niet met wrok aan die plaats terug, want de
schaarse momenten van vrede en rust daar met u, komen mij vaak
in gedachten. Zonder uw aanbevelingsbrieven aan de christelijke
gemeenschap hier, en de ruimhartige vriendelijkheid van generaal
Oglethorpe, was mijn leven hier weinig beter geweest dan dat van hen
die tegen hun zin op transport zijn gesteld en die hevig verlangen ooit
naar Engeland terug te kunnen keren.
Gezien volgens de wetten van God ben ik weinig meer dan zij,
en onze misdaden zijn werkelijk heel ernstig, maar ik denk ook
terug aan de versregels die ik ooit als waarheid heb gekend:

Hoe ellendig is het lot van de vrouw:
Immer vol droefenis, pijn, en vol kou.
Onderworpen in alles aan haar man,
Zonder dat zij dit veranderen kan.

Door Zijn genade ben ik overgebracht naar een ander lot, naar
een ander land, waar wél mogelijkheden tot veranderen zijn.
Ephraim spreekt weer, en hij studeert hard. Hij oefent ook als
lid van de militie, want er heerst veel onrust en verschil van
mening in de kolonie, met betrekking tot de vraag of we beter af
zijn als we onafhankelijk zijn van de regering van Zijne Majesteit
of niet.
    We hebben ons gevestigd in de garnizoensstad Frederica, dicht
bij de oever van de Savannahrivier, een prachtige omgeving met
elegante parken en pleinen. Onze reis was lang en niet zonder
gevaar. Ephraim was misselijk tijdens de stormen, maar mijn
maag was van gietijzer. We hebben nog veel te doen om ons leven
comfortabel en geriefelijk te maken, te midden van de gestraften. Ik
besteed veel uren aan de ongelukkige vrouwen die kortgeleden vrij
zijn geworden, om hun de beginselen van naaien bij te brengen, en
we knippen patronen uit papier en brengen die voor hen op stof over,
zodat ze hun eigen jurken kunnen naaien. Het zal u genoegen doen
te horen dat de resten stof die ik in Engeland heb verzameld nooit
verloren gaan, want we komen 's avonds in groepjes bijeen om de
Heer te prijzen en de lapjes door te geven en ze aan elkaar te naaien
om dekens te maken. Er is nu weinig tijd voor schilderen en tekenen.
Bovendien doen die dingen me te veel aan mijn andere levens
denken.
    Ik kweek een aantal van hun vreemde groenten. Er is in mijn
tuintje geen ruimte voor bloemen, maar wees niet treurig, want ik
kweek nu tuinen in mijn lappendekens en vorm de patronen tot
bloemen in alle tinten, waarbij ik alle restjes vorm tot de bloemen
uit mijn herinnering: rozen, tulpen, randen van bladeren. Het doet
me veel plezier dat de tuinen die ik in stof kweek veel meer warmte
en troost bieden dan mijn stukje grond in Fridwell ooit heeft
gedaan.
    Ik heb hier een zakje zaden bij gedaan, als teken van onze
dankbaarheid. U wordt veel in onze gebeden genoemd. Moge God,

*die in ons hart kijkt en al onze daden ziet, barmhartig zijn voor ons
allen.*

*Uw goede vriendin in Christus,
Mehetebel (Hetty) Thomas*

*PS: Zoals u ziet hebben we die vervloekte naam laten vallen en
hebben uw achternaam aangenomen, ter ere van al uw goedheid
jegens ons beiden, de naam die Ephraim, zo God wil, ooit met trots
zal vervullen omdat hij die bezit.*

Benjamin Thomas zuchtte terwijl hij de verbleekte brief betastte en hem
zorgvuldig opvouwde. Hij tuurde uit het bestofte raam naar de wildernis beneden. Hij had ooit gehoopt nieuw leven te zien opbloeien in deze prachtige tuin, en zijn eigen tijd op deze aarde in alle comfort van de
pastorie te mogen uitleven. Hij had voor zijn vertrek zijn planten wijd en
zijd uitgedeeld aan alle tuiniers in het district. Niets ging verloren. Zijn
stekjes zouden gedijen, maar hij kon hier niet blijven, te midden van alle
kleuren en geuren, de rode aarde en het gezang van de vogels. Er moesten offers worden gebracht. Hij dommelde tot het aanbreken van de dag,
en liep toen naar de mispelboom die Hetty ooit voor hem had getekend.
Hij dacht even dat hij haar over haar schetsblok gebogen zag zitten, maar
het was slechts een speling van het licht en van zijn koortsige brein.

Dit was een te mooie plek om onbemind en onverzorgd te laten blijven liggen. Hij knielde op de oever om nogmaals om vergeving te bidden. Doolde de gekwelde ziel van Abel Barnswell hier rond? Als dit zo was,
moest hij die geest tot rust brengen en ervoor bidden. Zou de Heer van alle barmhartigheid welwillend neerzien en zijn vrede nogmaals herstellen?

Hij stond moeizaam op van de koude aarde, leunend op zijn stok. Hij
moest hier niet blijven treuzelen maar op zoek gaan naar het teken van
de Rode Leeuw, en naar de route naar het noorden. Zijn hart leek lichter
door deze omweg, en de woorden van de Hebreeuwse geschriften welden
hem naar de lippen toen hij verder trok:

*Lof, voor de aarde die in heelheid hersteld is;
Lof, voor mannen en vrouwen die zichzelf hebben hervonden;
Lof, voor het leven vervuld in heilige viering.*

De schuurtuin

De kerkklok slaat negen uur en het is nog steeds licht. Juffrouw Bagshott kijkt naar Lady, die onder de struiken het spoor van een egel ruikt. Ze tilt één poot op, niet zeker van haar prooi. Bij de boomgaard leunt ze op het hek om over de stille weilanden uit te kijken, en ze ziet de twinkelende lichtjes die al aan zijn in de camper die voor de nacht verderop staat geparkeerd op het land van Mill House.

Ze hoopt dat het jonge paar weer een goede dag heeft gehad in het gemeentearchief, waar ze hun voorouders proberen op te sporen. Het is een vriendelijk, oprecht stel Amerikanen, helemaal uit Phoenix, Arizona, en ze brengen hun huwelijksreis door met het in registers en kerkboeken nazoeken van de familie van de bruid. Ze speuren te midden van de oude grafstenen naar Barnsleys, Bagshotts, Baileys en Salts, haar voorouders. Niet, verzekerden ze Iris, in de hoop iets van adel in de familie te vinden, maar om ervoor te zorgen dat die gestorven zielen hun eeuwige erfenis niet mislopen binnen de Kerk van de Heiligen der Laatste Dagen, die hun voorouders dopen en die over het grootste genealogische archief ter wereld beschikken.

Aileen en Barney hadden op haar deur geklopt en gevraagd of ze hun camper mochten parkeren, en Iris had hen binnengevraagd voor de thee, terwijl ze hun alles had verteld wat ze zich over de geschiedenis van het dorp kon herinneren. De geschiedenis van het dorp was eerlijk gezegd niet haar sterkste punt, maar ze kon zich nog een aantal feiten herinneren van haar verhaal voor de klas over 'Ons Dorp'. Het paar sloeg haar Earl Grey af, ten gunste van sinaasappelsap, en ze klampten zich aan al haar woorden vast met uitroepen van: 'O! Ja? Echt?' Iris slaakt een zucht bij de gedachte aan zo'n eerbiedwaardige opdracht.

Misschien word ik ook ooit opgenomen in de zegeningen van een leven hierna. Ik denk dat ik hier een mening over zou horen te hebben, en deze tuin leert me dat ik sterfelijk genoeg ben, elke keer dat ik me buk om de kruiwagen te duwen. Er zijn zoveel generaties die dit land hebben verzorgd en zijn overleden, maar het leven in de tuin gaat gewoon verder. Wat is deze grond anders dan wat restjes stof van andere mensen, kalkrijke beenderen, vele generaties planten en dieren, de compost van vele levens? Heb ik me al deze jaren aan deze plek vastgeklampt in een zielige poging mezelf te wortelen, mijn merkteken achter te laten op een wereld die voortdurend verandert? Hebben alle tuiniers vóór mij gehoopt iets van henzelf erin na te laten, een voorwerp, een boom of struik, een ornament of een bloem? Is dat waar het bij onze onsterfelijkheid om gaat? Wat zal ik hier achterlaten: een mengelmoes van planten, geen groots ontwerp, dat is wel zeker. Maar ik heb mijn hart en mijn ziel in deze plek gelegd, met repareren, opnieuw inplanten, dingen veranderen. Is dat niet genoeg?

Als ik alles verkoop en wegga, zal ik dan ontworteld rondzweven als ik eenmaal los ben geraakt van dit speciale plekje op de wereld dat zowel naar me heeft geglimlacht als naar me heeft gespuugd... de plek waar ik ben verwekt? Is dat wat ik het meeste vrees?

Er zit beslist iets frisheid in de lucht. Tijd om terug te gaan naar de warmere kant van het huis, het pad langs de heesters weer op te lopen, naar het bewoonde gedeelte dat naar het weggetje is toegekeerd. Dit is de plek waar Bagshotts hun dagelijkse gezicht aan de wereld hebben getoond, een rechttoe-rechtaan houten hek zonder tierelantijnen, dat uitkwam op een met keien geplaveide binnenplaats alias oprit voor Land Rovers en karren. De oude eikenhouten voordeur wordt nooit meer geopend behalve voor vreemden, maar Iris verzacht het kale effect van de stoep met een uitstalling van terracotta potten met 'Raspberry Ripple'-pelargoniums, die als schildwachten in de houding staan, en aan de muur is een smeedijzeren voerbak versierd met hangbegonia's en wat oude afvoerbakken, die met zilverkleurig blad en vuurrode verbena's zijn beplant. Ze is heel trots op dit buitenlandse effect, en ze hoopt dat het oog erdoor zal worden afgeleid van het wanordelijke tafereel om de hoek.

Hier zijn schuren die moeten worden afgesloten, gereedschap dat moet worden verzameld. De kippenren staat nu leeg. Iris is jaren geleden met de verkoop van eieren gestopt toen de angst voor salmonella te veel voorschriften met zich meebracht. De tiendschuur steekt donker af tegen de nachtelijke hemel, zet zich schrap tegen ontberingen van wind, storm en huiszwam. De schuur heeft in zijn leven vele doelen gediend: graanopslagplaats, stal, garnizoenslegerplaats, en garage. Misschien is dit het enige deel dat ze zou moeten verkopen. Arthur Devey zegt dat het commerciële waarde bezit en dat er subsidies mogelijk zouden zijn. Het is een vrijstaand gebouw en het ligt dicht bij de weg, maar een oud gebouw dat teruggaat tot de oude priorij, zou vast onder zware bepalingen van monumentenzorg vallen.

De randen van steen en baksteen, keien en rommel, worden gelukkig verzacht door alle planten van haar die zich hebben uitgezaaid, hoera! Oranje slaapmutsjes, en ook zijdezachte roze, kamille en nog meer *Alchemilla mollis*, toortsen en een distelachtige pol 'Miss Wilmot's Ghost', die op geheimzinnige wijze is opgedoken te midden van de werkplaatsen, schuurtjes, de plantenkas met meer kapotte ruitjes dan hele, een complete verzameling troosteloze bijgebouwen die betere dagen hebben gekend, als verarmde mensen van stand die hard aan liefdadigheid toe waren.

Dit was het uitzicht dat ze als kind vanuit het raam van haar zolderkamertje had gehad, de kant van de tuin waar schuren en wasgoed, reserveonderdelen en oude motoren groeiden; een tuin vol herinneringen. Hoe zou ze in 's hemelsnaam kunnen overwegen dit alles te verkopen?

DEEL ZEVEN

De schuurtuin

1918

'Want waar de laurier groeit, langs de smalle rode muur,
Daar vind je gereedschap, en potten in de schuur;
Mestvaalt, waterbak, kruiwagen en kas,
Harken en schoffels, 't komt alles van pas.'
De glorie van de tuin, Rudyard Kipling

'DE PAPAVER

*De wilde papaver of klaproos komt veelvuldig voor en is vaak te
veel in tal van korenvelden in alle graafschappen van dit land...
Het kruid is halvemaanvormig, en van het sap ervan wordt opium
gemaakt. Maar ze bedriegen je en zeggen dat het een soort traan of
zo is, die van papavers valt wanneer ze huilen.'*

Het slaan van de klok

De Sopwith Camel steeg op van het vliegveld in het dal, cirkelde hoog boven het geslonken bos van de Chase, en vloog toen met een bocht over Fridwell, als een enorme vogel met vleugels van ijscowafels. Alle levende wezens beneden bleven staan om te luisteren naar het geronk en gepruttel van de machine die boven hun hoofd zwenkte en draaide; de reeën in het woud verstarden bij het vreemde geluid, de honden blaften, de vogels zochten ijlings hun beschutting weer op. Op de open velden hieven de schapen hun kop uit het gras; de mannen die hagen stonden te snoeien keken op en krabden zich op het hoofd, vol verbazing dat de mens de elementen kon tarten en kon vliegen als een vogel.

De vrouwen die hun wasgoed ophingen aan de lijnen op Fridwell Green dankten God dat hun eigen zonen veilig op de grond waren, zelfs als die in een vreemd land in de loopgraven lagen. Ze hoopten dat de zoon van deze arme moeder weer veilig beneden kon komen in dat rare geval, blij dat het niet zo'n zeppelin was die bommen kwam laten vallen op de fabrieken van Midshire, waar iedereen van angst en ontzetting vervuld werd bij de aanblik van die grote, logge massa die vuur spuwde als een draak.

De piloot, met vliegeniersbril en wapperende sjaal, boog zich naar buiten om te wuiven toen hij de rij schoolkinderen zag die over het landweggetje naar de heide liepen en opgewonden zwaaiden.

'Het is er eentje van ons!' riep Iris Bagshott.

'Natuurlijk is het er eentje van ons, stomme trut!' lachte Dippy Devey, en hij duwde smalend zijn neus in haar gezicht.

'Nou, ik word later vliegenier als ik groot ben,' piepte ze, zonder zich van de wijs te laten brengen.

'Meisjes kunnen geen vliegenier worden... Je bent veel te dik! Dat ding zou niet eens van de grond kunnen komen met jou erin, hobbezak.'

'Ik ben helemaal niet dik, ik ben mooi, en mijn oma zegt dat ik alles kan worden wat ik wil, nou jij weer!' Iris stompte hem in de rug.

'Het zou niet erg damesachtig zijn om in een vliegtuig de lucht in te gaan, Iris,' kwam Agnes Salt ertussen, terwijl ze haar gesteven overschort gladstreek en uitschudde, zodat het naar alle kanten uitstak als het glazuur op een taart, fris en wit. 'Dames bedienen geen machines.'

'Je moeder doet 't anders wel, ik heb haar achter het stuur van jullie auto gezien.'

'Dat is iets anders, het is nu oorlog en ze rijdt pakjes en spullen voor het Rode Kruis.'

'Geen gepraat, daar achterin!' Oude Bullebak, de bovenmeester, was op het oorlogspad en juffrouw Weston riep haar jongste achterblijvers bij elkaar. 'Een beetje doorlopen, we hebben niet de hele dag de tijd om ons steentje bij te dragen!' Het rode, bakstenen schooltje, dat aan een weggetje voorbij de splitsing stond, lag nu ver achter hen. Het werd tijd voor het hele Fridwellcontingent om koning en vaderland te dienen en hun broeders te helpen die in het Midshiresregiment dienden, ergens aan het westelijke front.

Iris begreep niet goed waar dat front was. Het scheen heel langzaam heen en weer te bewegen, en de moffen bleven er steeds met zijn allen tegenaan duwen, net als bij een spelletje rugby op het schoolplein. Vier jaar lang, bijna alle tijd die ze zich op school kon herinneren, had ze voor het westelijke front gebeden. Daar was ook haar broer Nat, en de schoorsteenmantel bij haar thuis was versierd met ansichtkaarten. Mam had een speciale kaart voor hun raam aan de voorkant gezet, met: IN DIT HUIS HEEFT IEMAND GEHOOR GEGEVEN AAN DE OPROEP EN DOET DIENST BIJ ZIJNE MAJESTEITS STRIJDKRACHTEN.

Nat was negentien en droeg zijn steentje bij door de keizer tegen zijn achterste te schoppen, zei oma Bailey wanneer ze bij het licht van de olielamp sjaals en bivakmutsen zaten te breien, opdat alle anderen die hun steentje bijdroegen ook warm en droog zouden blijven. Nu moest de school ook een steentje bijdragen. De broers van Dippy Devey waren naar het front, en Iris wenste dat hij oud genoeg was om ook te gaan. Ze haatte die snotterige pestkop, die haar altijd liep te plagen en op het weggetje zomaar uit de hulstboompjes te voorschijn kon springen om haar de stuipen op het lijf te jagen door te doen alsof hij de grijze dame was die 's nachts op het kerkhof spookte.

De broer van Aggie Salt droeg ook zijn steentje bij, maar hij was officier en Aggie schepte op dat zijn steentje beter was dan dat van de mannen uit het dorp, omdat het belangrijker was.

Vandaag kondigde de bovenmeester aan dat ze allemaal naar de heuvels gingen om veenmos te verzamelen voor de soldaten. Hij had hun een stuk van het vochtige, groene, sponzige spul laten zien dat ze voor het Rode Kruis moesten gaan zoeken en in manden moesten doen.

'Waar is dat voor?' vroeg Iris.

'Dat is om de wonden van de soldaten op te lappen, suffie. Jij weet ook nóóit wat!' smaalde Aggie, en ze rolde met haar staalgrijze ogen die door zwarte wimpers werden omringd.

'Je lapt toch zeker geen soldaten op? Oma lapt grootvaders broeken op, en zijn overhemden, bij de ellebogen. Pappa moet altijd de banden van jouw vader oplappen. Naaien ze het dan op ze vast?'

'Het is voor de wonden, stommerd, om de gaten te laten genezen. Op de bijeenkomst van het Rode Kruis pakken ze het mos in en sturen het naar ziekenhuizen, samen met het verband dat ze oprollen. Heeft m'n moeder me verteld.'

Waarom was Aggie Salt soms haar beste en soms haar slechtste vriendin, iedere keer dat ze haar mond opendeed? Ze was de grootste weetal van de school, maar ze zou daar slechts blijven tot het tijd voor haar was om naar een particuliere school in de stad te gaan. De Salts woonden in het grootste, nieuwste bakstenen huis in het dorp, bij de oude watermolen, met hun eigen vijver en gazons met tuinlieden. Iris werd natuurlijk nooit in het huis binnengelaten, maar soms speelde ze met Aggie in de stallen.

De Salts waren de eersten die een auto kochten, die het grootste deel van de tijd in de schuur van de familie Bagshott stond, waar pappa onder de motorkap kroop om de motor uit elkaar te halen en het koperwerk te poetsen. Aggies broer Henry was een vriend van Nat tot hij naar kostschool ging. Hij was de grote held van het dorp, hij zat in het cricketteam, en was een gewaardeerd lid van de jachtvereniging. Aggie liep altijd over hem op te scheppen. Iris wou dat het Nat was die daar boven hun hoofd stunts uithaalde in zijn vliegtuig. Dat zou Aggie een toontje lager laten zingen, als ze Iris' broer boven iedereen in de lucht zagen. Iedereen wist dat de piloten van de Air Force het dapperste van allemaal waren.

Het groepje schoolkinderen verspreidde zich over de heide, ze plukten mos en deden dat in de wasmanden. Buiten het zicht van hun onderwijzers begonnen de kinderen te hollen en verstoppertje te spelen, ze vochten en holden door de varens en werden vies. Iedereen, behalve Aggie, die zich afzijdig hield van alle wilde spelletjes, omdat ze liever bloemen plukte. Weldra begonnen Iris' benen pijn te doen, en haar voeten raakten bekneld in de laarzen die te strak zaten. Ze groeide als kool en haar moeder moest steeds de zoom uit haar rokken halen en haar tailleband ruimer maken.

'Je gaat een grote meid worden, voor een Bagshott. Dat moet de Bailey-kant van je zijn. Maar je hebt donkere ogen en borstelige wenkbrauwen, en haar in de kleur van kastanjes, net als de hele familie van je vader. En je bent net zo brutaal. Niemand kan een Bagshott ompraten als die het gelijk aan zijn kant denkt te hebben. Blijf goed rechtop lopen, anders krijg je een kromme rug.'

Toen ze langzaam weer omlaag liepen naar het dorp, moe en hongerig, kon Iris de rook uit Fridwell zien opstijgen en het wasgoed in de wind zien wapperen bij de twee cottages waar haar hele familie bij elkaar woonde, opa en oma in het stompe uiteinde dat ze Friddy's Piece noemden, en mamma en pappa in de langere helft van de natuurstenen cottage met het pannendak.

Oma zei dat het vroeger één geheel was geweest, maar dat het was verdeeld in twee huisjes voor boerenarbeiders. Het lag tegen de kerk en tegen het weggetje aan, maar de achterkant was Iris' speciale plekje en ze popelde om naar huis te gaan om te zien of de kikkervisjes in de oude vijver al waren gegroeid. Waarom konden ze niet elke dag mos gaan plukken in plaats van in het donkere klaslokaal te worden opgesloten? Aggie holde met haar over het weggetje, en ze zwaaide toen zij naar het lager gelegen dorp snelde, naar het grote huis. Iris huppelde naar het hek. Voor deze ene keer klonken er geen rinkelende geluiden uit de schuur of gehamer uit een van de vele werkplaatsen van opa. Ze rammelde van de honger. Ze holde de binnenplaats op, door de open deur, de poort door naar de keuken.

De volwassenen zaten zwijgend rond de klaptafel, mamma, pappa en haar grootouders. Er heerste een stilte die haar niets beviel, er stond eten op de tafel maar niemand at, en het gezicht van mamma had de kleur van een asemmer, helemaal zilverachtig grijs. Ze zat haar schort tot een stevige knoop te draaien. Pappa stond onhandig op, zijn wenkbrauwen waren tot een frons geknepen. Iris bleef in de deuropening staan, opeens bang. 'Wat is er aan de hand?'

Mamma wapperde met een stuk papier. 'Slecht nieuws, onze Nat wordt vermist...'

'Vermist? Waarvandaan? Kunnen ze hem niet meer vinden?'

Er viel een diepe stilte in de keuken en pappa gaf haar het briefje. 'Tot mijn spijt moet ik u mededelen dat er een bericht is ontvangen van het

Ministerie van Oorlog, met betrekking tot het feit dat soldaat Nathaniel Bagshott als vermist is opgegeven op 29 april 1918...'

Iris begreep het niet.

'Hij wordt alleen maar vermist, hij is... hij is toch zeker niet... gestorven? Naar de hemel gegaan, zoals de broer van Tommy Arnold, en van Susan en van Albert Machin?'

Oma snoof in haar zakdoek.

'Sst, maak je moeder niet van streek. Misschien is hij ergens gevangengenomen. We moeten hopen en bidden.'

Pappa stond bij de gootsteen te rommelen, probeerde een ketel water te vullen. Hij kwam nooit in de keuken, behalve voor het eten; hij hoorde er gewoon niet, en hij leek kleiner met een ketel in zijn hand.

'Kom maar, ik doe het wel.' Iris nam de ketel uit zijn handen en zette hem op het fornuis. Moeder zei niets, maar bleef zitten met gebogen hoofd. Iris kon de grijze strepen als zilveren wol in haar haar zien.

'Het is een grote schok voor onze Rose. Twee jaar weg, en nu dit, net nu alles weer beter begint te gaan. Toch is het niet aan ons om de wil van de Almachtige te doorgronden.' Opa veegde over zijn ogen, en er glinsterden tranen in zijn walrussnor. 'En dan zo'n geweldige knul. Iets om trots op te zijn, zo'n knul.'

Iris keek uit het raam naar de blauwe lucht en naar het voorjaarsgroen van de bladeren. Ergens daarbuiten lag Nat stil als een dood konijn in een val. Waren zijn ogen open? Zoemden er vliegen boven hem? Hij was gestorven. Ze wist het diep in haar buik. Ze zou nu een zwarte band om haar arm moeten dragen en het bordje voor het raam zou worden weggehaald en worden veranderd in een met een zwarte rand eromheen. Ze zou belangrijk zijn op school, tot het volgende telegram kwam. Ik zal Nat nooit meer zien, dacht ze, en ze huiverde. Alles wat ze nu nog van hem zouden hebben was die ernstig kijkende soldaat in uniform op de foto op de schoorsteenmantel, en dat was Nat helemaal niet.

'Ik ga naar buiten... Ik heb nu geen honger, mam.' Iris vluchtte de keuken uit, zo snel als ze kon. Er was maar één plek waar ze zich kon verstoppen.

Ze verstopte zich bij het beekje onder aan de tuin. Ze vond het heerlijk om het water over de stenen te zien stromen en naar de visjes te kijken, terwijl ze voortdurend Nella, haar pop met het houten gezicht, tegen zich aan drukte en probeerde eraan te denken dat ze haar kleren niet nat mocht maken. Nella was heel oud, met mooie onderrokken en een dunne katoenen jurk die met linten was bezet. Ze was ooit van de oma van oma Bailey geweest en ze mocht eigenlijk niet mee naar buiten worden genomen, maar alles was nu veranderd en niemand was in de stemming voor zondagse regels.

Na de dienst in de Barnsley Green Primitive Methodist Chapel, waar opa preken vanaf de kansel hield, was het meestal rechtstreeks naar huis voor rustige bijbelverhalen. Er waren veel betuigingen van deelneming, gebeden en klopjes op de arm geweest toen het bericht bekend werd. In de dorpen in de omgeving waren jongens op dezelfde manier gesneuveld, want de Midshires waren weer 'in opmars'. Ze zeiden dat kapitein Henry Salt ook gewond was en dat pappa zijn familie naar de stad had gereden om op de trein naar Londen te stappen, want men scheen niet te verwachten dat hij het zou overleven.

Vandaag lag Iris languit in het vochtige gras zonder zin te hebben op zoek te gaan naar heksenkringen en paddestoelen, of door de lissen te waden om achter kikkers aan te gaan. Ze had geen zin om over het spookpaadje onder aan de tuin te lopen, tussen de kerk en de boomgaard, waar de grijze dame vaak als nevel zweefde. Het was een griezelig overgroeid pad, waar de verwarde struiken je bij de arm grepen, de brandnetels in je benen prikten en de roeken boven je hoofd heen en weer vlogen en krasten op het kerkhof achter de oude bakstenen muur en de poort met de piepende scharnieren. Ze waagde zich nooit door de poort naar de St. Mary. Dat was de weg naar het hellevuur, zei opa, want: 'Breed is de poort die naar de verdoemenis leidt!' De boog eroverheen was van mooie stenen pilaren die met kronkelige figuren waren bewerkt. Hij vormde een deel van de oude, kapotte kloostermuur die rond het grootste deel van hun land liep.

Als ze de voorjaarsboeketjes naar het graf van oma Bagshott ging brengen, zorgde ze er altijd voor dat ze de omweg nam, over het pad langs de beek, de smalle weg. Het sleutelbloemenpad, zoals ze het zelf noemde, met zijn lichtgele bloemen op de oever, met boterbloemen en paarse viooltjes. Vandaag had ze geen zin om ergens naartoe te gaan.

Ze hoorden nu bij een nieuwe club, niet de ondersteuningsclub waar je zes penny's per week voor de zieken betaalde, maar bij een zwijgende club met slechts één regel. Als teken dat je erbij hoorde was er een zwartgerand bordje in je raam, met VOOR KONING EN VADERLAND, en de mensen spraken op gedempte toon als je voorbijkwam, en ze staarden je medelijdend aan. Een club waar iedereen zwart droeg en 'in de rauw' was, ook al was je nog zo gaar. Er kwamen steeds bezoekers die zeiden hoe droevig alles was, en wat voor knappe jongen Nat was, omdat hij naar het gymnasium was geweest en studeerde. Het had hun veel gekost om hem te sturen, want pappa werkte hiervoor, en dat was meestal het repareren van machines en wagens, terwijl opa op de boerderijen in de buurt zwoegde.

Niemand bekommerde zich om dit stuk van de tuin, het wilde gedeelte waar Iris ongestoord in haar eigen fantasieland kon spelen. Hier konden geen jongens van Devey haar pesten en kon haar moeder haar niet aansporen de kippen te voeren, brandhout te verzamelen of wat groente te zoeken voor de konijnen in hun hok. Er was geen Aggie Salt om rare gezichten te trekken en haar uit te schelden. Geen stomme Duitse keizer die je heen en weer duwde, en geen spookachtige foto van Nat die haar aanstaarde vanaf een zwarte doek.

Er waren alleen maar wilde dingen om mee te spelen, en die wisten er allemaal niets van af. Hier kon ze ontsnappen. Pappa kon uit alle macht roepen, maar ze kon zijn bevelen niet horen, en ook niet mamma's gezucht of het gehuil van oma. Hier was ze koningin van het land en bepaalde zij de regels. Hier gehoorzaamden Nella en Muffy, de oude hond, haar bevelen. Niemand anders wist van haar koninkrijk, en ze kwam op tijd binnen voor het eten, met handen die ze bij de pomp had gewassen.

Iris wist dat dit gedeelte van de tuin van haar was, en ze wist het met een zekerheid die haar acht jaren ver te boven ging. Friddy's Piece was haar bezit, met de boomgaard, de moerasvijver, de beek, maar vooral het Spookpaadje en het Brandnetellaantje die naar het hart van haar koninkrijk voerden.

Alles gehoorzaamde hier aan haar bevelen, en ze had antwoorden nodig. Iris keek op de paardebloempluisbollen die altijd zeiden hoe laat het was, en of je geliefde eerlijk was. Misschien konden die bloemen haar vertellen of Nat nog leefde. Ze plukte voorzichtig een uitgebloeide paardebloem af en ging zitten. Eén keer blazen voor ja, de volgende voor nee... puf, puf. Vandaag wilde er niet één de waarheid vertellen want ze gaven allemaal andere antwoorden. Ze probeerde zich een beeld voor de geest te halen van Nat bij zijn laatste verlof.

Hij had er heel volwassen uitgezien met zijn legerpak, zijn beenwindsels en zijn glimmende zwarte laarzen en pet. Een echte soldaat, met een dun snorretje op zijn bovenlip, die maakte dat mamma moest huilen van trots. Waar was hij nu? Puf... puf, net als die donzige zaadjes weggewaaid in de lucht? Ze wist dat pappa naar de verre boomgaard zou gaan om de bijen in de korf te vertellen dat er iemand van de familie werd vermist. Waarom ging alles gewoon op dezelfde manier door, ging de zon op en onder, kwam de maan iedere heldere nacht op?

Ik wil geen ansichtkaartfoto. Ik wil dat mijn broer terug naar huis komt. Ik wil dat dat telegram niet klopt, dat alles met een gummetje wordt uitgeveegd, dat alles wordt weggewist, als krijt op het schoolbord.

Het werd tijd voor de lunch en ze schaamde zich dat haar maag rammelde. Koningin of niet, ze kon de tijd niet tegenhouden of het zondagse ritueel uitbannen, maar ze kon wel tegen de pluisbollen blijven blazen tot ze een troostvol antwoord kreeg.

'Kom, laat me u helpen met die bagage, kapitein Salt,' zei Jim Bagshott, en hij schoot toe om de jongeman te helpen die met zijn koffer en stok worstelde toen hij uit het station kwam. 'Wilt u misschien zelf rijden? Het is de beste die uw vader ooit heeft gehad.' Hij wees naar de auto met de lichtbruine linnen kap en de glanzende leren bekleding.

'Nee... misschien later, als ik deze verhipte stok niet meer hoef te gebruiken.' De jongeman toonde weinig belangstelling voor de nieuwste aanwinst van zijn vader.

'Wel een verrassing, dat u zo snel naar huis komt. Uw moeder zal blij zijn.' De chauffeur zuchtte bij de gedachte dat sinds dat definitieve telegram ter bevestiging, zijn eigen zoon nooit meer in staat zou zijn zijn pet om de hoek te gooien en zijn moeder te omhelzen.

'Ik vind het vreselijk verdrietig van Nat, een prima soldaat... een van de besten.' De jonge kapitein Salt kon zijn chauffeur niet aankijken.

'We bleven eerst nog een beetje hopen, meneer. Maar toen hoorden we de waarheid. Toch is het geweldig dat u weer terug bent. U bent snel hersteld, gezien...'

De jongeman zweeg, zijn doffe ogen waren afgewend. Zoals hij had verwacht waren zijn verwondingen het onderwerp van de nodige speculaties. Hij ging achter in de T-Ford met open kap zitten, terwijl hij de herkenningspunten zocht: de drie torenspitsen van de kathedraal, de hoge gashouders van de gasfabriek, de helling naar de weg over de kam, de groene heuvels van thuis. Een heel andere wereld, ver weg van de modder, de granaten, de hospitaaltenten, de pijn, de afstomping en de deerniswekkende overblijfselen van zijn Midshiresregiment. Hij schaamde zich dat hij nog in leven was terwijl Jims zoon en diens kameraden aan flarden waren gescheurd in de een of andere bomkrater, aan het prikkel-draad waren gekruisigd, in de modder waren verrot.

Hou op! Stop! Zo moet je niet meer denken. Je gaat naar huis, kijk niet meer om. Niemand in Fridwell heeft er behoefte aan de waarheid over alles te weten. Praat er niet over, dan ben je veilig.

Moeder had bij hem gezeten en vader had gekucht en gehuild, had zich gegeneerd afgewend als de zusters Henry's wonden kwamen verbinden. Hij had de tranen gezien. 'Gewoon een verkoudheid, ouwe jongen.' Reginald Salt was niet iemand die gemakkelijk emoties toonde, dat soort dingen liet hij aan de dames over. Hun bezoeken waren moeizaam en pijnlijk geweest, de stiltes ongemakkelijk. Zijn vader wist niet wat hij over zulke onbespreekbare verwondingen moest zeggen. Henry kon zien dat hij probeerde zich het droeve lot van zijn zoon voor te stellen.

De hersteloperatie was snel en netjes geweest. Het was voldoende om te wateren, een beetje scheef, en aanvankelijk pijnlijk bij het plassen, maar hij had tenminste nog iets van een stompje. Sommigen hadden minder over. Veel van hen wierpen één dappere blik op wat er van hun mannelijkheid over was, en keerden dan hun gezicht naar de muur en stierven.

Terwijl hij op de achterbank door elkaar werd geschud, voelde hij de steken in zijn zij erger worden, en hij boog dubbel van de pijn. Zijn chauffeur draaide zich om en zag zijn grauwe gezicht. Hij liet de auto met een schok tot stilstand komen.

'Het geeft niet, Bagshott, rijd maar verder... Het is allemaal nog maar kortgeleden. Hechtingen en zo, weet je.'

Jim Bagshott wist het niet, maar hij kon wel raden dat die arme drommel daar achterin veel pijn had. Hij had de geruchten gehoord dat kapitein Salt een zware verwonding had op de ergste plaats die er bestond.

Henry dacht aan de familie op The Grange, die hem wilde omhelzen en aanraken, hem wilde vertroetelen als de held die tegen alle verwachtingen in toch terug was gekomen. Zijn oorlog was nu voorbij, afgelopen door een voltreffer in het kruis. In de loopgraven was geen plaats voor een eunuch – een verhipte eunuch, die alleen maar geschikt was voor een kantoorbaan of de harem van een sultan! Waarom ben ik niet samen met de anderen gesneuveld, met mannen als Nat Bagshott, die het ene moment over de loopgraven heen in de aanval gingen, en die het volgende moment aan flarden werden geschoten? Maar dan wel een goede, snelle dood, niet een tergend langzame, zoals bij Charlie Machin, die het volhield tot zijn been opzwol als een ballon en zwart werd. Nu was alleen

Henry over om over hun heengaan te vertellen, maar nooit tegen kleinkinderen van hemzelf.

Hij wist dat hij er uiterlijk net zo uitzag als iedere andere officier die terugkeerde van het aangezicht van de hel: grauwbleek en met wallen onder
de ogen, vaag in zijn manier van doen, alsof hij nog geen oog had voor gewone mensen die hun dagelijks werk deden. Zijn gedachten gingen voortdurend terug naar zijn vrienden die nu voor het grootste deel dood waren.

'Stop!' zei hij tegen Bagshott. 'Stop hier maar, bedankt, zo gaat het wel.
Breng de koffers maar naar het huis. Ik heb een beetje frisse lucht nodig.
Zeg hun dat ik niet lang wegblijf. Ik loop hiervandaan langs de beek verder. Als ik voor donker nog niet thuis ben, moeten jullie me maar gaan
zoeken.' Hij probeerde te glimlachen, maar hij beefde van angst.

Henry stak een sigaret op en haalde diep adem om zijn zenuwen te
kalmeren. Hij moest zich even schrapzetten voor de thuiskomst, langzaam wennen aan de gedachte aan publiek, alles even op een rijtje zetten
voor alle goede wensen en nieuwsgierigheid over hem losbarstten. Daarnaast zou Aggie ook bemoeiziek en irritant zijn. Ze was nog te jong om
er iets van te begrijpen.

Hij stopte bij de beek, bleef een ogenblik op de stenen duiker staan en
liep langzaam langs de wilgen die met hun takken in het water hingen. Hij
rook de frisse, schoongespoelde geuren van de zomer. Hij besloot dat hij
het beekje stroomopwaarts zou volgen naar de vierkante kerktoren. In de
verte kon hij de contouren van The Grange zien, met de hoge schoorstenen en het siermetselwerk. Aan de andere kant van de muren zouden gladgeschoren gazons zijn, omringd door paden, keurige borders met moeders
favoriete bloemen, de thee op het gazon. Er was daar niet veel veranderd.
Maar hij liep verder, naar het dorp en naar de huisjes naast de kerk.

Zijn hart bonsde van alle inspanning. Hij was slap, buiten adem, en
hij wist nog steeds niet of hij wilde blijven leven in deze schone, keurige
Engelse wereld. Hij was nu een vreemdeling, want hij kwam uit een ver
land waarvan hij hoopte dat niemand van hen het ooit zou hoeven zien.
Hij bleef staan en haalde diep adem, alsof hij weer op krachten wilde komen, en toen zag hij het kind dat naar hem zat te kijken.

Het meisje zat bij de beek, met haar voeten bungelend in het water,
om waterkers te plukken. Het was het dochtertje van Jim, dat soms met
Aggie speelde, een kind met een scherp gezicht, grote starende ogen en
een bos donker haar dat met een lint boven op haar hoofd zat vastgemaakt. Ze ging staan en hield haar hand boven haar ogen, vol ongeloof

bij het zien van zijn uniform. Ze zwaaide koortsachtig. 'Ben jij dat, Nat? Nat... Mam? Mamma! Hij is thuisgekomen!' Ze draaide zich om en wilde omhooghollen naar de cottage.

'Stop! Stop... Iris, is het toch? Ik ben het, Aggies broer, ik maak even een wandeling. Kapitein Salt!'

Ze draaide zich om en keek hem woest aan.

'Ik dacht dat je naar het ziekenhuis was gebracht?'

'Ik blijf nu een tijdje thuis, en ik loop gewoon even langs de beek om te zien of alles er nog is, net als vroeger.'

'Heb je Nat gezien?'

'Ja, ik heb hem gezien, Iris.'

'Hij wordt vermist, en we hebben een brief gehad. Is hij nu bij Jezus in de hemel?' Het meisje keek naar hem op, verwachtte een antwoord.

'Ik denk het wel, samen met zijn makkers.' Dat zou haar troosten, dacht hij.

'Dat denk ik niet. Hij ligt nog steeds in de grond. Ze hebben hem nergens gevonden. Aggie zegt dat hij ergens helemaal in stukjes ligt.'

'De kleine juffrouw Weetal heeft niet altijd gelijk. Hij zal fatsoenlijk zijn begraven,' loog Henry. Hoe kon je een kind of een moeder vertellen dat een lichaam soms dagenlang ergens kon liggen voordat het werd opgehaald, of met de volgende granaat in allevier de windrichtingen werd verspreid? 'Kibbelen jullie nog steeds vaak?'

'Ja, en dat kan me niets schelen. Ze is mijn beste vriendin niet meer. Ik heb geen vriendinnetjes, maar ik heb wel deze hele tuin voor mezelf, en die maakt geen ruzie, zoals zij. Die zegt geen lelijke dingen over me en kiest geen partij. Kijk, dit is mijn tuintje.' Iris wees naar de verwilderde kuil waar ze van takken en lappen een wigwam had gebouwd.

'Je boft. Het verbaast me dat dit stukje grond niet voor aardappels wordt gebruikt, met al het voedselgebrek.'

'Daar komt niets van in. Dat mag niet van mij! Op alle andere plaatsen moeten groente en fruit staan, maar niet hier. Heeft u zin om hier even rond te lopen?'

'Niet nu, Iris,' zei Henry vriendelijk. 'Ik moet op huis aan. Zorg jij maar voor je tuin. Ik ken... ik heb een man gekend die een tuin had gemaakt in de loopgraven...' Hij zweeg. Hij kon de gedachte aan het rotstuintje van Percy Allport opeens niet verdragen. 'Tot ziens, jongedame.'

Hij liep terug langs de beek en door het poortje naar het kerkhof waar zoveel voorouders van hem lagen begraven, hele generaties Salts, tot uit de tijd van Willem de Veroveraar. Zijn tak van de familie zou hier ophouden, want uit hem zou nimmer zaad voortkomen. Henry voelde zich vanbinnen dood, maar de schijnvertoning moest worden opgevoerd, alle plichten moesten worden afgehandeld, alle bezoeken moesten worden afgelegd. Het werd tijd om de ontvangst te doorstaan, het medelijden in de ogen van zijn ouders te zien. Tijd om opnieuw dood te gaan.

Iris liep terug omhoog, om de anderen te vertellen dat ze de kapitein had gezien. Ze bleef bij de boomgaard staan om het aan de bijen te vertellen, maar de kippen kakelden rond haar voeten, wilden gevoerd worden, dus sloeg ze hen over en zocht tussen de schuren naar iemand om al haar nieuws aan te vertellen.

Opa Bailey was een man met veel schuurtjes, werktuigen en meningen. Hij verzamelde schuurtjes zoals oma spulletjes voor haar knopendoos verzamelde. Eerst was er het kippenhok met een ren van gaas om de vogels te beschermen tegen de vos die zich 's avonds rond het dorp aan van alles te goed deed. Daarna bleef ze even staan bij het varkenshok, waar de dikke Tamworth knorrend in de modder groef. Ze kon het arme varken nooit recht in de ogen kijken want ze wist precies waar hij voor Kerstmis kwam te hangen. Het vlees was nu streng op de bon. Hierna kwam de smerige hut die van allerlei soorten gekleurde bakstenen was gemaakt om de mest in op te bergen. Wat een stank! Varkensmest en paardenmest van het weggetje, kippenmest, alles wat maar wilde rotten. Er hing een wolk zoemende vliegen boven, en ze kneep vol afkeer haar neus dicht toen ze er voorbij liep.

Hij was niet in het houtschuurtje om houtjes te hakken. Dit was de plek waar ze haar bundeltjes aanmaakhout en brem neerlegde, die zij als taak had na schooltijd te verzamelen. Ze tuurde door de ruitjes van zijn kas, waar de tomaten aan lange stokken groeiden. De kas was in stukken hierheen gebracht, helemaal vanaf Parsonage Farm, waar hij jarenlang had liggen rotten. Opa had hem weer in elkaar gezet als een legpuzzel en het bouwwerk leunde opgelucht tegen de oude muur, met de deur op het zuiden. Hier strekte de kat zich loom uit op een van de banken en stak zijn kop op om haar te begroeten.

Het volgende schuurtje was zijn gebruikelijke schuilplaats en Iris vond het heerlijk om op het krukje naar hem te zitten kijken als hij zijn zaailingen in kleine potjes plantte. Het rook hier zoet en weeïg, een mengeling van vis- en beendermeel dat hij haar soms in een emmer gaf om tussen moeders rozen te strooien. Er hing ook een geur van potgrond, en Iris keek graag bij de kleine zakjes zaad, die hij bewaarde in een blikken trommeltje met een gehavende foto van de kroning van de koning en de koningin erop. Op de hoge werkbank die tot haar neus kwam, bewaarde hij potten, touw en draad. Er hing een rij tuingereedschap, geolied en roestvrij, keurig met lussen aan haken. Het was net een winkel vol scheppen en spaden, schoffels, harken, sikkels, vorken en bezems. Er waren Oxo-blikjes met spijkers die rammelden en schudden als muziek als ze ze beetpakte. Het rook er ook naar creosoot en teer, dat in haar neus prikte, naar lijnolie en tabak, wat oma als methodiste niet goedkeurde, dus zoog opa op pepermunt om dat te verdoezelen. Hij had er hier altijd een doosje van staan. Iris vond rommelen in dit schuurtje het leukste dat er was.

Ze zou hem misschien in zijn zondagse schuurtje vinden, dat keurig zwart was geschilderd en van vloerplanken was voorzien. Hier schreef hij zijn preken voor de mannenvereniging op woensdagavond. De mannen uit de buurt kwamen er een praatje maken. Het hield hen af van de drank en uit de kroeg, zei oma.

Pappa ging nooit naar de mannenvereniging, maar ze kwamen wel allemaal bij hem langs om zijn nieuwste machine in onderdelen in de schuur te zien liggen. Soms was het alleen maar een stuk van een landbouwmachine, maar de laatste tijd had hij een paar interessante automobielen gehad, een Prince Henry Vauxhall, en uiteraard het nieuwste model T-Ford van meneer Salt, voor ontkolen of voor een servicebeurt. Mamma zei dat hij maar beter in de schuur kon gaan slapen, zoveel tijd bracht hij daar door.

Nat zou later de garage, Bagshott & Son, hebben gekregen, maar nu niet. Sinds de oorlog was begonnen had niemand zijn auto nog veel mogen gebruiken. De landbouwmachines hielden pappa goed bezig en hij 'sjefeerde' mensen naar en van het station. De meeste mensen uit het dorp moesten met de benenwagen, of ze moesten vragen of ze een lift kregen in een hondenkar.

Als ze op de zolder uit haar slaapkamerraam keek, vond Iris het fijn als ze de deur van de schuur open zag staan en alle vertrouwde geluiden het huis tot leven hoorde brengen. Maar sinds het nieuws dat Nat was gestorven, was het daar vreemd stil, en had pappa's gezicht vaak een grimmige uitdrukking. Hij floot niet meer.

Ze liet zich dan vaak onder het beddengoed zakken en keek omhoog naar de manier waarop de muren met dikke balken waren gewelfd. Ze kon haar hoofd aan beide kanten stoten. Iris vond het leuk om zo hoog boven iedereen in haar nestje te zitten. Er waren hier ook veel nachtmensen: een meisje met een droevig gezicht en een heel oude dame met een glimlach. Soms voegde de doorzichtige grijze dame zich bij hen, in de gang die de kamers met elkaar verbond. Moeder had de muren geverfd en een paar prachtige bloementekeningen opgehangen, die ze in een oude koffer onder de trap had gevonden. Pappa had ze ingelijst in gepolijst hout, en sommige tekeningen werden beneden in de salon bewaard, om te laten zien.

De nachtmensen negeerden Iris en gingen gewoon hun gang. Ze vertelde niemand ooit over haar bezoek. Ze hielden haar gezelschap als de wind over het dak loeide en de maan schuilging en haar kaars werd uitgeblazen. Ze wist dat ze haar geen kwaad wilden doen want ze hoorden hier net zo thuis als zij. Soms kwam er door de muur een warme geur van rozenblaadjes en rook, maar de laatste tijd was de cottage treurig en stil geweest. Alles was veranderd sinds het slechte nieuws was gekomen.

Het tuintje van Percy

Iris ving af en toe een glimp van kapitein Henry op, tijdens zijn wandelingen langs de rand van het dorp. Hij wandelde aan het eind van de dag in zijn eentje, en soms reed hij met het rijtuig zonder paard van de familie Salt, met Aggie zwaaiend op de achterbank. Iris was boos dat haar vriendin een broer had om over op te scheppen nu er zoveel telegrammen naar het dorp waren gekomen en de lijst gevallen helden steeds langer werd – boerenzonen en de kleinzoon van de hoefsmid, zelfs de oudste zoon van Oude Bullebak was nu krijgsgevangene. De eer van een zwartgerand papier achter je raam was op school niet veel waard om mee te pralen.

De eerste week nadat ze officieel te horen hadden gekregen dat Nat dood was, had moeder zich afgesloten. Ze boende de gang, waste en klopte al het beddengoed, keerde het huis volledig ondersteboven. Ze knipte Nats schooluniform in stukjes om een voddenkleed te beginnen, en Iris zag haar niet één keer huilen. Ze trok alleen maar een strak gezicht en balde haar vuisten als iemand tegen haar over hem sprak.

Opa stelde een herdenkingsdienst in de kerk voor, want er was geen lichaam om te begraven, maar moeder wilde er niets van horen. Ze zou wachten tot de oorlog voorbij was en pas dan, als hij niet naar huis kwam, zou er een herdenkingsdienst worden gehouden. Diep in haar binnenste brandde nog steeds een kleine vlam van hoop die nooit helemaal uitging en waar pappa wanhopig van werd. Mamma liep tegenwoordig veel in zichzelf te mompelen, en ze droeg een vuil schort. Ze zette nooit meer bloemen in huis, en ze bekommerde zich niet om haar rozenstruiken.

Er waren rijen voor alle artikelen op hun boodschappenlijst; de melkboer lette op de melk- en boterrantsoenen, en zelfs het brood was op de bon. Stroop was er nooit meer in de wagen van de kruidenier, en pappa zei dat het tijd werd de tuin anders in te richten, om meer groente voor henzelf te kweken.

Toen kwam de vreselijke middag dat Iris uit school thuiskwam en alle mannen in de benedentuin aantrof, met een mechanische ploeg, om haar tuintje om te spitten en het Brandnetellaantje en het Spookpad en zelfs het Elfjesdal te rooien.

'Wat doen jullie nou?' gilde ze, toen ze zag dat het wilde terreintje helemaal was omgewoeld. De struiken waren uitgerukt, haar wigwam vernield. Alles wat ervan over was was kale grond. 'Maar het is míjn tuin,' huilde ze.

'Het heeft geen zin om sentimenteel te doen, Iris. Het is oorlog, en we moeten deze winter eten in onze buik kunnen hebben. Dit is een mooi landje voor aardappels en knollen... Denk eens aan alle soep die je moeder voor ons kan koken. Het eten groeit nou eenmaal niet aan de bomen, weet je.'

'Jawel, toch wel. Appels, peren, kersen...'

'Probeer me niet te slim af te zijn! Je hebt hier veel kunnen spelen, maar nu moet het iets opbrengen. Je mag het landje verzorgen, als je dat leuk vindt. Dan ben jij pappa's kleine hulp.'

'Maar ik wíl helemaal geen soep... Ik wil m'n tuin. Die groenten hebben mijn koninkrijk ingepikt. Het is niet eerlijk!' Ze was naar school gegaan als koningin van het rijk, en toen ze thuiskwam was ze van alles beroofd. Hoe kon haar eigen vader zo hard zijn?

'Iris Bagshott... kom terug, of je krijgt een draai om je oren.'

'Laat haar, Jim. Laat haar maar. We hebben allemaal onze offers om te brengen, maar ze is nog te jong om het te begrijpen. Het was haar speelterrein. Kom mee, kind. Zo erg is het nou ook weer niet. Je mag het terug hebben als de oorlog voorbij is.'

'Waarom kan de koning niet zelf gaan vechten, in plaats van Nat al het werk te laten doen?'

'We moeten dát doen wat eerlijk en goed is. We boffen toch al dat wij zoveel terrein hebben om eten te kweken. En het zal niet voor altijd zijn.'

'Maar het zal nooit meer hetzelfde zijn, hè?'

'Na deze oorlog zal niets ooit meer hetzelfde zijn, dat zullen we moeten accepteren,' zuchtte mamma. Iris draaide zich om, snoof haar tranen op en rende weg naar de oevers van de Sleutelbloemweg. Als haar koninkrijk nu voor haar verloren was, misschien wel voor altijd, wilde ze nooit meer in die richting kijken. Ze was de verbannen koningin uit de sprookjes, maar eens zou ze terugkeren, om hier nooit meer weg te gaan.

Het regende. Iris zat bij oma Bailey in de keuken met de hele inhoud van de knopendoos uitgespreid op het zeiltje van de keukentafel.

'Vertel nog eens over kinderen die worden geboren op het moment dat de klok slaat?' Ze was dol op het verhaal over haar geboorte. Het maakte dat ze zich belangrijk voelde en alleen oma Bailey kon het goed vertellen, met alle griezelige details en met de geuren en kleuren van iemand die er zelf bij was geweest.

'Je werd geboren precies toen de klok het halve uur sloeg, of was het kwart over... een echt kind dat op het slaan van de klok wordt geboren, met speciale krachten, zonder zich ooit in het leven te kunnen laten beheksen. Je pappa en mamma hebben vele jaren op jouw komst gewacht, na de geboorte van Nat.'

'Dat is het verhaal van de rozenknopjes, hè? De kleine rozenknopjes onder de struiken. Moeders kleine rozen, te nietig om te bloeien...' Iris kon nooit langs de rozenperken komen zonder te denken aan alle broertjes en zusjes die ze had kunnen hebben en die daar begraven lagen.

'Ja, ze verloor haar rozenknopjes steeds weer, en opa en ik hebben die heel dichtbij begraven, zodat ze haar bloemen konden laten groeien. Daarom houdt ze zoveel van haar rozenperk. Maar toen jij werd geboren... Nou! Ik hoefde toen geen doodskleed te zoeken of een kistje om jou in te leggen. Ik hoefde maar één blik op je te werpen om te weten dat jij zou blijven. Er was iets in de manier waarop je mijn pink beetpakte, een paar minuten nadat je was geboren.' Oma pakte haar pink vast en kneep er even in. 'Kijk, zó!' Iris deed hetzelfde.

'En ze noemde me Iris.'

'Wij noemden je moeder Rose, en zij noemde al haar meisjesbaby's naar bloemen... Lily, Daisy, Lavender, en toen kwam jij, Iris Rose, als laatste. Je moeder is een dappere vrouw, en nu moet ze heel erg dapper zijn.'

'Ze huilt nooit, oma, ze loopt alleen maar de hele dag te schrobben en te boenen en ze gaat nooit zitten. Pappa wordt boos op haar.'

'Ik weet dat dat de manier is waarop sommige mensen reageren, maar hij is al net zo, zoals hij onder de kap van het een of andere voertuig zit, of urenlang in zijn schuur. Het is zwaar een zoon te moeten verliezen.'

'Maar ze hebben mij toch nog?'

'Dat is voor een man niet hetzelfde. Hij had grote plannen voor zijn werkplaats. De Bagshotts hebben het ver geschopt, van een achterbuurt in de stad tot werk op het land en met motoren. Een man wil graag kunnen denken dat er een zoon is om zijn naam door te geven.'

'Kunnen meisjes die ook doorgeven?'

'Die trouwen en veranderen van naam.'

'Dan ga ik mijn naam nooit veranderen. Ik wil mijn hele leven Iris Rose Bagshott blijven.'

'Nou, jij gaat gauw genoeg een ander liedje zingen.'

'Het is niet eerlijk! De pappa van Aggie Salt heeft zijn zoon en zijn naam wel terug.'

'Jawel, maar die heeft ook zijn tol moeten betalen, en wat voor tol! Zijn naam zal niet worden doorgegeven, als het klopt wat ik heb gehoord,' zei oma op gedempte toon.

'Waarom niet?' Iris begreep het niet.

'Je bent veel te jong om zulke dingen te begrijpen. Kapitein Salt zal nooit trouwen, nu niet en later niet, neem dat nou maar van mij aan.'

'Hij kan met mij trouwen, en dan houden we allebei onze naam. Ik vind 'm aardig, hij luistert naar me als ik praat...'

'Ga hem nou niet lastigvallen met vragen. Hij is een officier en een heer van stand. Hij is veel te beleefd om te zeggen dat je moet ophoepelen.'

Iris zat oma's verzameling ansichtkaarten te bekijken, en ze haalde de mooie gekleurde kaarten van Nat eruit. 'Zullen we deze in uw doos stoppen, samen met de andere spulletjes?'

'Natuurlijk, al die kaarten moeten in mijn doos. Maar hij zal ook in onze harten voortleven. We hebben geen stukjes papier nodig om aan hem te kunnen denken.'

'Vertel nog eens over alle dingetjes hier?' Iris bekeek alle voorwerpen die voor haar uitgestald lagen. Buiten regende het, en ze vond het heerlijk om oma Bailey helemaal voor zich alleen te hebben.

'Die verhalen ken je zo langzamerhand toch zeker wel uit je hoofd? Vertel jij maar waar ze vandaan zijn gekomen, dan weet je voor altijd wat over je familie.'

'Dit is de knoop van de soldatenjas van Billy Bailey, die in de Slag bij Waterloo heeft gevochten, ja?'

Oma knikte instemmend en Iris pakte een stukje roomkleurige kant.

'Dit is van de jurk van een dame van Longhall Manor, die ooit in dit huis heeft gewoond, en ze heeft het aan uw overgrootmoeder gegeven die haar dienstmeisje was.'

'Zij heette Susan, en de naam van die dame was geloof ik Hittybel.' Iris moest altijd lachen om die naam.

'Dit is een schelp van de Koraaleilanden voor de kust van Wales, die door een dominee mee naar de kerk is gebracht om op zondagsschool te laten zien dat er een echte zee is?' Oma glimlachte en knikte.

'Hier is de mooie ring die u in de tuin hebt gevonden, zonder steen erin maar wel van goud, en de wagenwielpenny die u bij de deur van de schuur hebt gevonden, met het hoofd van een koning erop. Dit is de bloem van de trouwhoed van uw moeder, die op Longhall in de melkschuur had gewerkt.

En dit hier is uw overgrootmoeder Alice Barnswell, van de foto op de schoorsteenmantel. Ze is knap, hè, net als uw moeder?'

Iris wist welk ding ze tot het laatst moest bewaren: een stukje oranje met blauw gestreept gekruld lint. 'Dit is het lint van uw zuster Nora, die vlak voor haar trouwdag door Jezus is weggenomen.'

'Vergeet het tinnen speldje niet, dat we hebben gekocht van de dames die met een paard en wagen naar Fridwell Green kwamen om ons vrouwen te vragen of we stemrecht wilden hebben. Je moeder had medelijden met hen en kocht daarom het speldje. Ze was er helemaal voor. Ik vond de kleuren gewoon mooi, dus heeft ze het aan mij gegeven voor m'n doos. Kijk, groen is voor de hoop, wit voor zuiverheid, en paars voor reinheid. Eigenlijk niets nieuws, hè? Dat is zo'n beetje waar het in deze tijd om gaat.'

Oma Bailey zuchtte. 'Kom op, zo is er wel genoeg gekletst, je houdt me van m'n werk. Ga eens wat aardappels voor me uit het tuinschuurtje halen, en breng deze stukken papier naar het closet, als je toch op weg bent. Die aardappels zijn verschrompeld. Het is maar goed dat ze de late oogst gaan poten. We zullen ze de komende winter hard nodig hebben.'

'Ik lust geen groenten!' Iris trok een pruilend gezicht.

'Denk maar eens aan de arme kindertjes in België, die honger moeten lijden.'

'Ze mogen die van mij erbij hebben.'

'Zo is het wel genoeg. Vooruit, aan het werk!'

Toen het zomer werd bleef Henry Salt in zijn kamer omdat hij de atmosfeer in het huis verstikkend vond. Zijn moeder liep voortdurend bemoeiziek te doen, ze stopte hem vol eten en wilde dat hij haar over zijn verwondingen vertelde. Hij kon haar alleen de gekuiste versie geven, en hij was dankbaar dat zijn herinnering aan de ergste dingen een beetje begon te verbleken.

Soms werd hij wakker en was het alsof hij weer terug was in de loopgraven... met explosies die door zijn voetzolen dreunden terwijl hij voorwaarts
trok bij een aanval; en dan de pijn die hem plat op zijn gezicht deed vallen
toen de granaatscherf in zijn linkerbovenbeen drong. Er was iets wat recht
door zijn borst was gegaan, en toen hij weer bijkwam lag hij in de modder en dankte zijn gelukkige gesternte dat het weldra avond zou zijn en de
brancardiers naar hem toe durfden te komen om hem op te halen. In zijn
dromen beleefde hij opnieuw de stank en de smerigheid en de angst voor
ratten die aan zijn open wonden zouden komen knagen. Hij zou roepen,
en er was niemand die hem kwam redden. Hij kon de gezichten van de
dode mannen zien, met ledematen die krioelden van de maden. Nog even,
en ze zouden aan hem beginnen... Hij begon dan te gillen, werd badend in
het zweet wakker, en voelde de pijn in zijn ballen die er niet meer waren.

Als door een wonder werd hij gevonden en naar een verbandpost gebracht, waar een dokter zijn leven redde door de wonden direct te behandelen, maar hij schudde zijn hoofd om de ernst ervan en legde hem
in de tent van degenen die ten dode waren opgeschreven. Henry lag daar
bij de stervenden, en hij hoorde hun gekreun en hun kreten van: 'Mammie... Ik wil mamma!' Dat was altijd de laatste naam op de lippen van de
mannen wanneer ze stierven.

De zusters waren verbaasd hem de volgende morgen nog in leven te
zien, en ze stuurden hem in een ambulance naar verder achter de linies,
hobbelend over kapotte wegen, de eerste van vele kwellingen. Daarna
een veldhospitaal en vervolgens werd hij in de buurt van een spoorlijn in
een Rode-Kruistent gelegd waar een engel in wit hem thee via een tuitje
voerde voor hij naar de haven werd vervoerd.

Henry lag vijf dagen lang in zijn eigen vuil op een brancard te luisteren naar het gekerm van andere verminkte mannen. Op een gegeven
ogenblik werd hij weer naar een ziekenhuis gebracht om te worden opgelapt voor de reis naar huis. Uren en uren lang werd hij rondgesleept als
een stuk vlees, waarbij de pijn van de schokkende beweging en het schuren van het gips op zijn kapotte huid en de verschrikkingen van de maden die zich aan zijn pus voedden, hem in leven hielden. Hoe kon hij
ooit iets vertellen over de vernedering van het zien hoe zijn schaamdelen
werden beetgepakt en onderzocht, terwijl er met hoofden werd geschud
en er meewarige blikken op hem werden geworpen?

Nu was de eerste stroom bezoekers teruggebracht tot de plaatselijke dominee en zijn vrouw, die veelbetekenend om hem heen bleven draaien, als-

of ze hem een zegen wilden geven. Henry wilde zoiets niet meer mee hoeven maken, niet nadat hij had gezien hoe sommige zwartrokken wegdoken en 'm smeerden bij ieder gevaar. Alleen de rooms-katholieke priesters bleven de hele tijd bij hun mannen, lagen geknield in de modder en smeten granaten terug om hun gewonden te beschermen. Naarmate de weken verstreken werd het voor hem steeds moeilijker om 's morgens uit bed te komen. Hij had de energie niet om zelfs maar over de toekomst na te denken, zich te scheren of te wassen of te eten. Zijn been deed pijn bij elke beweging, maar het werd wel sterker en de hechtingen hielden het.

Henry voelde een vreemde leegte in zijn broek, een gevoel van tocht. Soms zou hij zweren dat zijn hele handeltje nog op zijn plaats zat, dat hij het kon voelen, maar als hij keek, zag hij de lege ruimte weer. Hij wilde er niet over nadenken.

Hij moest maar eens een wandeling gaan maken in de Chase, om wat konijnen te schieten. Hij kon in elk geval nog recht schieten. Zijn handen trilden misschien een beetje, maar hij kon goed genoeg richten.

Hij was vergeten hoe mooi de bossen waren, de lage sparren, lariksen en beuken onder de eiken, met de pittige geur van dennenappels op de koop toe. Zo ver het oog reikte lag er een tapijt van wilde hyacinten, en het gevlekte licht viel op allerlei tinten paars, lila, en het blauwste blauw. De geur van de bloemen bracht herinneringen bij hem boven aan die wandelingen naar het front in voorjaarstijd, voordat de Franse bossen door granaatexplosies werden verwoest, maar dit was het bos uit zijn kinderjaren, een plek vol belofte en magie, vol sprookjes en dromen.

Hoe vaak had hij in de loopgraven geprobeerd zich te verliezen in beelden van thuis, om zijn moed te versterken en zich voor te nemen in leven te blijven? Hiervoor had hij gevochten, voor dit stukje Engeland, deze gezegende plek, dit hart van de Midlands. En het was nog steeds veilig, de vijand had het niet in handen gekregen. Toen alles om hem heen uit zwarte staken had bestaan, met kraters vol bloed, toen alles wat er vet werd de ratten waren, die vochten om de ledematen en de ingewanden van zijn eigen mannen, was het de gedachte aan deze schoonheid geweest die hem op de been had gehouden. Nu was hij hier, levend, eindelijk thuis. Henry voelde alleen maar een vreselijke droefheid.

Wat had zijn volharden voor zin gehad? Hij had evengoed dood kunnen zijn, als hij toch niets kon voelen. Dit was misschien wel een goede plek om er een eind aan te maken. Als hij niet in actieve dienst terug kon,

kon hij net zo goed dood zijn. Wat had een man nog voor nut als hij een vrouw erfgenaam noch diensten kon schenken? Het was misschien maar beter om nu, in alle beslotenheid, met zijn jachtgeweer een einde te maken aan alle vernedering.

Maar hij had in de loopgraven zoveel mislukte pogingen gezien, waarbij de geweren doel hadden gemist, hadden verminkt in plaats van meteen te doden. Hij had gezien hoe een arme drommel er drie uur over deed om dood te gaan terwijl de helft van zijn hersenen tegen zijn helm zat geplakt, maar net nog genoeg over om hem een martelend berouw te laten hebben over de impuls een einde te maken aan zijn lijden. Misschien moest hij dieper het woud ingaan om een stevige boomstam te vinden om tegenaan te gaan zitten. Hij herinnerde zich de woorden van zijn eerste sergeant: 'Wanneer ik iets doet, denkt ik er drie keren over na, meet ik het twee keer na, en doet ik 't in ene keer meteen goed.' Hij moest hetzelfde doen. Hij moest zijn laars en zijn sok uitdoen en zijn geweer zo houden... met de loop recht in zijn mond. Daarna kon hij zijn voet uitstrekken om de trekker over te halen. Henry betastte de kolf, voelde hoe glad het gepolijste hout was. Hij controleerde de kogels. Eén moest genoeg zijn als hij de klus goed aanpakte. Er kwam een stalen kalmte over hem. Hij had alle tijd van de wereld om het grondig aan te pakken.

Hij zocht in zijn zak naar zijn portefeuille en een envelop. Gelukkig had hij een potlood in de leren band gestopt. Hij mocht geen onduidelijkheden achterlaten, geen vragen met betrekking tot zijn geestelijke evenwichtigheid. Hij had zich nog nooit zo zeker gevoeld, zo vastberaden, zo opgewonden. Waarom had hij hier niet eerder aan gedacht? Hij kon afscheid nemen en proberen uit te leggen waarom hij niets meer om de toekomst gaf.

Toen zag hij het meisje, met donker haar, grove kleren, dat de wilde hyacinten bij bosjes uitrukte en hem aanstaarde.

Hij sprong op, woedend over haar opzettelijke verspilling van bloemen. 'Hela, jij! Hou daar meteen mee op, jij vandaal... die bloemen hebben net zoveel recht om te leven als jij. Ze zijn dood voor je ze thuis in een vaas hebt kunnen zetten.

O, ben jij het, juffrouw Bagshott. Zo zien we elkaar nog eens. Staan er geen bloemen in jouw eigen tuin?'

'Niet meer, kapitein. Die is helemaal omgespit voor de piepers.' Ze keek omlaag naar zijn blote voet, maar ze was te verlegen om iets te zeggen.

'Wat jammer. Jij hield van je tuintje.'

'Hoe weet jij dat nou? Je hebt 'm nooit gezien. Maar Aggie wel.'

'Toch, als je van een tuin houdt, kun je er overal een maken.'

'Zoals die man die een tuin had gemaakt in een loopgraaf?' De zwarte ogen keken hem vragend aan, in afwachting van een verklaring. Ze gingen zitten en ze wiegde de wilde hyacinten in haar armen.

Wat grappig dat het kind zich dat herinnerde – vreemd kind. Hij zou vriendelijk tegen haar moeten doen... verdomme, ze leidde hem af van zijn doel, peinsde Henry.

'Vorige zomer, toen het een beetje rustig was voor een aanval, besloot een groepje mannen een tuin aan te leggen. Er was een knul, Percy Allport, die thuis tuinman was op een groot landgoed in de buurt van Walsall. Hij ging aan de slag om een rotstuin aan te leggen. Er was geen gebrek aan witte stenen en keien om eromheen te leggen, en hij verzamelde alle sintels en slakken om een paadje te maken dat werd afgezet met stenen. Hij zocht veel wilde bloemen in pollen – klaprozen en brem en wilde geraniums – en zette die overal in het tuintje. Het werd een tijdlang echt een mode. Over groene vingers gesproken! Hij liet de jongens zaden en stekjes meebrengen om op te laten komen. Daar, in al die modder, maakte hij een prachtige tuin.

Daarna was er een wedstrijd om de mooiste bloementuin in "niemandsland" te maken. Echt waar. Ik kan je niet zeggen hoe enthousiast ze werden. Er was een groep die een grappige tuin maakte van granaatscherven en blikjes, en beelden die van kapotte machineonderdelen waren gemaakt. Maar ik vond Percy's tuin het mooiste. Het was de eerste en de beste.'

'Ik denk dat bloemen niet weten dat er oorlog is, hè?' zei Iris. 'Miste hij zijn eigen tuin thuis?'

'Ja, hij miste zijn eigen lapje grond, dus maakte hij een nieuwe tuin waar hij was. Er waren heel veel klaprozen... velden vol rode klaprozen. Die groeien geweldig op het slagveld! Percy zei dat ze van pas omgespitte grond hielden, en ze hadden daar genoeg voedsel.' Hij zweeg, toen hij de trilling in zijn eigen stem hoorde.

'Is die tuin daar nog steeds?' Iris boog zich voorover, vol belangstelling voor zijn schone witte tenen en de bobbels boven op zijn voet.

'Nee. Toen er weer granaatvuur kwam, verdween de tuin, maar Percy bleef tuinen aanleggen, waar hij ook was, totdat hij...'

'Totdat hij naar huis ging of er geweest was,' vulde Iris aan. Ze wist wat dat betekende. Het betekende nog meer zwarte banden om de arm en rouwkransen op de deur.

319 TUIN VAN HERINNERINGEN

'Ik denk het, maar jíj moet niet opgeven. Je zou ergens een rotstuintje moeten aanleggen, net als Percy Allport. Dat zet je aan het denken.'

'Maar waar moet ik de stenen vandaan halen?'

'Wat stenen uit de Fridwellbeek, dat lijkt me heel geschikt. Als jij nou een ander plekje gaat zoeken, dan zullen we eens zien wat we kunnen doen, hè?'

Iris knikte ernstig. Wat vreemd van de kapitein, om daar te zitten met één schoen aan en één schoen uit. Had hij dat zelf niet in de gaten?

'Wil je me helpen?' vroeg ze.

Hij glimlachte naar haar.

'Ja, ik denk dat ik dat wel kan. Of ik kan je in elk geval helpen met het begin.' Hij zag hoe ze naar zijn blote voet keek en zich verbaasde.

'Volgens mij kun je dan maar beter allebei je schoenen aandoen.'

Hij draaide zich om naar de laars en zijn geweer, en hij voelde zich tegelijk dwaas en dankbaar.

Kapitein Henry hield woord. De volgende week ging hij bij de garage-alias-schuur langs om met haar vader de aankoop te bespreken van een vierpersoons toerauto, een Chevrolet. Iris hing bij de deur rond, en ze luisterde naar alle geleuter over dubbel clutchen, paardenkrachten en kilometers per uur, waar ze allemaal zo opgewonden over deden. Ze slenterde terug naar de keuken, ze had genoeg van al dit gepraat van volwassenen. Mamma tuurde uit het raam en keek naar de lange jongeman en haar man die over een mechanische tekening gebogen stonden.

'Net wat je vader nodig heeft om zijn gedachten af te leiden. Wat hebben die voertuigen toch, dat ze er allemaal opgewonden bij staan te springen, als een hond met vlooien... vieze stinkdingen!

Arme kapitein Salt. Hij hangt het grootste deel van de tijd rond als een slappe vaatdoek. Nergens belangstelling voor, zeggen ze. Te veel geld en te veel tijd omhanden, zou ík zeggen... Maar alle veerkracht is er nou eenmaal bij hem uitgeslagen.'

Mam snelde terug toen ze de jongeman naar de keukendeur zag komen. Iris ging hem verlegen begroeten en liet hem binnen. 'Ik kom uw dochter lenen,' zei hij. 'We gaan een heel speciale tuin aanleggen, hè?'

Mamma keek verbaasd. 'Heeft u last van haar gehad?'

'Helemaal niet. Maar ik heb het beloofd, en belofte maakt schuld. Dus waar gaan we beginnen, jongedame?'

Gedurende de weken die volgden, liep Iris over Friddy's landje om te beslissen waar precies ze haar nieuwe tuintje wilde hebben, en ze besloot tot de hoek bij de oude visvijver, die werd verstikt door biezen en wier. Er waren genoeg oude stenen en de kapitein zette haar tuintje uit met draad. Ze wilde hem in de vorm van een hart hebben, met stenen erlangs. Kapitein Salt knikte en begon de zoden af te steken, waarbij hij om de haverklap bleef staan om op adem te komen, alsof het werk veel van zijn krachten vroeg. Toen het terrein eenmaal was schoongemaakt, werd het nog eens omgespit en gezeefd en werd er extra grond aangevoerd om een heuvel in het midden te maken.

'Wat had Percy Allport in zijn tuintje staan?'

'Alleen maar wilde bloemen, dat heb ik je verteld.'

'Dan kunnen we een groepje soldaten en matrozen maken. Die zijn rood en blauw door elkaar, net als een leger.' Iris wees over hun tuinpad naar de verdwaalde pol gevlekt longkruid die onder de oude haag lag.

'Ik denk dat die wel geschikt zijn, maar waarom niet iets wat het hele jaar groen blijft?'

'Zoals?'

'Een beetje heide voor in de winter. Ik houd van heide. Het doet me denken aan Schotland en aan de heuvels.'

'Ik weet het niet,' snoof ze. 'Ik wil klaprozen, mooie rode klaprozen die dansen...'

'Dat begrijp ik, maar het is nu een beetje te laat om ze te planten. We kunnen misschien zaad zaaien voor de volgende jaren. Tot die tijd zal ik eens kijken wat ik van de tuinlieden op The Grange kan aftroggelen.'

Henry voelde zich weer als een kind, zoals hij langs de borders liep te snuffelen, tot grote ergernis van de oude tuinman, die graag een scherp oog hield op alles wat er zijn tuin in- en uitging. Hij was iemand van de oude stempel en hij gaf er verre de voorkeur aan dat de squire hem gewoon zijn gang liet gaan. Meneer Reginald liep hem niet voortdurend voor de voeten, zoals deze jongeman dat deed, en zelfs de brutaliteit had om recht onder zijn ogen een pol op te graven voor het een of andere onnozele tuintje dat hij ergens wilde aanleggen. De oorlog was hem kennelijk ook een beetje in zijn bol geslagen, dat hij zich nu bemoeide met zaken die hem helemaal niets aangingen. Het maakte de tuinman nerveus. Wat zou hij verder nog beleven? Mensen als de familie Salt gingen misschien wel zelf in hun tuin staan graven, en wat moest er dan van hem worden?

Henry begon boeken in te kijken over alle planten die zijn aandacht trokken. Het was grappig dat hij nooit had opgemerkt hoe hoog de apen- boom werd, hoe het pampasgras wiegde in de wind, hoe de rij rode pe- largoniums als een escorte van de Guards langs de oprijlaan stond.

Soms, als Iris naar school was, spitte hij nog een stukje om en maak- te het tuintje groter, waarbij hij er voor het effect wat extra keien in leg- de. Jim Bagshott raakte eraan gewend hem met zijn kruiwagen naar het landje te zien gaan, hoewel oma Bailey het allemachtig raar vond voor zo'n deftige heer om onder aan het terrein bezig te zijn, te lopen graven als een arbeider.

Henry vond het een goed gevoel om te tillen, te sjouwen en te gra- ven. Het uittrekken van het onkruid uit de vijver werd bijna een obses- sie. Hij had een mengeling van perkplanten gepoot om een vrolijke kleur te krijgen, wat groenblijvende planten, alles wat hij maar leuk vond. De volgende zaterdagmorgen ging Iris naar Percy's tuintje en wist niet wat ze zag. Het was een enorm bloemenperk met rode salvia's naast afrikaantjes en leeuwenbekken. In haar ogen was het een rommeltje.

'Heb jij dit gedaan?' zei ze beschuldigend tegen kapitein Henry, met haar donkere wenkbrauwen in een diepe frons, haar lip gekruld.

'Vind je 't niet mooi?' Henry deed een stap achteruit om zijn werk- stuk te bewonderen.

'Dit is niet meer het tuintje van Percy, hè? Het is net als de bloemper- ken in het Valley Park. Waarom heb je het veranderd? Ik dacht dat we het rood en wit en blauw zouden maken, met vlaggetjes erin?'

'En ik dacht dat jij het mooi zou vinden.' Henry's vreugde was ver- dampt door haar kennelijke teleurstelling.

'Was Percy Allports tuintje in de loopgraaf dan net zoals dit?'

'Nou, nee, dat van hem was kleiner en er was veel meer grond, dat heb ik je al eerder verteld.' Hij zag alles weer voor zich, die deerniswekkende verzameling onkruid met alle papieren vlaggetjes en stenen, ter ere van Staffordshire. Een heel speciale tuin die nergens kon worden nagemaakt, behalve in de loopgraven. 'Ik wilde die van ons een beetje vrolijker maken.'

Iris zette haar handen op haar heupen.

'Maar hij is helemaal niet vrolijk, hè? Hij past niet op dit land. Ik wil- de alles een beetje door elkaar...' Ze was bijna in tranen.

'Ik dacht dat je blij zou zijn, maar jij bent al net zo'n zeurpiet als de rest,' snauwde hij ongeduldig.

'Ik weet wat ik wilde, en nu heb jij het bedorven.'

'Juist ja! Dank je wel, jongedame.' Wat een brutaliteit om zijn artistie-ke prestaties te bekritiseren. Hij dacht dat hij de geest van Percy Allports tuintje had weten te treffen, zelfs had verfraaid, maar het kind had gelijk, verdomme. Het paste inderdaad niet bij de omgeving.

Daar gaat-ie, en hij heeft alles bedorven, dacht Iris. Waarom moesten grote mensen zich met alles bemoeien, dachten ze dat ze alles beter wis-ten en moesten ze haar dromen bederven? Eerst haar sprookjeskoninkrijk met de mooie planten en de stekjes uit de haag, de kabouterplekjes en de magische cirkels. Dat was allemaal onder de ploeg gegaan, en nu deze stomme tuin die helemaal niet was zoals zij zich had voorgesteld.

Kapitein Salt was haar held geweest, iemand die bereid was geweest tijd aan haar te besteden. Nu was hij net als de rest: stom, saai, zonder enig idee van haar dromen. Iris voelde zich opnieuw heel alleen in deze wereld die op zijn kop stond. Ze zou de regels nooit begrijpen.

Ze had genoeg van stomme tuintjes en beloften die nergens op sloe-gen en dingen die ze niet begreep. Van nu af aan zou Iris alleen nog maar met Nella en Muffy tussen de schuurtjes spelen, Aggie Salt plagen en oma Bailey voor de voeten lopen.

Henry floot toen hij met wankele passen over het slingerende weggetje van de Red Lion naar Longhall liep. Hij was dronken genoeg om tegelijk vrolijk en sentimenteel te zijn. Als zijn commandant hem eens had kun-nen zien, zoals hij een tuin aanlegde op bevelen van een kind van negen, en dan te horen moest krijgen dat het allemaal niet deugde! Wat wist hij trouwens van tuinen, en wat kon het hem schelen? Waarom had hij zelfs maar de moeite genomen zich iets van dat kind aan te trekken?

Omdat ik het leuk vond en omdat het me op de been hield, zoals het me iedere morgen iets gaf om voor op te staan. De blik van dat heftige kind heeft me ervan weerhouden mijn geweer te gebruiken, er in het bos een eind aan te maken, en sindsdien heb ik nooit meer in m'n eentje uit schieten durven gaan.

Maar jij leeft nog steeds, ouwe jongen. Nat en de andere jongens uit het dorp hebben niet zoveel geluk gehad. Jij hebt keuzes, en die hebben de do-den niet. Het wordt tijd om eens op te houden met dat gelummel, beste ke-rel, en eens iets nuttigs te bedenken om met de rest van je leven te doen.

Ik kan doorgaan met mezelf zielig te vinden en het opgeven. Mezelf een kogel door het hoofd jagen. Of ik kan verdergaan met het leven dat ik terug heb gekregen, verdergaan, een nieuwe bezigheid zoeken die me volledig in beslag neemt...

Hoe meer Henry erover nadacht, hoe meer hij tot de conclusie kwam dat zijn toekomst misschien bij motorvoertuigen, fietsen en transport lag. Daar viel beslist iets zakelijks mee te doen. Hij voelde zich nooit gelukkiger dan wanneer hij hard over de landweggetjes racete. De opwinding en het gevaar deden zijn bloed sneller stromen. Omdat hij op één plek invalide was, betekende dat nog niet dat hij verder ook nutteloos was.

Jim Bagshott was een degelijke kerel. Henry zou een goede monteur met ideeën nodig hebben, wat hij ook mocht gaan doen. Misschien konden ze een pand in de stad vinden om auto's te verhuren voor uitstapjes, of een reeks voertuigen beheren voor meerdere personen. De ideeën stormden op hem af.

Ze konden in de toekomst investeren, misschien kon hij de ouwe heer zover krijgen dat hij wat poen ophoestte om een bedrijf te stichten. Wanneer alle militairen terugkwamen zou er nieuwe vraag zijn naar gemotoriseerd vervoer, niet naar paard en wagens.

Voor de eerste keer in maanden dacht Henry Salt vooruit, leefde hij niet in het verleden, en boezemde de toekomst hem niet langer doodsangst in.

Op de morgen van 11 november vroor het en was het venijnig koud. Iris zat achter het stuur van de laatste auto die moest worden ontkoeld, en ze deed of ze lady Oftenbroke was. Pappa stond de slinger rond te draaien, en zijn adem hing als een wolk in de koude lucht. Er gebeurde niets, dus probeerde hij het nog eens.

'Hij is bevroren. Het gebruikelijke gezanik, Iris. Ga de ketels water maar opzetten.'

Hij pakte de geëmailleerde bak en liet de radiateur leeglopen. Iris holde naar de keuken.

'Tijd voor de ketels water, mam. Warmwaterbehandeling.'

Ze kenden de procedure allemaal. Eerst moesten er ketels water op het fornuis aan de kook worden gebracht, daarna werden de bougies binnengebracht om te worden schoongemaakt en verwarmd. Als al het andere niet lukte, werden ze in de benzine gedoopt. 'Ik zal je vader nog eens in warm water stoppen! Hij ook met al die vettigheid en die olielucht om zich heen. Maak je niet vuil voor je naar school gaat.'

'Moet ik echt?' kreunde Iris, want het nieuws van de Wapenstilstand was veel te opwindend om zelfs maar aan school te kunnen denken. Mamma wees naar de deur.

'Pak onze vlag en doe mee aan de optocht. Het is alleen maar goed om deze dag te vieren. Maar vraag mij niet om mee te doen.'

'Doe wat je moeder zegt en loop haar niet voor de voeten,' zei opa Bailey, die bezig was een feestelijk gedicht te maken voor zijn preek ter ere van de Wapenstilstand.

Weldra was het water gekookt en in de radiateur gegoten, waren de opgewarmde bougies in de motor teruggeplaatst, draaiden pappa en opa om beurten aan de slinger om de motor te starten, en wonder boven wonder kwam deze sputterend en reutelend op gang. Het mooist van alles was om als een prinses over het weggetje te worden gereden, naast pappa, die de auto terug moest brengen naar de eigenaar in Longhall. Alle jongens bleven vol bewondering staan toen Iris uitstapte.

Niemand kon zich die dag op lessen concentreren, zelfs niet Oude Bullebak, die blosjes op zijn wangen had en een brede glimlach vertoonde omdat hij wist dat zijn zoon eindelijk uit het krijgsgevangenkamp naar huis zou komen. Iris begreep niet goed wat 'Wapenstilstand' betekende. Moesten ze alle geweren dan rechtop houden of zo? Maar Agnes zei dat ze een stomme gans was en dat iedereen wist dat Wapenstilstand een stuk papier was dat werd getekend om te zeggen dat ze nooit meer gingen vechten. Dus gaf Iris haar een schop, maakte haar aan het huilen, gaf haar toen haar eigen snotlap en zei dat ze op het speelplein een Wapenstilstand afriep. Aggie holde weg om met de andere bloemenmeisjes, Ivy en Vi, te gaan spelen. Iris voegde zich bij de rij jongens die over het weggetje van de school naar het dorp liep, zingend en dansend de cottagetuintjes in en uit. Niemand leek bezwaar te hebben tegen het lawaai.

Het dorp was uitbundig versierd met gekleurde spandoeken, vlaggen, en rode flanellen onderrokken die uit de ramen hingen. Zelfs degenen die ziek waren van de Spaanse griep sleepten zich naar het raam om deel te hebben aan de feestelijkheden. Van de kathedraal tot aan het kerkje op Barnsley Green en Longhall luidden de klokken om het vreugdevolle nieuws te verkondigen. Pas op dat moment kon oma Bailey echt geloven dat deze vreselijke oorlog voorbij was. Moeder haalde iets van haar geheime voorraden te voorschijn om broodjes te bakken om op het dorpsplein uit te delen. Iedereen stond buiten te praten, wilde zo dicht mogelijk bij elkaar zijn. De oorlogsweduwen en de moeders van gesneuvelde

soldaten stonden in het zwart bij elkaar, huilden stilletjes in hun omslagdoek, en voor de eerste keer vergoot Rose Bagshott genezende tranen om
haar zoon. Iris had het veel te druk met tikkertje spelen om hier iets van
te merken. Iemand ging rond met kannen bier, maar de Bagshotts dronken alleen maar gezoete thee.

'De drank die opwekt maar niet bedwelmt,' citeerde opa.

Henry Salt hoorde het nieuws en liep in zijn eentje langs de oevers
van de Fridwellbeek, terwijl hij vloekte en huilde en aan de doden dacht.
Hij kwam langs het hek van de kerk en de onderkant van Friddy's landje,
waar het tuintje van Percy er vergeten bij lag, als een overwoekerd graf,
met verlepte bloemen en stenen die onder de modder zaten. Er waren
nog wat polletjes groen die er slap bij lagen, maar het kortstondige uur
van glorie was allang voorbij.

Zo ver als het oog kon zien was het land van Bagshott volgepropt met
groenten, als een productietuin voor de markt. En toch had hij, in dit
rommelige hoekje, zijn weg terug naar het leven gevonden. Henry kon
zijn ogen niet van het beekje afhouden, zoals het voorbij stroomde.

'Op de golven van het getij voert de tijd zijn zonen mee.' Hij herinnerde zich dat gezang. Iris had gelijk. Hun tuintje zou nooit een echte
loopgraaftuin zijn geweest. Het was er te groen, te vol hoop. Er zouden
andere gedenktekens en beelden komen, allemaal schoon, wit en onecht.
Geen enkele gedenktuin kon ooit de doden naar Fridwell terugbrengen,
of de werkelijke verschrikking van de oorlog kunnen vertellen. Maar er
zouden duizenden terugkeren, een zwijgend leger van lopende gewonden die aan de grenzen van de hel hadden gestaan en er niet over zouden
kunnen spreken.

Toch ging Henry vol dankbaarheid aan het water zitten. Welke tegen-
draadse geest was er over deze aarde getrokken en had hem tegen zichzelf
in bescherming genomen?

In het hart van de tuin

Iris overziet het hoge dak van de schuur met zijn oude balken die in spin-nenwebben zijn gehuld, ze snuift de hardnekkige geuren van haar jeugd op: vettig poetskatoen, benzine, rubber, gepoetste leren bekleding en uit-laatgassen. In deze oude schuur was het nederige begin van S & B Mo-tors. Hieruit ontstonden Fridwell Garage en Tankstation, de omnibus-reizen, het taxi- en verhuurbedrijf, dat zowel de Salts als de Bagshotts door de jaren tussen de oorlogen heen hielp naar hun nieuwe vestiging langs de hoofdweg. Hun bescheiden welvaart stelde de Bagshotts in staat de eigendomsrechten van Friddy's Piece te kopen en de cottages weer tot één geheel samen te voegen toen oma Bailey ten slotte overleed.

Nu biedt de schuur alleen nog maar onderdak aan haar stokoude Sun-beam Talbot, die Iris voor haar wekelijkse boodschappen veilig naar de stad brengt en weer terug, de volledige omvang van haar autorijden te-genwoordig. Ieder jaar dreigt ze haar rijbewijs op te zeggen, maar ieder jaar vergeet ze voor het gemak haar voornemen.

Iris doet de deur van de schuur op slot en sluit het hek, waar ze even blijft staan bij het bordje TE KOOP. Zou het daar eigenlijk wel moeten staan? De achterpoort werd altijd opengelaten om auto's binnen te la-ten voor reparaties; de poort waardoor ze afscheid had genomen van Nat, en van haar eigen kinderjaren toen ze naar de kweekschool ging in het jaar dat opa Enoch zijn laatste tocht naar Barnsley Green Chapel maakte.

Er was vaak afscheid genomen bij die poort toen er een nieuwe oorlog dreigde; afscheid van de korte tijd verblijvende soldaten en luchtmacht-mensen uit de nabijgelegen kampen in het woud, die hun motorfietsen in de schuur kwamen demonteren en nooit terugkeerden om hun reser-veonderdelen op te halen; afscheid van de vele oorlogsverliefdheden en -vriendschappen; afscheid van de evacués die mamma verwelkomde als verloren gewaande zonen, die korte tijd bij haar waren ingekwartierd gedurende de ergste luchtaanvallen op Birmingham. Er waren heel veel herinneringen verbonden aan de tuin met de vele schuurtjes.

Het is nu tijd om naar de cottage terug te keren voor dat laatste en meest geliefde deel van de ronde, langs de zijkant van het huis en omhoog naar de helling van de vriendschapstuin, naar waar mijn hart ligt begraven. Door weer een boog van groenblijvende kamperfoelie en gouden regen, een pad dat is afgezet met veel stekjes van heesters van vrienden: gouden forsythia in het voorjaar, witte Japanse anemonen die in het najaar in het maanlicht staan te blinken, oranje Chinese lampionnetjes die bij de lage muur dicht opeen zijn gezet met paarse euphorbia's en zilverkleurige *Eucalyptus gunnii*, met de kwastjes van de *Garrya Elliptica* die zich al mooi beginnen te vormen. Zoveel vreugde om naar uit te zien, van gaven die een weelde aan voorbije vriendschappen vertegenwoordigen.

Hoe heb ik ooit zo'n hekel aan tuinieren kunnen hebben? Gedurende enige tijd lag Friddy's Piece er verwaarloosd bij, net als mijn koude hart, toen de inspanningen voor de 'Dig for Victory' eenmaal voorbij waren. Net toen ik oud en bitter begon te worden, toen ik dacht dat de romantiek deze slapende prinses had overgeslagen, kuste de betoverde tuin mijn bevroren hart weer tot leven.

DEEL ACHT

Friddy's Piece

1956

'Als je een dag gelukkig wilt zijn – word dronken.
Als je zes maanden gelukkig wilt zijn – slacht een varken.
Als je een jaar gelukkig wilt zijn – zoek een vrouw.
Als je levenslang gelukkig wilt zijn – leg een tuin aan.'
CHINEES GEZEGDE

'MISTLETOE

*Dit verrijst op de tak of arm van een boom waarop het met een
houtige stam groeit en zichzelf in de takken dringt... het bezit zelf
geen wortels. Sommigen hebben zoveel achting voor de deugden ervan
dat ze het hebben genoemd... Hout van het Heilige Kruis.'*

'OVERLEVERING

*Met Kerstmis worden er grote bossen van in huis opgehangen. Allen
die elkaar onder de takken ontmoeten, horen elkaar te kussen als
teken van vriendschap, vrede en goede wil.'*

Nieuwkomers

De reiger cirkelde boven de bevroren visvijver, hij streek neer op de oever en bleef daar als een grijs standbeeld staan, kaarsrecht, alert op alle bewegingen in de vroege morgen. In het zilverachtige veld snoof een konijn in de lucht; een vos verdween in de schaduwen van het bosje. Op het dak van de schuur zat een merel te schetteren terwijl hij een lapjeskat in de gaten hield die soepel over een dikke twijg boven de poort gleed, zich oprolde, klaar om toe te slaan voor zijn ontbijt. De merel slaakte een alarmkreet en vloog hogerop, buiten bereik. December was de zwartste, wreedste maand voor vogels en dieren wanneer ze, ineengedoken om warm te blijven, op zoek gingen naar het laatste beetje eten.

In de wintertuin van Friddy's Piece Cottage was alles boven de grond stijf bevroren en in winterslaap, hard door de kou, maar in de diepte was het een drukte van belang. De mollen groeven een tunnel naar de oppervlakte, waarbij ze een bergje opwierpen, en de wormen draaiden zich weer om, sorteerden en begroeven alle verborgen schatten opnieuw, hoewel de sneeuwklokjes snel naar boven drongen voor hun kortstondige vertoning in januari.

In de cottage werd aan de doortrekker van de wc gerukt, maar er gebeurde niets. Iris draaide de koperen kraan in de badkamer open. Er druppelde even wat bruin water uit. Ze ging op de houten zitting zitten en huilde van frustratie. 'Het is ijskoud en vochtig, en nou ook al geen water! Welkom thuis! Bedankt, hoor!' Ze stormde de badkamer uit, schopte tegen de zwarte trapleuning en stootte haar teen. 'Het is niet eerlijk, het is verdomme helemáál niet eerlijk!'

Er rolde een traan van zelfmedelijden langs haar neus en ze voelde het maagzuur in haar keel. Het was niet leuk om je zesenveertigste jaar alleen te beginnen, met de nadering van Kerstmis, zonder ook maar één uitnodiging op de schoorsteenmantel.

Ik had nooit terug moeten komen nu het huis leeg is en moeder dood. Ik kan huilen om een bevroren waterleiding maar niet om alle andere dingen.

Iris ging op de vensterbank zitten van het in kleine ruitjes verdeelde raam, halverwege de trap. Gek, hoe ze dit plekje altijd als het hare had beschouwd, een knusse schuilplaats in huis, uit het zicht van de volwassenen.

Wat doe ik hier? dacht ze, terwijl ze de ijsbloemen van de binnenkant van het glas veegde en het ijs van haar vingers likte.

Maandenlang had ze geen tranen vergoten. Er was alleen maar deze dolmakende smart, waarbij verdriet en woede als twee aan elkaar gekluisterde paarden waren die ieder een andere kant uit probeerden te galopperen, waarbij ze haar binnenste uiteenreten. Hoe had ze zo naïef kunnen zijn te denken dat Gerry ooit zijn baan als leraar en zijn vrouw voor haar zou opgeven? Hoe had ze zich zo vast kunnen klampen aan hun gestolen ogenblikken, waarbij ze zich had begraven in naschoolse activiteiten, om het moment uit te stellen waarop ze moest vertrekken om haar lege flat onder ogen te zien? Nu stond de hele wereld op zijn kop, met vijandelijkheden die uitbraken in Europa en in Suez. Ze wist niet meer wat ze ervan moest denken.

Moeder had zich aardig weten te redden in haar eentje. Na de dood van vader had Henry Salt S & B Motors geleid. Gedurende de oorlog had zij de tuin gedaan, het huis vol evacués gehad, waarmee ze haar steentje had bijgedragen zonder ooit te klagen dat ze kortademig en doodmoe was, tot de middag dat ze de keuken binnenkwam en bij de haard in slaap viel.

Jij en ik hebben geen afscheid meer kunnen nemen of vrede kunnen sluiten, dacht Iris. Onzinnig gekibbel over haar verhouding had tot een serieuze ruzie geleid die jarenlang in koppige stilte had voortgeduurd.

Nu kan ik het nooit meer goedmaken. Je wilde wat het beste voor me was, en ik was blind voor je liefde tot nu toe. Ik verdien het niet om hier te wonen. Hoe kon iemand zo blind, zo onnozel zijn om haar carrière te verwoesten voor een verhouding?

In oorlogstijd waren er overal om haar heen hartstochtelijke affaires geweest, maar Iris was ongedeerd gebleven. Daarna, toen de oorlog voorbij was, was Gerry Parker met vrouw en kind gearriveerd, vers van zijn spoedopleiding tot leraar. Iris raakte verwikkeld in een hartstochtelijke vriendschap en toen een heimelijke verhouding die tien jaar had geduurd, tot ze op een dag Gerry's vrouw tegen het lijf liep, zes maanden zwanger, stralend en vol nieuws, ratelend over hun verhuizing naar het zuiden, waar hij hoofd van een school zou worden. Ondanks al zijn praatjes over 'al jaren niet met mijn vrouw naar bed geweest', en al die verspilde jaren van Iris' leven.

Nu zat ze hier in haar eentje tussen bevroren velden met bijna een hectare jungle, vervallen schuren en stallen, ingeperkt door smalle weggetjes met vertrouwde hagen. Ze was over het onverharde weggetje hierheen geploeterd, in Gertie, haar keurige blauwe Standard, glibberend met de gladde banden over stukken ijs. Het zag eruit als een tafereel op een kerstkaart, maar dat tunnelachtige weggetje naar de heuvelkam was heel donker geweest. Het houten hek zat vastgeklemd tegen het grind. Geen veelbelovende start. Er was niet één vriendelijk lichtje om haar de weg te wijzen in de duisternis van een grauwe decemberdag. Het houten bord bungelde scheef aan het hek, met plastic letters die FRIDDY'S PIECE aankondigden.

'Eindelijk thuis!' mompelde ze, en ze prutste om de sleutel in haar tas te vinden en erachter te komen op welke deur die zou passen. Ondanks alle verbouwingen was het nog steeds een rommelig gebouw met overal ramen en geen enkele symmetrie. Binnen was het koud, en het rook er naar lysol en naar leegstand.

Ze hoopte dat ze zich iets positiever tegenover haar oude huis kon opstellen wanneer ze de haard had aangestoken. De teleurstelling stokte als een visgraat in haar keel. Ik ben te lang weggebleven en nu is het huis vochtig geworden, dacht ze. Het behang met rozenknopjes bladderde van de muur. De eiken balken waren glimmend zwart geverfd en boven haar hoofd zag ze onheilspellende gaten. Hier en daar waren witte vlekken waar ooit schilderijen hadden gehangen.

Friddy's Piece zou nog een paar maanden zo moeten blijven, onbemind en ongastvrij, tot zij haar zelfvertrouwen weer terug had en iets van werk kon vinden. Ze had haar baan opgezegd en was teruggevlucht naar de Midlands, met haar moeders dood als excuus om weg te komen van Gerry's beschaamde en ontwijkende manier van doen in de lerarenkamer.

De lapjeskat keek hooghartig op toen Iris binnenkwam en rolde zich weer op in de stoel bij de haard die bijna uit was. Iemand moest haar te eten hebben gegeven want ze zag er voldaan en mollig uit. Er zaten net genoeg kolen in de zak om het vuur weer tot leven te porren. Daarna zou ze takjes moeten gaan sprokkelen en in de schuren naar brandhout moeten zoeken. Wat een toestand!

Ze schakelde de elektrische ketel in, waarin tenminste nog wat water van de vorige avond zat. Niets. Ze probeerde het lichtknopje. Geen vonkje. De radio deed het ook niet. De elektriciteit was uitgevallen. Ze werd overmand door een golf van paniek toen ze heen en weer liep over het plakkerige linoleum dat aan de randen opkrulde.

Dat kon toch niet! Geen water, geen elektriciteit. Wat moet ik doen... sterven van de dorst of doodvriezen of allebei? De metalen punten van haar schoenen stampten door de deur naar de binnenplaats die naar de moestuin leidde. Ze zocht de regenton om de wc te kunnen doorspoelen. Ze sloeg haar armen kruislings over haar borst heen en weer, als Magwitch in *Great Expectations*, en holde toen het tuinpad af, waarbij ze met de mouw van haar dikke vest aan de doorns van de overhangende rozentakken bleef hangen.

Vanaf het hoogste punt van de tuin kon ze de daken zien van de rij huisjes langs de hoofdweg naar Barnsley Green. Nergens brandde licht in slaapkamers of in keukens.

Ze schrok even door het gekraai van een haan. Soms kon ze nog steeds het geraas van het verkeer in de stad horen, en het geroezemoes in cafés, het gedreun van vliegtuigen in de lucht en het geratel van melkwagens. Wat was ze de geluiden van het leven op het land snel vergeten, vooral het gekras van de roeken vanuit hun roest op het kerkhof; het geronk van een verre tractor, een hond die aansloeg. Nu werd de stilte slechts verbroken door een stromend, klaterend geluid.

Ze baande zich als een pionier een weg door het struikgewas om de bron te vinden. Daar aan haar voeten, vanuit een oude bemoste stenen duiker, stroomde de oude bron die in de beek klaterde, half met ijs overdekt, met bevroren wier dat aan de randen krulde. Het water leek helder als kristal en Iris bukte zich en schepte wat met haar handen om te proeven. Het was metalig, scherp, maar drinkbaar. Met emmers en pannen zou ze iets moeten kunnen bereiken. Ze glimlachte voldaan toen ze terugdacht aan haar jaren bij de padvinderij, met kampvuren en tenten. Nu konden er takken voor de haard worden gezocht, kaarsen uit de kast onder de trap en pannen om te worden gevuld. Alles was nog niet verloren. Iris Bagshott zou het overleven.

Toen ze vastberaden naar de cottage terugliep, overzag ze haar domein. Haar ogen gingen omhoog naar de vensterbank bij het glas-in-loodraam, en ze dacht even dat ze het gezicht zag van een kind dat op haar neerkeek. Iris knipperde ongelovig met haar ogen en keek toen nog eens. Er was niets. Of je nou wel of niet bij het slaan van de klok bent geboren, je ziet ze nu echt vliegen, meid, berispte ze zichzelf. Wakker worden, dit is geen droom.

Waar zou ze beginnen? Iris keek vol ontzetting in de keuken om zich heen. Dit zou een gigantische klus worden. De planken in de provisie-kast zaten vol muizenkeutels, de kasten krioelden van de zilvervisjes. Ze had het liefst alles in de vuilnisbak geschoven en nieuwe voorraden ge-haald, maar ze had geen tijd om naar de stad terug te gaan, want haar koffer kon elk moment vanaf het station worden gebracht. Haar eerste taak was water uit de beek halen en het oude fornuis aanmaken. Met een beetje warm water zou ze zich tenminste weer wat geciviliseerd gaan voe-len. Er was nog steeds geen elektriciteit, en buiten begon het te sneeu-wen op de laag ijs.

Ze veegde het stof uit de keuken en bleef toen even staan, leunend op de bezem, om zich de hele familie nog eens voor de geest te halen, verzameld rond de tafel, met de geur van gebraden vlees en de beslagen ramen uit de winters van haar jeugd. Haar thuis was altijd veilig en warm geweest vóór het gekibbel over de garage en de Salts en de terreinen was begonnen.

Henry Salt handelde vanuit het hoofd en Jim Bagshott vanuit het hart. Het was onvermijdelijk dat ze in het bedrijf ieder hun eigen weg gingen. De kapitein leidde het bedrijf en Jim reed heen en weer, om overal in het district mensen op te halen en af te zetten. In de tijd van de Tweede Wereldoorlog was Henry officier in de Home Guard en oefende pappa samen met de mannen uit Fridwell in de plaatselijke sporthal.

Toen sloot Henry Salt een onverwacht huwelijk met een jonge, ten-gere oorlogsweduwe wier man in een Japans gevangenkamp was gestor-ven, een levendige dame met een zoontje. Flora Bowman en haar zoon-tje James brachten een nieuw doel in zijn leven en maakten dat zijn ogen weer begonnen te twinkelen. Iris mocht de vrouw graag, maar ze was alles wat Iris niet was: elegant, energiek, knap met een mopsneusje en helder-groene ogen, onvermoeibaar op vergaderingen van de Vrouwelijke Vrij-willigers. Moeder zei dat ze haar hart op de goede plek had zitten, maar dat ze daar nooit mee te koop liep.

Toen het kind naar kostschool ging, hielden Henry en Flora vakan-ties op Jersey en in Zuid-Frankrijk. Iris ving af en toe een glimp van de-ze wereldse vrouw op als ze in haar mannelijke broek op volle snelheid een jeep bestuurde. Ze schrok een beetje terug voor al dit enthousiasme en probeerde bij haar zeldzame bezoeken aan huis Flora Salt te mijden. Toch was Iris bij moeders begrafenis geroerd geweest door haar vriende-lijkheid en vele bezoeken, hoewel ze nog steeds van plan was de dame van The Grange op een afstand te houden.

Hemelsbreed gezien was Flora haar meest dichtbije buurvrouw nu de huisjes verderop langs het weggetje leeg stonden en de boerderijen waren verdwenen. Fridwell was gekrompen tot weinig meer dan een gehucht; alle winkels waren naar Barnsley Green verhuisd en de school kon nauwelijks blijven bestaan. De watermolen werd niet meer gebruikt en stond leeg, en Parsonage Farm was weer in een woonhuis veranderd. De stilte van de omgeving zou haar goed doen, dacht Iris, terwijl ze op handen en knieën lag te boenen, heen en weer over de smerige vloer, met de oude borstel die in het midden was versleten door al het gezwoeg van haar moeder. Het gaf wonderlijk veel voldoening om zo hard aan het werk te zijn.

Toen hoorde ze gerammel aan de knop van de voordeur. Iris' eerste reactie was omlaag te duiken en de bezoeker te negeren, maar een stem riep door de brievenbus: 'Iris! Iris,ben jij daar? Ik ben het maar, ik kom de kat te eten geven. Ik zag je auto staan...'

Het was Flora Salt die daar in haar winterglorie stond, met een mooie bontmuts op en een dik schapenleren jasje dat ze boven een tweedbroek en rubberlaarzen droeg. Haar wangen waren rood en blozend toen ze de sneeuwvlokken op de schone vloer schudde. 'Oef! Hard aan de slag, zie ik... Dat is je ware. En het was hoog tijd, hè?' Ze straalde, en Iris stond op, in het besef dat ze eruitzag als een stokersmaatje.

'Mevrouw Salt, wat aardig van u om langs te komen.'

'Toe zeg, noem me alsjeblieft Flora... Als je me had verteld wanneer je kwam, had ik mevrouw Barnswell hierheen gestuurd om de haard aan te maken en een beetje af te stoffen. Geen water? Verderop langs de weg is het weer helemaal bevroren. Ik zal de gemeenteraad eens moeten opporren dat ze die leidingen wat lager leggen. De elektriciteit doet ook weer vervelend. Nooit is er rust van de verdrukten, nietwaar? Maar we zullen maar zeggen dat anderen het nog moeilijker hebben.

We gaan het druk krijgen, Iris. Alle hens aan dek nu de vluchtelingen komen. Kan ik op jou rekenen? Ze hebben in het bos een soort doorgangskamp ingericht, in die oude barakken. Je kent dat soort dingen wel – voor medische controle en herhuisvesting. Niet direct een vakantiekamp, maar het is het beste dat we op zo'n korte termijn kunnen doen. Er moet nog veel gebeuren en over drie weken is het Kerstmis. James komt bijna van school thuis en de arme Henry heeft het druk met de garage. Als je niets omhanden hebt, dan heb ik duizenden banen voor jou.'

'Maar ik ben hier nog maar net, en er valt hier zoveel te doen!'

'Dat weet ik, dat weet ik. Maar die arme drommels zitten met dit weer daar in het bos, met alleen maar de kleren die ze aan hun lijf hebben, zonder familie of enig comfort, en zo ver van huis. Is het niet om te huilen? Ik heb zo met ze te doen, jij niet?'

Hoe kon ze toegeven dat de huidige narigheid in de wereld haar was ontgaan, te midden van haar eigen ellende en eenzaamheid?

'Wat is er precies met hen gebeurd?'

'Iris, lieverd, heb jij op een andere planeet gewoond? Het heeft in alle kranten gestaan, hoewel het natuurlijk nu weer door de Suezcrisis is verdrongen. Deze arme mensen hebben dagenlang geprobeerd de sovjettanks tegen te houden toen die door hun steden rolden, en dat heeft aan duizenden het leven gekost. Heb je die vreselijke uitzending niet gehoord: "In Hongarije gaat het licht uit. Help! Help!" Het verbaast me dat je dat niet weet.'

Flora stond daar onverschrokken, met haar blonde haar dat licht was gegolfd en aan de zijkant in een clip zat, haar roze gelakte nagels, haar vingers met de nicotinevlekken.

'Kom op, Iris, waar is je christelijke barmhartigheid?'

'Op dit moment niet zo royaal bemeten. Hoe moet ik hier in vredesnaam mensen ontvangen? Ik ben echt geen goed gezelschap voor hen. Maar als ik een beetje op dreef ben, zal ik erover nadenken.'

'Onzin! Het kan ze echt niets schelen als het een beetje vochtig is. Ik haal je morgen op, dan kun je het allemaal zelf zien. Het is vreselijk triest daar in het bos, en er zijn ook kinderen bij.'

'Wil je misschien koffie? Ik heb alleen maar...'

'Nee, dank je, ik moet weer eens verder. Ik wilde alleen maar even kijken of alles goed was met Topsy. Wij hebben haar zolang te eten gegeven, als je het niet erg vindt.'

'Als jij er niet was geweest, was het arme beest dood geweest. Ze ziet er heel goed uit. Nogmaals bedankt.' Flora bleef in de deuropening staan en keek naar de sneeuwvlokken die op het pad neerdaalden.

'Op die manier wordt in elk geval iets van die jungle daar bedekt. Je arme moeder had een beroerte gekregen als ze dit nu kon zien. Zal ik die ouwe mopperpot van een Greggs sturen om het voor jou te doen?'

Iris glimlachte bij de gedachte dat de oude tuinman die Aggie en haar uit zijn domein had verjaagd, nog steeds aan het werk was.

'Hij moet wel negentig zijn! Nee, dank je, dat moet nog even wachten. Misschien verkoop ik wel alles en verhuis weer, en dan kan iemand anders dat genoegen smaken.'

'Onzin, je kunt je familiehuis niet verkopen! Wat was Rosie niet trots toen het huis van henzelf was. Wacht er een tijdje mee. We willen je niet meteen weer kwijtraken nu je terug bent. Je bent een veel te waardevolle aanwinst voor het dorp. Ik heb onlangs de dames van de Vrouwelijke Vrijwilligers nog verteld hoe jij Henry's leven had gered.'

'Wat?'

'Je hoort toch wat ik zeg. Toen jij nog een klein meisje was en hij zo zwaargewond was in de oorlog. Het werd hem allemaal te machtig, en toen is hij het bos in gegaan om er een eind aan te maken. Toen dook jij opeens op uit de wilde hyacinten, en dat maakte dat hij zich heel dwaas voelde. Jij en je tuintje hebben hem weer op de been geholpen.'

'Maar daar heb ik nooit van geweten.' Iris was enigszins uit het veld geslagen bij zoveel oprechtheid. Ze staarde naar al het wit dat de grond bedekte.

'Hoe had je dat ook kunnen weten? Je was nog maar een kind, en een heel bijdehand tantetje, als ik de verhalen mag geloven,' lachte Flora. 'Onderschat nooit je eigen kracht. Wat jou ook weer naar ons mag hebben teruggebracht, je bent precies op tijd gekomen. Welkom thuis. Het is fijn om je weer aan boord te hebben.'

'Wacht een paar weken voor je dat zegt!'

Eén kort moment vroeg ze zich af of ze Flora alles over Gerry zou vertellen, maar toen trok ze zich terug. 'Geef me wat tijd, dan zal ik je helpen.'

'Mooi zo. Tot morgen dan.'

De vrouwen ploeterden, in Flora's jeep uit de legerdump, over het kronkelige onverharde weggetje door de eikenbossen naar de barakken. Het was een langzame, hobbelige rit, en de voorruit zat binnen de kortste keren onder de modderspatten.

Voor hen uit dook uit de nevels een man op die mank naar het kamp terugliep; zijn schouders waren afgezakt onder een gabardine regenjas die een paar maten te groot voor hem was. Hij droeg een zwarte baret en had een tas van touw bij zich. Flora trapte op de rem en kwam met een schok tot stilstand, zodat Iris bijna door de voorruit vloog. 'Laten we hem een lift geven.'

De jongeman deinsde achteruit, geschrokken door het lawaai van de motor. Hij rukte zijn baret af en onthulde daarmee donker haar dat stijf naar achteren was geplakt. Zijn armoedige kleren kwamen kennelijk regelrecht uit een van Flora's inzamelingsacties.

'Meerijden?' Flora glimlachte, maar de man deed onzeker een stap achteruit. 'Jij, kamp?' Ze wees in de verte en daarna met een overdreven gebaar naar Iris en zichzelf. 'Wij... gaan... *à la* kamp?' Ze richtte zich tot Iris, op zoek naar steun.

'*Parlez-vous français?*' Iris boog zich over het dashboard om hem aan te kunnen kijken. De man schudde zijn hoofd.

Ze gebaarde naar de laadruimte van het voertuig. 'Hier, in de jeep, spring er maar in.'

Hij maakte een dankbaar gebaar met zijn hand, liep naar de achterkant van de jeep en maakte de klep open om erin te klimmen tussen de dozen met kleren en etenswaren die hoog opgetast lagen, het resultaat van inzamelingsacties in de stad ten bate van de Hongaarse vluchtelingen. Hij ging met zijn rug naar hen toe zitten en liet zijn benen over de rand bungelen tot ze de controlepost bij de poort van de oude kazerne bereikten. De vluchteling sprong eruit, boog naar hen beiden en liep hinkend weg zonder iets te zeggen. De vrouwen staarden de eenzame gestalte even zwijgend na.

Iris keek onthutst om zich heen naar deze naargeestige omgeving. Het was altijd al een winderige en troosteloze plaats geweest, mooi als het blad aan de bomen zat en in de herfst, maar verder was het woud hier altijd donker en onheilspellend geweest. In dit afgelegen kamp had het leger geheime manoeuvres uitgevoerd.

'Wat is dit gruwelijk, Flora. Alleen maar rijen en rijen gehavende barakken in de sneeuw. Wat een plek om naartoe te vluchten.'

Bij de deuropeningen hingen groepjes mannen en vrouwen rond. Ze rookten en staarden naar de nieuwkomers.

Flora zwaaide naar hen. 'Het is beter dan de gevangenis, marteling en executie in hun eigen land. De tolken vertellen allemaal dezelfde gruwelijke verhalen. Ze hebben ervoor gekozen naar het Westen te komen, op zoek naar een beter leven, maar nieuwkomers moeten natuurlijk wel worden gekeurd en grondig worden nagetrokken. De Russen zijn in staat om een stuk of wat spionnen door het IJzeren Gordijn te laten glippen, die zich voor echte vluchtelingen uitgeven.'

'Als dat het geval is, zullen die binnen de kortste keren weer naar huis willen, ver weg van deze naargeestige plek midden in de rimboe!'

Iris probeerde zich voor te stellen wat ze van hun nieuwe onderkomen moesten vinden. 'Wie ze ook zijn, ze hebben vrouwen en vriendinnen, moeders en kinderen achter moeten laten. De vrijheid eist een zware tol van hen. Dat geldt meestal voor alles wat van waarde is. Hoe brengen ze hun dagen hier door? De dichtstbijzijnde plaats ligt kilometers ver.'

'Ze hebben ongeveer een bestaan als krijgsgevangenen. Ze kaarten wat, lezen oude kranten, verstellen hun kleren en wachten op de volgende maaltijd. Ze hebben een bioscoop ingericht en de oude gymzaal is er nog. Het is nog niet zó lang geleden dat er hier militairen lagen... dat weet je toch zeker nog wel? Ze proberen wat lessen te organiseren, maar het is heel moeilijk om tolken en leraren Engels te vinden.'

Er was weinig voorstellingsvermogen voor nodig om te bedenken hoe snel de verveling zou toeslaan in dit vreemde land, zonder geld en zonder mogelijkheden tot communicatie. 'Ze zouden spoedcursussen Engels moeten organiseren om hen te helpen zich hier te vestigen. Om hun gedachten af te leiden van wat ze hebben achtergelaten. Om ze bezig te houden tijdens de feestdagen, vind je niet?'

'Je slaat de spijker op zijn kop, zoals gewoonlijk, Iris, dus waar wacht je op?' daagde Flora haar uit. 'Jij zit in het onderwijs, je woont vlakbij, je hebt op dit moment geen werk...'

'Wacht even! Ik heb nooit eerder Engels als vreemde taal gegeven. Ik zou niet weten waar ik moest beginnen.'

'Begin gewoon met alle woorden die een vreemdeling moet kennen en lezen om van A naar B te komen. Daarna de woorden die met eten te maken hebben, hoe je naar de weg moet vragen, moet groeten. Ervaring opdoen met spreken en schrijven. De meesten zijn jong en intelligent met genoeg pit om zich hier in veiligheid te stellen, weg van de tanks en de tirannie. Ze zullen het Engels snel genoeg oppikken, als je hen een handje helpt. Laat mij m'n voelsprieten eens uitsteken om te zien of we een groep zouden kunnen vormen.'

'Doe dat heel voorzichtig, Flora. Misschien hebben ze het allemaal al opgezet en zou ik iedereen alleen maar voor de voeten lopen.' Iris voelde dat haar bloed sneller ging stromen bij de gedachte aan zo'n taak.

'Kletskoek! Er zijn er hier een paar honderd. Ze zullen alleen maar blij zijn met alle hulp die ze kunnen krijgen. Maak je maar geen zorgen. Laat alles maar aan mij over.'

'Bulldozer!' Iris smeet het portier van de jeep met een glimlach dicht.

'Kom op, waar is je strijdlust? Help me een handje met die dozen, dan zal ik je daarna rondleiden in het kamp.'

Iris keek om zich heen in het kale landschap. Niet direct een plek om Kerstmis door te brengen. Ze probeerde zich in hun situatie te verplaat-

sen. Als de Duitsers met hun tanks door het dal van de Trent waren getrokken, zou zij zich dan uit protest ervoor hebben geworpen? Of was ze
naar Ierland gevlucht, of naar Amerika of Timboektoe, op zoek naar een
beter leven? Ze zag weer de ogen van de man langs de weg voor zich, zijn dankbaarheid en zijn poging hen te verstaan. Hoe kon ze onverschillig blijven
voor het lot van zulke mensen? Flora had gelijk. Je moest nooit de inge-
vingen van je hart negeren. De klok sloeg luid en duidelijk.
'Probeer het eens, Iris. Je kunt alleen maar je best doen,' zei ze tegen
zichzelf.

Wat heb ik gedaan? dacht Ferenc Hordas, toen hij uitgeput op zijn brits
lag. De lange wandeling omhoog was te veel geweest voor zijn pees, en
hij kon de doffe pijn van zijn zwakke kuitspieren en zijn slechte bloeds-
omloop voelen. Hij moest iets aan zijn conditie doen, anders zou hij
nooit meer kunnen voetballen. Het coachen maakte zo'n deel van zijn
leven uit, dat hij had gehoopt hier wat spelletjes te kunnen laten spelen,
maar niemand had er de energie voor. Hij was zwakker dan hij had gedacht, en zijn borst deed pijn, maar hij wreef zijn benen weer warm met
het gemak van lange ervaring. Toch was zijn hart koud, ijskoud.

De twee vrouwen met hun glimlachende gezicht hadden hem even
geraakt met een vonk van vriendelijkheid door hem een lift terug te geven. Er was sympathie en hartelijkheid geweest, maar zijn ziel was bevroren door het besef van wat hij had gedaan. Die krankzinnige tien
dagen van hoop die uitmondden in de hel van 4 november. Via Radio
Kossuth hoorde hij details over de invasie. Kameraden die uit Buda waren ontsnapt hadden tanks door de Stalinlaan zien optrekken, waarbij ze
als waarschuwing de lichamen van Hongaren achter zich aan trokken.
'*Ruszkik Haza!*' hadden de menigten vanaf de barricaden geschreeuwd,
tot heldhaftigheid gedreven door de rechtvaardigheid van hun zaak.
Maar woorden konden geen tanks verwoesten en kogels konden de golven van de sovjetversterkingen niet tegenhouden.

De nachtmerrie van zijn vlucht achtervolgde hem nog steeds. Zijn
stem was hees van het schreeuwen en zijn ogen waren uitgedroogd van al
het huilen om Ilona, zijn geliefde. Wat moest er worden van Ili, die had
geweigerd haar land en haar familie te verlaten, van al die andere brave
zielen die bleven om de stervenden te verzorgen en de gewonden op te
lappen, of benzine te spuiten in de aderen van politiespionnen, als straf

voor hun verraad? Hij was de grens over gevlucht terwijl anderen nog vochten of al dood waren. Hij had besloten dat als hij nog iets van een toekomst wilde hebben, hij geen andere keus had dan weglopen.

Nu nam hij het laatste slokje van zijn *palinka*. Deze bittere drank van gestookt vruchtensap deed hem denken aan de zonneschijn thuis, aan de boomgaarden, de meren en aan de weelderige wijngaarden. Hij zou die nooit meer terugzien. Hij was gedoemd tot deze ballingschap te midden van vreemdelingen, met slechts de bittere geest van de nederlaag die in zijn keel brandde. Weldra zouden zijn kameraden hier in de vier windrichtingen worden verspreid en zou hij alleen zijn. De Engelse priesters gaven hun zegen, de zusters en de kampfunctionarissen deden hun best om hen op te vrolijken, maar hij zat opgesloten in de stilte van zijn wanhoop.

Engelse les

De officier zat een pijp te roken onder het portret van de jonge konin-gin Elizabeth, dat was versierd met verschoten papieren slingers. De mess had een dappere poging gedaan er feestelijk uit te zien met papie-ren klokken en verlepte restjes glitter rond de ramen. Iris, die voor een gesprek was uitgenodigd, zat zich nerveus af te vragen wat voor orders ze zou krijgen.

'Juffrouw Bagshott, uw leerlingen zullen komen en gaan. Dit is een doorgangskamp. Op zijn hoogst drie weken, en dan gaan ze weer naar een ander onderkomen en hopelijk een baan. We verwachten niet dat u wonderen zult bewerkstelligen, maar we barsten uit onze voegen, en het grootste deel van deze groep zal nu met Kerstmis hier blijven. Een beetje taal moet hen op weg kunnen helpen. Verdomd vervelend, zo vlak voor de feestdagen, vindt u niet? Onze jongens in Suez en die arme drom-mels... het vliegt ze gewoon naar de strot, zo ver van huis en zo.' Hij trok aan zijn pijp en zuchtte.

'Zou het helpen als ze die lessen bij mij thuis kregen? Het is niet ver van het kamp. Ik zou hen een beetje kunnen laten wennen aan onze ma-nier van doen en hun tegelijk wat woorden kunnen leren. Ik heb een ou-de auto.'

'Het zal hun goed doen om te lopen, en ik denk dat u weinig zin hebt al uw benzinebonnen op te souperen. We kunnen u helaas geen extra bonnen toewijzen, en wat frisse lucht vrolijkt hen misschien een beetje op. We bezorgen u natuurlijk wel veel overlast, met allemaal vreemden over de vloer en zo...'

Iris schudde haar hoofd. Ze werkte veel liever met een groep in haar eigen huis. Dat zou wellicht haar zenuwen wat kalmeren en de paniek dat ze hen teleur zou stellen verminderen. Stel dat ze er helemaal niets van opstaken? Stel dat zij er niets van terechtbracht, nu ze met volwas-senen moest werken in plaats van met kinderen? Het zou in elk geval maken dat ze de handen uit de mouwen moest steken om alle kisten en boeken, kleren en spullen, die overal in de cottage verspreid lagen, op te ruimen.

Toen Flora het nieuws hoorde, stond ze in een wip met zakken aanmaakhout op de stoep en stuurde haar tuinman met kolen en houtblokken. Ze probeerde haar vriendin op te jutten de boel ook wat te versieren, maar Iris hield voet bij stuk.

'Eerst jut je me op om dit te doen, en daarna wil je dat ik er hier een kerstkraam van maak! Ik moet echt eerst de belangrijkste punten afhandelen. Laat me een begin met ze maken. Ik bibber alleen al bij de gedachte dat ik moet proberen hun onze taal bij te brengen. Stel dat ik hen afschrik?'

'Onzin! Je zult het prima doen. Blijf gewoon jezelf. Henry zegt dat 't je op het lijf is geschreven. En vergeet niet, we houden eerste kerstdag open huis... je komt naar ons toe, met al je leerlingen natuurlijk. We gaan eten na de toespraak van de koningin. Geven ze wat kalkoen, met alles erop en eraan. En we vrolijken ze op met een hoop drank, goed plan of niet?'

Iris knikte gedwee. Ze was niet in de stemming om de bulldozer tegen te houden, en zij hoefde daar dan niets aan te doen. Eten was wel het laatste op haar lijst van prioriteiten.

Iris bracht de morgen voor haar eerste les door met koortsachtig boenen en poetsen, alsof het gezondheidsinspecteurs waren in plaats van leerlingen. Het koude weer was terug en de paden waren spiegelglad, dus probeerde ze het ijs te ruimen en strooide ze zout en sintels in een groezelig spoor tot aan het hek naar de weg. In elk geval gaven de leidingen wel water en flakkerde het licht maar af en toe.

Ze stookte de haard in de oude salon op. Hoe armoedig deze ook mocht zijn, het flakkerende schijnsel van het vuur gaf in elk geval iets gezelligs aan de kamer en maakte dat haar pasgepoetste koperen haardhek en kolenkist naast het haardkleed stonden te blinken. Er was iets wat haar altijd weer naar de oude woonkamer van oma Bailey trok. Dit was het toneel van de gelukkigste herinneringen uit haar kinderjaren.

De bel ging, en ze fatsoeneerde haar haar, streek haar tweedrok en haar grijze vest glad en wenste dat ze een sigaret had gehad. Ze haalde diep adem. Kalm aan!

Ze stonden bij de deur als een verwaaid groepje zangers van kerstliedjes op een winteravond, buiten adem, zwijgend, net zo zenuwachtig als zij. Ieder van hen boog en schudde stevig haar hand voor ze hen in de hal liet, en vandaar naar de salon. Er was een knappe blonde jongen met een nerveuze tic om zijn mond; een kleine donkerharige vrouw die twintig of veertig kon zijn, zo ineengedoken, mager en bleek was ze. Ze klampte zich aan een andere leerling vast, een meisje met vlechten die op haar hoofd ineen waren geslagen. Drie oude mannen bleven vlak bij elkaar staan. Tot slot, helemaal achteraan, kwam de droevig kijkende jongeman die ze over de weg had zien strompelen. Hij huiverde en kwam half struikelend de kamer binnen.

Toen alle jassen eenmaal onder aan de oude trap waren gelegd, liepen ze naar de salon. Bij het zien van een brandend haardvuur begonnen hun ogen te stralen en praatten ze blij door elkaar, warmden hun handen en snoven met kennelijk welbehagen de geur van het houtvuur op.

Iris voelde zich meteen minder gespannen. Iedereen hield van een openhaardvuur op een koude avond, en ze wees hun waar ze moesten gaan zitten terwijl ze pennen en papier pakte.

Ze glimlachte naar hun gretige gezichten en speldde een naambordje op haar vest. 'Ik ben Iris. Mijn naam is Iris Bagshott... Bag... shott. Mijn naam is Iris. Zeg dat alstublieft eens na.'

Ze gebaarde dat ze het langzaam moesten herhalen, en ze glimlachte toen bemoedigend. Ze probeerden haar na te doen. Toen gaf ze hun ieder papier en potlood om hun eigen naam op te schrijven voor haar. Ze was gewaarschuwd dat de achternaam eerst zou worden geschreven.

Nagy Peter... Kocsis Zoltan... Magda... Ferenc. 'Ik ben Peter. Mijn naam is...'

Ze herhaalde de oefening steeds weer. Maar de kleine, breedgebouwde jongeman met het achterovergeplakte haar bleef stil. 'Ik ben Iris... en jij bent Franz... Frank?' Ze had moeite met de uitspraak van zijn naam. Heel even krulden zijn lippen zich tot een glimlach om haar poging. De anderen lachten. 'Feri?'

Hij stak in protest een hand op. '*Igen, angol...* Iris, ik ben Frank...ie?'

Het ijs was gebroken, en ze deelde koekjes rond, waarbij ze hun leerde alsjeblieft en dank je wel te zeggen. Ze dronken achterdochtig van hun surrogaatkoffie. Iris vermoedde dat ze liever zwarte en sterke, zoete koffie hadden gehad, in kleine kopjes. Het was verbluffend wat je met armzwaaien, mime en goede wil kon doen om de communicatie te bevorderen, maar het was toch hard werken voor iedereen.

Toen de lichten overal in huis aan werden gedaan, kwam Flora met de jeep en propte de leerlingen achterin. 'Hoe is het gegaan?' fluisterde ze, alsof ze een woord konden verstaan van wat ze zei.

'Ik geloof dat het wel goed ging.' Iris glimlachte verlegen. 'Het is alsof we de Mount Everest moeten beklimmen. Over drie weken staan we pas onder aan de helling.'

'Wees nou maar blij dat jij geen Hongaars hoeft te leren. Dat schijnt afgrijselijk moeilijk te zijn.' Flora hing uit het raampje, met rode wangen van de ijskoude wind.

'Als je terug bent in het kamp, wil je de tolk dan alsjeblieft vragen of ze zin hebben zaterdag op een echte Engelse thee te komen, als ze vrij zijn? Hoe sneller we met de les verdergaan, hoe beter het is.'

Ze zwaaiden allemaal en oefenden 'Tot ziens' toen ze over het pad naar het hek liepen. Frankie aarzelde daar even, keek om over het erf en boog moeizaam.

'*Danke*... Miez Iriese.'

Na afloop ruimde ze de kamer op en schonk zich een flink glas sherry in uit de fles die ze aan Henry Salt had willen geven. Iris ging bij de haard zitten, moe maar wonderlijk voldaan. Ze merkte dat ze afdwaalde naar wilde dagdromen met donkere ogen en handdrukken en de glimlach op Frankies gezicht.

'Tijd om je klaar te maken voor Kerstmis. Kom eens in actie, mens, ga je tuin in. Je krijgt gasten op kerstavond, gasten die alles willen weten over *Ye Olde English Yuletide*.'

Iris praatte vaak in zichzelf wanneer ze bezig was, maar toen ze het tuinpad afliep, op zoek naar wat groen, draaide ze zich om om zich ervan te verzekeren dat niemand luisterde. Alleen het roodborstje op de paal van het hek, en hij telde niet mee.

Aan de rand langs de akker zou vast genoeg taxus en houtige rozemarijn zijn, en wat verdwaalde buxus en zeker wat hulst. Toen ontdekte Iris slierten donkere klimop, hele massa's die voor het grijpen hingen. Als ze de schoorsteenmantel met watten en met kerstkaarten versierde, klimop en hulst met besjes om de koperen kandelaars wikkelde en wat rode kaarsen kocht, zou dat het huis geweldig opvrolijken.

Maar wat moest ze in 's hemelsnaam voor haar Engelse klas koken? Flora was niet thuis om haar te leiden, want ze had Henry en James meegetroond naar Londen om inkopen te doen en naar een theater te gaan, de bofferds!

De groep maakte betere vorderingen dan Iris had durven hopen, het was een interessante verzameling individuen. Aanvankelijk had ze hen

in haar gedachten op één hoop geveegd als 'de vluchtelingen'. Nu begon
ze hen allen afzonderlijk te zien, ieder met verschillende verlangens en
vaardigheden. Na een veelbelovende start was Frankie degene die haar de
meeste zorgen baarde. Zijn aandacht dwaalde voortdurend af en hij had
een vreselijke hoest.

Ze waren in de les nu met geld en met maten bezig. De vrouwen wilden graag kleren kopen van hun toelage, en ondergoed en kousen in
plaats van de vreselijke afdankertjes uit Flora's liefdadigheidsdozen. Iris
knipte allerlei advertenties en plaatjes uit zodat ze die konden prijzen en
de juiste munten konden oefenen. Ze leende een set kartonnen munten
van de dorpsschool om hen die te laten bekijken en benoemen. Ze wilde
niet dat iemand uit haar groep werd afgezet door de plaatselijke winke-
liers, die de yankeesoldaten in de laatste oorlog schandelijk hadden beet-
genomen.

Iris besloot soep te serveren, daarna een koude pastei van varkens-
vlees met chutney en in de schil gepofte aardappels, gevolgd door warme mince-pies met room, en als dranken cider en warm bier en punch.
Daar moest iedereen lekker warm van kunnen worden. Het aantal gasten
was nog niet helemaal duidelijk, maar ze kon er wat meer porties uitha-
len als er meer mensen meekwamen. Ze kon de gedachte niet verdragen
dat er een arme balling daar alleen in het donkere woud zat, wanneer er
een Brits kerstfeest werd gevierd.

De neerslachtigheid die ze bij haar aankomst had gevoeld, was op de
een of andere manier verdampt door al het heen en weer trekken naar het
kamp, door de lessen en door alle voorbereidingen voor de feestdagen. Ze
had het nu veel te druk om zich om haar lot te bekreunen. De aanwezigheid van Flora om haar op te jutten was ook onverwacht welkom geweest,
en haar uitbundigheid vormde een goed tegenwicht tegen Iris' aangebo-
ren terughoudendheid. Henry wist mee te praten over de manier waarop
zijn vrouw zich een weg kon banen door alle ambtelijke molens, beper-
kingen en stroopsmeerderijen. Ze begon een echte vriendin te worden.

Ze merkte dat ze kerstliedjes in zichzelf liep te zingen op deze grauwe
middag, terwijl de duisternis inviel. Iris vroeg zich af of er nog mistletoe in de boomgaard zat, en ze doorzocht de appelbomen waar de oude
schommel hing. Ze controleerde het touw en ging op de houten zitting
zitten, terwijl ze zich afzette zoals ze dat als kind had gedaan, zonder zich
er iets van aan te trekken dat de hele wereld zag hoe deze ouwe vrijster
een beetje zat te schommelen. Het winterse tafereel voor haar, dat ooit zo

vertrouwd was geweest dat het onzichtbaar leek, kwam opeens scherp in beeld. Je boft dat je uiteindelijk in zo'n huis terecht bent gekomen, zei ze tegen zichzelf. Ze zag de zilverachtige gloed van het bos, de scherpe contouren van bogen en paden in de tuin, de warme rode baksteen van de cottage. Het leek op de een of andere manier allemaal met elkaar in overeenstemming te zijn.

Er moest hier ergens mistletoe zijn. Iris sprong van de schommel en snuffelde tussen de knoestige perenbomen. Daar had je het, in de oksel van een tak – donkere twijgen met parelachtige bessen. Genoeg om een traditionele bol voor de hal van te maken. Waarom maak ik me op mijn leeftijd nog druk over mistletoe? lachte Iris, maar ze plukte het toch. Omdat je inwendig nog steeds een groot kind bent met dromen van veel cadeautjes en feesten, waar het Kerstmis betreft...

Hoe moest ze dit gebruik uitleggen aan haar groep? Maar kussen onder de mistletoe maakte net zo goed deel van het ritueel uit als plumpudding en knalbonbons. Magda zou haar wel helpen. Haar Engels was beter dan dat van de rest van de groep, en ze kende een beetje Frans. Magda wilde lerares worden en ze was de grens over gevlucht met achterlaten van haar familie. Zij moest zich ook vreselijk voelen rond deze tijd.

Toen Iris haar zak met groen naar het huis sleepte, zag ze opeens een paar witte bloemen die door het dichte groen omhoogstaken: de kerstrozen. Hoe had ze dat polletje op het schaduwpad kunnen vergeten, de bloemen die moeder voor eerste kerstdag bewaarde en in porseleinen eierdopjes op de tafel zette? Pappa hevelde er wat over naar het sprookjesdal, dat hij daarna prompt omspitte. Het Sleutelbloemenpad en het Brandnetellaantje... Het was jaren geleden sinds ze aan haar eigen dagen van tuinieren had gedacht. Ik moet hier morgen terugkomen om wat helleborussen te plukken als aandenken aan vroeger, dacht ze. Tijdens de feestdagen moest je je rituelen naleven. Dat hoorde ten slotte bij het laatste beetje magie dat volwassenen restte.

Het benauwde gevoel in Ferencs borst wilde niet verdwijnen. Soms kon hij nauwelijks ademhalen wanneer hij opstond van zijn brits. Maar er was niets dat hem van dat feest kon weghouden, ook al zou hij erheen moeten kruipen. De lessen in het oude huis waren de zon waar zijn hele week omheen draaide. Ze maakten deze plek dragelijk, en de donkere winternachten snelden voorbij als hij zich de vrede van dat plekje voor de geest haalde.

Als huis op zichzelf had hij thuis wel mooiere gezien, maar er was iets aan de omgeving en aan de tuin dat maakte dat zijn treurige stemming opklaarde. Hij zou er graag eens op zijn gemak willen rondwandelen, niet alleen maar korte glimpen opvangen. Zijn Engels was echter niet goed genoeg om om een rondleiding te vragen, en juffrouw Iris zou hem misschien brutaal en ondankbaar vinden als hij de buitenkant in plaats van de binnenkant wilde zien. Hoe moest hij uitleggen dat hij gewend was aan open ruimten en aan het bewerken van het land van zijn vader, aan hard zwoegen om voedsel, groenten en fruit te kweken? Een man kon zijn gezin goed te eten geven in een tuin als deze. In de oorlog had hij veel gebombardeerde ruïnes gezien, en huizen die doormidden waren gesneden, lege hulzen die vervallen en verloren waren. Hij wist dat niet iedereen in Engeland in een huis als dit woonde, want hij had vanuit de trein hun achterbuurten gezien, de achterkanten van troosteloze huisjes, zwart van het roet. Iris Bagshott was kennelijk lid van de bevoorrechte klasse, en misschien hoorde hij zoveel weelde te veroordelen, maar ze was heel vriendelijk en wilde hen graag van alles bijbrengen. Zijn manier van denken was nu volledig op zijn kop gezet.

Het meedoen aan de lessen had zijn perspectief veranderd, had hem gedwongen zich met anderen te bemoeien en te praten, de scènes van thuis te vergeten die hem in het geheugen gegrift stonden. Vertrouwde vormen en geuren, zoals Ilona's gezicht wanneer hij haar kuste, heel veel scènes die hij moest uitwissen. Als hij probeerde te studeren kon hij zich verliezen in de oefening, en hij kon zijn eenzaamheid vergeten in de warmte van die kamer met het vrolijke vuur dat vonken op het haardkleed spatte. Hij mocht de andere leerlingen graag. Peter maakte zich ongerust over hem en wilde dat hij naar de dokter in de medische barak ging voor zijn hardnekkige hoest, maar Ferenc wilde geen gedoe en hij wilde zeker niet op bed moeten blijven liggen. Het was alleen maar een zware kou. Als hij zich goed warm inpakte, zou hij zijn koorts verborgen kunnen houden.

Hij wilde een cadeau meenemen naar het feest. Het zat hem dwars dat hij niets had om Iris en de dame in de jeep te geven. Hij had niets bij zich dat het waard was om gegeven te worden, en de *palinka* was allang op. Was er niets van Hongarije in het kamp, geen souvenir van thuis? Alleen maar een paar geïmproviseerde vlaggen, littekens en kogelwonden, heel bittere aandenkens. En dan was er één speciaal ingrediënt dat hevig ontbrak aan de smaak van het Engelse voedsel dat zo smerig aan hen werd voorgezet. Waar kon hij het magische Magyar paprikapoeder vinden, het rode stof van de oriënt dat hun stoofschotels opvrolijkte, net zo typisch als zure room, liptauer kaas en tokayer? Ja. Er zou toch zeker wel íémand zijn die zo slim was geweest de smaak van thuis mee te brengen?

Hij vroeg in de barakken om hem heen, en de mensen lachten om zijn verzoek. Denk je nou echt dat wij de tijd hadden om potjes uit de keuken mee te nemen? Als je voor je leven moet zwemmen, wat heb je dan aan een pakje paprikapoeder? We hadden andere dingen om ons over op te winden. Hij smachtte naar deze smaak van thuis, dacht aan alle ballingen die aan de feestelijke dis van hun families ontbraken en die deze scherpe specerij misschien wel nooit meer zouden proeven. Hij sjokte terug naar zijn barak en liet zich op zijn brits vallen, en hij werd weer door heimwee overvallen toen hij naar de maan keek die langs de heldere hemel omhoogklom.

Later fatsoeneerden de mannen hun armoedige kleding en plakten hun haar naar achteren met water. Het groepje werd samen met nog wat vrienden naar Fridwell gebracht in een konvooi van gebutste voertuigen. Ferenc hield van het moment waarop het pad door het bos zich verbreedde en het gordijn van bomen openging om de vlakte beneden te onthullen, met de helling waarop het dorp lag. Hij wilde genieten van het moment dat de auto het hek indraaide en hij de rook uit de brede bakstenen schoorsteen zag opstijgen. Eenmaal daar aangekomen stapte hij langzaam uit om zijn benen te strekken, maar zijn adem stokte in de koude, vochtige lucht. Hij voelde hoe alles om hem heen draaide en hij greep de muur vast om zijn evenwicht te bewaren. Het zweet gutste hem over het voorhoofd en hij wist zich slechts met uiterste wilskracht over het pad het huis in te slepen, naar de zitkamer van juffrouw Iris.

Toen hij in het schemerige licht de kaarsen zag flakkeren, met al het groen dat rond de schilderijen was gedrapeerd, dacht hij terug aan kerstavond in de oude kerk thuis, voordat de Russen kwamen. De kamer zat propvol bezoek, een luidruchtige, vrolijke verzameling die dicht op elkaar zat, maar de drukte maakte dat hij geen lucht kon krijgen, en hij wankelde naar de deur. Misschien kon hij buiten wat adem krijgen. Die vrouw had zoveel moeite gedaan om het hen naar de zin te maken, de tafel in de keuken stond vol eten, maar hij had er geen zin in.

Hij zag hoe Iris verlegen probeerde haar leerlingen aan een priester voor te stellen. Ze zag er heel netjes uit met een winterjurk in de kleur van rijpe tomaten. Het stond haar goed, en met haar golvende haar dat los op haar schouders hing, leek ze veel jonger en meisjesachtiger, minder streng. Voor de eerste keer zag hij juffrouw Iris als vrouw, niet als lerares, en dit maakte hem onrustig. Hij voelde zich niet loyaal, door haar met anderen te vergelijken. Ze was geen schoonheid, maar die donkere ogen straalden, ook al stonden ze soms heel treurig, en hij vroeg zich af hoe het kwam dat ze hier alleen woonde, zonder man aan haar zijde. In zijn land zou dat niet zo zijn geweest. Misschien had de oorlog haar van haar geliefde beroofd. Hij dacht aan Ilona, ver hiervandaan. Hij had nog steeds geen bericht van haar, hoewel hij had geschreven en via de radio een oproep had gedaan om contact met hem op te nemen.

Als hij zijn jas pakte en even een luchtje ging scheppen, wat in de tuin liep, zou in zijn hoofd dat gevoel van watten misschien verdwijnen. Boven op zijn jas lag een stapel andere jassen, en hij kon die nauwelijks optillen. Deze inspanning beroofde hem van zijn laatste krachten. Hij liet alles vallen en liep naar de deur, overmand door een hevige hoestbui. Hij wankelde naar buiten, de schemering in, met een gevoel alsof hij zweefde, zonder te merken dat Iris en Peter hem waren gevolgd, opgeschrokken door het geluid. 'Hij ziek, heel ziek...' waren de laatste woorden die hij hoorde.

De mannen droegen hem naar boven, naar een koude slaapkamer op de zolder. De geluiden kwamen en gingen. Zijn ledematen waren vreemd licht en het plafond draaide steeds boven hem rond. Ferenc liet zich vol opluchting op het bed zakken en voelde toen niets meer.

'Ik zou hem eigenlijk in het ziekenhuis moeten laten opnemen,' zei dokter Mac, die zich een weg door de feestvierders had moeten banen. Na het buffet te hebben verslonden stonden ze nu rond de piano om met veel enthousiasme het Hongaarse kerstlied 'Mennybol oz angyal' te zingen. Hij had de man onderzocht en schudde nu zijn hoofd.

'Dit ventje heeft niet goed voor zichzelf gezorgd... zijn rechterlong zit vol. Hij moet goed in de gaten worden gehouden... ik zal een ambulance bellen.'

'Op kerstavond, dokter? Is dat echt nodig? Als hij hier blijft, is dat niet voldoende?' vroeg Iris, bezorgd dat haar pupil opnieuw op een vreemde plaats wakker zou worden. 'Ik weet zeker dat ik hem wel kan verzorgen, als ik wat instructies krijg.'

'Dat is vreselijk aardig van je, lieve kind, maar je hebt het met Kerstmis toch al druk genoeg? Wat rust en deze antibiotica zullen hem snel weer oplappen.'

'Zo druk heb ik het nu ook weer niet. Ik heb alle tijd om een paar dagen voor Florence Nightingale te spelen. De andere leerlingen zullen ongetwijfeld helpen. Geen van hen heeft met Kerstmis veel te doen. Maar als hij in gevaar verkeert, dan weet u natuurlijk wat het beste is.' Iris wilde geen enkel risico nemen met Frankies borst.

'O, hij overleeft het wel. Je oude moeder zou trots op je zijn geweest, Iris Bagshott. Niet iedereen stelt zijn huis op kerstavond voor vreemdelingen open.'

'Ik dacht dat dat de oorsprong van het kerstfeest was geweest, plaats in de herberg en zo?'

De dokter trok zijn wenkbrauwen op tot boven zijn brillenglazen.

'Hij zal gauw genoeg opknappen in een vertrouwde omgeving met verpleegsters die zijn eigen taal spreken, maar de reis terug naar het kamp zou in deze toestand niet verstandig zijn. De ziekenboeg daar is een beetje tochtig.' Dokter Mac deed zijn tas dicht en holde de trap af, naar zijn volgende visite. 'Ik kom nog wel bij hem kijken. Vrolijk kerstfeest, allemaal!'

Hij greep Magda vast en kuste haar onder de mistletoe, tot grote verbazing van de buitenlandse gasten, die zich afvroegen of alle Engelse dokters dit deden.

Iris glimlachte en probeerde het uit te leggen. 'We kussen elkaar zo, en dat brengt vrede in dit huis. Veel geluk.'

Dat leken ze te begrijpen, en de mannen knipoogden en stonden op hun beurt op een kus te wachten. Iris loodste hen terug naar de keuken om het nieuws over Frankie te vertellen. 'Hij blijft hier. Hij is erg ziek.'

'Wij blijven?' De groep lachte, terwijl Iris heel verschrikt keek.

'Bedden voor Magda en Eva, *igen*... ja. Bedden voor jullie... *nem*.'

'Wij slapen hier,' zei Georgy, en hij wees naar de oude sofa. 'Alleen één en één allen!' Ze knikten en lachten.

'Waar hebben jullie dat geleerd?' Iris was zo onthutst dat ze op de keukenbank ging zitten om haar voorhoofd af te vegen. Wat een vreemde broden en vissen bleek deze Kerstmis te bevatten. Friddy's Piece zou school en ziekenhuis, herberg en kantine zijn. Ze zou bij Flora wat eten moeten lenen. Ze had nu geen tijd om het dorp in te gaan om een kip te kopen. Gelukkig gingen ze morgen allemaal naar de Salts!

Ferenc zag het eerste morgenlicht door een kier in de gordijnen sijpelen. Hij strekte zijn benen onder de dekens uit en staarde omhoog naar de oude balken van zijn zolderkamertje. Wat een vreemde droom, om wak-

ker te worden met bezoekers aan zijn voeteneind: een grijze, nonachti-
ge gestalte, een kind met gouden krullen als een engeltje aan een kerst-
boom, en een lange man in een vreemd kostuum met een mooi vest. Al
die mensen trokken door zijn kamer op weg waarheen? Nu was hij helemaal wakker. Hij had een vieze smaak in zijn mond en zijn baard was
als schuurpapier. Waar was hij? Toen herinnerde hij zich dat hij veilig in
de cottage was.

Hij kwam voorzichtig van het kussen overeind. Het strakke gevoel
rond zijn borst was verdwenen. Hij schoof voorzichtig naar de rand van
het hoge bed en liet zijn voeten over de rand bungelen. Hij kon de luidruchtige vrolijkheid van zijn landgenoten horen, zijn moedertaal met hier
en daar wat gebroken Engels, en er stond hem vaag iets van angstige gezichten voor de geest terwijl de dokter hem onderzocht. Hoe lang had hij
hierboven gelegen? Toen stak Iris haar hoofd om de hoek en glimlachte.

'Eindelijk is er weer leven! Vrolijk kerstfeest, Frankie.' Ze riep naar beneden naar de anderen en die holden de trap op om zijn hand te schudden en hem het beste te wensen.

In de dagen die volgden ging hij voorzichtig naar beneden om zich
te voegen bij Peter, Zoltan, Eva en Magda, die hem volstopten met restjes van Flora's feest, met wijn en cognac om hem weer op te peppen. De
groep converseerde in het Engels, en zijn hoofd deed pijn van alle pogingen het te volgen. Peter ging binnenkort verder naar het noorden, naar
een pension, en Magda ging met Eva naar Birmingham. Ze zouden voor
de nieuwjaarsviering met zijn allen teruggaan naar het kamp, maar hij
moest in Friddy's Piece blijven tot dokter Mac hem liet gaan. Hij werd
als een kalkoen volgestopt met de vreemdste kruidige drankjes, inclusief
oma's vlierbessenhoestsiroop, die jarenlang achter in de provisiekast had
staan gisten, en hij moest zijn borst inwrijven met een smeersel van Vic
om de hoest wat losser te maken. Ferenc kon zich niet verroeren zonder
dat er iemand als bediende voor hem klaarstond, en hij begon zich opgelaten te voelen. Hoe kon hij ooit zoveel vriendelijkheid vergoeden?

Als de cottage leeg was, en alle bezoekers een lange wandeling in de
knerpende sneeuw waren gaan maken, zat hij met Iris bij de haard, en hij
zweeg terwijl zij in de kolen pookte. Hoe kon hij haar bedanken? Toen
hij naar de vlammen zat te kijken, die oplaaiden tot een gouden licht,
begon hij een idee te krijgen. Hij stond op en schoof de gordijnen opzij. Hoog boven de tuin kwam de maan op, geen paprikamaan, zoals de
roodgetinte bol die hij thuis gewend was, maar een zilveren schijf die de

toppen van de bomen en het dak van de schuur verlichtte. Hij mimede zijn bedoeling, en ze glimlachte.

'Wil je mijn tuin omspitten?' mimede ze terug, en ze schoten allebei in de lach. 'Nog niet, Frankie... maar binnenkort, als je sterker bent.' En ze wees naar zijn borst. Hij stak zijn duim omhoog. Hij begreep het. 'Ik spitten tuin...' En later die maand kwam hij terug om dat te doen.

Ferenc besteedde al zijn vrije tijd aan het omspitten van de moestuin, het uittrekken van het onkruid. 'Wij hebben poep?' vroeg hij op een dag onschuldig, en hij wees naar de grond. Iris rolde bij zijn woorden om van het lachen.

'Nem... We hebben mest nodig voor de grond.'

'Ja, paardenpoep en koeienpoep, ja?' Ferenc glimlachte.

'Paardenmest en koeienmest, Frankie.'

'Waarom jij zeggen mest? Is toch poep, ja? Ik begrijpen niet waarom niet poep?' Hij kon maar niet uit over al die woorden die hetzelfde betekenden. Hij zou ze wel nooit allemaal leren. Hij ging weer verder met spitten.

Iris groef een gat en wees omlaag. 'Als ik heel kwaad ben, of treurig, of het niet begrijp... dan graaf ik een gat en schreeuw erin omlaag... Snap je? Daarna gooi ik het gat weer dicht. Dat geeft me een goed gevoel.'

'Mal paard!' was de enige manier waarop Ferenc antwoord kon geven.

Ze gingen met Gertie naar de stallen van Flora om daar om goedverteerde stalmest te bedelen, en ze sleepten het terug in de open bagageruimte om alles over de kale grond uit te spreiden. Iris voelde een steek van opwinding toen het oude tuintje eruitzag zoals het er onder de hoede van opa Bailey had uitgezien.

Stuk voor stuk nam ze afscheid van haar leerlingen toen die zich over de Midlands verspreidden. Weldra nam een nieuwe groep hun plaats in voor korte Engelse lessen; nieuwe leerlingen die vers nieuws uit Hongarije meebrachten. Het begon nu moeilijker te worden om te ontsnappen en er waren vreselijke verhalen van schietpartijen en verdrinkingen. Ferenc kwam er soms bij zitten om als tolk te fungeren, maar Iris had het gevoel dat de lamme de blinde moest leiden als hij erbij was.

Ze begon eraan gewend te raken hem in haar tuin aan het werk te zien, om de sloten schoon te maken en de verwilderde hagen terug te snoeien. Hij repareerde het kippenhok en maakte de ren schoon voor een toom jonge kippen in het voorjaar. Hij kreeg een oogje op opa's hut en zette er een stoel in zodat hij in alle rust kon roken en daar naar de kortegolfradio kon luisteren. Het was geen echte verrassing toen Henry en Flora op een dag op de thee kwamen en hem een baan bij S & B aanboden. Henry had gezien hoe nauwgezet hij de tuin had omgespit en met zijn Engelse les had geworsteld. Hij zou goed met de andere mannen kunnen samenwerken, want hij pikte dingen snel op en maakte het iedereen graag naar de zin. Hij zou algemeen monteur worden en ook wat taxidiensten kunnen verrichten, aangezien hij in zijn legerdagen in Hongarije op vrachtwagens had gereden. Gertie werd gevorderd om hem wat rijervaring te geven, en haar arme versnellingsbak kreeg het zwaar te verduren, aangezien hij voortdurend naar rechts zwenkte wanneer hij zich niet concentreerde.

'We zouden een rode vlag op de motorkap moeten zetten als jij achter het stuur zit,' plaagde Iris. 'Rode vlag! Gevaar! Stop! Ja?' Hij begon haar plagerijen een beetje te begrijpen. Hij stopte dan even en keek haar bedroefd aan, om haar vervolgens een brede grijns toe te werpen, als een stoute jongen die in de klas werd betrapt. Zo'n blik kon het koudste hart nog doen smelten.

Soms bleef hij tot laat en dan kookte ze avondeten, waarbij ze een keer probeerde een goulashrecept uit *Koken rond de Wereld* te maken. Het werd een ramp want het werd kledderig en ze had er gewone peper in gedaan in plaats van paprika. Ferenc deed heel beleefd en probeerde het op te eten, maar goulash was het niet! Zelfs de zuurkool uit blik smaakte als kool in afwaswater. Voor de eerste keer had hij het over thuis en over zijn moeder. 'Ik schrijven brief aan moeder voor een... *Guylas?*'

'Voor een recept, een lijst van alle dingen in een goulash.' Iris greep de gelegenheid aan om hem naar thuis te vragen. 'Je woont bij je vader en moeder, ja? Je was sportleraar op de school? Je hebt een vriendinnetje, een verloofde?' Ze wees naar haar ringvinger.

'Ik heb vriendin... Ilona... een lerares. Zij komen niet met mij. Ik wachten bij station. Zij komen niet. Waarom zij niet komen?' Hij boog zijn hoofd.

'Je hebt haar geschreven, ja?'

'Ja, vijf brieven. Ik begrijpen niet.'

Iris kon zien dat hij verdrietig was en ze ging er niet verder op door. Soms had ze het gevoel alsof er een IJzeren Gordijn tussen hen neerdaalde. Ze wist dat hij boos was dat geen andere landen Hongarije te hulp waren gekomen in de laatste dagen toen Imre Nagy het Westen om hulp had gevraagd. 'Ik begrijpen niet!' dekte voor Frankie veel gevoelens en conflicten af. Toen hij terug was naar zijn onderkomen voelde ze de eerste steken van jaloezie door zich heen gaan, omdat hij een liefje had, maar ze veegde haar eigen dwaasheid opzij en rookte in plaats daarvan een pakje sigaretten om zichzelf te kalmeren.

Iris zag de winter overgaan in het voorjaar, en de dagen lengen. Haar werk voor het kamp begon af te nemen. Ze ontdekte sneeuwklokjes en gele winterakonieten, die zich als een tapijt onder de bomen uitspreidden. De tuin had eerder als een soort achtergrond voor haar activiteiten gefungeerd, een plek om te spelen en te zitten en na te denken. Nu begon deze echter een eigen leven te krijgen. Ze verheugde zich op de komst van de primula's en de dotterbloemen langs de oevers van de beek. Ze merkte dat haar weken gevuld raakten met aanvullend onderwijs op de scholen in de buurt, en dat de zaterdagmiddagen voorbijsnelden als ze haar kruidentuintje fatsoeneerde en de taxusboog weer in vorm snoeide. Ze snoeide de vermoeide rozen tot op de voet terug, in de hoop dat als ze ze goed te eten gaf, ze misschien weer nieuwe energie kregen en haar die zomer een verrassing zouden bereiden.

Het was veel jaren geleden sinds ze zich met het werk buiten had bemoeid, en het grappige was dat nu ze grond aan haar vingers had en de humus er brokkelig doorheen voelde glijden, het niet langer een tuin was, maar háár tuin. Opeens was al dat groeien hier haar verantwoordelijkheid, haar baby, en kon ze ermee doen wat zij wilde. Wat een gevoel van macht bracht dat met zich mee. Ik kan dingen verplaatsen en planten veranderen, dacht ze. Ik kan zien wat er opkomt, om dan te executeren, te verbannen, gevangen te zetten of te bevrijden, net zoals ik wil. Er was altijd iets wat opkwam, achteruitging, aandacht nodig had, en ze bleef steeds vaker bij de borders staan om te zien wat daar gebeurde. Ze nam dan de voorbereidingen voor haar lessen mee naar de bank bij het raam en keek uit over de tuin, niet langer met wanhoop maar vol plannen en ideeën. De tuin was haar nieuwe vriend, nee, haar jeugdvriend, die ze opnieuw had ontdekt.

Op zondagen vond ze Frankie altijd ergens hard aan het werk, met zijn zwarte baret die op en neer danste, de kruiwagen die over de grindpaden knerpte. Ze rommelde wat rond, net als Flora, die opdrachten gaf aan 'Grumpy Greggs'. De gedachte dat zij een soort chique dame met een strohoed en een plantenmandje werd, was te zot voor woorden, en ze trok prompt een ketelpak aan, met een paar rubberlaarzen, om aan de slag te gaan met aardappels poten. Iris had in de oude boeken opgezocht dat ze bij wassende maan moest poten, en op Goede Vrijdag, maar het had de hele dag gegoten, dus moesten de pootaardappelen wachten tot paasmaandag. Frankie was toen in een slecht humeur, chagrijnig, stil, en niet zichzelf. Ze had hem niet gevraagd haar te helpen, maar hij vond dat groenten kweken mannenwerk was, en dat hij als voorman het toezicht moest hebben over deze operatie. In de bloemperken was hij een zachtaardige jonge kat, maar bij de groente speelde de tijger de baas. '*Nem!*' Hij liet haar zien hoe ze de knol moest planten en het gewas moest aanaarden, waarbij hij met een gezicht als onweer door de natte grond banjerde. Iris zou hebben gezworen dat ze hem een gat zag graven en hem erin zag schreeuwen.

Na al het werk van de dag zaten ze meestal zwijgend in de keuken met koppen Russische thee die Frankie zo lekker vond. Iris zat op een dag met haar nek heen en weer te draaien om de stijfheid ervan te verlichten. Frankie stond op en begon de spanning uit haar nek en schouders weg te masseren.

'Vind jij lekker?'

Ze had geen idee dat een aanraking haar zo snel kon ontspannen, met stevige bewegingen die alle spanning wegmasseerden. Hoe deed hij dat? Ze was diep onder de indruk en probeerde dit op zijn nek te oefenen wanneer ze een glas bij de haard dronken. Ze had geleerd de vederachtige streken en de stevige, cirkelvormige bewegingen te kopiëren, om de spanning uit zijn spieren weg te kneden. Het maakte deel uit van de stilzwijgende verstandhouding tussen hen, het langzame ritme van het weekend. Zelfs toen Frankie een onderkomen in de stad had gevonden, kwam hij elke zondag op zijn fiets naar haar toe.

Vanavond was hij zwijgzaam en in zichzelf gekeerd. Er zouden geen massages of gesprekken volgen. De vonk was uit zijn ogen verdwenen en hij keek haar nauwelijks aan. Iris begreep er niets van en probeerde deze verandering van klimaat te doorgronden. 'Alles goed met je?'

'Ja. Ik ga nu, alsjeblieft. Dank je, Iris. Lekker eten.'

De volgende week kwam en ging hij zonder dat zij er iets van merkte, alsof hij zijn plicht had gedaan en meteen weer was weggevlucht. Iris kon niet doorgronden waarom hij opeens zo was veranderd. Begon het hem te vervelen of had hij nu andere dingen aan zijn hoofd en bracht hij zijn weekends liever met jongere mensen door? Ze had geweten dat dat een keer zou gebeuren. Hij zou vast met leuke meisjes in danszalen willen rondhangen. Daar had ze alle begrip voor. Maar naarmate de week verstreek en ze alle vriendelijke opmerkingen in de lerarenkamers van de scholen waar ze inviel van zich af beet, besefte ze dat haar gevoelens gekwetst waren door zijn zwijgen. Het raakte haar zeer toen hij de volgende zondag niet kwam.

Ze had wat extra's voor de lunch klaargemaakt, gewoon voor alle zekerheid, ze hield voortdurend de klok in de gaten en rommelde wat in de tuin, niet in staat zich te concentreren. Uiteindelijk belandde ze in zijn schuurtje, waar ze de muffe geur van zijn Turkse sigaretten rook en zich afvroeg wat hij deed en bij wie hij was.

Al haar instincten vertelden haar dat er een vrouw achter zat. Wat was er aan de hand? Waarom voelde ze zich zo terneergeslagen, zo verdomde kwaad? Ze zat een prachtige voorjaarsmiddag te verprutsen met dit zinloze gemok. Dat verhipte weten zonder woorden ook, die Bagshott-erfenis die aan haar was doorgegeven, die neus voor de waarheid achter alles. Frankie had een meisje, en zij was jaloers. Ja, stomme oude zottin die ze was, ze had naar hem gehunkerd en hij had dat door. Nu probeerde hij haar zo beleefd mogelijk de bons te geven, voorzover dat mogelijk was voor iedere arme drommel die de taal niet sprak. Al deze maanden had hij het haar gewoon een beetje naar de zin gemaakt, om in haar tuin een denkbeeldige schuld af te betalen. Wat onnozel dat ze zich dat niet eerder had gerealiseerd. Hoe zou ook een jongeman nog naar haar kunnen kijken met wellust of begeerte?

Ze ving een blik van zichzelf op in het ruitje. Wat een vertoning! Haar wenkbrauwen moesten nodig worden geëpileerd, haar kaaklijn begon te verslappen, en ze kreeg ook kraaienpootjes. Met hangende borsten en gebogen schouders stond Iris in de border te spitten, en terwijl de tranen haar over het gezicht stroomden schreeuwde ze in het gat: 'Jij stomme ouwe trut, word eens volwassen!'

De paprikamaan

Ferenc stond op het perron van het station Trent Valley gespannen te wachten tot de trein zou binnenlopen. In zijn zak zat Ilona's brief, de brief die hij had gelezen en vele keren herlezen. Hij kon eenvoudigweg niet geloven dat ze eindelijk naar hem toe kwam, dat ze al twee maanden in Engeland zat, in een plaats die Tidworth heette, vlak bij Londen, en dat ze nu in een opvangcentrum in Ealing zat. Het was een grote schok voor hem geweest toen hij het bericht van haar komst van wederzijdse vrienden hoorde, die haar toevallig op een feestje hadden gezien. Hij had aanvankelijk in enthousiasme uit willen barsten, maar er was iets wat zijn vreugde intoomde. Hij kon het niet aan juffrouw Iris vertellen. Op de een of andere manier had hij het gevoel dat als hij het haar eenmaal had verteld, dat het einde van zijn tuinzondagen zou betekenen, en van de vredige momenten dat hij daar werkte. Hij zou Ili nu in de weekends moeten ontmoeten en misschien een baan dichter bij haar in de buurt moeten zoeken. Ze was zo dapper geweest om in haar eentje hierheen te komen, en dan moest hij haar steunen. Ze was tenslotte zijn geliefde.

Stel dat ze hem niet herkende, met zijn beste regenjas en zijn deukhoed? Hij leek nu op een gewone Engelsman, want hij had een baan en een plek om te wonen. Hij ging naar avondschool om zijn Engels te verbeteren, en hij zou eens misschien weer sportleraar kunnen worden. Zijn baan in de werkplaats was een beetje laag-bij-de-gronds en soms vervelend, maar er was een hoop overwerk, en hij had geld genoeg om nieuwe overhemden en mooie dassen en voetbalschoenen voor zichzelf te kopen. Hij werd lid van een plaatselijke voetbalclub. Ferenc had niet langer het gevoel alsof hij een etiket droeg waarop met zwarte inkt 'vluchteling' stond geschreven. Hij was nu Frankie Hordas en hij zou binnenkort een vrouw hebben om zijn droom compleet te maken.

Hij zocht de coupés af toen de trein langs het perron gleed, en hij tuurde door de rook en het roet om een eerste glimp op te vangen van

Ili met haar blonde haar losjes gevlochten, met haar dirndl-rok en haar sokjes.

Er bleef een vrouw glimlachend voor hem staan, een vrouw met rode lipstick en geverfde ogen, met een paardenstaart en een pony op haar voorhoofd, als een danseres in de film, en haar opbollende rok zat met een brede ceintuur rond haar middel vastgesnoerd. Ze was een en al rondingen en zachtheid.

'Feri, hoe gaat het met je?' Ze kusten elkaar op de wang en klampten zich even aan elkaar vast.

'Ili, wat ben je veranderd...' Hij moest haar nieuwe uiterlijk tot zich door laten dringen. Ze draaide voor hem rond en hij kon de petticoats onder haar rok zien zwieren.

'Als al die Engelse meisjes zich als filmsterren kunnen uitdossen, dan kan ik het ook. Vind je het leuk?' Hij wist het niet zeker. Ze leek harder, scherper in haar manier van doen, en hij voelde zich wonderlijk nerveus. Er waren honderd vragen die hij haar wilde stellen.

'Waar zullen we naartoe gaan... naar een film, of gaan we dansen, of allebei?' Ili liep verder over het perron, en hij volgde haar. 'Vind je het niet geweldig? Er valt zoveel te beleven en te zien, en we kunnen nu overal naartoe gaan zonder dat we een vergunning nodig hebben. Ze geven me zelfs geld om uit te gaan. Weet je nog toen we student waren en nog geen tien forinten hadden? Dat was toch zeker geen leven? Nu kan ik elke dag naar Londen gaan als ik dat wil, en er is altijd wel een feest of concert of een stel vrienden om naartoe te gaan. Ik wou dat ik maanden geleden met je mee was gegaan, maar ik durfde niet.'

'Hoe ben je weggekomen?' vroeg hij, terwijl hij eigenlijk wilde weten waarom ze niet dapper genoeg was geweest om met hem mee te gaan.

'Ik ben met een andere groep studenten tachtig kilometer naar de grens gelopen en we zijn op een nacht overgestoken...'

'Hoe is het met mijn ouders? En met die van jou?'

'Ze weten zich te redden en ze hebben alle begrip. Kijk niet zo ernstig, Feri. Het leven gaat verder en we hebben onze kans gegrepen. Thuis is er geen toekomst voor ons. Kom op, laten we deze dag niet bederven. Ik rammel van de honger.'

Ze aten in een café op het marktplein en wandelden rond de oude kathedraal, voerden de eenden in het park, net als elke andere toerist. Ze deed heel beleefd tegen hem, alsof hij een vreemde was, en niet haar Feri. 'Ilona, je bent veranderd,' stamelde hij. 'Ik herken je nauwelijks.'

Waarom heb je er zo lang over gedaan om mij te vertellen dat je hier was?'

'Ach, je weet hoe het is als je net ergens bent. Dan moet je zoveel regelen.' Ze keek hem niet recht in de ogen.

'Maar je had toch hier naar het kamp kunnen komen? Je had mijn naam kunnen opgeven bij "naaste verwanten". Ik heb je veel brieven geschreven en je hebt nooit geantwoord.'

'Feri, hou op! Ik ben nu toch hier?'

'Wil je hier komen wonen?' vroeg hij vriendelijk, hoewel hij haar antwoord al raadde.

'Geen sprake van! Na Londen is dit een gat. Ik sta nu bij een universiteit ingeschreven en we zitten met een groepje in hetzelfde huis.'

'Juist ja,' antwoordde hij, met bonzend hart. 'Waar pas ik in al je plannen, Ili?'

Even bleef het stil.

'Ik wilde je schrijven, echt waar, maar door al het gedoe en zo... Het leven is hier anders, en er zijn zoveel mensen.'

'Ik begrijp dat je een ander hebt ontmoet? Ken ik hem?'

'Nee. Maar we waren gewoon met een groep die veel met elkaar omging, en toen ontmoette ik Lazlo op een feest. Hij studeert geneeskunde en... nou ja, we konden het meteen goed met elkaar vinden.'

'Juist ja. Dus ik neem aan dat jij niet verwacht dat ik vaak naar Londen zal komen?'

'Je zult altijd welkom zijn, Feri, maar we kunnen de klok nu eenmaal niet terugzetten, dat kan niemand van ons. Zulke dingen gebeuren.'

Tijdens die lange dag vroeg ze niet één keer naar zijn eigen reis naar de vrijheid, naar zijn ervaringen, naar zijn leven nu en naar zijn nieuwe vrienden. Hij zag zijn geliefde voor het eerst als een nogal egoïstische, onnozele jonge vrouw die verliefd was op haar bestaan in Londen, niet op hem. Zijn illusies waren verbrijzeld. Hij praatte tegen een vreemde.

De uren sleepten zich voort tot ze in de trein stapte en hij haar een vluchtige kus op haar wang gaf. 'Pas goed op jezelf, Ili, en laat me weten hoe het met je gaat...' Zijn stem stierf weg toen ze uit het raampje van de coupé zwaaide. Hij wist dat dit vaarwel en niet tot ziens was. Hoe hadden twee mensen binnen amper zes maanden zo uit elkaar kunnen groeien? Toen hij door de stille buitenwijken naar zijn kamer liep, voelde hij een intense treurigheid maar ook een vreemd soort opluchting. Hij had niet graag dicht bij Londen willen wonen. Steden interesseerden hem

niet. Hij hield van open ruimten en bossen en hij hield bovenal van de
rustige stilte van de tuin van Iris Bagshott, en van die aardige en grappige
vrouw die daar woonde. Dat was het stuk Engeland waar hij het meest
van hield.

Hij zag de maan opkomen als een rode bal van vuur: zijn paprikamaan kwam weer op. Een goed voorteken.

Iris zwoegde het hele voorjaar als een grondwerker in haar tuin, waarin
ze van alles plantte en zaaide en iedere minuut van haar vrije tijd druk
in bezig was. Een tuin kiest geen partij bij een ruzie, een tuin luistert alleen maar, doet je de betrekkelijkheid van alles inzien, dacht ze. En soms
overviel het haar bij verrassing, doordrong het haar van dat vreemde gevoel van blijdschap dat alles veranderde wat ze aanraakte. Ze voelde hoe
de geest van de tuin haar ertoe dreef een boog hier of een nieuw perk
daar te maken; niet bang te zijn het gras om te spitten en nieuwe perken en vormen te maken. Het zachte, melkachtige licht was zo mooi dat
ze 's avonds vaak buiten bezig bleef als ze geen les hoefde te geven op de
avondschool. Ja, ze zou zich richten op een comfortabele oude dag hier,
ze zou haar chocola drinken en naar de radio luisteren, misschien een te-
levisie kopen. De gedachten aan Frankie waren afgestompt tot een dof
verlangen. Ze kon nu lachen om haar eigen dwaasheid. Soms moest je
een verlies accepteren en het loslaten, mijmerde ze. Toen ging de bel van
de voordeur, en ze liep door de gang om te zien wie het was.

Frankie stond op de stoep met een bos bloemen, een fles rode wijn en
een dwaze uitdrukking op zijn gezicht.

'Hoe gaan de aardappels?'

Iris glimlachte met oprechte blijdschap. 'Dat is lang geleden.'

'Pardon?' Hij lichtte zijn deukhoed. 'Ik kom zien jou, ja?'

'Kom eens naar de tuin kijken. Wat gezellig dat je er weer bent. Had
ik soms iets verkeerds gezegd?' Iris glimlachte, wetend dat de arme man
haar woorden niet zou verstaan. Ze liepen over de paden, knikten, wezen
en mimeden naar elkaar. Hij holde naar het groentetuintje om de aard-
appelstengels op meeldauw te controleren. Er viel niets te bekennen. Ze
hadden immers alles volgens het boekje gedaan?

Later dronken ze in de salon zijn wijn, en ze ondervroeg hem. 'Waarom ben je gekomen? Het is weken geleden. Ben je weggeweest?'

'Ik begrijp niet. Ik zie Ili. Ze nu in Engeland. Zij in Londen...'

'Dus je gaat met haar trouwen?'

'Nee. Ili heeft nieuwe vriend in Londen.'
'Jij bent bedroefd, niet?' Ze wees naar haar hart. Hij schudde zijn hoofd.
Hoe moest hij zijn gevoelens verklaren? Hij had er geen woorden voor.
'Nee. Ik niet bedroefd. Ik zijn hier. Ik spit tuin.'
'Jij spit de tuin!' zuchtte Iris. Daar gaan we weer, terug naar de tuin
van de hopeloos verliefde dwazen. Die tuin zou net zoveel gaten van het
schreeuwen hebben als een vergiet, maar het was heerlijk om te weten dat
hij nog eens terug zou komen.

Ze maakten die zomer zoveel fouten – ze zaaiden te vroeg, te laat, op
de verkeerde plek of in de verkeerde grond, dat ze zich begon af te vragen of ze failliet zouden gaan aan de tuin. Zij was de koningin van de
bloemenborders en hij was de koning van de moestuin, en de mensen in
het dorp begonnen eraan gewend te raken hen samen in de tuin bezig te
zien, twee vrienden die van elkaars gezelschap genoten en vaak een groep
wilde vluchtelingen ontvingen die opeens voor hun neus stond en dan
bleef slapen.

In het najaar groeven ze hun oogst op en verbrandden het aardappel-
loof in het vreugdevuur, ze trokken de slaapmutsjes en eenjarigen uit en
maakten de vijver weer schoon. Het was loodzwaar werk. Op een middag liet Iris zich, stinkend naar de rook, met pijn in al haar gewrichten,
naast de bron vallen om wat water te drinken. Frankie knielde naast haar
neer en begon haar rug te masseren. Ze gaf zich over aan het ritme van
zijn streken, niet in de stemming zich te verzetten. Zijn massage werd
harder, steviger en nadrukkelijker, en hij fluisterde voortdurend haar
naam. Er ging een elektrische schok door haar ledematen en dit maakte
bij haar een besef los dat ze al vele maanden had geweten. Ik houd van
deze man, Frankie. Hij is het hart van mijn tuin, begreep ze, en ze schoot
overeind.

'Jij niet lekker vindt?' Hij keek verbaasd.
'Wel lekker, maar het wordt hier nu kil en het is jouw beurt. Laten we
naar binnen gaan en de haard aanmaken.'

Iris popelde om haar handen op zijn nek te leggen, alle krullerige haren te voelen en de strakke spieren over zijn rug soepel te maken. Ze
gleed langzaam omlaag naar zijn schouders.

Frankie greep haar hand en kuste die, niet langer uit dankbaarheid
maar uit begeerte. Iris hield even op en sloeg haar beide armen om hem
heen. Ze hadden geen taal nodig voor wat er nu verder zou volgen. Iedere
liefkozing was met een eigen spanning geladen toen zich twee naties ver-

enigden: de koning van de moestuin met de koningin van de bloemenborders, verteerd door verlangen bij het licht van de haard. Wie had er
behoefte aan woorden wanneer er zoveel liefde was?

'Iris Bagshott, ik kan mijn oren niet geloven!' zei Flora, en ze vouwde
haar armen over haar kasjmieren twinset. 'Klopt het als ik denk dat Frankie Hordas hier woont... dat hij bij jou hokt? Bij jou in bed slaapt? Ben je
nou helemaal gek geworden? Wat moeten de mensen in Fridwell er wel
niet van denken?'

'Dat wat ze ongetwijfeld al vele maanden hebben gedacht voordat het
echt gebeurde. Het mankeert er nog maar aan dat je zegt... *op jouw leeftijd*! Ik weet dat ik zesenveertig ben en dat hij tweeëndertig is, nou én?
Flora, hoe oud ben jij en hoe oud is Henry?' Iris liet zich niet op haar kop
zitten.

'Dat is niet hetzelfde,' ging haar vriendin ertegenin.

'Kletskoek! zoals jij altijd zegt. Waarom kan het wel voor een man en
niet voor een vrouw? We waren goede vrienden, en nu zijn we geliefden,
de natuurlijke volgorde van de dingen. Wat mankeert daaraan? We zijn
allebei vrij en aan niemand rekenschap verschuldigd.'

'Ik dacht dat hij een meisje in Hongarije had?'

'Nu niet meer. Ze woont in Londen en ze heeft een ander.'

'Dus hij is bij jou gekomen om zich te laten troosten? Wacht maar
af, binnen de kortste keren gaat hij er met een jong ding vandoor.' Flora
blies rook in haar gezicht. 'Dit eindigt allemaal in tranen, Iris. Ik ben te
zeer op je gesteld om...'

'... om mij mezelf belachelijk te laten maken? Is dat het? Henry mag
wel met jou trouwen, maar als ik met Frankie zou trouwen zou dat ob-
sceen zijn?'

'Nee, dat heb ik niet gezegd. Het is alleen een beetje ongebruikelijk. We
zullen er even aan moeten wennen.' Flora moest naar woorden zoeken.

'Zijn wij zo verschillend van ieder ander paar? Voor de eerste keer in
mijn leven loop ik de hele dag te glimlachen. Hij geeft me heel veel steun
en vriendelijkheid, en hij heeft me geleerd hoe ik mijn lichaam moet ontspannen en... Hij is het soort man met wie je de liefde wilt bedrijven met
je ogen open.'

'Iris, toe, alsjeblieft!'

'Doe nou maar niet zo preuts, Flora Salt. Je weet best wat ik bedoel.'

Toen slaakte Iris een gesmoorde kreet, wel wetend dat haar woorden nooit op Henry en Flora van toepassing zouden zijn. 'Frankie weet hoe spieren werken. Hij kan een stijve rug wegmasseren, en ieder ongemak, iedere pijn. Hij bezit er een echte gave voor. Ik zou hem dolgraag op de rug van de arme Henry willen loslaten om te zien of hij de stijfheid wat kan verminderen. Hij heeft het in zijn voetbaldagen van een coach geleerd.'

'Bemoei jij je nou alsjeblieft niet met de rug van Henry! Wat zal die arme kerel er wel niet van zeggen als hij hier achter komt?' Flora ging zitten en goot haar sherry naar binnen.

'Hij zou heel blij zijn dat ik iemand heb gevonden die niet getrouwd is, iemand die fijngevoelig en vriendelijk is, iemand die me mijn zelfrespect heeft teruggegeven. Hij zal blij zijn dat ik in het hart van mijn tuin de liefde heb ontdekt. We popelen om aan de slag te gaan. Onze tuin kan het niets schelen of we jong of oud zijn, Engels of Hongaars, zolang we er maar voor zorgen. Dankzij de tuin hebben we elkaar gevonden. Voor mij misschien een beetje laat in het leven. Ik vrees dat dit ons kind zal moeten zijn.

Wees blij voor me, Flora. Ik heb zoveel te geven aan allebei. Ik kijk nu met liefdevolle ogen naar de wereld. Het zal niet blijvend zijn, niets in deze wereld is blijvend, maar voorlopig... Kijk nou niet zo ontzet. Ik ben niet opeens gek geworden. Ik ben gelukkig. G.E.L.U.K.K.I.G. Het lijkt wel of je jaloers bent.'

'Maar dat bén ik ook, Iris. Dat zit me juist zo dwars. Ik heb je nooit eerder zo levendig gezien. Het is net of je een deel van jezelf hebt gevonden dat allang begraven lag. Toen je hier vorig jaar met Kerstmis kwam, waren je ogen dood. Wat Frankie ook met jou mag hebben gedaan, hij heeft je al jaren jonger gemaakt, tientallen jaren zelfs, en ik ben groen van jaloezie. Ik zie een meisje voor me, in de eerste gloed van een hartstochtelijke liefde, die zich van de hele wereld en alle conventies niets aantrekt, met alle pijn van ontdekking, verraad en verdriet nog voor zich. Het spijt me dat ik zo cynisch ben. Ik zal er verder niets meer over zeggen.'

'Mooi, ik zou het jammer vinden als we ruzie kregen. Wens me alleen maar veel geluk. Ik weet dat we de kansen tegen ons hebben. Ik leef voor het moment, niet voor wanneer ik zestig ben en hij... wat dan ook. Niemand weet wat de toekomst voor ons in petto heeft.'

'Laat dan maar eens zien wat jullie in die wonderbaarlijke tuin van jullie hebben uitgespookt.' Flora liep naar de deur, ze had haast om van zo'n openhartig gesprek weg te komen. Haar luchtige verandering van onderwerp kon haar verwarring en haar geschoktheid niet verbergen.

'Hier, de stoep op, is project nummer één: de nieuwe groenteperken en een pad. Voor je uit, om de hoek, komt Frankies rotstuin, wat nu nog een modderberg is. Project drie wordt het uitbaggeren van de moeras-vijver en de beek onderaan, evenals het fatsoeneren van de schaduwbor-ders bij de bron. En dan hebben we daar project nummer vier, het op-nieuw inplanten van de boomgaard en het redden van de oude ezel van de Longhall Manor School. O, en Frankies schuur wordt nu studeerka-mer. Hij gaat studeren zodra we een beetje gespaard hebben.'

'Genoeg! Ik ben nu al bekaf! Jullie tweeën hebben projecten voor een heel leven. Ik hoop dat jullie de tijd hebben om dit allemaal in te passen voor een van jullie het loodje legt door al dat gezwoeg. Als je nog stek-jes van The Grange wilt hebben, hoef je er maar om te vragen.' Flora liep naar het hek van het pad door de velden, een kortere weg naar haar huis, langs de beek.

'Bedankt, ik zal je eraan houden.' Iris zwaaide. Alleen de tijd zou we-ten hoe deze tuin zou groeien. Ze huiverde, alsof er iemand over haar graf was gelopen. Er was niets dat de pret van dit alles kon bederven, al het plannen maken, het sjouwen en zwoegen, de voldoening van het schep-pen van een tuin. Dat was toch zeker een van de grootste genoegens in dit leven?

Goedenacht

Het wordt tijd om goedenacht te zeggen tegen Frankie, wiens stof voeding biedt aan de roos 'Compassion', altijd de laatste stop op de ronde. Hij was niet zichtbaar voor het publiek, in het rozenperk, maar weggestopt, altijd dicht bij de hand om tegen te praten, bij de stoep van de keuken.

We hebben nooit zo'n stormachtige relatie gehad, met alleen maar vlammen en geen inhoud. Wij groeiden naar elkaar toe, als een nieuwe ent op een oude onderstam, nietwaar? Iris blijft staan om wat uitgebloeide rozen weg te knippen.

We hadden geen ceremonie nodig om elkaar onze liefde te verklaren. Slechts zeven goede jaren en zeven magere, toen zijn hardnekkige hoest niet over wilde gaan. Niemand had ons ooit verteld over de moordenaar die tabak heet. Ik had als eerste moeten gaan, niet hij. Hoe kan ik deze tuin achterlaten als Frankie er nog steeds is? Ze keert haar gezicht naar het raam boven, waar hij altijd zat, leunend in de kussens, om haar opdrachten voor die dag te geven, te zwak om naar buiten te gaan, met een dapper gezicht toen hij moest sterven. Het was Frankie die haar leerde lijsten te maken en nooit te schoffelen zonder alle zaailingen zorgvuldig te controleren op interessante planten die zichzelf hadden uitgezaaid. 'Je mag nooit gratis cadeautjes afslaan,' grinnikte hij dan.

Hoe kan ik deze tuin achterlaten wanneer die zoveel deel uitmaakt van hem en van mij, van ons? Zolang ik leef, leven we allebei, want een huwelijk tussen twee zielen kan niet eindigen voordat beide partijen zijn gestorven. Het is de beste therapie voor mijn verdriet geweest. Laat ze de boel maar lekker omspitten als ik alleen nog maar geschikt ben als meststof. Ik wed dat er uit alle hoeken en gaten Bagshotts te voorschijn zullen kruipen die hier nog nooit een voet over de drempel hebben gezet, in de hoop een deel van de buit te kunnen bemachtigen. Ik heb met mijn notaris plannen gemaakt om hun gulzige beurzen dicht te naaien. Jammer dat we zelf geen stekjes hadden, maar een nieuwe eeuw zal vers materiaal hierheen brengen. Een nieuwe uitdaging voor een ander.

Wat had ik je graag een kind gegeven, Frankie, maar het was gewoon te laat. Deze tuin is ons kind. Toch zijn er heel wat apenkoppen geweest die in de boomgaard hebben geschommeld en op de ezel hebben gereden, in de vijver hebben gevist en verstoppertje hebben gespeeld in de struiken. Het kroost van James Bowman, de jongens van Peter Nagy en de meisjes van Magda. Weet je nog hoe ze bij al onze reünies binnendromden met tassen vol babyspullen, wandelwagens en reiswiegen, en dat wij hun dan al ons werk lieten zien, als trotse ouders onze tuin presenteerden?

Toen Henry overleed nam James de leiding over S & B Motors op zich. Flora verkocht The Grange en dat is nu een guesthouse. 'Country Sunshine'. Flora en James brachten hun halve tuin naar Friddy's Piece, zodat Iris haar borders ermee vol kon zetten; de *Garrya elliptica*, de *Viburnum farrerii* met zijn gele pompoenen die 's winters heerlijk geuren, de *Kerria japonica*, waarvan de gouden knoppen langs de keukenmuur spruiten – zoveel Salt-herinneringen om te koesteren. Flora komt binnenkort om haar nageslacht te bezoeken.

Deze tuin is een werk van liefde geweest, moeilijk om bij te houden maar uitgemeten in vele levens. En het mijne is nog niet voorbij! Er is nog zoveel te doen, maar voor vanavond is de ronde gebeurd, Frankie. Tijd om Lady binnen te roepen uit het verwilderde gedeelte, maar eerst moet ik deze mededeling op de paal van het hek timmeren. Hij heeft zo ongeveer een gat in mijn zak gebrand. Daarna kan ik rustig slapen.

JUFFROUW BAGSHOTT DEELT MEDE DAT ZIJ NIET VAN PLAN IS HAAR TERREIN TE VERKOPEN. ZE VOELT ZICH UITSTEKEND EN WENST NIET GESTOORD TE WORDEN VÓÓR DE OPEN DAG.

Morgen zou het bord met TE KOOP omlaaggaan.

Iris glimlacht. Dat zou het hart van de tuin goed doen.